Andrea Penrose ist Bestsellerautorin historischer Belletristik, darunter die gefeierte Krimiserie über Wrexford & Sloane. Außerdem hat sie unter den Namen Cara Elliott und Andrea Pickens mehrere Regency-Romane veröffentlicht. Ihre Romane wurden bisher in zehn Sprachen übersetzt. Andrea war dreimalige RITA-Award-Finalistin und erhielt zahlreiche Literaturpreise, darunter zwei Daphne Du Maurier Awards for Historical Mystery und zwei Gold Leaf Awards.

ANDREA PENROSE

DER MÖRDER AM HALF MOON GATE

Erstausgabe August 2021

© 2021 dp Verlag, ein Imprint der dp DIGITAL PUBLISHERS
GmbH

Made in Stuttgart with ♥
Alle Rechte vorbehalten

Der Mörder am Half Moon Gate

ISBN 978-3-96817-533-1
E-Book-ISBN 978-3-96817-972-8

Copyright © 2018 by Andrea DaRif

Titel des englischen Originals: Murder at Half Moon Gate

Published by Arrangement with KENSINGTON PUBLISHING
CORP., NEW YORK, NY 10018 USA

Dieses Werk wurde vermittelt durch die Literarische Agentur
Thomas Schlück GmbH, 30161 Hannover.

Übersetzt von: Tobias Eckerlein
Covergestaltung: Anne Gebhardt
Umschlaggestaltung: ARTC.ore Design
Unter Verwendung von Abbildungen von
shutterstock.com: © Oliver Denker, © brickrena, © Yasonya
periodimages.com: © Maria Chronis, VJ Dunraven Productions
thekilliongroupimages.com: © The Killion Group, Inc.
Korrektorat: Katrin Ulbrich
Satz: dp DIGITAL PUBLISHERS GmbH
Druck und Bindung: Books on Demand GmbH, Norderstedt

An meinen treuen Komplizen

(Du weißt, wer gemeint ist)

„Blut dient nichts als dem Waschen ehrgeiziger Hände."

Lord Byron

Prolog

Ein dichter Nebel zog vom Fluss herauf. Er schlang sich um die Beine des Mannes, als er sich seinen Weg durch den faul riechenden Schlamm bahnte, und stieg empor, wo er die engen, verwinkelten Gassen in einen Schleier hüllte. Der Mann blieb einen Moment lang stehen, um zu beobachten, wie der Dunst durch die Dunkelheit geisterte.

Gänsehaut überkam ihn.

Er starrte in die Finsternis und versuchte, die schmiedeeisernen Bögen von Half Moon Gate zu finden. Doch vor ihm lagen nichts als schwarze Schatten.

Er kannte sich in London nicht aus und musste die Anweisungen durcheinandergebracht haben. Vom Red Lion Square aus war er dreimal - oder viermal? - abgebogen und hatte sich plötzlich in einem Labyrinth aus dunklen Gassen verirrt. Gedrängte Lagerhäuser, schief und schmutzig, reihten sich entlang der krummen Straßen aneinander, während die mit Brettern verschlagenen Häuser der Elendsviertel in schiefen Winkeln emporstiegen und nichts als einen winzigen Spalt Himmel offenließen. Ein Blick nach oben offenbarte einen schwachen Schimmer des Mondlichtes, das zwischen den ausladenden Dächern Versteck spielte.

„Logik", murmelte er. „Es gibt kein Rätsel, das nicht durch Logik gelöst werden kann." Er drehte sich langsam im Kreis herum und versuchte, sich zurechtzufinden.

Links, beschloss er. Nach links abzubiegen, würde ihn wieder zu den gepflasterten Straßen des Platzes zurückbringen, wo er von vorn beginnen konnte.

Mit der Überzeugung, schon bald einen Lichtschimmer zu sehen, machte er sich auf den Weg. Doch stattdessen schienen sich die Schatten zu verdunkeln und näherzukommen. Er versuchte, ruhig durchzuatmen, doch der Gestank ließ ihn würgen.

„Logik", rief er sich ins Gedächtnis. Noch ein oder zweimal abbiegen und er würde ...

Plötzlich blieb er stehen und das Scharren von Schritten hinter ihm verstummte. Allerdings nicht schnell genug. Den Gesetzen der Physik nach zu urteilen, konnte es kein Echo gewesen sein.

„Wer ist da?", rief er scharf. Seine Frau hatte ihn gewarnt, die Nachricht zu ignorieren, in der man ihn um ein Treffen gebeten hatte. Er hatte vorgehabt, auf sie zu hören, doch den zweiten Brief hatte er nicht ignorieren können. So viel hing davon ab, die richtige Entscheidung zu treffen ...

Keine Antwort außer dem Knarren von rostigem Metall, das im Wind schaukelte.

Er verfluchte sich selbst dafür, so schreckhaft zu sein. Die schiefen Wände und Dächer verzerrten die Geräusche, das war alles. Er ging weiter, bog nach links ab, dann nach rechts und dann wieder nach links, und wurde das Gefühl nicht los, im Kreis zu laufen. Nicht einmal ein kleines Flimmern weit und breit. Die Schatten wurden immer dunkler.

Aus dem Nichts ertönte ein leises, krächzendes Lachen.

Er beschleunigte seine Schritte.

Ruhig, ruhig, beschwichtigte er sich selbst. Er sollte den Platz jeden Moment erreichen.

Doch seine Stiefel schienen ein Eigenleben zu führen. *Schneller, schneller ...* Hinter ihm schien das Echo aufzuholen. Es kam von rechts – er musste nach links!

Rutschend und stolpernd verlor er den Halt, als er um die Ecke eines verlassenen Lagerhauses bog, und prallte gegen den rußschwarzen Klinker. Schmerz durchfuhr seine Schulter.

„Teufel noch eins." Er lehnte sich mit dem Rücken gegen die Wand und atmete zittrig ein. Kein gebildeter, intelligenter Mann der Wissenschaft sollte sich von nichtexistierenden Gespenstern erschrecken lassen. Logik ...

Doch entgegen aller Logik wurden die Schritte lauter. Und dann dröhnte eine spottende Stimme durch die Schatten.

„Sie mögen im Labor über brillante Fähigkeiten verfügen, doch hier in der Gosse helfen Ihnen keine ausgefallenen Formeln, Mr. Ashton."

Ashton stieß sich von der Wand ab und begann zu rennen, so schnell er nur konnte.

In was für eine gottverlassene Hölle hatte er sich hier nur begeben?

Vor ihm ragte eine Wand aus der Dunkelheit hervor. Er zögerte einen Augenblick lang, doch dann trieb ihn der Klang der Verfolgung wieder nach links. Nachdem er ein weiteres Mal nach links abgebogen war, versuchte er, zusätzlich an Geschwindigkeit zu gewinnen, doch er rutschte aus und verlor das Gleichgewicht.

Er schlug auf dem Boden auf, rollte sich durch den Matsch und war schon wieder halb auf den Beinen, als eine Hand – gehüllt in einen Handschuh so schwarz wie Luzifer – hervorschoss und ihn am Kragen packte. Sein Angreifer schleuderte ihn herum und beförderte ihn gegen das Eisentor.

Instinktiv hob er seinen Arm, um den Schlag in Richtung seines Schädels zu parieren. Sein Angreifer wich zurück und Ashton hörte das leise Flüstern von Stahl auf Leder, als ein Messer seine Scheide verließ.

Er war nicht mehr jung, doch er hatte den Großteil seines Lebens damit verbracht, Eisen mit Hammer und Meißel zu bearbeiten. Seine Arme waren noch immer muskulös, seine Hände noch immer stark. Er hatte nicht die Absicht, kampflos aufzugeben.

Er warf sich mit all seinem Gewicht zur Seite und befreite sich von dem Griff des Mannes, bevor er einen harten Schlag austeilte. Er fand eine finstere Befriedigung darin, wie seine breiten Knöchel mit einem Knacken den Schädel des anderen Mannes trafen.

Ein schmerzerfülltes Stöhnen, ein derber Fluch. Sein Angreifer ließ das Messer von Hand zu Hand wandern, während er einen Schritt zurückwich, bevor er, jetzt vorsichtiger, erneut auf ihn zuging. Der Mond war wieder durch die Wolken gebrochen und ließ einen Hauch Licht auf die schmale Gasse scheinen. Es blitzte über den geschärften Stahl in der Hand seines Angreifers.

Ashton fischte seinen Geldbeutel heraus und warf ihn auf den Boden. „Hier, nehmen Sie mein Geld. Das ist alles, was ich an Wertsachen bei mir trage."

Sein Angreifer brach in gemeines Gelächter aus. Eine Maske verbarg sein Gesicht, doch ein bösartiges Funkeln wich durch die Augenschlitze in der Seide.

„Ich will kein Geld. Ich will die Zeichnungen."

Wie konnte ein einfacher Straßenräuber von den Zeichnungen wissen? „W-welche Zeichnungen?", stammelte er.

Die Antwort folgte in Form von einigen blitzschnellen Finten mit der Klinge, die Ashton zurück gegen die unnachgiebigen Eisenstangen trieben. Er war jetzt in dem schmalen, versperrten Einlass zwischen zwei Lagerhäusern gefangen. Verzweifelt führte er einen Tritt aus, doch der Mann mit dem finsteren Blick war flink wie eine Schlange. Er wich aus und rammte Ashton sein Knie in die Leiste.

„Ich bin es leid, Katz und Maus mit Ihnen zu spielen."

„Ich habe keine ...", keuchte Ashton.

Doch ein heftiger Schlag mit dem Ellbogen gegen seine Kehle zerquetschte seine Luftröhre, bevor er weiterreden konnte.

Nein, nein, nein, formte er in stiller Qual mit seinen Lippen. Lieber Gott – nicht jetzt! Nicht jetzt, wo seine bedeutsame Entdeckung im Begriff war, die Welt zu verändern.

„Bitte, lassen Sie mich leben", schaffte er zu flüstern.

„Sie leben lassen?" Das Messer durchdrang das Fleisch zwischen Ashtons Rippen. „Ich befürchte, das wird nicht möglich sein."

Er spürte keinen Schmerz, nur ein merkwürdiges Kribbeln. *Wie eigenartig,* dachte er. Dampf war stets so angenehm warm, doch der silbrige Dunst, der seine Wangen streichelte, war so kalt wie des Teufels Herz.

„Sie müssen wissen, Mr. Ashton, Sie leben zu lassen, würde alles ruinieren."

Der Mann mit dem finsteren Blick ließ den leblosen Körper auf den Boden sacken. Ein Durchsuchen von Ashtons Taschen brachte nichts als einen Bleistiftstummel, eine Rolle Schnur und ein Stück Draht zum Vorschein. Er fluchte leise und öffnete den Mantel des Toten, um das Futter mit dem noch immer blutigen Messer aufzuschlitzen.

Nichts.

Hosen, Stiefel, Strümpfe - die Klinge schnitt durch die Kleidung, doch es war kein gottverdammtes Papier zu finden.

Als die Fassungslosigkeit der Wut wich, schlitzte der Mann mit dem finsteren Blick eine Reihe klaffender Schnitte in das blasse Fleisch von Ashtons entblößtem Bauch.

„Verdammt sollst du sein! Wo sind sie?"

Kapitel 1

„Wie kommt es, dass *ich* nie gewinne, wenn wir Karten oder Würfel spielen, Wrex?" Christopher Sheffield trat einen Haufen verrottenden Kohl beiseite, bevor er durch einen tiefen Torbogen hindurch vorausging. „Während *Sie* die Spielhöllen immer mit vollgestopften Taschen verlassen." Er seufzte schwermütig. „Es widerspricht jeglicher Logik."

Der Graf von Wrexford zog verdutzt eine Augenbraue hoch. „Und dass *Sie* das Wort ‚Logik' in den Mund nehmen, widerspricht jeglicher Vernunft."

„Kein Grund, sarkastisch zu werden", grummelte Sheffield.

„Also gut. Wenn Ihre Frage wirklich mehr als nur rhetorisch gemeint war, ist die Antwort, dass ich die Karten aufmerksam beobachte und meine Chancen kalkuliere." Er ging um ein kaputtes Fass herum. „Versuchen Sie es mit Denken, Kit. Und Zählen."

„Höhere Mathematik überfordert mein erbärmliches Hirn", erwiderte sein Freund.

„Warum spielen Sie dann?"

„Ich bin der Überzeugung gewesen, man müsste nicht schlau sein, um zu spielen", protestierte Sheffield. „Hat dieser Pascal – und sein Freund Fermat – nicht Anschauungen über Risiko und Wahrscheinlichkeit formuliert? Ich dachte, die Chancen ständen ungefähr fünfzig-fünfzig, dass ich gewinne, wenn ich ganz einfach blindspiele." Er verzog reumütig das Gesicht. „Teufel nochmal, nach *dieser* Rechnung müsste ich schon bald ein Vermögen gewinnen."

„Sie schliefen also doch nicht während der Vorlesungen in Oxford?", sagte Wrexford trocken.

„Es war lediglich ein Dösen." Eine Pause. „Womöglich hatte ich aber auch einen im Tee. Aberdeen war äußerst großzügig was seinen Vorrat an feinem Brandy anging."

„Wo wir gerade von Brandy sprechen", murmelte der Graf, als er sah, wie sein Freund taumelte und beinahe auf seinem Hintern landete. „Sie trinken in letzter Zeit zu viel."

„Teufelszahn, seit wann sind Sie denn so ein Langweiler?"

„Seit Sie mich in diesen faulig stinkenden Sumpf von einer Gasse gebracht haben", konterte er. Seine eigenen Gedanken waren durch Alkohol ein wenig benebelt und er erschrak, als er ausrutschte und beinahe sein Gleichgewicht verlor. „Sagen Sie, warum nehmen wir die Route durch Half Moon Gate? Tyler wird mir die Hölle heiß machen, wenn er meine mit diesem scheußlichen Mist verdreckten Stiefel sieht."

„Gott bewahre, dass wir Ihren Kammerdiener verärgern." Sheffield verzog das Gesicht. „Wissen Sie, allmählich glaube ich, Sie sind kein guter Pokulier-Kumpan."

Wrexford blieb stehen, als sich die Gasse in drei verwinkelte Gänge gabelte. „Wo lang?"

„Der mittlere", sagte Sheffield, ohne zu zögern. „Und um Ihre Frage zu beantworten, warum wir hier entlanggehen: Das hat zwei Gründe. Dieser Weg ist erstens viel kürzer als über die Hauptstraße zu gehen." Er stöhnte, als er erneut ausrutschte. „Viel wichtiger ist jedoch die Tatsache, dass hier die Chance besteht, einem

14

Straßenräuber zu begegnen, und dank meiner jüngsten Verluste an den Kartentischen, bin ich in der Laune jemanden zu einem blutigen Brei zu prügeln."

Der Graf hielt sich mit seinem Kommentar taktvoll zurück. Wie viele andere jüngere Söhne adliger Familien, war sein Freund in einer verdammt schwierigen Situation gefangen. Der Erbfolger und Erstgeborene erhielt meist ein beträchtliches Taschengeld – und wenn nicht, waren Geschäftsmänner bereit, einen großzügigen Kredit zu gewähren. Diejenigen jedoch, die nach ihnen kamen, unterlagen der finanziellen Kontrolle der Eltern. Sheffields Vater war allerdings ein notorischer Geizkragen, der ihm ein mickriges Taschengeld zahlte.

Um es ihm heimzuzahlen, benahm sich Sheffield daneben, ein Teufelskreis, der niemandem diente.

Es war eine Schande, grübelte Wrexford, denn Kit war scharfsinnig, wenn er gezwungen war, sein Hirn benutzen. Er war eine große Hilfe gewesen, als sie vor einigen Monaten ein kompliziertes Verbrechen aufgedeckt hatten ...

„Hat Mrs. Sloane beschlossen, in einen anderen Stadtteil zu ziehen?", fragte sein Freund und wechselte damit abrupt das Thema.

„Als ich ihr das letzte Mal einen Besuch abgestattet habe, hat sie nichts dergleichen erwähnt", antwortete er.

Sheffield warf ihm einen verwunderten Blick zu. „Sie haben nicht gefragt?"

Das Schmatzen ihrer Schritte erfüllte die Luft. Wrexford sagte absichtlich nichts.

„Wie auch immer", murrte sein Freund.

Charlotte Sloane. Ein plötzliches Stolpern ließ die Luft ruckartig aus seinen Lungen entweichen. Es war ein Thema, über das er nicht diskutieren wollte, vor allem, da das Pulsieren in seinem Hinterkopf allmählich schlimmer wurde.

Der grausame Mord an einem führenden religiösen Eiferer hatte sie zusammengeführt, ein Verbrechen, für das er der Hauptverdächtige gewesen war. *Geheimnisse wanden sich um Geheimnisse* - eines der etwas überraschenderen war gewesen, dass der berüchtigte A.J. Quill, Londons führender Karikaturist, eine Frau war. Die Umstände hatten dazu geführt, dass er und Charlotte ihre Kräfte vereint hatten, um einen teuflischen Plan aufzudecken und den wahren Schuldigen zu enttarnen.

Aus anfänglichem Misstrauen war vorsichtige Kollaboration geworden, die sich letztlich zu einer Freundschaft entwickelt hatte – obwohl das, dachte Wrexford, ein zu simples Wort war, um den Bund zwischen ihnen zu beschreiben.

Chemie. Als Experte der Wissenschaft konnte Wrexford in sachlichem Detail beschreiben, wie die Kombination ihrer besonderen Talente eine heftige Reaktion hervorzurufen schien. Allerdings lebten sie in unterschiedlichen Welten und bewegten sich in völlig verschiedenen Kreisen Londons. Reich und arm. Ein Adliger und ein Niemand. Nachdem sie das Verbrechen aufgeklärt hatten, hatte Charlotte deutlich gemacht, dass sich besagte Kreise aller Wahrscheinlichkeit nach nicht noch einmal überschneiden würden.

Entgegen ihrer Annahme hatte er ihr gelegentlich einen Besuch in ihrem bescheidenen Heim abgestattet –

der Freundschaft halber -, um sich zu vergewissern, dass sie und die zwei verwaisten Gassenkinder, die sie unter ihre Fittiche genommen hatte, nicht in Schwierigkeiten steckten, nachdem sie geholfen hatten, seine Unschuld zu beweisen. Doch in Anbetracht seines Rufes, ein kaltherziger Bastard zu sein, brauchte Sheffield davon nichts zu erfahren ...

„Hier müssen wir wieder abbiegen."

Sheffields Gemurmel riss Wrexford aus seinen Gedanken.

„Passen Sie auf Ihren Kopf auf", fügte sein Freund hinzu, als sie sich durch eine Lücke zwischen den zwei baufälligen Gebäuden quetschten. „Da ist ein Dachbalken abgebrochen."

Die Gasse weitete sich und ermöglichte es ihnen wieder, Seite an Seite zu gehen.

Wrexford verzog das Gesicht als ein besonders abstoßender Geruch aufstieg, um seine Nasenlöcher zu überfallen. „Sollten Sie mich das nächste Mal dabeihaben wollen, wenn Sie Ihr Glück an den Kartentischen herausfordern, schlage ich vor, wir wählen einen zivilisierteren Ort als das Wolf's Lair. Ich habe wirklich keine Lust ..." Er verstummte plötzlich, als er eine abrupte Bewegung in den Schatten vor ihnen wahrnahm.

Er hörte ein Fluchen und das Geräusch einer nicht zu sehenden Person, die aufsprang und davonrannte.

„Worauf haben Sie keine Lust?", fragte Sheffield, der stehengeblieben war, um sich einen Stummel anzuzünden.

„Zünden Sie noch ein Streichholz an und geben Sie es mir", forderte Wrexford. „Schnell!"

Sheffield tauchte einen kleinen Stab, dessen Spitze mit Phosphor ummantelt war, in ein winziges Fläschchen mit Salpetersäure und entzündete so eine Flamme.

Wrexford nahm ihn und näherte sich der Ecke eines geziegelten Lagerhauses. Er bückte sich und sah, was die knisternde Flamme vor ihm im Schlamm zum Vorschein brachte, und stieß einen entnervten Seufzer aus.

„Ich habe wirklich keine Lust, schon wieder eine Leiche zu finden."

Charlotte legte ihren Stift beiseite und nahm einen spitzen Rotmarderpinsel zur Hand, um einige blutrote Pinselstriche zu ihrer Zeichnung hinzuzufügen.

Mann gegen Maschine. Ihre neueste Karikaturreihe hatte sich als äußerst beliebt erwiesen. Gott sei Dank, denn in letzter Zeit hatte es keinen spektakulären Mord oder einen schwerwiegenden königlichen Skandal gegeben, mit dem sie das lüsterne Interesse der Gesellschaft hätte wecken können. Als A.J. Quill, Londons berühmtester Quälgeist, verdiente sie ihren Lebensunterhalt damit, die Schönen und Reichen zur Rechenschaft zu ziehen, sowie die Missstände der unteren Gesellschaftsschicht anzuprangern.

Ruhe und Frieden brachten ihr kein Geld ein.

Charlotte seufzte leise. Finanzielle Probleme hatten sie dazu gezwungen, die Identität ihres verstorbenen Ehemannes als der berüchtigte A.J. Quill zu übernehmen, und sie war verdammt gut darin. Sie würde ihr Einkommen jedoch im Handumdrehen verlieren, würde bekannt werden, dass eine Frau die Feder führte. Sie wusste nur zu gut, dass kein Geheimnis, sei es noch so gut gehütet, jemals sicher war. Doch eine der hart erkämpften Fähigkeiten, die sie über die letzten Jahre hinweg erlernt hatte, war die Kunst des Überlebens.

Sie verdrängte derartige Ablenkungen und wandte sich wieder ihrer Zeichnung zu. Der jüngste Aufruhr vor den nördlichen Textilfabriken hatte in der Nation einen Nerv getroffen. Es gab eine hitzige Debatte darüber, ob die Dampfkraft bald die Handarbeit ersetzen würde. Viele Menschen feierten die neue Technologie.

Und viele fürchteten sie.

Charlotte lehnte sich auf ihrem Stuhl zurück, um den gewaltsamen Zusammenstoß zwischen Arbeitern und der örtlichen Milizarmee zu betrachten, den sie kreiert hatte. Die Figuren balancierten unsicher auf den dunklen Eisenkolben eines monströsen, Dampf speienden Motors.

Wir alle sind Gewohnheitstiere, grübelte sie. Wie schrecklich es auch immer sein mochte, das Bekannte war besser als das Unbekannte.

Der Gedanke ließ sie schief lächeln. Sie schien eine dieser außergewöhnlichen Seelen zu sein, die getrieben waren, über die Grenzen des Konventionellen hinaus zu forschen.

„Nicht, dass ich irgendeine Wahl gehabt hätte", raunte sie.

Für den Anfang vielleicht nicht. Doch Ehrlichkeit verleitete sie dazu, sich einzugestehen, dass die Herausforderungen, so einschüchternd sie auch sein mochten, das waren, was der faden Eintönigkeit des alltäglichen Lebens eine gewisse Würze verliehen.

Charlotte hob ihren Blick und ließ ihn über die halbgepackten Kisten wandern, die in dem Zimmer verteilt waren, und wurde wieder einmal an das aktuelle Thema ihrer Kunst erinnert.

Veränderung.

„Veränderung ist gut", redete sie sich ein. Nur einfallslose Geister sahen sie als etwas Angsteinflößendes.

Doch bei dem Anblick all ihrer irdischen Besitztümer - eine ziemlich bescheidene Ansammlung von Krimskrams -, die in ungeordneten Haufen herumlagen, konnte sie nicht anders, als einen Anflug von Beklemmung zu verspüren.

Über mehrere Monate hinweg hatte sie mit dem Gedanken gerungen, aus ihrem winzigen Quartier am Rande des Elendesviertels St. Giles auszuziehen, um sich etwas Neues in einer respektableren Nachbarschaft zu suchen. Vor einer Woche hatte sie endlich einen Entschluss gefasst und sich mit der Hilfe eines engen Freundes ein bescheidenes Haus in der Buckridge Street nahe Bedford Square gemietet.

Ihre Kunst brachte mittlerweile ein ansehnliches Einkommen von Fores Druckerei ein. Und zusammen mit dem unerwarteten Geldsegen durch die Zusammenarbeit mit Lord Wrexford ...

Charlotte atmete langsam aus. Sie war sich noch nicht ganz im Klaren darüber, wie sie sich damit fühlen sollte, das Geld des Grafen angenommen zu haben. Ja, sie hatte sich jeden einzelnen Penny davon verdient. Und doch ...

Bettler können nicht wählerisch sein. Sie ließ ihre Zweifel mit einem alten Sprichwort verstummen.

All diese entzückenden, goldenen Guineen würden Raven und Hawk, den zwei Straßenkindern, die sie unter ihre Fittiche genommen hatte, die Chance geben, sich zu bessern. Grundlegende Bildung, anständige Kleidung, Zugang zu einer Welt außerhalb der schäbigen Gassen, in denen man sie zurückgelassen hatte.

Sie stand auf, wickelte ihre fertige Zeichnung in ein Stück Öltuch und steckte die Enden vorsichtig hinein, um sie für die Auslieferung an die Kupferstecher vorzubereiten. Die Uhr auf dem grobgezimmerten Tisch verriet ihr, dass es bereits nach Mitternacht war.

Die Jungen waren noch nicht von ihrem nächtlichen Umherstreifen zurückgekehrt, doch Charlotte versuchte, sich keine Sorgen zu machen. Von dem Moment an, als sie sie in ihrem Eingangsbereich gefunden hatte, wo sie Unterschlupf gesucht hatten, gab es ein unausgesprochenes Verständnis darüber, dass sie kommen und gehen konnten, wann sie wollten. Sie tat ihr Bestes, um dafür zu sorgen, dass sie mehr als nur stibitzte Essensreste zu essen und etwas Besseres als zerfetzte Lumpen zum Tragen hatten. Sie waren sehr gerissen und clever, und unter ihrer Anleitung hatten sie gelernt zu lesen und zu schreiben ...

Es gab jedoch Momente, da glaubte sie, ein ungebändigtes Funkeln in den Tiefen ihrer Augen zu erkennen. Eine erbitterte Unabhängigkeit, eine elementare Skepsis, die sich nicht zähmen lassen würde.

Was, wenn sie die Vorstellung eines schöneren Hauses und anständiger Bildung hassten?

Was, wenn ...

Waswennwaswennwaswenn ...

Charlotte streckte ihren Rücken und tat derartige Gedanken mit einem selbstspöttischen Schnaufen ab. Teufel noch eins, hätte sie einen Penny für jedes Mal, als sie sich über die Konsequenzen einer Entscheidung das Hirn zermartert hatte, wäre sie so reich wie Krösus.

Sie war immer ehrlich und direkt mit ihnen gewesen und hatte sich ihr Vertrauen verdient. Anders als John Dee, Queen Elizabeths legendärer Weissager und Spion, besaß sie keine magische Glaskugel, in der sie die Zukunft sehen konnte. Sie konnte lediglich versuchen, mit der Gegenwart klarzukommen.

Und in diesem Moment verlangte die Gegenwart nach einer Tasse Tee. Glücklicherweise konnte sie sich jetzt den Luxus leisten, ihn mit einem Löffel Zucker zu süßen.

Ein scharfes Zischen entwich zwischen Sheffields Zähnen, als er sich über Wrexfords Schulter lehnte.

„Ist er tot?"

„Ja." Wrexford hatte nach einem Puls gefühlt, auch wenn die drei Stichwunden in der linken Brust ahnen ließen, dass das Opfer nicht mehr am Leben sein konnte. Hockend begutachtete er die Brutalität des Angriffes – die zerrissene Kleidung, die aufgeschlitzten Stiefel, den verstümmelten Bauch des toten Mannes.

„Hölle noch eins", murmelte sein Freund, während er dabei war, ein weiteres Streichholz anzuzünden. Das Flackern der Flamme offenbarte, dass jegliche Farbe aus dem Gesicht des Mannes gewichen war.

„Des Teufels Werk", stimmte er zu.

Sheffield schluckte schwer. „Ein erschreckend brutaler Angriff, selbst für diese Gegend der Stadt." Das

Genick des Mannes war gebrochen und ein Messerschnitt hatte sein Gesicht übel entstellt.

Der Graf hob die Hände des Mannes hoch und untersuchte die breiten Knöchel. Ihm fielen die Abschürfungen und Schwellungen auf. „Sieht nach einem Kampf aus."

„Das erklärt die Verletzungen des Opfers." Sheffield wandte seinen Blick ab. „Der Räuber muss panisch geworden sein, weil er nicht mit Gegenwehr gerechnet hatte."

„Womöglich." Wrexford runzelte die Stirn. Er hatte das Gefühl, dass mehr hinter dieser Auseinandersetzung steckte als man auf Anhieb erkennen konnte. „Das erklärt jedoch nicht die zerschnittene Kleidung oder die Stiche, die ihm zugefügt wurden, als er bereits tot war ..."

„Woher zum Teufel wissen Sie das?"

„Die Schnitte an seinem Bauch haben kaum geblutet, was darauf hindeutet, dass sein Herz bereits aufgehört hatte, zu schlagen."

Sheffield sah allmählich etwas grün um die Nase herum aus.

„Straßenräuber schlagen aus pragmatischen Gründen zu", sinnierte der Graf, sowohl an seinen Freund gerichtet als auch an sich selbst. „Sie wollen Geld und Wertsachen – von denen sie glauben, sie befänden sich in Taschen oder an Fingern. Sie verschwenden keine Zeit damit, die Nähte zu öffnen oder ihre Opfer zu verstümmeln. Es sei denn ..." Er warf einen genaueren Blick auf das zerrissene Innenfutter des Mantels und fuhr mit der Hand zwischen der Wolle und dem Satin entlang.

„Es sei denn, der Angreifer hat gewusst, dass dieser Kerl etwas Besonderes an seinem Körper versteckt hat", sagte Sheffield.

„Das wäre eine Möglichkeit", gestand Wrexford seinem Freund zu, „doch angesichts der Anzeichen blinder Wut, war es wahrscheinlich etwas Persönliches. Womöglich Betrug oder ein gescheitertes Geschäft."

Sein Freund schien nicht überzeugt. „Aber seiner Kleidung – oder dem, was davon übrig ist – nach zu urteilen, war der Tote ein Mann von hohem Stand, ein Gentleman."

Wrexford zog eine Augenbraue hoch, während er mit der Untersuchung des Mantels fortfuhr. „Soll das heißen, ein Gentleman ist niemals in eine schmutzige Sache involviert?"

Ein frisches Streichholz fing Sheffields verzogenes Gesicht ein. „Guter Punkt."

Er nickte geistesabwesend. Ein kleines Etikett des Schneiders, das diskret in den Kragen genäht worden war, hatte seine Aufmerksamkeit erregt. Es schien, als käme das Opfer aus Leeds. Was die zusätzliche Frage aufwarf, warum er in einem der gefährlichsten Elendsviertel Londons ermordet worden war. Jemand, der nicht von hier war, stolperte nicht einfach so durch Zufall in diese übelriechenden Gassen hinein ...

Als der stinkende Schlamm durch seine eigenen Stiefel zu sickern begann, beendete er das Rätselraten mit einem Schulterzucken. Was auch immer der Grund gewesen war, der den Unbekannten hierhergeführt hatte, sollte nicht seine Sorge sein. Er bedeckte das schmerzverzerrte Gesicht des Toten mit dem, was von seinem Mantel noch übrig war, und stand auf.

„Hier gibt es nichts weiter für uns zu tun. Wir sollten einen Wachmann am Red Lion Square suchen und ihn über das Verbrechen informieren." Er pausierte. „Vorausgesetzt, Sie kennen den Weg aus diesem verfluchten Labyrinth."

„Hier entlang", sagte sein Freund und zeigte auf den Durchgang zu ihrer Linken.

Als sie sich umdrehten, entdeckte der Graf zwei geisterhafte Gestalten, schwarz auf schwarz, in den Schatten.

„Die Wiesel", raunte er.

„Wo?", fragte Sheffield. „Ich sehe nichts."

„Kein Wunder." Sie waren bereits in der Dunkelheit verschwunden. „Sie sind flüchtiger als Quecksilber."

Einen Augenblick später schossen zwei Jungen aus den Nebelschwaden auf der anderen Seite der Gasse hervor.

„Ey", krähte der ältere der beiden. „Schon wieder 'ne Leiche, Mylord?"

„Du solltest nicht so unverschämt sein, wenn du mit Älteren sprichst", entgegnete Wrexford.

Kichern folgte auf seine Ermahnung. Anders als die Beau Monde hatte sein Titel auf die Wiesel keine einschüchternde Wirkung.

Der jüngere der beiden Jungen grinste. „Mir kommt ein neuer Fahn." Er führte seine Hand an die Unterlippe – vielleicht war es auch eine Pfote, sie war zu schmuddelig, um sich sicher sein zu können. „Woll'n Fie mal feh'n?"

„Gütiger Gott – steck dir diesen Finger bloß nicht in den Mund", antwortete er. „Du holst dir noch die Pest."

Der ältere Junge – dessen Name Raven lautete, obwohl der Graf vorgab, seinen Namen nicht zu kennen – gab ein unanständiges Geräusch von sich. „Unser Lehrer, Mr. Keating, sagt, dass es in London seit 1665 keinen Fall der Pest mehr gegeben hat."

„Das mag sein, aber diesen widerlichen Schlamm in den Mund zu nehmen könnte das ändern."

Hawk – wie sein Bruder hatte auch er einen aviären Spitznamen – nahm gehorsam seine Hand herunter.

Raven zögerte und richtete seine Aufmerksamkeit dann wieder auf die Leiche. Er überquerte den Gehweg und beugte sich über sie, um einen näheren Blick zu erhaschen. „Woah, das ist verdammt üble Klingenarbeit."

„Ist schließlich ein übles Viertel von St. Giles", antwortete Wrexford. Es gab keinen Grund, die Dinge schönzureden. Die Brüder waren inmitten der brutalen Realitäten des Lebens in der Gosse aufgewachsen. In der Hoffnung, weiteren Fragen vorzubeugen, fügte er hinzu: „Was die Frage aufwirft, was ihr Wiesel hier zu so später Stunde verloren habt."

Raven ignorierte die Frage. „Seltsam, dass seine Klamotten so zerfetzt wurden", grübelte er.

„Nicht, wenn ein Dieb geglaubt hat, dass er von seinem Partner übers Ohr gehauen wurde", sagte der Graf. „Ich vermute, es war eine Auseinandersetzung über Geld, die hässlich geworden ist."

„Ich denke, das ergibt Sinn", gestand ihm der Junge zu.

„Werden Sie den Mörder finden?", fragte Hawk.

„Auf gar keinen Fall. Ich habe beschlossen, die Verbrechensaufklärung den zuständigen Behörden zu überlassen", antwortete er entschlossen. Die Jungen hatten ihren Teil – einen viel zu großen - dazu beigetragen, den Mörder des Pfarrers Holworthy zu schnappen, und er wollte sich nicht ausmalen, dass sich das noch einmal wiederholen könnte. „Wie es sich für jeden gesetzestreuen Bürger gehört, werde ich die Nachtwache alarmieren. Und dann werde ich mein Bett aufsuchen und den Schlaf der Unschuldigen schlafen."

Obwohl er wusste, dass es keinen Zweck hatte, machte er einen Schritt zur Seite, um dem Jungen die Sicht auf den verstümmelten Torso zu versperren. „Ich schlage vor, ihr beide verschwindet und tut es mir gleich."

Die Jungen starrten weiterhin die Leiche an.

„Es ist bloß ein gewöhnlicher Mord, einer von vielen, die womöglich heute Nacht in der Stadt begangen worden sind", murmelte er. Als könnte ein genommenes Menschenleben, so unerfüllt es auch sein mochte, je als etwas bedeutungsloses abgetan werden. „Nicht nötig, sich die schrecklichen Details einzuprägen. Hier gibt es nichts, was für Mrs. Sloane von Interesse sein könnte."

Raven nickte und drehte sich langsam um. „Aye. Mylady sagt, dass ihre Fertigkeiten nicht gebraucht werden, um der Öffentlichkeit von den hässlichen Wahrheiten ihres alltäglichen Lebens zu erzählen. Sie glaubt, ihre Feder eignet sich viel besser dazu, das Böse in der Gesellschaft aufzuzeigen, das verändert werden kann."

Die Feder ist mächtiger als das Schwert. Es stimmte, dass Charlottes Zeichnungen scharf waren wie ein Rapier. Und die Tatsache, dass sie zielsicher ins Herz der Probleme, mit dem sich das Land konfrontiert sah, oder

der Heuchlerei der Herrschaftsklasse stach, war elementar für ihre Popularität.

Resolute Tapferkeit und stolze Prinzipien – eine der gefährlichsten Kombinationen, die man sich nur vorstellen konnte.

Wrexford unterdrückte ein betrübtes Seufzen, während er zusah, wie die Jungen in der nebligen Dunkelheit verschwanden. Das Pochen in seinem Kopf fühlte sich mittlerweile so an, als bohrte sich ein Nagel durch seinen Schädel. „Kommen Sie, Kit, lassen Sie uns …"

„Hallo!" Der Schein einer Laterne und ein lauter Zuruf unterbrachen ihn. „Wer da?"

„Ah, hervorragend. Da kommt auch schon die Nachtwache. Wir können ihm die Sache überlassen und diese verflixte Angelegenheit hinter uns lassen."

Kapitel 2

Wrexford nahm vorsichtig am Frühstückstisch Platz und warf einen zusammengekniffenen Blick auf die gekuppelten Fenster, die Blick auf die hinteren Gärten gewährten. Schlaf hatte den Auswirkungen des gestrigen Abends keine Abhilfe getan. In der Nacht war das Pulsieren in seinem Schädel zu einem dumpfen Schmerz geworden, dessen unablässige Tentakel jetzt bis in seine Magengrube reichten.

Der Diener, der an der Anrichte stand, schlich auf Zehenspitzen über den Teppich und zog leise die Vorhänge zu, um das gleißende Sonnenlicht abzuschirmen. Wie der Rest der Dienerschaft des Stadthauses, war auch er gut darin ausgebildet, die sprunghaften Launen seines Dienstherren zu erkennen.

„Tee und Toast, Mylord?", fragte er mit leiser, beschwichtigender Stimme.

Der Graf antwortete mit einem kaum wahrnehmbaren Nicken, doch selbst das ließ ihn vor Schmerz zusammenzucken. „Und bitten Sie Tyler, um die Vorbereitung seines ...“

„Seines speziellen Haar-des-Hundes-Tranks", beendete sein Kammerdiener den Satz, der in diesem Moment auf der Türschwelle erschien, in der Hand ein großes, mit einer abscheulich grünen Flüssigkeit gefülltes Kristallglas. Er ging um den Tisch herum und schnalzte tadelnd mit der Zunge. „Jeder weiß, dass die Kombination aus Brandy, Champagner und schottischem Malt Whisky des Teufels eigene Rezeptur für einen höllischen Kater am nächsten Morgen ist."

„Danke für die kurze Unterrichtsstunde in grundlegender Chemie", sagte Wrexford gereizt.

„Gerade Sie sollten wissen, was passieren kann, wenn man flüchtige Substanzen zusammenmischt, ohne auf Abmessungen und zeitliche Vorgaben zu achten."

Innerhalb Londons wissenschaftlicher Kreise, gehörte der Graf zu den führenden Experten der Chemie. Eine Tatsache, die oft von seinem aufbrausenden Verhalten überschattet wurde. Sein bissiger Sarkasmus und die unverfrorene Missachtung der gesellschaftlichen Regeln – gepaart mit seinem berüchtigten, überschäumenden Gemüt - hatten ihm kürzlich eine Schlagzeile im Skandalblatt der Stadt eingebracht.

„Geben Sie mir das verdammte Glas", murrte Wrexford. Er nahm einen kleinen Schluck und verzog das Gesicht. „Ist da etwa ein extra Schuss Pferdepisse drin?"

„Und zwei Prisen Schafsdung", entgegnete Tyler, der mit den Sticheleien des Grafen bereits gut vertraut war. Er zog verwundert eine Augenbraue hoch. „Sie sind aus der Übung, Mylord. Was nichts Gutes erahnen lässt, wenn Sie in den kommenden Wochen vorhaben sollten, wieder mit Mr. Sheffield Ihren Zechgelagen zu frönen."

„Erinnern Sie mich noch gleich, warum ich Sie nicht im hohen Bogen rauswerfen und stattdessen einen servileren Lakaien einstellen sollte?"

„Weil niemand sonst das Geheimnis dafür kennt, chemische Flecken aus Ihren teuren Abendmänteln zu entfernen."

Wrexford prustete vor Lachen und kippte das Getränk anschließend in einem Schwall hinunter. „Sie können sich glücklich schätzen, dass ich so penibel auf mein Äußeres achte."

Sein Kammerdiener warf einen langen Blick auf das ungekämmte Haar und die achtlos gebundene Krawatte des Grafen. „Äußerst glücklich, Mylord." Er nahm das leere Glas in die Hand. „Noch etwas, womit ich Ihnen dienen kann?"

„Außer einer Pistole, um mich von meinem Leid zu befreien?" Wrexford seufzte. „Ist Avogadros Buch über Gase bereits da?"

„Das Paket ist heute Morgen von Hatchards gekommen. Es liegt auf Ihrem Schreibtisch im Arbeitszimmer."

„Legen Sie außerdem die Bücher von Lavoisier und Priestley bereit", sagte der Graf. Wenn es irgendetwas gab, dass die Dämonen aus seinem Schädel vertreiben konnte, dann war es wissenschaftliche Recherche. „Ich möchte einige ihrer frühen Experimente mit Sauerstoff ausprobieren."

„Sehr gut, Sir", antwortete Tyler. Als er sah, wie das Frühstück hereingebracht wurde, drehte er sich um und verließ ohne weiteren Kommentar das Zimmer. Er wusste, dass die Laune des Grafen immer etwas besser wurde, sobald er den vollen Brotkasten sah.

Eine Dampfwolke stieg aus dem schwanenähnlichen Ausguss des silbernen Kessels auf. Wrexford inhalierte den scharfen Geruch rauchiger Würze und seufzte genüsslich, während er sich eine Tasse des dunklen Gebräus einschenkte. Er nahm einen großen, brühend heißen Schluck und spürte, wie der Tee sein Unwohlsein ein wenig linderte. Sein Toast, dick geschnitten und so gebuttert, wie er es mochte, war ...

Ein plötzliches Klopfen an der Tür ruinierte den Moment.

„Verfluchter Mist", murrte er.

Sein Butler öffnete langsam die Tür zum Eingangsportal. „Bitte entschuldigen Sie, Mylord, aber jemand wünscht Sie zu sprechen. Es geht um eine sehr wichtige Angelegenheit."

„Und wenn es der Sensenmann höchstpersönlich ist. Sagen Sie ihm, dass ich vor Mittag keine Gäste empfange", erwiderte er.

„Es ist weit nach ein Uhr, Mylord." Eine Pause. „Und es ist kein Er, sondern eine Sie."

Noch schlimmer.

„Der Name der Dame lautet Mrs. Isobel Ashton."

Wrexford runzelte die Stirn. Der Name kam ihm vage bekannt vor, doch er konnte ihn nicht zuordnen. „Nun sagen Sie schon, welche Angelegenheit, die so wichtig ist, wünscht sie, mit mir zu besprechen?"

„Den Tod ihres Ehemannes, Sir." Der Butler räusperte sich. „Es scheint, als wären Sie es gewesen, der seine Leiche gestern Nacht entdeckt hat."

„Eier und Schinken?" Hawk machte große Augen. „Gibt es etwas zu feiern?"

„Ja", antwortete Charlotte, während sie sich von der brutzelnden Bratpfanne abwandte, um einige dicke Scheiben Weißbrot abzuschneiden. „Die letzten Dokumente sind unterschrieben worden. Die Miete des neuen Hauses ist jetzt offiziell."

Hawk lächelte unsicher und suchte im Gesicht seines älteren Bruders nach einer Reaktion.

„Wann ziehen Sie um?", fragte Raven.

Charlotte spürte, wie sich ihre Brust zuschnürte, doch sie tat so, als hätte sie das Wort *Sie* nicht gehört.

„Nächste Woche", antwortete sie. „Der Kutscher kommt heute und zählt die Kisten." Ein Blick durch das Zimmer machte deutlich, dass er dafür nicht mehr als die Finger an seinen beiden Händen benötigen würde. „In dem neuen Haus ist viel mehr Platz ..."

Klang das reizvoll für die beiden?

„Wir werden uns mehr Möbel anschaffen müssen", fuhr sie fort. „Anständige Betten für euch beide und einen Schrank für eure Kleidung."

Ravens Gesicht verriet wenig Emotionen, ebenso wie sein wortloses Grummeln.

„Betten", flüsterte Hawk mit großen Augen. Die Jungen schliefen derzeit auf dem Flickenteppich vor dem Ofen. „Wie ein großer Lord?"

„In der Tat", erwiderte sie heiter. „Du wirst der Herzog der Daunenkissen sein."

Er kicherte, doch der Gesichtsausdruck seines Bruders blieb zurückhaltend.

„Da wir gerade von Lords sprechen", sagte Raven und brach den kurzen Moment der Stille, „Wir haben Seine Lordschaft letzte Nacht in St. Giles getroffen."

„Ach?" Charlotte wendete das brutzelnde Fleisch. Es gab nur zwei Gründe, warum sich Aristokraten in diesen Teil der Stadt wagten – die Spielhöllen und Bordelle boten die Art gefährlicher Freuden, die man in den Straßen von Mayfair nicht finden konnte.

Nicht, dass die Freizeitunternehmungen des Grafen von Wrexford sie irgendetwas angingen ...

„Ich nehme an, er sah gut aus", sagte sie.

„Um ehrlich zu sein, war er etwas grün um die Nase herum", meldete Hawk sich zu Wort. „Könnte daran gelegen haben, dass er betrunken war – er hat wie das Innere eines Whiskyfasses gerochen. Aber es hatte wohl eher mit der Leiche zu tun, die er kurz zuvor entdeckt hatte."

Charlotte hob ruckartig ihren Blick und fluchte, als heißes Fett auf ihre Finger spritzte.

„So etwas sagt man nicht, Mylady", sagte Raven zimperlich, was ein weiteres Glucksen seines Bruders nach sich zog.

„Eine Leiche." Sie wischte sich vorsichtig die Hände an einem Putzlappen ab. „Im Sinne von, jemand ist eines natürlichen Todes gestorben?"

„Daran, abgeschlachtet zu werden, ist nix natürlich", antwortete er.

„Sag nicht *nix*", flüsterte Hawk.

„Du meinst also, es war ein Mord?", fragte Charlotte, auch wenn die Antwort offensichtlich war.

„Aye, ein abscheulicher noch dazu. Die Kleidung des Mannes war in Streifen geschnitten und sein Bauch war ungeheuerlich verstümmelt", antwortete Raven.

Sie spürte, wie sie erstarrte.

„Lord Wrexford hat gesagt, es war wahrscheinlich eine Auseinandersetzung zwischen Dieben", fügte Raven hinzu.

Gott sei Dank – ein gewöhnlicher Mord. Einer, der keine tiefere Bedeutung hatte als Gier und Verzweiflung. Die Straßendiebe, die auf den Straßen von St. Giles umherstreiften, waren dafür bekannt, einige der brutalsten in ganz London zu sein.

„Ich wage zu behaupten, dass er recht hat", sagte Charlotte und spürte eine Welle der Erleichterung. Es gab diverse Gründe, warum sie froh war, dass der Graf allem Anschein nach nicht zu einem Motiv für ihre Feder werden musste.

Nicht schon wieder.

Und es bestand kein Zweifel daran, dass er noch erleichterter darüber war als sie.

Sie schob die Gedanken an Wrexford beiseite und konzentrierte sich auf eine dringendere Angelegenheit. „Das ist eine grausame Erinnerung daran, dass St. Giles eine gefährliche Gegend ist, vor allem in der Nacht." Sie wagte nicht mehr auszusprechen als eine verblümte Warnung. Raven war unabhängig und die Bindung zwischen ihnen war eine des Vertrauens und nicht des Blutes.

Er zuckte mit den Schultern. „Der Tod ist allgegenwärtig, Mylady."

„Das heißt aber nicht, dass man dem Sensenmann eine lange Nase drehen sollte."

Ihre Worte entlockten ihm ein widerwilliges Lächeln. „Wir sind vorsichtig."

Bei Weitem nicht vorsichtig genug, dachte Charlotte mit einem innerlichen Seufzen. Doch sie ließ das Thema sein.

„Kommt und helft mir, die Teller zum Tisch zu tragen. Als zusätzlichen Leckerbissen habe ich auch noch etwas Erdbeermarmelade gekauft."

„Danke, dass Sie sich die Zeit nehmen, Lord Wrexford." Mrs. Isobel Ashton glättete ihren Rock und ließ sich auf dem Sofa im Gesellschaftszimmer nieder. „Ich weiß, dass ich nicht das Recht habe, Sie um Ihre Hilfe zu bitten, aber ..." Sie atmete tief durch. „Aber mein Mann war ein großer Bewunderer Ihres Intellekts und Scharfsinns, da dachte ich, möglicherweise ..."

Sie verstummte und Wrexford zermarterte sich noch immer das Gehirn darüber, wie er mit dem ermordeten Mann in Verbindung stand.

„Mein Beileid", sagte er, gezwungen, auf die Art Floskeln zurückzugreifen, die er so sehr hasste, da ihm keine bessere Antwort einfiel.

„Elihu war besonders dankbar für Ihren Rat zu der chemischen Zusammensetzung von Eisen", fuhr die Witwe fort, „und wie man ein Metall gewinnen kann, das Hitze und Druck standhält."

Ah – der Erfinder! Jetzt erinnerte sich Wrexford wieder an ihren Schriftverkehr im letzten Jahr. Ein anderes Mitglied der Royal Institution hatte vorgeschlagen, dass Ashton den Grafen bezüglich eines Problems kontaktierte, das er mit den Erhitzern eines neuartigen Dampfmotors hatte.

Was für ein schrecklicher Verlust für die wissenschaftliche Welt, dass es sich bei dem Opfer um Ashton handelte.

„Ihr Mann verfügte über außerordentliches Talent – er besaß sowohl die Vorstellungskraft als auch die technische Genialität, die für die Umsetzung seiner Ideen notwendig waren." Wrexford fühlte sich nur selten dazu angehalten, Komplimente auszusprechen, besonders was andere Männer der Wissenschaft anbelangte. „Es ist eine schreckliche Schicksalswende, dass er das unglückliche Opfer eines willkürlichen Raubüberfalls wurde."

Er hielt inne, um seine nächsten Worte mit Bedacht zu wählen. Kein Grund, eine Hinterbliebene mit den fragwürdigen Umständen des Todes ihres Ehemannes weiter zu belasten ...

„Aber genau das ist es ja, Lord Wrexford", sagte Isobel, bevor er fortfahren konnte. „Ich glaube nicht eine Sekunde lang, dass der Mord an meinem Mann auf einen willkürlichen Raub zurückzuführen ist."

Der Graf lehnte sich überrascht zurück.

Sie blickte von ihrem Schoß auf. Ihr Gesicht war so blass wie Lord Elgins Statuen des Parthenon, doch trotz ihrer Trauer, die ihre filigranen Züge überschattete, war ihr Ausdruck unnachgiebig wie Granit. „Sie mögen es womöglich weibliche Hysterie nennen, doch ich verspreche Ihnen, ich habe noch alle Tassen im Schrank. Elihu war im Begriff eine bedeutsame Entdeckung zu machen, und ich glaube, dass es einige Menschen gab, die zu allem – *allem* – bereit waren, um seine Idee zu stehlen."

Die erste Frage, die ihm in den Sinn kam, war, *warum?* Wrexford rutschte auf dem Sitzkissen umher, während er darüber nachdachte, wie er sie am taktvollsten formulieren konnte. Doch ein weiterer Blick in ihr Gesicht, verriet ihm, dass die Witwe nicht mit Samthandschuhen angefasst werden musste.

„Aus welchem Grund?", fragte er.

„Aus denselben Gründen, die den Menschen seit Urzeiten dazu bewegen, seinen Mitmenschen zu töten - Gier und Neid. Man muss nur die griechischen Tragödien lesen, um diese Wahrheit zu erkennen."

Eine interessante Antwort. Anfangs hatte die Dame keinen besonders tiefgründigen Eindruck auf ihn gemacht. Seiner Erfahrung nach, gingen Schönheit und Hirn nur selten Hand in Hand – und an Mrs. Ashtons Attraktivität bestand kein Zweifel. Ihr schimmerndes, rabenschwarzes Haar betonte ihre perfekte, weiße Haut, und die Symmetrie ihres Gesichts erinnerte an Skulpturen einer antiken Göttin.

Ihre Augen starrten in seine und wichen nicht von ihnen ab.

„Die Griechen waren in vielerlei Hinsicht sehr weise", stimmte Wrexford zu. Doch sie waren nicht unfehlbar, fügte er innerlich hinzu. Das war niemand. Selbst der großartige Aristoteles hatte seine Schwächen - seine Vorstellungen von der Wissenschaft waren absolut irrsinnig.

Einen Augenblick lang war ein Anflug eines Lächelns auf ihren Lippen zu sehen. „Ich verstehe ja, dass Sie skeptisch sind, Sir. Man sagt, Frauen würden viel mehr von überschäumenden Emotionen als von rationalem Denken gelenkt." Isobel seufzte. „Leider gibt es zu viele von uns, die diese Behauptung bestätigen."

„Als ein Mann der Wissenschaft bin ich stets bemüht, meine Schlüsse anhand empirischer Belege anstelle von vorgefassten Meinungen zu ziehen", antwortete der Graf. „Bisher habe ich keinen Grund zur Annahme, dass Ihr Handeln von Hysterie getrieben wird."

„Allerdings glauben Sie ebenso wenig, dass ich irgendeine logische Erklärung für den Verdacht einer dunkleren Motivation als schieres Pech hinter dem Mord an meinem Mann habe."

Wrexfords Eindruck von ihr wurde immer besser.

„Wenn Sie mir erlauben, noch etwas mehr von Ihrer Zeit zu beanspruchen, werde ich versuchen, mich zu erklären ..."

Ein Nicken signalisierte ihr, fortzufahren.

„Ich habe allen Grund zu der Annahme, dass mein Mann kurz davor war, einen revolutionären Dampfmotor zu entwickeln, einer, dessen Kraft eine gänzlich neue Welt der Manufaktur ermöglicht hätte." Isobel atmete tief ein. „Eine solche Idee ist nicht nur in intellektueller Hinsicht aufregend, sondern sie würde ihren Erfinder reicher machen, als er es sich je zu träumen gewagt hatte."

Es dauerte einen langen Moment bis Wrexford realisierte, worauf sie hinauswollte. „Ich nehme an, Sie reden von einem Patent." Ihre Ängste schienen plötzlich weitaus mehr zu sein als reine Hirngespinste. Geld *war* ein überzeugendes Motiv für Mord. Und die Rechte an einer solch wichtigen technischen Innovation zu besitzen, würde in der Tat ein Vermögen wert sein.

„Richtig, Mylord."

„Was war das für eine Innovation?", fragte Wrexford, seine wissenschaftliche Neugier überkam ihn.

Ein trauriger Blick verdunkelte ihre bernsteinfarbenen Augen. „Mein Mann hat mir eine ganze Menge anvertraut. Was das angeht, war er jedoch stets sehr verschwiegen. Möglicherweise ..." Sie ballte ihre Fäuste. „Möglicherweise fürchtete er, dass es laut auszusprechen, selbst in der Intimität unseres Heims, zu gefährlich war."

Wrexford nahm sich einen Moment Zeit, um über alles nachzudenken, was sie ihm erzählt hatte. „Mir scheint Ihre Besorgnis durchaus nachvollziehbar, Mrs.

Ashton." Er verzog das Gesicht, als das Pochen in seinem Kopf mit voller Wucht zurückkehrte. „Was ich jedoch nicht verstehe, ist, warum Sie damit zu mir kommen. Die Behörden ..."

„Die Behörden glauben, ich hätte zu viele schaurige Romane gelesen!", schrie sie. „Ich habe mich heute Morgen mit einem Läufer von der Bow Street getroffen – ein großer, ungepflegter Mann, dessen Sinne so langsam wie seine schlurfenden Schritte zu sein schienen." Die Läufer waren eine Gruppe von Männern unter dem offiziellen Kommando des Magistrates in der Bow Street Nr. 4, und eine der wenigen staatlichen Institutionen zur Aufklärung von Verbrechen.

„Er stellte klar, dass der Mord an meinem Ehemann ein – wie er es nannte - unglücklicher Fall von 'zur falschen Zeit am falschen Ort' war", fuhr Isobel fort. „Und dass die Chancen, den Übeltäter zu fangen, praktisch gleich null seien."

So begriffsstutzig der Läufer auch sein mochte, Wrexford stimmte seiner Einschätzung zu. Die meisten Morde in den Elendsvierteln blieben ungelöst.

„Wie dem auch sei", erwiderte er, „ich habe keinerlei Erfahrung mit der Aufklärung von Verbrechen."

„Humphry Davy von der Royal Institution hat etwas anderes behauptet", konterte Isobel.

Verflucht. Davy liebte den Klang seiner Stimme so sehr, dass er dazu neigte, zu viel zu reden.

„Mr. Davy war so nett, mich zu besuchen und sein Beileid zu bekunden", erklärte die Witwe. „Als ich meine Besorgnis über die Ermittlungsbehörden ausgedrückt habe, hat er erwähnt, dass Sie eine entscheidende Rolle bei der Aufklärung eines Mordes gespielt haben."

Bevor er antworten konnte, fügte sie hinzu: „Und wie der Großteil der Bevölkerung auch, habe ich die Zeichnungen von A.J. Quill gesehen. Der Künstler hat angedeutet, dass es Ihre Bemühungen waren, die für Gerechtigkeit gesorgt hatten."

Wrexford presste seine Augen zusammen und wünschte sich, er wäre seinem anfänglichen Instinkt, sich wieder schlafen zu legen, gefolgt.

„Beide haben maßlos übertrieben", murrte er. „Im Gegensatz zu dem, was Sie vielleicht denken mögen, bin ich kein Ritter der Gerechtigkeit. Jegliche Bemühungen, die ich angestellt habe, dienten lediglich der Rettung meines eigenen Halses."

„Bitte", sagte sie leise und senkte ihren Blick, „ich weiß nicht, an wen ich mich sonst wenden sollte."

Weibliche List langweilte ihn zu Tode. Doch Ashton war ein Kollege gewesen. Ein brillanter Mann der Wissenschaft. Wrexford erinnerte sich an die Leiche, die im Mist einer verlassenen Gasse lag, und stieß einen langen Seufzer aus. „Ich kann mich ein wenig umhören. Allerdings kann ich Ihnen nicht versprechen, dass das zu etwas führen wird."

„Gott segne Sie, Mylord", sagte sie und fixierte ihn mit einem sanftmütigen Lächeln.

„Ich bezweifle, dass der Allmächtige irgendetwas dergleichen tun wird", murrte Wrexford. „Es ist der Teufel, der heraufbeschworen wird, wenn jemand meinen Namen erwähnt."

„Nichtsdestotrotz setze ich Hoffnungen in Ihre Fähigkeiten, Sir."

Seiner Erfahrung nach, ließen sich Hoffnung und Wahrscheinlichkeit nur selten vereinbaren. Er beschloss jedoch, derartige Skepsis für sich zu behalten.

„Wenn ich Ihnen irgendeine Hilfe sein soll, muss ich alles wissen, was Sie mir über die möglichen Gründe für den Mord an Ihrem Ehemann sagen können. Zuallererst möchte ich wissen, ob Sie irgendeine Ahnung haben, warum er sich zu so später Stunde in diesem Teil der Stadt herumgetrieben hat."

„Er hat gesagt, er würde den Abend im White's mit ein paar Kollegen der Royal Institution verbringen. Doch bei unserer Ankunft in London vor einigen Tagen hatte er eine Mitteilung von jemandem erhalten, der von seiner Forschung zu wissen schien und einige äußerst wichtige Implikationen zu besprechen wünschte ..."

„Wer?", unterbrach der Graf.

Isobels Lippen spannten sich einen Moment lang, bevor sie antwortete. „Die Nachricht war signiert mit *Ein Geistesverwandter der Wissenschaft*. Ich habe ihm geraten, nicht zu antworten. Doch Elihu war gutgläubig - zu gutgläubig." Sie sah auf ihre Hände hinunter. „Ich befürchte, er könnte einem Treffen, trotz meiner Einwände, zugestimmt haben. Eine andere Erklärung, warum er sich in die Elendsviertel verirrt haben könnte, will mir beim besten Willen nicht einfallen."

Wrexford machte sich eine Notiz im Geiste, herauszufinden, ob Ashton ein Mann des Glücksspiels oder der Frauen war. Ehefrauen, so scharfsinnig sie auch sein mochten, konnten nicht immer die Schwächen eines Mannes sehen.

„Haben Sie die Nachricht noch?", fragte er.

„Ja."

„Ich würde sie mir gerne einmal ansehen." Der Graf bezweifelte, dass es ihm irgendwie weiterhelfen würde, doch an diesem Punkt war jeder noch so kleine Informationsfetzen hilfreich.

„Natürlich", erwiderte sie. „Einer von Elihus Investoren hat uns freundlicherweise sein Stadthaus für unseren Besuch angeboten. Ich werde einen der Lakaien damit beauftragen, sie Ihnen zu bringen."

„Eine letzte Sache noch – ich brauche eine Liste mit allen Personen, die von der Forschung Ihres Ehemannes gewusst haben und davon, wie kurz er vor einem Durchbruch stand." Er legte die Fingerspitzen aneinander. „Und ich wünsche Ihre Einschätzung, wer unter ihnen bereit wäre, dafür zu töten."

Isobel drehte sich unbehaglich und wandte ihren Blick ab. Schatten huschten über ihr Profil und doch konnte er sehen, dass ihr Gesicht eine gespenstische Blässe angenommen hatte.

„Mrs. Ashton?"

„Ich werde eine Liste anfertigen und sie Ihnen zusammen mit der Nachricht zukommen lassen", flüsterte sie. „Es schmerzt mich, zu denken, dass jemand meinem Ehemann etwas Schlechtes wünschen könnte." Die Haut spannte sich über ihren Gesichtsknochen und verlieh ihrer Schönheit eine gewisse Zerbrechlichkeit. „Doch wenn Sie damit beginnen möchten, nach möglichen Motiven zu suchen, schlage ich vor, Sie sprechen mit der Sekretärin meines Mannes, Octavia Merton, und seinem Laborgehilfen, Benedict Hillhouse."

Isobel hielt inne. Ihr Gesichtsausdruck wirkte jetzt versteinert.

„In Anbetracht ihrer engen Zusammenarbeit mit meinem Mann an seinen Experimenten", sagte sie allmählich, „werden sie Ihnen am ehesten etwas über eventuelle geheime Feindseligkeiten erzählen können."

Kapitel 3

Charlotte nahm den gewebten Strohhut in die Hand und schüttelte vorsichtig den Staub von der schlaffen Krempe. Die Partikel glitten durch die stille Luft und funkelten wie kleine Goldteilchen im Sonnenlicht, das schief durch das schmale Fenster einfiel. Es war, so redete sie sich ein, nichts als ein Gespinst ihrer Erinnerungen, dass das modrige Hinterzimmer plötzlich auf wohltuende Weise nach dem sommerlichen Duft von Zypressen und Thymian roch.

Italien war eine Zeit der einfachen Freuden gewesen – ätherisches Licht, umwerfende Kunst, atemberaubend schöne Natur, günstiger Wein. Und wenn auch arm wie Kirchenmäuse,

waren Sie und Ihr Ehemann dennoch glücklich dort gewesen.

Mit einem Kniff ihrer Finger begradigte sie einen Knick in der mit Farbflecken übersäten Krone und legte den Hut anschließend auf einen säuberlich gefalteten Haufen von Anthonys Kleidung. Der Hut war einer seiner liebsten gewesen – er hatte ihn jeden Tag getragen, während er draußen inmitten der klassischen Ruinen Roms gezeichnet hatte. Sie beide hatten die Kombination aus Alt und Neu geliebt, die einem hinter jeder Ecke der Stadt entgegenschlug. Sie ließ das Leben unendlich erscheinen.

Doch es war jetzt an der Zeit, ihre Vergangenheit ein für alle Mal hinter sich zu lassen. Anthonys Tod war …

Gerächt worden? Charlotte zögerte und fuhr mit ihrer Hand über die weichen Falten eines Leinenhemds.

Nein, das war nicht das richtige Wort. Womöglich trotzte die Emotion jeglicher Definition. Die Wahrheit zu kennen hatte ihr jedenfalls die Möglichkeit gegeben, Frieden mit ihren inneren Dämonen zu schließen - und mit seinen.

Es war ein sinnloser Tod gewesen. Doch das Leben war unberechenbar. Ein weiterer Grund in die Zukunft zu blicken.

Charlotte war damit fertig, die Kiste mit Anthonys Kleidung zu sortieren, und begab sich zurück in das Hauptzimmer.

„Raven", sagte sie, nachdem sie rasch ein kurzes Schreiben verfasst und das Blatt Papier zusammengefaltet hatte. „Würdest du zusammen mit Hawk freundlicherweise eine Nachricht zu Mr. Henning bringen?" Der Arzt leitete eine Klinik für verwundete Kriegsveteranen. Charlotte war sich sicher, dass eine Kleiderspende sehr willkommen sein würde.

Die Jungs sahen von ihren Schulbüchern auf – zu hastig, dachte sie mit einem inneren Seufzen. All die Vorbereitung auf den Umzug lenkte sie vom Lernen ab.

„Aye, natürlich, Mylady!", sagte Raven und sprang von seinem Stuhl auf.

„Und wir übernehmen auch gerne alle anderen Erledigungen für Sie", fügte Hawk hoffnungsvoll hinzu.

„Danke, aber die Nachricht kann warten, bis ihr mit dem Kapitel über die glorreiche Revolution fertig seid."

„Geschichte ist langweilig", murrte Raven und setzte sich zögerlich wieder auf seinen Stuhl.

„Das ist sie ganz und gar nicht", konterte sie. „Sie erzählt uns von all den faszinierenden Menschen – den

Politikern, den Philosophen, den Künstlern, den Soldaten, den Musikern – die die Welt verändert haben."

Hawk schaute nachdenklich. „Wilhelm von Oranien schien ein recht interessanter Kerl zu sein."

„Wilhelm - das ist doch ein schöner, starker Name." Charlotte nutzte die Gelegenheit, um das Thema zu wechseln. Es war ein wunder Punkt zwischen ihnen, doch so sehr sie es auch hasste, die Jungs unter Druck zu setzen, sie konnte es nicht länger hinausschieben. Eine Entscheidung musste getroffen werden.

Raven murrte ein Schimpfwort, welches Charlotte zu überhören vorgab. „Ich will aber keinen neuen Namen." Er hob streitsüchtig das Kinn. „Was ist falsch an meinem jetzigen Namen?"

Im Laufe der letzten Woche hatten sie unzählige Male über diese Frage gesprochen. Das neue Wohnviertel lag lediglich eine knappe Meile entfernt, doch es war eine gänzlich andere Welt als die Elendsviertel von St. Giles. Um dazuzugehören, brauchten die Jungen richtige Namen.

„Seht es doch einmal so", erklärte sie, „im Leben geht es um Veränderung - eine Raupe entwickelt sich zu einem wunderschönen Schmetterling. Ihr stoßt jetzt eure alte Haut ab und nehmt eine neue Gestalt an. Es wird ganz bestimmt ..."

Ein lautes Klopfen an der Eingangstür bewahrte sie vor weiteren Plattitüden.

„Das wird der Kutscher sein." Charlotte eilte zur Tür und warf den Riegel zurück.

„Sie sind zu spät" tadelte sie, als die Tür aufschwang.

„Bin ich das?"

Der Graf von Wrexford trug einen vortrefflich geschneiderten Mantel, einen flachen Kastorhut – und sein gewohntes sardonisches Lächeln, bemerkte Charlotte.

„Das sollte Sie nicht überraschen", fuhr er fort und schritt an ihr vorbei, ohne auf eine Einladung zu warten. „Sie wissen doch, dass mich konventionelle Umgangsformen zu Tode langweilen."

„Das weiß ich in der Tat. Ich vermute, es handelt sich hierbei nicht um einen Privatbesuch?", erwiderte sie, gefolgt von einem gestressten Seufzen. Der letzte Besuch lag zwei Wochen zurück und sein unerwartetes Erscheinen ließ ihr Herz kurz aussetzen – sie war jedoch zu sehr mit anderen Dingen beschäftigt, um sich zu fragen, warum.

Wrexford ignorierte ihre Frage, legte seinen Hut ab und fuhr sich mit der Hand durch sein windzerzaustes, dunkles Haar. Es sah aus, als wäre es seit Wochen nicht geschnitten worden.

„Hallo, Wiesel", rief er den Jungen zu.

„Sehen Sie, Mylady", stichelte Raven, „Seine Lordschaft interessiert es keinen Rattenschiss, ob wir irgendeinen heidnischen Namen tragen."

Charlotte biss sich vor Frust auf die Lippen. In Anbetracht der Neigung zum Sarkasmus, die der Graf pflegte, würde diese Sache vermutlich nicht gut ausgehen.

„Mir scheint, als wäre ich in eine Art Auseinandersetzung hineingeplatzt", murmelte er. „Sagen Sie schon, wo liegt das Problem?"

„Nicht der Rede wert", zischte sie durch die Zähne hindurch.

Er zog eine Augenbraue hoch.

„Sie möchte, dass wir anständige englische Namen haben", meldete sich Hawk zu Wort. „Sodass niemand weiß, dass wir nix als verwaiste Gassenkinder sind, wenn wir in eine neue Gegend ziehen."

„Es ist höllisch dämlich und ich will es nicht!", schrie Raven erregt. „Ich weigere mich, ein Charles oder ein Nathaniel zu sein – oder irgendein anderer verfluchter, idiotischer Name."

„*Merde*", murmelte Charlotte und wechselte ihre Taktik. „Komm schon, es muss doch etwas geben, wovon sich dir nicht die Nackenhaare aufstellen."

Ravens Gesichtsausdruck wurde noch störrischer.

„Gütiger Gott", murrte der Graf. „All das Theater, dabei liegt die Antwort doch auf der Hand."

Sie warf ihm einen protestierenden Blick zu. „Ich bitte Sie, Sir, ich meine es ernst."

„Lassen Sie mich es erklären", antwortete er.

Sie zögerte kurz und nickte ihm dann brüsk zu. Bisher hatte keines ihrer Argumente gefruchtet. Es gab nichts zu verlieren.

Wrexford wandte sich Raven zu. „Such dir einen anständigen Taufnamen aus – irgendeinen."

„Aber ..."

„Tu es einfach, Junge." Ein befehlerischer Ton schwang in seiner Stimme mit.

Der Junge seufzte skeptisch . „Was war der Name Ihres Bruders – der, der gestorben ist?"

„Thomas", antwortete der Graf leise.

„Dann wähle ich Thomas."

„Exzellent." Wrexford führte eine übertrieben schwungvolle Handbewegung aus.

Verflucht sollte der Mann sein – er amüsierte sich offensichtlich, dachte Charlotte. *Auf meine Kosten.*

Seine tiefe, vornehme Stimme riss sie aus ihrer flüchtigen Grübelei. „Darf ich vorstellen? Thomas Ravenwood Sloane – besser bekannt als Raven."

Charlotte wollte zu sprechen beginnen, doch er brachte sie mit einem Winken zum Schweigen. „In der Welt der Schönen und Reichen werden Männer nur äußerst selten bei ihrem Taufnamen genannt. Es ist eine althergebrachte Tradition, sich einen Spitznamen anzuschaffen. Ich werde stets Wrex genannt, John Nottingham Allerton ist Notty ..."

Der Graf zuckte mit den Schultern „Da haben Sie es – zwei Fliegen mit einer Klappe, wenn Sie so wollen. Die Burschen müssen ihre Namen nur ein einziges Mal erwähnen und sich danach nie wieder mit der Frage herumschlagen. Und Sie haben, was Sie brauchen, wenn es einer offiziellen Erklärung bedarf."

„Ja, ich denke, damit kann ich leben", willigte Raven ein.

„Aber ...", begann Charlotte.

„Sollten Sie Zweifel haben, was Sloane als ihren Nachnamen betrifft, so dachte ich, Sie könnten sagen, dass die Burschen verwaiste Verwandte von Seiten der Familie Ihres verstorbenen Ehemannes sind. Auch hier wäre das die einfachste Lösung, aber es ist selbstverständlich Ihnen überlassen, ob Sie sich für eine andere entscheiden."

Unsicher atmete sie durch. „Nein, was Sie vorschlagen ergibt Sinn."

„Ausgezeichnet." Wrexford ließ seinen Blick zu Hawk hinüberwandern. „Du bist an der Reihe."

„Wie lautet denn *Ihr* Taufname, Sir?"

Die Frage schien ihn aus der Fassung zu bringen. Charlotte realisierte, dass sie die Antwort selbst nicht kannte.

„Ich kann mich nicht erinnern", witzelte Wrexford.

„Kommen Sie schon, Sir, was dem einen recht ist, ist dem andern billig", sagte sie.

Er runzelte die Stirn und täuschte einen Moment lang vor, scharf nachzudenken. „Ich glaube, es ist Alexander. Aber ich müsste in Debrett's Peerage nachschauen, um ganz sicher zu gehen. Vielleicht war es auch Agamemnon oder Aloysius."

Raven kicherte.

„Ich nehme Alexander", sagte Hawk feierlich.

Eine weitere ausladende Geste. „Und hier haben wir Alexander Hawksley Sloane – besser bekannt als Hawk."

„Alexander Hawksley Sloane", flüsterte Hawk ehrfürchtig. Ein entzücktes Lächeln breitete sich in seinem schmalen Gesicht aus.

„Ein furchtbar langer Name für einen furchtbar kleinen Knirps", stichelte sein Bruder.

Obwohl der ältere Junge sehr gut darin war, seine Emotionen zu verstecken, konnte Charlotte spüren, dass er insgeheim genauso zufrieden war.

„Danke, Mylord", murmelte sie.

Hawk nahm einen Bleistift zur Hand und fing an, seinen neuen Namen in großen, geschnörkelten Buchstaben zu schreiben.

„Wie ich sehe, ist von euch heute keine Schularbeit mehr zu erwarten", stellte Charlotte bitter fest. „Also könnt ihr beiden ebenso gut die Beine in die Hand nehmen und euch auf den Weg zu Mr. Henning machen, um ihm meine Nachricht zu bringen. Lord Wrexford und ich haben noch einige private Angelegenheiten zu besprechen."

„Woher wissen Sie das?", fragte Wrexford, während er zusah, wie die Jungen dankbar ihre Bücher zuschlugen und zur Tür flitzten.

„Sie haben doch selbst gesagt, Sie hassen soziale Höflichkeiten. Sie sind ein pragmatischer Mann, Mylord. Dass Sie hier sind, bringt mich also zu der Vermutung, dass es irgendein verkommenes Anliegen gibt, bei dem Ihnen mein Können oder mein Wissen nützlich sein könnten."

Bin ich wirklich so unempfindsam gegenüber meinen Freunden? Sheffields verblümte Kritik kratzte mit einem Mal etwas stärker an Wrexfords Gewissen. Trotz der Komplikationen, die ihr Verhältnis zueinander überschatteten, sah er in Charlotte zweifellos eine Freundin.

„Möglicherweise bin ich bloß gekommen, um Ihnen alles Gute in Ihrem neuen Wohnsitz zu wünschen."

Sie lachte leise. „Und möglicherweise haben Schweine das Fliegen gelernt."

Einige Männer hätten sich angegriffen gefühlt. Er jedoch sah sich gern als einen Mann, der Scheinheiligkeit nicht zu seinen vielen Schwächen zählte.

„Ich kann mich stets darauf verlassen, dass Sie meiner Eitelkeit Einhalt gebieten", murmelte er.

Charlotte wandte sich von ihm ab und fing an, das Wirrwarr aus Büchern und Zetteln auf dem Tisch zu ordnen. „Es handelt sich dabei lediglich um eine empirische Beobachtung und keine Kritik. Wir beide wissen, dass Sie verweichlichte Empfindungen verabscheuen." Ihre Hände kamen auf dem Blatt Papier zum Stillstand, auf dem Hawks sorgfältig geschriebener Name stand. „Wie dem auch sei, ich bin Ihnen ehrlich dankbar, Sir. Ihr Vorschlag hat ein sehr heikles Problem aus der Welt geschafft."

„Wie wir beide wissen, offenbart eine andere Sichtweise auf ein Problem oftmals eine simple Lösung."

Mehr Gewühle. Charlotte drehte sich und im Flackern der Schatten glaubte er, einen Blick der Unsicherheit in ihrem Gesicht erkannt zu haben. Er war jedoch blitzschnell wieder verschwunden, als sie aufsah und eine lose Haarsträhne zurück hinter ihr Ohr streifte.

Ein schwaches Lächeln formte sich auf ihren Lippen. „Was, wie ich vermute, der Grund ist, warum Sie hier sind."

Auch Wrexford konnte sich ein Lächeln nicht verkneifen. „Nahe genug an der Wahrheit, um es gelten zu lassen."

Sie seufzte und bedeutete ihm, auf einem der Stühle Platz zu nehmen. „Wieso habe ich das Gefühl, dass es etwas mit dem Mord von letzter Nacht zu tun hat?"

„Weil Sie sehr gute Instinkte haben."

„Ich dachte, Sie hätten den Jungen gesagt, dass es nichts weiter als ein Streit zwischen Kriminellen war."

„Das habe ich zu diesem Zeitpunkt auch gedacht", antwortete er.

Sie nahm gegenüber von ihm Platz. Ihr Gesichtsausdruck war unlesbar. „Fahren Sie fort."

Auge um Auge ... Er hatte mit der Entscheidung gerungen, ob er sie in dieses Rätsel mit hineinziehen sollte oder nicht. Doch in Anbetracht ihres Berufes und ihrem Netzwerk aus Informanten überall in der Stadt, standen die Chancen gleich null, dass die verdächtigen Umstände des Mordes von ihr unbemerkt bleiben würden.

Was jedoch nicht bedeutete, dass die Verhandlungen einfach sein würden, dachte er. Wie bei chemischen Experimenten auch, barg es stets ein gewisses Risiko zwei explosive Elemente zu kombinieren. Sie würde sich nicht mit vagen Aussagen zufriedengeben, weshalb er gezwungen war, auf Messers Schneide zwischen Wahrheit und Ablenkung zu balancieren.

„Wenn es nach mir ginge, würde ich es vorziehen, noch keinen öffentlichen Sturm reißerischer Spekulationen zu entfachen", fing er an.

„Kommen Sie auf den Punkt, Mylord", unterbrach sie. „Wer war es?"

Es hatte keinen Zweck, das Unvermeidbare hinauszuzögern. „Elihu Ashton."

Eine finstere Erkenntnis verdunkelte ihren Blick. „Der Erfinder?"

Er nickte. „Und Eigentümer der produktivsten Textilweberei des Landes."

„Gütiger Gott", sagte sie leise. „Sie müssen wahnsinnig sein, zu glauben, dass das die Presse nicht in helle Aufruhr versetzen wird." Eine Pause. „Warum kommen Sie mit dem Geheimnis überhaupt zu mir, wenn Sie wissen, dass Skandale mein tägliches Brot sind?"

„Weil Sie früh genug über andere Wege davon erfahren hätten. Die Nachricht wird schon bald an die Öffentlichkeit geraten", sagte Wrexford. „Wie dem auch sei, es gibt gewisse Dinge, in die nur ich eingeweiht bin.

Und ich hoffe, wenn ich sie Ihnen offenbare, dass Sie Ihre Feder im Zaum halten können, bis die Ermittlungsbehörden die Möglichkeit gehabt haben, die Wahrheit zu finden."

„Die Wahrheit?" In ihrer Stimme schwangen Spott und Reue mit. „Wir beide wissen, was für ein trügerisches Konzept die Wahrheit ist."

Ihre Sicht auf die Welt war beinahe so zynisch wie seine eigene. Der Unterschied zwischen ihnen lag darin, dass ihr strenger Idealismus nicht von der harten Realität verdorben worden war.

„Wie auch immer, ich würde es bevorzugen, zu warten, bis man mehr über die Tat weiß, bevor ich den Namen eines Mannes durch den Dreck ziehe. Ich denke, dabei könnten Sie mir eine Hilfe sein."

„Sie sind ein harter Verhandlungspartner, Sir", murrte Charlotte.

„Dasselbe kann ich von Ihnen behaupten."

Der Konflikt ihrer Emotionen stand ihr deutlich ins Gesicht geschrieben, als sich Charlotte einen Moment Zeit nahm, um darüber nachzudenken, was er gesagt hatte. „Hören Sie, ich kann den Mord nicht einfach so ignorieren. Er ist genau die Art von Skandal, zu der sich A. J. Quill äußern würde, vor allem in Anbetracht meiner neuesten Serie unter dem Motto *Mann gegen Maschine*."

„Das verstehe ich", erwiderte er. „Doch vielleicht könnte der Tenor Ihres nächsten Drucks ganz einfach sein, was für ein Schock es ist, dass eine angesehene Persönlichkeit ein frühzeitiger Tod ereilt hat, anstatt Ihrer üblichen tiefgehenden Stellungnahme, die der Tat tiefer auf den Zahn fühlt."

Als er ihren unzufriedenen Gesichtsausdruck sah, fügte Wrexford schnell hinzu: „Wir wissen beide, dass Sie die Macht haben, die Flammen der öffentlichen Meinung anzuheizen. Und das hat wiederum Einfluss darauf, wie die zuständigen Behörden ihre Ermittlungen führen. Jegliche Chance auf ein faires Gutachten könnte sich in Luft auflösen, wenn die Drucke zu aufrührerisch sind."

„Das ist ein Schlag unter die Gürtellinie, Sir." Sie waren sich das erste Mal begegnet, als der Graf der Hauptverdächtige in einem schrecklichen Mordfall gewesen war – und ihre satirischen Zeichnungen hatten Spekulationen aufkommen lassen, dass sein Hals schon bald in einer Schlinge stecken würde.

Dieses Mal war sein Lächeln ausgeprägter. „Was soll ich sagen, ich bin ein gewissenloser Kerl. Ich lasse mich zu allem herab, um zu bekommen, was ich will."

Sie kniff ihre Augen zusammen, doch das amüsierte Flimmern war nicht zu übersehen. Im Gegensatz zu den meisten Menschen, verstand sie Sarkasmus. „Bevor ich Ihren Bedingungen zustimme, müssen Sie mir verraten, woher Sie wissen, dass es sich bei dem Opfer um Ashton handelt. Und was noch wichtiger ist, warum es Sie überhaupt kümmert."

Wrexford seufzte schwer. Es hatte seine Gründe, dass A. J. Quill zu den scharfsinnigsten, gerissensten Reportern in ganz London gehörte.

„Seine Frau – oder vielmehr seine Witwe – hat mir heute am frühen Nachmittag einen Besuch abgestattet", antwortete er. „Und da ich weiß, dass Ihre nächste Frage lauten wird, weshalb, Ashton und ich kannten uns von der Royal Institution. Wir haben uns zwar nie persönlich kennengelernt, allerdings haben wir uns schriftlich über die chemische Zusammensetzung von Eisen ausgetauscht. Ich war in der Lage, ihm bei der Lösung eines technischen Problems zu helfen, das er hatte."

Charlotte nahm Bleistift und Papier zur Hand und begann, sich Notizen zu machen.

„Mrs. Ashton wusste von meinem Verhältnis zu ihrem Ehemann", fuhr er fort. „Von Humphry Davy hat sie außerdem gehört, dass ich an der Aufklärung eines anderen teuflisch verzwickten Mordes beteiligt war."

Charlotte hob ihren Blick. „Ich vermute, Sie wollen darauf hinaus, dass sie den Tod ihres Mannes nicht für einen willkürlichen Mord durch einen Straßendieb hält."

„Korrekt."

„Aus welchem Grund?", drängte sie.

„Ah." Wrexford streckte die Beine aus und starrte hinunter auf die Spitzen seiner frisch polierten Stiefel. „Jetzt nähern wir uns dem metaphorischen Rubikon, Mrs. Sloane."

Sie legte ihren Stift nieder und klopfte die Fingerspitzen aneinander. „Sie meinen, wenn ich den Fluss überquere, gibt es kein Zurück mehr."

„Wie ich sehe, geht Ihre klassische Bildung über die Beherrschung von Latein hinaus", sagte er trocken. „Eines Tages würde ich gerne erfahren, wie es dazu kam."

„Eines Tages werde ich mich vielleicht bereiterklären, Ihre Neugier zu stillen. Doch dieser Tag ist nicht heute." Herausfordernd zog sie ihre Augenbrauen hoch. „Was möchten Sie von mir hören?"

„Dass die Informationen, die ich mit Ihnen teile, unter uns bleiben und nicht Ihre Zeichnungen schmücken werden."

„Was, wenn ich dieselben Informationen über andere Quellen erlange?", fragte Charlotte rasch.

„Teufel noch eins – streben Sie etwa eine Karriere als Barrister an?", murrte er.

„Zu schade, dass es Frauen nicht gestattet ist, Anwältinnen zu sein", erwiderte sie. „Wir wären weitaus besser darin als Männer, denn uns geht es um praktische Ergebnisse und nicht darum, wie stolze Gockel herumzukrakeelen."

Wrexford schmunzelte. „Guter Punkt." Sein Gesichtsausdruck verfinsterte sich, während er zögerte. Dann fügte er hinzu: „Was meine Forderung betrifft, verlasse ich mich darauf, dass Sie das Richtige tun werden, Mrs. Sloane."

Ein überraschtes Zucken durchfuhr ihr Gesicht, zusammen mit einer Emotion, die er nicht deuten konnte.

„Erlauben Sie mir jedoch zu wiederholen, dass ich das mit der Gefahr, wilde Spekulationen loszutreten, allein, um den Verkauf von Zeitungen anzukurbeln, todernst gemeint habe. Unschuldige Leben könnten auf dem Spiel stehen, Rufe könnten ruiniert werden, und die wahren Schuldigen könnten dadurch genug Spielraum erlangen, um die Wahrheit zu manipulieren."

„Haben Sie etwa Grund zu der Annahme, dass ich mir eine derartige Verantwortung nicht zu Herzen nehmen würde, Lord Wrexford?"

Ihre Blicke trafen sich.

„Hätte ich dazu einen Grund, wäre ich nicht hier", sagte er mit sanfter Stimme.

Kapitel 4

Charlotte erhob sich abrupt, um den Kessel auf den Herd zu stellen. „Ich brauche dringend etwas Tee. Möchten Sie auch welchen?"

„Ich hätte lieber einen Brandy, aber Tee ist wahrscheinlich die weisere Entscheidung."

Ihr waren die dunklen Vertiefungen unter seinen Augen und die Falten um seine Mundwinkel herum bereits aufgefallen, allerdings hatte sie sich mit ihrem Kommentar zurückgehalten. Wechselhaft beschrieb die Launen des Grafens wohl am besten. Sein Privatleben ging sie jedoch nichts an.

Nachdem sie einige gehäufte Löffel Blätter des Lapsang Souchong in die Teekanne gegeben hatte, drehte Charlotte sich um und stemmte eine Hand in die Hüfte. „So vage sie auch sein mögen, ich stimme Ihren Bedingungen zu, Mylord." Ein Seufzen. „Auch wenn wir uns aller Wahrscheinlichkeit nach unaufhörlich über ihre Interpretation streiten werden."

Sie entdeckte ein erheitertes Funkeln in seinen Augen. „Das versteht sich von selbst."

„Sie reden, als wäre das alles ... unterhaltsam."

„Mein Kammerdiener sagt, ich sei ein äußerst unumgänglicher Mensch, wenn ich gelangweilt bin", entgegnete er. „Sie langweilen mich nie, Mrs. Sloane."

Der Kessel begann zu zischen und eine Dampfwolke stieg in die Luft. „Nein, ich sorge dafür, dass Sie abgelenkt sind."

„Sagen wir einfach, Sie fordern mich. Und das kann ich nicht von vielen Menschen behaupten."

„Ich bin mir nicht sicher, ob ich das als Kompliment oder doch als Kritik verstehen darf."

„Doch, das sind Sie", murmelte Wrexford.

Der Mann war unmöglich. Zuweilen ertappte sie sich selbst dabei, wie sie in Versuchung geriet, ihn zu strangulieren. Und doch zerrte ein Lächeln an ihren Mundwinkeln, als sie das Teebrett an den Tisch brachte.

„Schluss mit dem verbalen Schlagabtausch, Sir." Charlotte reichte ihm eine Tasse. „Sie sind gekommen, um Geschäftliches zu besprechen."

Eine Dampfschwade stieg empor und verzerrte die scharfen Kanten seines Gesichts. Doch selbst hinter dem weichen silbrigen Dunst strahlten seine Züge eine elementare Stärke aus.

Oder war Sturheit vielleicht ein besseres Wort? Charlotte senkte ihren Blick, um ein weiteres Lächeln zu verstecken. *Gleich und gleich gesellt sich gern.* Ehrlichkeit zwang sie zu dem Eingeständnis, jedes Mal denselben unnachgiebigen Gesichtsausdruck zu sehen, wenn sie in den Spiegel blickte.

Der Graf nahm einen Schluck von dem brühend heißen Gebräu und stellte es anschließend beiseite. „Ashtons Witwe ist davon überzeugt, dass ihr Ehemann umgebracht wurde, weil er kurz davorstand eine bedeutsame Entdeckung zu machen." Er schürzte die Lippen. „Aufgrund des Zustands der Leiche tendiere ich dazu, ihrem Verdacht Glauben zu schenken."

Charlotte wurde plötzlich leise. „Was meinen Sie?"

Er zog eine Augenbraue hoch. „Die Jungen haben sie Ihnen nicht bis ins kleinste, blutige Detail beschrieben?"

„Nein. Sie haben lediglich erzählt, dass Sie zufällig auf die Leiche gestoßen sind und der Meinung seien, dass es sich um eine Auseinandersetzung unter Dieben gehandelt haben musste."

„Jetzt erdolchen Sie mich nicht so mit Ihren Blicken", erwiderte er. „Das *habe* ich ja auch zu der Zeit gedacht. Dank der Informationen, die ich jetzt habe, sehe ich die Dinge anders." Der Graf nahm einen Löffel in die Hand und drehte ihn langsam zwischen seinen Fingern. „Ashtons Kleidung war an den Nähten zerrissen – sein Mörder hat also offensichtlich nach etwas gesucht. Und sein Bauch war aufgeschlitzt, was auf Wut hindeutet, es nicht gefunden zu haben. Die Logik gibt vor, dass es sich nicht um ein willkürliches Verbrechen gehandelt haben kann."

„Worauf hatte es der Mörder abgesehen?"

„Vermutlich auf technische Zeichnungen oder eine Beschreibung der Erfindung. Laut Ashtons Witwe wäre ein Patent darauf ein Vermögen wert."

Patente. Während ihrer Recherche für ihre neueste Satirereihe, war ihr bewusst geworden, wie unfassbar profitabel sie waren. Dass Ideen, wie Grundbesitz oder Gemälde der alten Meister auch, wertvolles Eigentum waren, deren Rechte besessen werden konnten, war für sie lange Zeit ein unbekanntes Konzept. Sie konnte jedoch sehr gut verstehen, wie eine neue technologische Innovation – und die Reichtümer, die sie generieren würde - eine Motivation für einen Mord sein konnten.

„Ich vermute, dass Sie keine Spuren am Tatort gefunden haben."

„Nein. Ich habe gehört, wie sich jemand rennend von der Leiche entfernt hat, doch es war zu dunkel, um etwas zu erkennen. Ich weiß jedoch, dass Ashton mit einer Nachricht von einem angeblichen Geistesverwandten der Wissenschaft in die Gegend gelockt wurde, der eine Gelegenheitsgesellschaft mit ihm zu besprechen gewünscht hatte."

„In *St. Giles*?"

Er verzog das Gesicht. „Weder Ashton noch seine Frau sind mit London vertraut. Er hatte keine Ahnung, dass er sich geradewegs in das Herz der Dunkelheit unserer Stadt begeben hat."

Charlotte spürte die Wut in ihr aufbrodeln, bei dem Gedanken an solch eine tödliche List. Es schien so fürchterlich falsch, dass eines Mannes Brillanz ihn sein Leben gekostet haben sollte.

„Hat sie irgendeine Vermutung, wer der Übeltäter sein könnte?"

„Ich habe sie darum gebeten, mir eine Liste aller Personen zukommen zu lassen, die von der Erfindung gewusst haben." Er wandte sich auf dem Stuhl. „Sie war sehr vorsichtig damit, keine direkten Anschuldigungen anzustellen, jedoch hat sie darauf hingewiesen, dass eine Befragung bei seiner Sekretärin und dem Laborassistenten beginnen sollte."

„Hat sie gesagt, weshalb?"

„Nicht direkt. Doch es war eindeutig, dass die drei nicht viel füreinander übrighatten."

Interessant. Aber eins nach dem anderen. „Kommen wir auf den Mord zurück - beschreiben Sie mir die Leiche und die Umgebung so präzise Sie nur können."

Seine Lippen spannten sich.

„Um Himmels willen, Mylord, die Jungen haben den Tatort gesehen – und ich wage zu behaupten, dass sie mir jedes blutige Detail noch akkurater beschreiben könnten als Sie!"

„Daran habe ich keinen Zweifel", knurrte Wrexford. „Was ich gerade sagen wollte, ist, ich hoffe, Sie werden die zerfetzte Kleidung oder die Verstümmelungen nicht abbilden. Wenn der Mörder keinen Verdacht hat, dass das Verbrechen für etwas anderes als einen zufälligen Gewaltakt in einem gefährlichen Teil der Stadt gehalten wird, erleichtert das die Ermittlungen."

„Dessen bin ich mir bewusst, Sir", sagte sie mit sanfter Stimme. „Ebenso wie ich mir der Tatsache bewusst bin, dass mein Lebensunterhalt davon abhängt, meiner Konkurrenz einen Schritt voraus zu sein. Ich überlebe, indem ich der Gesellschaft die Spekulationen gebe, nach denen sie lechzt." Eine Pause. „Geteiltes Leid ist halbes Leid."

Wrexford stand auf und begann, im Kreis durch das Zimmer zu wandern. Er war ein großer Mann und die Schritte seiner langen Beine ließen den Raum noch kleiner wirken als er sowieso schon war.

„Mir ist klar, dass ich ein schweres Opfer von Ihnen verlange", sagte er. „Ich würde Ihnen eine Entschädigung für Ihren Einkommensverlust anbieten – wäre ich nicht der Überzeugung, dass Sie sie mir um die Ohren hauen würden."

„Bestechlichkeit wäre der erste Schritt auf dem Weg in den Ruin." Charlotte stieß einen Seufzer aus. „Was nicht heißen soll, dass ich nicht nach moralischen Grundsätzen handle, obgleich das bedeuten würde, dass ich hungern muss."

„Sie sind die bekannteste Karikaturistin Londons", murmelte er. „Ich wage zu behaupten, dass Sie nicht hungern werden."

„Eine Übertreibung. Mein Handwerk." Charlotte unterdrückte das Zucken ihrer Lippen. „Ich habe lediglich nach den Einzelheiten gefragt, damit ich eine Entscheidung darüber treffen kann, wie ich meine Zeichnung gestalten werde. Wenigstens den Tatort würde ich gerne realitätsgetreu darstellen."

Er würdigte ihrer Argumentation eines kurzen Nickens und beschrieb die Umgebung ohne weitere Einwände. Sein Blick, so wusste sie von ihren früheren Zusammentreffen, war genauso stechend scharf wie sein Sarkasmus.

„Danke." Charlotte machte sich einige letzte Notizen auf dem Papier, dann streckte sie dem Grafen ihren Bleistift entgegen. „Tun Sie mir einen Gefallen und zeichnen Sie die auffälligen Z-förmigen Schnitte, die Sie mir gerade beschrieben haben."

„Warum?"

„Weil Visuelles mir dabei hilft, meine Gedanken über ein Verbrechen anzuregen."

Er verzog das Gesicht, ging dann jedoch zurück an den Tisch und tat, wie von ihm verlangt.

Sie starrte die Skizze an und fühlte sich auf unerklärliche Weise davon beunruhigt.

„Bitte entschuldigen Sie, dass meine künstlerischen Fähigkeiten nicht ganz an die Ihren herankommen", sagte er. „Es ist etwas ungehobelt, aber dennoch relativ akkurat."

„Das ist es nicht, was mich stutzig macht. Ich finde ganz einfach die Vorstellung makaber, dass ein Mörder sich die Zeit nehmen würde, das Fleisch seines Opfers zu entstellen."

Charlotte tat den Gedanken mit einem Schulterzucken ab und richtete ihre Aufmerksamkeit auf die Informationen, die sie gerade gehört hatte. Im Augenblick war es schwer, ein Muster zu erkennen, dass ihnen dabei helfen würde, das Puzzle zusammenzufügen.

„Sie sagten, dass die Ermittlungsbehörden bereits involviert seien. Was sagt Mr. Griffin von der Bow Street zu dem Ganzen?"

„Nichts. Zumindest noch nicht", erwiderte der Graf. „Man hat das Verbrechen einem anderen Läufer zugeteilt und er hat Mrs. Ashton wissen lassen, dass kaum Hoffnung bestünde, den Täter zu finden. Ich werde mich diesen Abend jedoch unter vier Augen mit Griffin unterhalten und seine Meinung zum weiteren Verlauf einholen."

„Vorausgesetzt, er ist der Meinung, dass es einen Grund gibt, weiterzumachen", merkte Charlotte an. Anfänglich hatte Griffin – der die Ermittlungen in dem Mordfall geleitet hatte, in den Wrexford involviert gewesen war – den Eindruck gemacht, ein langsames, methodisches Arbeitstier zu sein. Doch sie beide hatten seine Hartnäckigkeit und Hingabe auf der Suche nach Gerechtigkeit zu respektieren gelernt.

„Guter Punkt", räumte Wrexford ein. „Die Witwe könnte Gespenster sehen, wo keine sind. Andererseits hat sie auf mich nicht wie eine Frau gewirkt, die sich abstrusen Hirngespinsten hingeben würde."

„Eine letzte Frage, Mylord."

Er blieb stehen.

„Sie haben mir noch immer nicht erklärt, warum Sie überhaupt zu mir gekommen sind. Was genau möchten Sie?"

„Ihr Netzwerk aus Informanten und Beobachtern ist mit Abstand das beste der Stadt", antwortete Wrexford. „Vielleicht könnten Sie sich umhören, ob einer der Straßendiebe von St. Giles für die Tat verantwortlich sein könnte. Sollte sich tatsächlich herausstellen, dass es sich um einen willkürlichen Raubüberfall gehandelt hat, der in Gewalt umgeschlagen ist, werden wir keinen weiteren Gedanken mehr daran verschwenden müssen."

„Sie glauben jedoch nicht, dass das der Fall ist?"

„Nein. Mein Gefühl sagt mir, dass wir auf ein Schlangennest der Intrigen stoßen werden, wenn wir nur tief genug in der Jauche von St. Giles graben."

Charlotte spürte, wie sich ein Schauer ihre Wirbelsäule hinabschlängelte. „Geht mir genauso", sagte sie zögerlich.

Die Schritte des Grafen klangen wie ein finsteres Trommelspiel, als er um einen Stapel verschnürter Kisten herumschritt. „Sofern Sie keine weiteren Fragen haben, werde ich mich auf den Weg machen und damit beginnen, Griffin ausfindig zu machen."

„Ich werde Nachforschungen bei meinen Quellen anstellen, sie werden allerdings nicht vor Mitternacht anzutreffen sein", antwortete sie. „Ich werde Sie benachrichtigen, sobald ich etwas herausgefunden habe."

„Danke." Wrexford blieb vor der Haustür stehen und drehte sich zu ihr um. Die Wandleuchte brannte noch nicht, wodurch ein Kranz aus Schatten um seine Gesichtszüge geworfen wurde.

„Übrigens", sagte er mit sanfter Stimme, „ich wünsche Ihnen wirklich alles Gute in Ihrem neuen Heim, Mrs. Sloane. Es wäre verständlich, wenn Sie Bedenken bezüglich der Entscheidung hätten. Veränderung ist niemals leicht. Allerdings ist es, meiner bescheidenen Meinung nach, ein weiser Entschluss. Die eigenen Grenzen zu erweitern, gewährt einem auch eine größere Entscheidungsfreiheit."

Ein Lob von Wrexford? Seine Worte kamen so unerwartet, dass Charlotte einen Moment lang sprachlos war.

Der Graf setzte seinen Hut auf und zog die Krempe in einen saloppen Winkel. „Weidmannsheil, Mylady."

Noch bevor sie antworten konnte, war er verschwunden.

„Entscheidungen, Entscheidungen", murmelte sie, während sie aufstand und sich an ihren Schreibtisch begab. Der Anblick ihrer Farben und Stifte half ihr dabei, sich zu beruhigen. Die Kunst gab ihr das Selbstvertrauen, ihre Gedanken und Beobachtungen mit gnadenloser Klarheit zum Ausdruck zu bringen.

Während ihre Unterhaltungen mit Wrexford nichts als eine undefinierbare Mischung aus Emotionen in ihr zu wecken schien.

Er erfreute sich daran, andere Menschen aus der Fassung zu bringen, redete sie sich ein. Höchstwahrscheinlich, weil sich seine eigene Emotionswelt nicht im Gleichgewicht befand.

Charlotte holte ein leeres Blatt Aquarellpapier hervor und macht sich an einen Entwurf von Ashtons Ermordung. Wie sie dem Grafen erklärt hatte, würden die Personen, mit denen sie sprechen musste, nicht vor weit nach Mitternacht wach sein, also konnte sie die Zeit genauso gut für etwas Konstruktives nutzen, anstatt zu grübeln.

Fantasie verdrängte allmählich Verstand und als die Linien und Texturen Form annahmen, verlor Charlotte sich in ihrem kreativen Prozess. Obgleich sie sie nicht in ihrer endgültigen Zeichnung darstellen würde, hatte sie die auffälligen Z-förmigen Schlitze, die Wrexford für sie gezeichnet hatte, in ihren Entwurf von Ashtons Leiche übernommen, um sich ein besseres Gefühl für den Tatort zu verschaffen.

In diesem Moment dämmerte es ihr.

„Grundgütiger", flüsterte sie.

Es handelte sich nicht um wahllose Schnitte. Die Linien formten grob ein Symbol.

Eines von dem Charlotte sich äußerst sicher war, es erst kürzlich gesehen zu haben.

Wrexford vernahm ein rotes Flackern durch den graubläulichen Tabakdunst hindurch und wandte sich dem Wirt zu, um zwei Krüge Ale zu bestellen. Die Taverne war gut gefüllt, was ihn zwang, einen Umweg zu gehen, um auf die andere Seite der Schankstube zu gelangen.

Griffin hob langsam seinen Blick von seiner Nierenpastete, als der Graf die zwei Getränke vor ihm auf dem Tisch abstellte. Sein Gesichtsausdruck war unlesbar, Wrexford jedoch hatte gelernt, dass der fleischige Körper und die trägen Bewegungen einen gefährlichen Scharfsinn verbargen.

„Schon wieder eine Leiche, Mylord?" Griffin nahm einen langen Schluck von dem Mitbringsel des Grafens.

„Ich hätte gedacht, dass Sie allmählich genug von dem Sensenmann haben."

„Eine reine Zufallsbegegnung", entgegnete er.

Der Läufer schnaufte verhalten.

Wrexford setzte sich. „Ich vermute, die Bow Street freut sich genauso wenig wie ich über den Fund der Leiche. Der Mord an einem namenhaften Gentleman wirft nie ein gutes Licht auf die Behörden, deren Verantwortung darin liegt, die Kriminalität in Schach zu halten."

Noch ein Schnaufen. Griffin verschwendete kein Wort.

„Ihr Landsmann, Mr. Fleming, ist der Meinung, dass es sich um einen wahllosen Raubüberfall gehandelt hat", fuhr der Graf fort. „Doch ich habe Grund zur Annahme, dass dem nicht so ist."

Der Läufer legte seine Gabel aus der Hand und wischte sich die Finger an seinem Ärmel ab. „Laut Fleming wurde Mr. Ashton erstochen und von seinem Geldbeutel fehlte weit und breit jede Spur. So etwas passiert leider häufiger als uns lieb ist, wenn ein Gentleman den Fehler begeht, sich in die Elendsviertel zu begeben."

„Hat Fleming auch den Zustand von Ashtons Kleidung und die Tatsache, dass der Körper verstümmelt wurde, erwähnt?", fragte Wrexford.

Griffin nahm einen weiteren Schluck von dem Ale. „Diese Einzelheiten werfen in der Tat einige Fragen auf."

Jetzt schnaufte Wrexford. „Das ist eine absolute Untertreibung."

Der ölige Schein der Lampe fing ein, wie der träge Blick des Läufers plötzlich durchdringender wurde. „Und Sie, Mylord, haben Antworten?"

„Das hängt davon ab, was Sie bereit sind, zu fragen." Wrexford starrte seinem Gegenüber für einen langen Moment in die Augen, bevor er fortfuhr. „Fleming scheint stur alle Hinweise zu ignorieren, die vermuten lassen, dass es sich nicht um einen gewöhnlichen Überfall durch Straßendiebe gehandelt haben konnte. Ashtons Witwe hat ihm sowohl ein überzeugendes Motiv als auch eine Liste mit potenziellen Verdächtigen, die von dem Tod ihres Mannes profitiert haben könnten, gegeben. Und dennoch entschließt er sich dazu, diese Indizien zu ignorieren."

„Haben Sie irgendeinen Beweis dafür, dass es ein vorsätzlicher Mord gewesen ist, oder nichts als reine Mutmaßungen?"

Wrexford fluchte leise. „Lassen Sie mich wenigstens ausreden."

Das sorgte für ein selten gesehenes Lächeln auf Griffins Lippen. „Also gut. Das wird Sie allerdings noch ein Ale kosten."

Der Graf machte eine brüske Handbewegung in Richtung der Kellnerin, bevor er mit seinem Stuhl näher an den Tisch heranrückte. „Fangen wir mit dem Motiv an. Wie es der Zufall so will, war Ashton ein Bekannter von mir. Er war ein brillanter Erfinder und laut seiner Frau befand er sich in der letzten Phase in der Entwicklung eines neuen technologischen Apparates, der ein Vermögen wert gewesen wäre."

„Inwiefern?" Griffins Ausdruck blieb neutral, doch eine leichte Veränderung in dem Ton seiner Stimme deutete an, dass sein Interesse geweckt worden war.

„Sind Sie mit Patenten vertraut?"

„Ich bin ein bescheidener Gaunerfänger, kein schicker Aristokrat", erwiderte der Läufer. „Ich habe den Begriff schon einmal gehört, wie jedoch ein einfaches Blatt Papier auf magische Weise Säcke voller Geld hervorzaubert, ist ein Mysterium, dass nur Sie wohlhabenden Pinkel zu verstehen in der Lage sind."

Wrexford schmunzelte. „Genau genommen ist es ein Mysterium, dass nur die verdammten Barrister und Richter verstehen. Nichtsdestotrotz werde ich mich bemühen, Ihnen das Konzept kurz zu erklären."

„Dafür wird es eines Stücks Stilton und eines Apfelkuchens bedürfen."

„Ein kleiner Preis für Gerechtigkeit", murrte er, während er einige weitere Münzen aus seinem Geldbeutel fischte.

„Und noch ein Ale, wo Ihr Geldbeutel gerade geöffnet ist", murmelte Griffin.

„Nun gut", willigte der Graf zögerlich ein. „Also dann, passen Sie auf. Um Patente und Profite zu verstehen, müssen wir uns zurück in das Jahr 1602 begeben und uns den Fall der Monopole ansehen, der von einem Patent auf Spielkarten handelte."

„Ein Fall, der Ihnen zweifelsohne sehr am Herzen liegt, Mylord." Eine Pause. „Und Ihrem Freund, Mr. Sheffield."

„Ich muss zugeben, es hat eine gewisse Ironie, dass wir die Leiche auf unserem Rückweg von einer

Spielhölle entdeckt haben. Doch lassen Sie uns nicht abschweifen."

Der Läufer nickte geistesabwesend. Er war vorübergehend abgelenkt durch die Ankunft seines Käses und dem Kuchen.

„Das Konzept des Patents ist nicht neu", fuhr der Graf fort. „König Henry VI. erteilte das erste schriftliche Patent an einen Glaser für eine spezielle Formel zur Herstellung von koloriertem Glas im Jahr 1449. Erst hundert Jahre später wurde das zweite Patent vergeben, wieder für eine Technik der Glasherstellung. Dann, im Jahr 1598, erteilte Queen Elizabeth Edward Darcy, einem ihrer Höflinge, ein Patent für ein Monopol des Imports und Verkaufs von Spielkarten. Anschließend verklagte Darcy einen Händler, der dasselbe tat. Der Verteidiger hingegen zweifelte das Patent auf Grundlage des Common Law an."

Griffin brach ein Häppchen des Stilton ab. „Und was ist dann passiert?"

„Heftige Diskussionen vor dem Oberrichter folgten. Der Kern der Verteidigung des Händlers lag darin, dass die Königsfamilie kein Patent zum alleinigen Zwecke der persönlichen Bereicherung eines Individuums erteilen könne. Lediglich eine Idee, die in irgendeiner Form zu der Verbesserung der Herstellung von Spielkarten beitragen würde, könne geschützt werden", erklärte Wrexford. „In anderen Worten, ein Patent sollte einer neuen Erfindung oder einzigartigen Innovation dienen, nicht dem Handel an sich."

„Ich frage mich, wie viele Läufer wohl das Privileg haben, eine Oxford-Vorlesung mit ihrem Abendessen zu bekommen", nuschelte Griffin durch einen Mundvoll Eiercreme und Äpfeln hindurch.

Wrexford fand die Analyse intellektueller Konzepte unendlich faszinierend. Er war jedoch weise genug, um zu begreifen, dass nicht jeder seine Empfindung teilte. Er konnte sehen, dass er Gefahr lief, das Interesse des Mannes zu verlieren.

„Haben Sie noch ein wenig Geduld – ich komme gleich zum Ende", sagte er. „Das Gericht kippte Darcys Patent und im Jahr 1623 wurde eine Verordnung erlassen, die die Regeln für die Erteilung von Patenten darlegen sollte. Bekannt unter dem Namen Statut der Monopole dient sie noch heute als Basis unserer modernen Patentrechte."

„Ich nehme an, Sie erklären mir jetzt, warum Ashton im Begriff war, ein sehr reicher Mann zu werden."

Der Graf lächelte. „Ja."

Griffin lehnte sich auf seinem Stuhl zurück und öffnete die unteren zwei Knöpfe seiner scharlachroten Weste. Ein leiser Rülpser endete mit einem Zucken seiner Lippen, das vielleicht – vielleicht aber auch nicht – ein Lächeln gewesen sein sollte. „Bitte versuchen Sie, sich kurz zu halten, Mylord. Im Gegensatz zu Ihnen muss ich mich irgendwann von diesem Tisch erheben und wieder dem Verdienst meines Lebensunterhaltes nachgehen."

„Also gut, doch um die heutigen Gesetze wirklich zu verstehen, gibt es noch ein elementares Konzept, das eine Rolle spielt", erklärte Wrexford. „Es basiert auf der Idee des Philosophen John Locke hinsichtlich des Eigentums."

„Ich bin ein Pragmatiker und kein Philosoph."

„Weshalb Sie gut beraten sind, wenn Sie noch einen kurzen Moment länger zuhören", entgegnete der Graf. „Locke glaubte, das Konzept des Eigentumsrechtes eines Mannes stehe in direkter Verbindung zu seiner Arbeit. Mit anderen Worten: Der Bauer hat einen Anspruch auf das Recht seiner Ernte, welcher nicht darin liegt, dass er das Land besitzt, auf dem sie wächst, sondern weil er im Schweiße seines Angesichts die Früchte erzeugt hat."

Der gelangweilte Gesichtsausdruck des Läufers veränderte sich.

„Lockes Überlegungen zu Eigentum, Arbeit und der Akkumulation von Vermögen waren äußerst einflussreich um die Wende des letzten Jahrhunderts herum. Im Jahr 1710 wurde das Urheberrechtsgesetz verabschiedet, das in gewisser Weise eine Ergänzung zu dem Statut der Monopole darstellt. Kurz zusammengefasst stand darin, dass neben Wirtschaftsgütern, Ideen ebenfalls Eigentum sein und somit durch das Gesetz geschützt werden konnten."

Griffin gab ein Grunzen von sich. „Ich habe bereits alle Hände voll damit zu tun, das Silber und die Juwelen der Beau Monde zu beschützen. Jetzt muss ich mich auch noch darum sorgen, was in den Köpfen von Ihnen edlen Aristokraten vor sich geht?"

Trotz der sarkastischen Bemerkung konnte Wrexford spüren, dass er die volle Aufmerksamkeit des Mannes hatte.

„Das Urheberrechtsgesetz der Kupferstecher wurde im Jahr 1735 verabschiedet und diente dem Schutze der Arbeit von Künstlern", fügte der Graf hinzu. „Und jetzt kommen wir zum Kern des Ganzen. In der

Vergangenheit waren Erfinder, neben einem Haufen anderer Intellektueller, oft sehr verschwiegen – sie teilten ihre Entdeckungen oder Innovationen nur äußerst ungern, aus dem einfachen Grund, dass sie befürchteten, man würde sie ihnen stehlen. Mit dem Recht, ihre Ideen zu schützen, gerät solch wertvolle Information heutzutage schneller an die Öffentlichkeit. Und wenn es sich um praktische Erfindungen handelt, bieten sie die Möglichkeit, die Wirtschaft zu stimulieren und Wohlstand für sowohl den Schöpfer als auch die Personen zu generieren, die die Erfindung nutzen werden."

Das Lampenlicht flackerte, als ein Windzug die verqualmte Luft aufwirbelte. Wrexford stemmte seine Ellenbogen auf den Tisch und lehnte sich etwas näher zu dem Läufer hinüber. „Stellen Sie sich zum Beispiel nur einmal vor, es gäbe eine Erfindung, die die Leistung von Dampfmotoren verbessert. Alle Motorenhersteller würden diese Innovation in ihre Produktpalette aufnehmen, denn jeder, der einen Dampfmotor besitzt, würde das neueste Modell haben wollen. Und die Hersteller würden für das Recht zahlen müssen, das Patent des Erfinders zu verwenden."

Der Läufer saß jetzt kerzengerade. „Jeder Dampfmotor im ganzen Land?", grübelte er. „Das wären ..."

„Verflucht viele Motoren", beendete Wrexford seinen Gedanken. „Und verflucht viel Geld."

Griffin schürzte die Lippen und nickte nachdenklich. „Also", murmelte er kurze Zeit später. „Ich gebe zu, Sie haben mir soeben ein überzeugendes Motiv geliefert, doch haben Sie auch nur die Spur eines Beweises für mich?"

„*Ich* werde nicht dafür bezahlt, Verbrechen aufzuklären", konterte Wrexford. „Dafür sind Sie und Ihre Kollegen zuständig."

Ein erheitertes Funkeln schimmerte in den Augen des Läufers. „Nun ja, wie Ihr Freund Mr. Locke betont, gehen Arbeit und Vermögen Hand in Hand. Die Bow Street wird keinen Läufer mit mehr als einer oberflächlichen Ermittlung beauftragen, es sei denn, es gibt Beweise dafür, dass alles andere keine Verschwendung von Zeit und Mühe wäre."

„Ich bezahle Sie dafür, den Hinweisen zu folgen", sagte der Graf. Wer wohlhabend genug war, sie zu bezahlen, konnte Läufer privat für sich arbeiten lassen. „Mrs. Ashton lässt mir die Nachricht zukommen, die ihren Ehemann in seinen Tod gelockt hat, zusammen mit einer Liste der Personen, die von seiner Arbeit gewusst haben. Mit einer methodischen ..."

Griffin hob seine Hand. „Ich bin im Augenblick mit einem anderen Fall beschäftigt, Mylord. Und um ganz offen zu sein, auch wenn Sie mein Interesse geweckt haben, solange Sie mir nichts als Vermutungen geben können, werde ich Ihr Geld nicht verschwenden. Zu versuchen, den Täter nur mithilfe dessen zu finden, was Sie mir gerade erzählt haben, wäre, als würde man eine Nadel in einem Heuhaufen suchen."

„Sie haben einen scharfen Blick, wie ich sehr wohl weiß", antwortete der Graf.

„Das sollten Sie in der Tat, Sir." Der Stuhl des Läufers schrammte über den rauen Dielenboden. „Sollten Sie eine Spur finden – so schwach sie auch sein mag – bin ich bereit, noch einmal zu reden." Er erhob sich und tätschelte seinen Bauch. „Vorzugsweise wieder bei einem köstlichen Abendessen."

Charlotte spähte die gewundene Gasse auf und ab, bevor sie aus dem schmalen Durchgang hervortrat. Nicht, dass sie sich vor Ärger in Acht nehmen musste – sie war sich sicher, dass Raven und Hawk irgendwo in den Schatten lauerten und auf sie aufpassten.

Dies war jedoch ein besonders hartes Pflaster von St. Giles und auch wenn sie die Vorsichtsmaßnahme ergriffen hatte, sich als lumpiges Gassenkind zu verkleiden, war die drohende Gefahr nicht zu unterschätzen.

Charlotte beschleunigte ihre Schritte und flitzte durch eine schmale Öffnung zwischen den schiefen Gebäuden, die sich rechts von ihr befand, und begab sich auf die Rückseite der Baumwollfabrik. Tief in eine Ecke eingelassen befand sich eine altersgeschwärzte in Eisen gerahmte Eichentür. Sie klopfte ein geheimes Zeichen – drei Mal leicht antippen, drei Mal kräftig klopfen – und wartete.

Die Schatten flimmerten, als eine Brise durch die Risse des verrotteten Zaunes blies und die abscheulichen Gerüche der Verwesung aufwirbelten.

Charlotte überkam ein Schauer. Ein Gestank der Hoffnungslosigkeit erfüllte die Luft, schwer und viskös wie der stinkende Schlamm unter ihren Stiefeln. Sie sprach ein Dankgebet dafür, dass das Schicksal ihr einen Ausweg gegeben hatte.

Doch das Schicksal, so wusste sie, war launisch. Und gemein.

Sie nahm einen kontrollierten Atemzug. Wrexfords Beschreibung des ermordeten Erfinders schien sie aufzuwühlen. Dass Brillanz so einfach ausgelöscht werden konnte …

Die Tür öffnete sich einen Spalt weit und unterbrach ihr Grübeln.

Charlotte schlüpfte eilig hinein. Ein Mann – klein, fett und in einen schmierigen Mantel gekleidet, der aus allen Nähten zu platzen drohte – verschloss die Tür und wandte sich ihr zu. Einzelne Lichttüpfel tänzelten über seine knollige Nase und die unrasierten Wangen, und fingen für den Bruchteil einer Sekunde die Wachsamkeit seiner schwarzen Knopfaugen ein.

„Was brauchst du, Elster?"

Das war Charlottes Straßenname. Ein Vogel schien passend, in Anbetracht der Jungen, und welcher Vogel passte besser als ein gerissener, der hin und her flitzte und kleine schimmernde Schmuckstücke und Flittern stahl, um sie in sein Nest zu bringen.

„Informationen über die Straßendiebe nahe des Red Lion Square, Sam", raunte sie mit einem tiefen Knurren, das ihre wahre Stimme verbarg. „Ein Adliger ist brutal ermordet worden. Gibt es Gerede darüber, wer es gewesen sein könnte?"

Sam kratzte sich an seinem borstigen Kinn. „Nay, nix dergleichen. Ist schlecht fürs Geschäft, die Kerle von der Bow Street zu verärgern."

Sie hielt einen Geldbeutel hoch. „Bist du dir sicher?" Er wusste, dass es zukünftige Zahlungen beeinträchtigen würde, wenn er nicht die Wahrheit sagte. „Also gut, Razor ist vor einer Weile hier gewesen. Hat irgendwas davon gefaselt, dass sie alle fuchsteufelswild seien, weil irgendjemand ihren Bau beschmutzt hat."

„Haben Sie eine Ahnung, wer? Eine rivalisierende Bande aus einem der anderen Elendsviertel vielleicht?"

„Nay", sagte er wieder. „Das hätten die schon längst herausgefunden. Das war kein Taschendieb, der die schmutzige Tat begangen hat." Ein fieses Lächeln breitete sich in Sams Gesicht aus. „Muss ein anderer reicher Pinkel gewesen sein, der sich seine zarten Händchen schmutzig gemacht hat."

Charlotte war zufrieden mit der Antwort ihres Informanten – und angesichts der Verstümmelung des ermordeten Mannes hatte sie auch nichts anderes erwartet. Sie würde sich noch die Meinungen anderer Menschen einholen, ihr Bauchgefühl sagte ihr allerdings, dass Sam recht hatte.

Bei diesem Verbrechen waren nicht die Straßenräuber und Diebe die Übeltäter.

„Danke." Sie übergab ihm den Geldbeutel.

Mit einigen schnellen Griffen entsperrte Sam das Schloss. „Jederzeit, Elster."

Charlotte schlüpfte zurück ins Dunkel der Nacht, wo sich die feuchte Luft nach der stickigen Wärme des Verstecks ihres Informanten noch kühler anfühlte. Sie drehte sich um und machte sich auf den Weg zum nächsten Halt auf ihrer Liste.

Ihre Gedanken kreisten jedoch bereits um die Frage, wie sie die Bedeutung des Symbols herausfinden konnte, das in Elihu Asthons Fleisch geritzt worden war.

Kapitel 5

„Teufel noch eins", murrte Wrexford, als er die Tür zu seinem Labor mit einem Tritt seines Stiefels schloss. Den Tiegel und die säuberlich aneinandergereihten Fläschchen auf dem Tisch in der Mitte des Zimmers ignorierend, nahm er am Schreibtisch Platz und stellte seine Tasse Kaffee darauf ab, während er versuchte, seine wachsende Frustration zu unterdrücken. Es war schon bald Mittag und noch immer war keine Sendung von Isobel eingetroffen, was ihm nichts anderes übrigließ, als sich in Ungeduld zu wiegen.

Der Abschnitt über „dephlogistierte Luft" aus Priestleys wissenschaftlichem Magnus Opum lag aufgeschlagen vor ihm, doch so interessiert der Graf an den frühen Experimenten mit Sauerstoff auch war, konnte er sich selbst nicht dazu bringen, sich zu konzentrieren.

Teufel noch eins. Irgendetwas an der ganzen Sache juckte ihn, er konnte jedoch nicht genau sagen, was.

„Mylord." Das Eintreten seines Kammerdieners bewahrte ihn davor, in noch dunklere Grübeleien zu versinken. Er brachte ihm ein dünnes Päckchen herüber. „Die Informationen von Mrs. Ashton sind soeben gekommen."

„Wurde verdammt nochmal Zeit", murrte der Graf, während er das Paketpapier zerriss.

Verpackt zwischen zwei schützenden Stücken Pappe befand sich die Nachricht an ihren verstorbenen Ehemann und ein nach Blumen duftendes Briefpapier, mit einer Liste aus acht Namen, jeweils gefolgt von einer kurzen Erklärung darüber, wie die Person mit Ashton in Verbindung gestanden hatte.

Wrexford räumte einen Platz auf seiner Schreibunterlage frei und breitete den Inhalt vorsichtig darauf aus.

Tyler sah ihm über die Schulter. „Möglicherweise könnten wir die Nachricht unter dem Mikroskop untersuchen", murmelte er. „Die Komposition der Tinte könnte uns einen Hinweis geben."

Der Graf runzelte die Stirn. „Die Chancen sind verschwindend gering. Aber einen Blick ist es wert." Er lehnte sich dichter heran. „Hmm."

„Was?", fragte sein Kammerdiener.

„Wer auch immer diese Nachricht geschrieben hat, hat eine ungewöhnliche Handschrift", sagte Wrexford, nachdem er das Geschriebene genauer untersucht hatte. „Sehen Sie sich die Schnörkel der Buchstaben f und g an."

Tyler nahm ein Vergrößerungsglas, das auf dem Arbeitstisch lag, zur Hand und warf einen genaueren Blick auf die Nachricht. „Sie haben recht."

Die Entdeckung ließ Wrexfords Blick allerdings nur noch nachdenklicher werden. „Der Gedanke, dass ein Mörder so närrisch wäre, eine derartige Visitenkarte zurückzulassen, ist zu schön, um wahr zu sein."

„Es sei denn", sinnierte Tyler, „er hat nicht vorgehabt, Ashton zu töten."

Eine nachvollziehbare Erklärung, räumte er ein. Es war durchaus möglich, dass Ashton und der selbsternannte Geistesverwandte der Wissenschaft über eine Partnerschaft im Zusammenhang mit der neuen Erfindung in Streit geraten und die Dinge aus dem Ruder gelaufen waren. Allerdings sprach alles, was der Graf über Ashton wusste, gegen ein solches Szenario. Der Erfinder war für seinen Altruismus bekannt. Wrexford konnte sich nicht vorstellen, dass er in zwielichtige Geschäfte verwickelt gewesen war.

Auf der anderen Seite hatte ein jeder sein Kreuz zu tragen, eine Schuld, die er lieber geheim halten würde. Eine glänzende Fassade konnte ein verrottendes Inneres verbergen.

„Ich nehme an, dass wir es in Erwägung ziehen sollten", sagte er schließlich.

„Sie glauben jedoch nicht, dass es so passiert ist, Mylord?"

„Nein", antwortete der Graf unverhohlen. „Das glaube ich nicht. Als Mann der Wissenschaft muss ich jedoch unvoreingenommen bleiben und meine Annahmen mit Fakten stützen." Er fuhr mit einem Finger über einen Knick in dem Papier. „Bereiten wir das Mikroskop vor und finden heraus, was uns die Nachricht des Mörders verrät."

Während Tyler sich daranmachte, die Schränke zu durchwühlen, lehnte sich der Graf auf seinem Stuhl zurück, noch immer beschäftigt mit dem merkwürdigen Kribbeln im Hinterkopf. Möglicherweise war es schlicht und ergreifend der Mord an einem Bekannten – noch dazu ein erschreckend brutaler – der ihn beunruhigte. Das war jedoch eine zu vage Erklärung. Jeder wusste, dass er kein Mann war, der sich einer derartigen Sentimentalität hingeben würde.

Die physikalische Welt und ihre Wirkungsweisen zu verstehen, war die Art intellektuelles Rätsel, das er zu lösen liebte. In der Chemie drehte sich alles um Logik.

Man konnte Informationen ergründen, indem man empirische Beobachtungen und Analysen durchführte. Bei Mord drehte sich alles um Emotionen. Er trotzte dem Uhrwerk des Universums. Was, wie der Graf sich eingestehen musste, seinem geordneten Verstand missfiel.

Warum zum Teufel also bewegte ihn der Hilferuf der liebenswerten Witwe so sehr?

Wrexford wand sich voller Unbehagen auf seinem Stuhl. Hinter ihrer Trauer und Unsicherheit verbarg sich etwas, das ihn neugierig machte. Sie war nicht wie die anderen wohlgeborenen Damen der gehobenen Kreise. Isobel hatte eine stählerne Unbeugsamkeit ausgestrahlt, eine Art gelassene Entschlossenheit. Tatsächlich war er noch nie einer Frau wie ihr begegnet.

Bis auf …

Mit einem Schnaufen atmete er aus und vertrieb das Bild von Charlottes Gesicht aus seinem Kopf.

Verfluchter Mist, es war untypisch für ihn, zuzulassen, dass Gedanken an Frauen sein Hirn vernebelten.

Womöglich war das ein Zeichen dafür, dass es an der Zeit war, sich eine Nachfolgerin für die teuflisch entzückende Diana Fairfax zu suchen, mit der er vor einigen Monaten entschlossen hatte, getrennte Wege zu gehen. Die schönen - und pragmatischen – Kurtisanen Londons verstanden die Regeln einer solchen Liaison. Geld hatte seine Privilegien, dachte er süffisant. Es sorgte dafür, dass jegliche Komplikationen oder emotionale Verwicklungen von Anfang an ausgeschlossen waren …

„Mylord", rief Tyler. „Die Linsen und Lampen sind justiert. Wünschen Sie, einen Blick zu werfen?"

Froh, dass ein pragmatischeres Problem seine Grübelei verdrängte, erhob sich Wrexford. „Irgendetwas Interessantes?", fragte er, als der Kammerdiener ihm seinen Platz am Arbeitstisch überließ.

„Nichts, das ich auf den ersten Blick erkennen konnte." Tyler beugte sich vor und nahm eine leichte Anpassung an dem Spiegel vor. „Vielleicht haben Sie mehr Glück."

Der Graf blickte mit zusammengekniffenen Augen durch das Okular und untersuchte die Nachricht, die Ashton in seinen Tod gelockt hatte. Doch das Glück stellte sich als so launenhaft wie sein Gemüt heraus.

„Nein", murrte er, nachdem er sich einen Moment Zeit genommen hatte, um seinen anfänglichen Eindruck zu bestätigen. „An der Tinte oder dem Papier lässt sich nichts Außergewöhnliches feststellen."

Tyler zuckte mit den Schultern. „Genau wie wir vermutet haben."

„In der Tat. Allerdings weiß ich im Augenblick nicht, was wir sonst noch probieren könnten." Wrexford rieb seine Schläfen. „Sie können sich etwas anderem widmen. Ich werde noch ein wenig Priestley lesen."

Doch nachdem sein Kammerdiener den Raum verlassen hatte, holte Wrexford die Nachricht unter der Linse des Teleskops hervor und legte sie auf seinen Schreibtisch, wo das helle, zerknitterte Papier einen starken Kontrast zu dem dunklen Leder seiner Schreibunterlage darstellte. Wrexford schob seine leere Tasse beiseite und orderte per Klingel eine neue Kanne, bevor er sich setzte und über das Papier beugte, um einen weiteren suchenden Blick darauf zu werfen.

Was übersehe ich? Bis jetzt war die Handschrift der einzige verräterische Hinweis. Doch in Anbetracht der Tatsache, dass Londons aktuelle Bevölkerung über zwei Millionen Seelen zählte, lag die Wahrscheinlichkeit, den Verfasser zu identifizieren bei ...

„Nahezu null", murrte der Graf.

„Null?", wiederholte Sheffield, während er in das Zimmer geschlendert kam. „Gütiger Gott, es ist noch viel zu früh, um Latein zu lesen." Er sah sich um und gab ein schwermütiges Seufzen von sich. „Warum sitzen Sie hier und nicht im Frühstückssaal? Ich verhungere."

„Ich denke nach – ein Konzept, das Ihnen gänzlich fremd ist."

Sein Freund tat verletzt. „Auch ich mache hin und wieder von meinem Hirn Gebrauch." Eine Pause. „Allerdings nie auf leeren Magen."

Die Anspielung ignorierend, nahm Wrexford das Vergrößerungsglas zur Hand.

Wieder ein Seufzen. „Jetzt sagen Sie schon, was ist so interessant, dass Sie diesen herrlichen silbernen Speisenwärmern, voll mit Eiern und Schinken, den Rücken gekehrt haben?" Sheffield kam zu ihm herüber, um einen Blick auf das Objekt seines Interesses zu werfen.

„Es geht um den Mord von letzter Nacht." Der Graf starrte durch die Linse, verbissen, etwas zu finden – irgendetwas -, das ihn weiterbringen könnte.

„Hmmm. Eigenartig", murmelte sein Freund.

Er drehte sich auf seinem Stuhl herum. „Kit, ich bin in keiner Laune für Ihre schwachköpfigen Scherze ..."

„Es ist nur so, dass ich die Handschrift kenne."

Wrexford erstarrte. „Sind Sie sich da sicher?"

„Ziemlich sicher", erwiderte Sheffield. „Sehen Sie sich die Schnörkel an. Ich habe genügend Schuldscheine von diesem Kerl gesehen, um sie wiederzuerkennen. Er ist der Einzige, der noch häufiger an den Spieltischen verliert als ich."

„Kennen Sie vielleicht seinen Namen?", fragte Wrexford langsam.

„Ja, selbstverständlich. Der ehrenwerte Robert Gannett." Sein Freund hob eine Augenbraue. „Weshalb fragen Sie?"

„Weil es sein könnte, dass Sie soeben Elihu Ashtons Mörder identifiziert haben", antwortete er. „Vergeben Sie mir meine Bemerkungen bezüglich Ihres Intellekts. Sie sind brillant."

Sheffield grinste. „Ich habe lediglich Glück." Er pausierte kurz. „Bieten Sie mir jetzt endlich etwas zu Essen an?"

„Einen Moment noch. Irgendeine Ahnung, wo wir Mr. Gannett antreffen könnten?"

„Das wird Sie einen von Ihren exzellenten indischen Stumpen kosten", witzelte Sheffield. Als er den mürrischen Blick des Grafen bemerkte, unterließ er seine Scherze und sagte: „Wir könnten damit beginnen, die Spielhöllen in Southwark abzuklappern."

„Ausgezeichnet. *Jetzt* dürfen Sie sich gern bedienen." Wrexford lehnte sich zurück, in seinem Gesicht ein sardonisches Grinsen. „Kommen Sie um Mitternacht wieder und ich sorge dafür, dass Cook ein köstliches Beefsteak für Sie vorbereitet hat, das Sie sich auf der Zunge zergehen lassen können, bevor wir uns auf die Jagd nach dem Mörder machen." Er hielt einen Moment lang inne. „Andererseits wäre ein leerer Magen womöglich von Vorteil, für den Fall, dass wir diesem verfluchten Feigling eine Kugel verpassen müssen."

Charlotte verfasste ein kurzes Schreiben an den Grafen, in dem sie ihm mitteilte, was sie letzte Nacht herausgefunden hatte. Was jedoch ihren Verdacht bezüglich der Verstümmelung von Ashtons Leiche betraf ...

Sobald die Jungen davongeeilt waren, griff sich Charlotte ihren Mantel und machte sich auf den Weg, um einen Freund zu besuchen.

„Sind Sie gekommen, um mir Lebewohl zu sagen, Mrs. Sloane?" Henning Basil sah von dem Arbeitstisch seines Leichenhauses auf und fuhr sich mit einer Hand über das Kinn, wobei er einen schwarzen, öligen Streifen auf seinem stoppeligen Bart hinterließ.

Charlotte wagte es nicht, auch nur darüber nachzudenken, worum es sich bei der Substanz handeln mochte. Der Arzt hegte großes Interesse am menschlichen Körper und führte neben der medizinischen Versorgung von Londons lebendiger armer Bevölkerung regelmäßig Autopsien für die Ermittlungsbehörden durch.

„Ich ziehe in einen anderen Stadtteil, Mr. Henning, nicht auf die Rückseite des Mondes", erwiderte sie mit einem Lächeln. „Ich werde weiterhin meinen zweiwöchentlichen Kurs für Frauen geben, die das Lesen erlernen möchten. Ich wage also zu behaupten, dass wir uns noch oft genug begegnen werden."

Sein Gesicht, das einer Granitplatte aus dem schottischen Hochland glich, die mit einem stumpfen Meißel in Form gebracht worden war, wurde plötzlich sichtlich entspannt. „Ach, ich bin froh, das zu hören,

Mädchen. Allerdings ist es Dienstagabend und in Anbetracht der Tatsache, dass sich unsere Wege zu kreuzen tendieren, wann immer irgendwo eine Leiche auftaucht, habe ich gemischte Gefühle, was Ihre Anwesenheit in meiner Praxis angeht." Ein Glucksen grollte tief in seiner Kehle. „Wie dem auch sei, Ihr Erscheinen erhellt stets meinen Tag. Möchten Sie eine Tasse Tee?"

Blitzschnell wandte sie ihren Blick von der Schale auf dem Tisch ab und war dankbar, dass das flackernde Lampenlicht sie in Schatten hüllte. „Ein Tee wäre ganz reizend. Soll ich einen Kessel auf den Herd in Ihrem Büro stellen, während Sie hier aufräumen?"

Sein Lachen wurde ausgeprägter, als er sich einen schmutzigen Lappen griff und seine Hände daran abwischte. „Ist Ihnen nicht nach gekochten Nieren?"

„Ihr Humor ist noch sonderbarer als Wrexfords", rügte sie. „Was die Leichen angeht ..."

Hennings Lachen verstummte.

„Sie liegen richtig, was den Grund meines Erscheinens betrifft."

Trotz seiner unordentlichen Kleidung und überaus schroffen Persönlichkeit, war der Verstand des Arztes so scharf wie eines seiner Skalpelle. Er starrte sie mit gerunzelter Stirn an. „Ihr jüngster Druck hat angedeutet, dass Elihu Ashtons Tod das Ergebnis einer unglücklichen Begegnung mit Straßenräubern gewesen ist."

„Das ist es, was die Bow Street glaubt", sagte sie zurückhaltend.

„Doch Sie haben Grund zur Annahme, dass das nicht der Wahrheit entspricht?"

Charlotte dachte an das Versprechen, dass sie Wrexford gegeben hatte, verdrängte es jedoch gleich darauf wieder. Henning war während der Ermittlungen zu Holworthys Ermordung zu einer geschätzten Vertrauensperson geworden. Sollte der Graf sie doch dafür geißeln, das Geheimnis weitergegeben zu haben, wenn er sich so sehr daran störte.

„Ich nicht, aber Wrexford", antwortete sie. „Er und Sheffield waren es, die die Leiche entdeckt haben." Charlotte erzählte ihm von der zerschnittenen Kleidung und von dem undeutlichen Symbol, das der Mörder in den Bauch des Erfinders geschlitzt hatte.

Sie nahm einen kontrollierten Atemzug und fügte anschließend hinzu: „Ich hatte gehofft, dass Sie mir etwas zu dem Pamphlet sagen können, das ich letzte Woche gesehen habe, als ich für meinen Kurs hier war."

Hennings Ausdruck wurde noch finsterer. Ein Sekundenbruchteil der Totenstille erfüllte den Raum, dann drehte er sich abrupt um. „Folgen Sie mir." Er blies die Flamme der Lampe aus und führte sie über einen matschigen Hof in sein Büro. Sobald sie drinnen waren, verriegelte er die Tür und starrte auf den Herd in der Ecke des Raumes.

„Ich werde die Kohlen schüren und einen Kessel aufsetzen. Es könnte einige Minuten dauern, bis es kocht."

„Überspringen wir die gesellschaftlichen Konventionen", sagte Charlotte mit sanfter Stimme. „Ich würde behaupten, dass Sie sowieso lieber ein Schlückchen schottischen Malt trinken würden."

Einen Augenblick lang verweilten Hennings Augen auf der Flasche bernsteinfarbenen Whiskys, die oben auf einem der Bücherregale stand. „Aye. Doch ich sollte lieber einen klaren Kopf bewahren." Mit einem gereizten Seufzen ließ er sich in seinen Schreibtischstuhl sacken. „Sie bringen mich in eine teuflisch schwierige Situation, Mrs. Sloane. Sie kennen meine Meinung zu der privilegierten Klasse und dazu, wie sie diejenigen ausbeutet, die sich die Finger für Löhne wund arbeiten, die nicht einmal reichen würden, um eines ihrer schicken Pferde zu füttern."

Charlotte nickte. Als abgebrühter Schotte mit radikalen Ansichten zur sozialen Gleichheit, nahm der Arzt kein Blatt vor den Mund, wenn es um seine Verachtung des englischen Adels ging – auch wenn er hin und wieder eine Ausnahme machte. Er und Wrexford verstanden sich als Seelenverwandte, die eine gesunde Skepsis gegenüber den gesellschaftlichen Konventionen teilten.

„Das weiß ich, Mr. Henning. Ich würde jedoch nicht fragen, wenn ich nicht der Meinung wäre, dass es im Interesse aller liegen würde, sowohl arm als auch reich, sicherzugehen, dass der Mord an Ashton nicht zu dem Funke wird, der das Pulverfass der Arbeitsunruhen in diesem Land entzündet."

Sie nahm einen verunsicherten Atemzug. „Ich hege dieselbe Sympathie wie Sie." Länger als ihr lieb war, hatte sie zu denen gezählt, die sich unter Biegen und Brechen eine Existenz sichern und von der Hand in den Mund leben mussten. Auch wenn sich ihr Schicksal jetzt ein wenig zum Guten gewendet hatte, wusste Charlotte genau, wie schnell sich das wieder ändern konnte.

„Gewalt wird nur noch schlimmere Gewalt erzeugen", fuhr sie fort. „Die Radikalen, die den Tod der Mächtigen predigen, werden von der Regierung niedergewalzt werden – und viele unschuldige Arme müssen dann noch mehr Elend erleiden."

Henning verzog das Gesicht. „Ach, in meinem Inneren weiß ich das doch, Mädchen. Meinem Herzen gefällt das jedoch ganz und gar nicht."

„Sie haben mir bereits mehrfach zu verstehen gegeben, dass Sie kein Herz haben", murmelte sie.

Ein zögerliches Lächeln zerrte an seinen Lippen. „Ich habe vor, es mir herauszuschneiden. Leider habe ich noch nicht herausgefunden, wie ich meine langatmigen Hetzreden gegen die Ungerechtigkeit als inneren Dampfmotor zur Blutzirkulation verwenden kann."

„Ihr Geheimnis ist bei mir sicher", murmelte sie.

„Aye, Sie sind gut mit Geheimnissen." Jetzt, wo die Anspannung gebrochen war, begann er in dem Durcheinander aus Büchern und Unterlagen auf seiner Schreibunterlage zu wühlen - und fand ein auf primitive Weise gedrucktes Pamphlet, das mit einem groben, braunen Garn zusammengebunden worden war.

„Ich nehme an, Sie suchen das hier." Er ließ es über den Schreibtisch rutschen.

Charlotte hob es auf und sah sich die Titelseite an. DIE MASCHINE WIRD UNSER TOD SEIN! warnte die Überschrift. In fetten Buchstaben darunter befand sich ein Aufruf, sich den Arbeitern Zions anzuschließen. Das Symbol basierte auf dem Buchstaben Z und bestand aus einer Anordnung von einzelnen Linien, die sich zu dem Bild zusammenfügten.

Sie hatte nicht den Hauch eines Zweifels – es stimmte mit Wrexfords Skizze überein.

„Was wissen Sie über die Arbeiter Zions?", fragte sie.

„Genug, um zu verstehen, dass sie einige äußerst radikale Ideen vertreten", erwiderte Henning entschlossen. „Neben denen sehen die Anhänger von Ned Ludd wie engelsgleiche Chorknaben aus."

Charlotte lief es eiskalt den Rücken hinunter. Der Legende zufolge war Ned Ludd ein Weber, der im Jahr 1779 aus Protest gegen die neue Technologie, die ihn seines Lebensunterhaltes beraubt hatte, mechanische Webstühle zertrümmert hatte. Ob die Geschichte der Wahrheit entsprach oder nicht, sein Name war zum Schlagwort für Radikale Gruppierungen geworden, die in den letzten Jahren vermehrt Fabriken sabotiert hatten, die Dampfkraft nutzten, um die Produktion anzukurbeln. Die Ludditen, wie man sie inzwischen nannte, stifteten zurzeit schwere Unruhen im Norden des Landes. Doch das Zielobjekt ihres Zorns beschränkte sich ausschließlich auf Maschinen.

Was die Arbeiter Zions anging ...

Sie überflog den Rest des Inhalts und wurde mit jeder Seite beunruhigter. „Gütiger Gott", flüsterte sie. „Das ist nicht bloß gefährlich. Das ist Wahnsinn. Auch ich sympathisiere mit den Forderungen der erwerbstätigen Armen, doch Maschinen zu zerstören und Fabrikherren umzubringen, wird die Regierung nur erzürnen und uns keine bedeutsame Veränderung bringen. Die Aufstände werden niedergeschlagen, die Rädelsführer gehängt, die Gesetze verschärft werden – und unzählige Familien werden die schwerwiegenden Folgen erleiden müssen."

„Verzweifelte Menschen denken nicht rational", sagte der Arzt.

„Weshalb Sie dieser Gruppe nicht erlauben dürfen, ihre Pamphlete in Ihrer Praxis auszuteilen", sagte Charlotte. „Ihre Patienten sind arm, verletzlich und verängstigt. Zuzulassen, dass die Arbeiter Zions sie zu Gewalt anstiften, würde sie und ihre Familien ruinieren."

Ein Krieg der Emotionen spielte sich in Hennings ergrautem Gesicht ab.

„Ihr Gewissen weiß, dass ich recht habe", drängte sie. „Sie müssen mir sagen, was Sie über diese Gruppe und ihre Anführer wissen, sodass Wrexford die Informationen an die Bow Street weitergeben kann. Diese Männer müssen aufgehalten werden, bevor sie Chaos verursachen können."

Und Tote.

„Ja, wir brauchen Veränderung, um die Bedingungen der Arbeiter zu verbessern", fuhr sie fort. „Doch sie muss mit rechtmäßigen Mitteln herbeigeführt werden."

Henning suchte einen Moment lang seine Pfeife und füllte sie mit Tabak. Eine Wolke beißenden Rauches stieg auf, als Zündstein auf Stahl traf, und verbarg sein Gesicht. „Freiheit und Veränderung haben oft Blut an den Händen." *Paff, paff.* „Sehen Sie sich doch nur einmal die Revolutionen der Franzosen oder der Amerikaner an."

Charlotte blieb still. Sie vertraute darauf, dass ihn sein natürlicher Sinn für richtig und falsch zu der richtigen Entscheidung verhelfen würde.

Ein dunstiges Seufzen. „Doch so ungern ich es zugebe, haben Sie recht, was das schreckliche Leid betrifft, das aus schlecht durchdachtem Protest resultiert." *Paff, paff.* „Der Kerl, der die Pamphlete hiergelassen hat, ist groß, dunkelhaarig und hat einen Leberfleck auf seiner linken Wange. Er nennt sich der Erzengel Gabriel." *Paff, paff.* „Das ist alles, was ich Ihnen sagen kann."

„Sie wissen nicht, wo er wohnt?", fragte sie.

„Leider nein", antwortete der Arzt. Seine Lippen kräuselten sich um das Pfeifenrohr. Charlotte konnte das unzufriedene Mahlen seiner Backenzähne förmlich hören. „Sollte er zurückkommen, werde ich sehen, was ich noch herausfinden kann. Er sieht in mir einen Gleichgesinnten, was helfen könnte, seine Zunge zu lösen."

„Danke." Charlotte wusste, wie schwer ihm das widerwillige Einverständnis gefallen sein musste.

Das Pamphlet noch immer in der Hand, erhob sie sich. „Darf ich das hier für Wrexford mitnehmen? Er muss Griffin davon überzeugen, dass es sich bei Ashtons Ermordung nicht um einen mutwilligen Überfall gehandelt hat."

„Aye", murrte Henning. „Beten wir, dass diese elende Situation beigelegt werden kann, ohne dass weiteres Blut vergossen wird." *Paff, paff.* „Doch als alter Zyniker, der ich nun einmal bin, Kleines, bezweifle ich, dass das der Fall sein wird."

Kapitel 6

Wrexford legte sein Buch über Priestleys Theorien beiseite. Es stellte sich als praktisch unmöglich heraus, sich auf die abstrakten Mysterien der Wissenschaft zu konzentrieren, wenn ein allzu reales Rätsel an seinem Unterbewusstsein nagte. Ein Blick auf die Uhr verriet, dass es noch Stunden dauern würde, bis Sheffield zurückkehrte.

„Verflucht", murrte er leise. Geduld stand nicht auf der Liste seiner Tugenden – welche ohnehin eine sehr kurze war.

Der Gedanke an Listen lenkte seinen Blick auf seinen Schreibtisch. Mrs. Ashtons Briefpapier lag neben der Nachricht, die ihren Ehemann in den Tod gelockt hatte. So sehr er auch davon überzeugt war, dass es ihn bei der Aufklärung des Mordes nicht weiterbringen würde, entschied er, dass es falsch wäre, Vermutungen anzustellen und die Möglichkeit zu ignorieren.

Wrexford nahm die Liste in die Hand und las sie erneut. *Acht Namen.* Die kurzen Anmerkungen dazu, wie jede Person mit der Arbeit des Erfinders in Verbindung stand, verrieten kaum etwas über mögliche Beweggründe. Natürlich würde die Witwe das Ganze etwas näher ausführen können ...

Er dachte an ihren Rat, Octavia Merton und Benedict Hillhouse – die beiden obersten Namen – als Erste zu einem möglichen persönlichen Streit zu befragen, der in Gewalt umgeschlagen sein könnte. Sie hatte nichts Negatives über die beiden geäußert, doch er spürte, dass sich hinter ihren sorgfältig gewählten Worten viel Ungesagtes verbarg, was die Ashtons betraf.

Der Erfinder, der lange Zeit Junggeselle gewesen war, hatte auf viele den Eindruck gemacht, mit seiner Arbeit vermählt zu sein. Der späte Entschluss, eine Frau zu heiraten, hatte möglicherweise für Ärger gesorgt. Wissenschaftliche Beobachtung bewies stets aufs Neue, dass die Zugabe einer neuen Komponente zu einer beliebigen Mischung, explosive Auswirkungen haben konnte.

Wrexford steckte die Liste ein, bevor er sich erhob und nach Paletot und Hut verlangte.

Kurz darauf eskortierte ihn der Butler des der Witwe geliehenen Stadthauses ins Gesellschaftszimmer und ließ ihn allein, um Mrs. Ashton von seiner Ankunft in Kenntnis zu setzen.

Es dauerte nur wenige Minuten, bis sie erschien. „Lord Wrexford!"

Er wandte sich von den landschaftlichen Kupferstichen ab, die über der Anrichte hingen.

Isobel betrat das Zimmer und zog die Tür hinter sich zu. Ihr Haar war zu einem strengen Dutt zusammengebunden, dunkel wie die Nacht untermalte es in Verbindung mit dem schwarzen Trauerkleid die Blässe ihres Gesichts. „H-haben Sie schon etwas über den Mord an Elihu herausfinden können?"

Wrexford schüttelte den Kopf, während er innerlich seine eigene Nachlässigkeit verfluchte. „Verzeihen Sie, Mrs. Ashton. Ich hätte Sie erst benachrichtigen lassen sollen, dass ich komme, anstatt Sie mit einem unangekündigten Besuch zu überraschen. Ich wollte Ihnen jedoch einige Fragen zu den Namen auf Ihrer Liste stellen."

Isobel fasste sich mit einer Hand an ihr Korsett und überwand sich zu einem Lächeln. „Aber natürlich. Ich wollte nicht andeuten, dass ich Wundertaten erwarte, Mylord." Mit einem zaghaften Winken deutete sie auf zwei gegenüberstehende Sofas nahe der Sprossenfenster. „Bitte, setzen Sie sich."

In Anbetracht von Sheffields überraschender Eingebung bezüglich der tödlichen Nachricht, konnte man möglicherweise tatsächlich von einem Wunder sprechen, das ihnen vielleicht schon bald die Wahrheit über den Mord an ihrem Ehemann verraten würde. Wrexford zögerte einen Moment, bevor er sagte: „Ich habe vielleicht einen Hinweis darauf, wer die Nachricht an Ihren Ehemann geschrieben haben könnte. Ein Freund glaubt, er erkenne die Handschrift wieder. Wir werden uns heute Abend in die Spielstätten begeben, von denen bekannt ist, dass sich der Kerl dort herumtreibt."

Ihre Augen weiteten sich ein klein wenig.

„Ich möchte jedoch keine falschen Hoffnungen wecken. Es könnte sich sehr wohl als fruchtloses Unterfangen herausstellen."

„Ich verstehe." Sie setzte sich und bedeutete ihm, es ihr gleichzutun. „Darf ich Ihnen eine Tasse Tee anbieten?" Eine kurze Pause. „Oder einen Brandy?"

Wrexford fragte sich, was sie über ihn gehört hatte, scheinbar war es jedoch nichts Gutes und hatte zweifelsohne etwas mit seinem Hang zum Hedonismus zu tun.

„Danke, aber ich benötige keine Erfrischung." Auch er ließ eine kurze Pause zu. „Aber lassen Sie sich dadurch bitte nicht davon abhalten, eine kleine Zwischenmahlzeit kommen zu lassen."

Die Witwe lachte, die melodische Leichtigkeit stand im Widerspruch mit ihrer tristen Erscheinung. „Gütiger Gott, man hat mir in letzter Zeit so viel Tee aufgezwungen, dass man damit eine Zwanzig-Kanonen-Fregatte zum Treiben bringen könnte. Also werde ich es Ihnen gleichtun und auf die üblichen sozialen Rituale verzichten, auch wenn Tee das Wundermittel gegen alle Beschwerden sein soll."

Ihr Sinn für Humor überraschte ihn. Oder war *faszinierte* ein besseres Wort? Er setzte sich etwas aufrechter hin.

„Verzeihen Sie mir, wenn dies furchtbar unverblümt klingt, ich habe jedoch das Gefühl, dass wir beide klare Worte vorziehen", fuhr Isobel fort, als hätte sie seine Gedanken gelesen.

„Klare Worte ist eine äußerst vornehme Bezeichnung für die Art, wie ich mit Menschen interagiere", erwiderte Wrexford. „Man setzt meine Freimütigkeit mit Unhöflichkeit gleich und mir wird nachgesagt, ich hätte ein abscheuliches Gemüt."

Sie zog eine Augenbraue hoch. „Und? Stimmt es?"

„Im Wesentlichen", erwiderte er. „Ich ertrage keine Narren."

„Ah." Isobel schien mehr amüsiert als eingeschüchtert. „Dann werde ich also Acht geben müssen, mich nicht wie eine dämliche Gans zu benehmen." Sie senkte ihren Blick auf ihren Schoß und glättete die Falten des schweren Bombasins, als plötzlich jegliche Spur der Erheiterung aus ihrem Gesicht verschwand.

„Wie kann ich Ihnen helfen?", sagte sie leise.

Er holte ihre Liste und einen Bleistift aus seiner Manteltasche. „Ich würde gerne etwas mehr über die Personen auf Ihrer Liste erfahren …"

Wrexford stellte einige Fragen über sechs von ihnen und machte sich ein paar schnelle Notizen am Seitenrand, bevor er auf die beiden ersten Namen auf dem Papier zurückkam.

„Kommen wir nun zu Octavia Merton." Er sah auf. „Bei unserem ersten Treffen haben Sie angedeutet, dass sie und der Laborassistent ihres Ehemannes mir am ehesten etwas darüber verraten könnten, wer Mr. Ashton etwas Böses gewollt haben könnte."

„Ja", antwortete sie. „Sie haben sehr eng mit Elihu zusammengearbeitet. Daher scheint mir die Annahme plausibel."

„Das tut sie." Wrexford zögerte. „Sie haben soeben von klaren Worten gesprochen, daher fühle ich mich dazu verpflichtet, Sie etwas zu fragen, bevor wir fortfahren. Kommt einer der beiden für Sie als Täter in Frage?"

Der Ausdruck in ihrem Gesicht veränderte sich nicht, doch eine gewisse Spannung schien sie zu überkommen und das Fleisch über den zarten Ebenen ihres Gesichts zu straffen. Ihre Wangenknochen schienen so scharf wie Rasierklingen. „Sollte ich Ihnen den Eindruck vermittelt haben, dass ich Octavia oder Benedict irgendeiner schändlichen Tat verdächtige, tut es mir leid", entgegnete sie mit bedachter Stimme. „Das war nicht meine Absicht."

„Ihre Noblesse macht Ihnen alle Ehre", murmelte er. „Doch wenn Sie nicht absolut aufrichtig sind, wird die schwierige Aufgabe, den Mörder Ihres Mannes zu finden, unmöglich."

Sie nickte zaghaft. „Verstanden, Lord Wrexford."

„Ausgezeichnet." Er beobachtete sie noch einen kurzen Moment lang und fragte sich, ob er zu harsch mit ihr gewesen war. Doch dann sah sie ihn mit einem Blick der Entschlossenheit an.

Eine Frau, die sich nicht schnell aus der Fassung bringen lässt. Was umso besser war, reflektierte Wrexford, schließlich war er nicht sonderlich gut darin, seine Zunge zu hüten.

„Also dann, beginnen wir bei Miss Merton. Wie kam es dazu, dass sie Teil des Haushaltes Ihres Ehemannes geworden ist?"

„Sie war vierzehn, als ihre Eltern bei einem Kutschunfall starben und sie allein in der Welt zurückblieb. Da ihr Vater Elihus Cousin war, bot er ihr einen Platz in seinem Heim an", antwortete die Witwe. „Das war vor neun Jahren."

„Würden Sie ihr Verhältnis als herzlich beschreiben?"

„Mein Mann hatte Octavia außerordentlich gern." Sie nahm einen kaum wahrnehmbaren Atemzug. „Und es schien, als wäre sie ihm gegenüber genauso eingestellt gewesen."

„Es schien so?", wiederholte Wrexford. „Sie zweifeln an der Aufrichtigkeit ihrer Gefühle?"

Isobel dachte einen Moment lang über die Frage nach, bevor sie antwortete. „Es ist schwer für mich, Octavias wahre Gefühle zu erkennen. Sie benimmt sich mit makellosem Anstand, doch mein Gefühl sagt mir, dass sie ihre innersten Gedanken ... gut hütet."

Wrexford ließ sich die Antwort noch einmal durch den Kopf gehen. Doch bevor er die nächste Frage formulieren konnte, fuhr sie fort: „Gerechterweise muss ich sagen, dass es für sie nicht leicht gewesen sein musste, als Elihu mich geheiratet hat. Lange Zeit hatte sie den Haushalt allein geführt und ihm als Sekretärin gedient. Es ist also nur natürlich, dass sie der Veränderung mit einem gewissen Unmut begegnete."

Veränderung stellte die meisten Menschen vor eine Herausforderung, reflektierte Wrexford.

„Wie würden Sie Ihr eigenes Verhältnis zu Miss Merton beschreiben?", fragte er.

Für eine Sekunde zerrte ein freudloses Lächeln an den Lippen der Witwe. „Kühl und ordnungsgemäß." Sie wickelte die Seidenfranse ihres schwarzen Halstuchs um ihren Finger. „Ich habe versucht, eine engere, wärmere Verbindung zu ihr aufzubauen, doch ohne Erfolg."

„Und dennoch haben Sie ihre Anwesenheit toleriert? Ich hätte gedacht ..." Er ließ seine Worte allmählich verstummen.

„Für Elihu war sie Teil der Familie", antwortete Isobel. „Es wäre falsch von mir gewesen, ihn zu einer schmerzhaften Entscheidung zu zwingen."

Wrexford zögerte. Mit jeder bohrenden Frage über ihr Privatleben würde er nur noch mehr Salz in die Wunde reiben, entschloss er. Die beiden Frauen standen in keinem freundschaftlichen Verhältnis zueinander. Inwieweit das ihre Einschätzung von Octavia Merton beeinflusste, war schwer zu sagen.

„Für den Augenblick habe ich nur noch eine letzte Frage. Fällt Ihnen irgendein Grund ein, warum Miss

Merton Ihrem Ehemann Unheil gewünscht haben könnte?"

„Nein." Isobel zögerte. „Wie ich jedoch bereits gesagt habe, fällt es mir schwer, zu sagen, ob Octavias Gefühle echt sind oder nicht." Stoff raschelte, als sie sich auf dem Sofa wandte. „Vielleicht wäre es das Beste, wenn Sie selbst mit ihr reden würden. Soll ich nach ihr läuten?"

„Sie ist hier?", fragte er überrascht.

„Mein Mann war stets schwer mit seinen Projekten beschäftigt, selbst auf Reisen. Also ja, sowohl Octavia als auch Benedict haben uns nach London begleitet."

Isobel rief einen Lakaien herbei. „Bitten Sie Miss Merton ins Gesellschaftszimmer." Dann lehnte sie sich gegen die Sofakissen, faltete ihre Hände auf ihrem Schoß und ließ den Blick auf die Fenster schweifen. Ihr Ausdruck war so unergründlich wie Stein.

Er betrachtete ihr Profil einen Moment lang und stellte ihr dann aus dem Impuls heraus noch eine Frage: „Wenn Sie Miss Merton mit einem Wort beschreiben müssten, welches wäre es?"

Ihre Antwort kam, ohne zu zögern.

„Verschwiegen." Sie seufzte schwermütig. „Andererseits haben wir doch alle unsere Geheimnisse."

„Schon wieder zu dem feinen Pinkel?" Raven verzog das Gesicht, als Charlotte ihn bat, ein zweites Päckchen zu Wrexfords Stadthaus zu bringen. „Senden Sie ihm etwa Billy-dus, Mylady?", murmelte Raven mit annehmbarer Aussprache der französischen Bezeichnung für Liebesbriefe. Woher er diesen Begriff kannte, war allerdings ein beunruhigender Gedanke.

Sie unterdrückte ein Seufzen. Er wurde so schnell groß und würde schon bald die Kindheit hinter sich lassen und ein heranwachsender junger Mann sein. Angesichts seiner erbitterten Unabhängigkeit machte sie sich nichts vor, was die Schlachten anging, die noch vor ihr lagen. Der Streit um die Wahl der Namen würde schon bald nur noch wie ein leises Plätschern erscheinen, im Vergleich zu den Sturmfluten, die sie erwarteten ...

„Sei nicht so unverschämt", sagte sie scharf.

„Was sind Billy-dus?", fragte Hawk.

„Ein alberner Scherz, der keiner Beantwortung bedarf." Charlotte knotete ein Stück Garn um das Päckchen für Wrexford. „Ihr beiden lasst eure Sprache – und eure Manieren – schleifen. Das könnt ihr besser."

Hawk ließ reumütig den Kopf hängen. „Tut mir leid, Mylady."

Ravens Reaktion war schwerer zu deuten. Er war schon immer deutlich besser darin gewesen, seine Gefühle zu verstecken, als sein jüngerer Bruder. Er drehte sich in die Schatten und zupfte einen Moment lang an dem losen Faden an seinem Ärmel, bevor er ihr in die Augen sah.

„Sagen Sie uns einfach Bescheid, wenn Ihr Schreiben fertig ist, Mylady", sagte er jetzt im perfekten Englisch eines anständigen, kleinen Eton-College-Schülers. „Es würde uns große Freude bereiten, es unverzüglich zum Anwesen des Grafen von Wrexford zu bringen."

Charlotte konnte sich ihr Lachen nicht verkneifen. „Na los, verschwindet, ihr Wiesel", sagte sie und bediente sich an Wrexfords hämischen Spitznamen für die beiden. „Und wagt es ja nicht, den Koch seiner Lordschaft zu bedrängen, damit er euch Süßigkeiten gibt."

Eine schuldbewusste Röte erfüllte Hawks Wangen. „Ja, Mylady."

Sobald die beiden davongeeilt waren, drehte Charlotte sich um und fand sich selbst vor einem Durcheinander aus zur Hälfte fertig gepackten Kisten wieder, die sich noch immer in dem Zimmer stapelten. Eine weitere Erinnerung daran, dass ihr Leben kopfstand.

Veränderung.

Als Charlotte an ihrem Schreibtisch Platz nahm, spürte sie, wie sich plötzlich ihr Magen verkrampfte.

Durch Wrexford hatte sie gelernt, dass die wissenschaftlichen Gesetze des Universums darauf hinzuweisen schienen, dass sich alles in einem stetigen Wandel befand. *Zeit. Bewegung.* Nichts war vor Veränderung gefeit – selbst eine massive Platte aus Granit erodierte über die Jahre, davongetragen von Wind und Regen.

Jedoch waren derartig abstrakte Vorstellungen nur ein schwacher Trost.

Sie nahm ihre Feder in die Hand, in der Hoffnung, das vertraute Gefühl würde helfen, ihre verworrenen Ängste zu stillen.

Tempora mutantur et nos mutamur in illis – Die Zeiten ändern sich und wir ändern uns in ihnen. „Gerade ich sollte mich nicht von Veränderung einschüchtern lassen", flüsterte sie.

Eigentlich hatte die Gravitas der lateinischen Sprache eine beruhigende Wirkung auf sie. Und dennoch lief ihr, trotz der Ermahnung an sich selbst, allmählich kalter Schweiß die Wirbelsäule hinab.

Sie schloss die Augen und versuchte, diesen befremdlichen Moment der Schwäche zu vertreiben.

Schließlich war ihr Leben von turbulenten Veränderungen geprägt – und weiß Gott nicht nur guten. Doch irgendwie hatte sie es immer geschafft, Kraft aus Situationen der Not zu schöpfen. Es war verwirrend, dass ein einfacher Umzug von einem physischen Ort an einen anderen eine solche Beklemmung in ihr hervorrufen konnte.

Charlotte tauchte ihre Feder in das Tintenfass und begann, einige wahllose Schnörkel auf einem leeren Blatt Papier zu malen. Zu Zeichnen half ihr stets, ihre Gedanken zu sortieren und Erkenntnisse zu gewinnen.

Es war jedoch weitaus leichter, die Fehler in anderen zu sehen. Dennoch bemühte sie sich, ihre eigene Situation mit derselben Losgelöstheit zu beurteilen, die sie bei den Motiven ihrer gesellschaftlichen Glossen anwandte.

Seit sie nach dem Tod ihres Ehemanns vor einem Jahr A.J. Quills Feder in die Hand genommen hatte, hatte sie in stiller Einsamkeit gearbeitet und damit Anerkennung als Londons herausragendster Satiriker erlangt. Die kleinen Sünden der Reichen und Königlichen - ihre Eskapaden mit Sex, Geld und Politik – sorgten für endloses Futter für ihre Zeichnungen. Ihre Beliebtheit unter der Bevölkerung hatte ihr einen Funken finanzieller Stabilität gebracht ...

Doch dann war der Mord an Priester Josiah Holworthy geschehen, ein aufstrebender religiöser Fanatiker, dessen grausame Tötung ganz London in Atem gehalten hatte. Lord Wrexford hatte als Hauptverdächtiger gegolten und die Umstände hatten sie als argwöhnische Verbündete zusammengeführt, um die Wahrheit über das Verbrechen zu enthüllen.

Charlottes Feder verstummte einen Moment lang, als sie sich an die dunklen Geheimnisse erinnerte, die damals ans Licht gekommen waren – sowohl über den Pfarrer als auch den Tod ihres Ehemannes.

Geheimnisse, die sie gezwungen hatten, sich ihrer eigenen verdrängten Vergangenheit zu stellen.

Wrexford hatte recht. Die Wahrheit war, dass es keinen Stillstand gab. Man traf täglich neue Entscheidungen, sowohl kleine als auch große.

Sowohl gute als auch schlechte.

Es brachte nichts, sich den Kopf darüber zu zerbrechen. Was auch immer die Konsequenzen sein würden, sie würde einen Weg finden, mit ihnen umzugehen.

„Ich bin stark", erinnerte sie sich selbst. Als A.J. Quill hatte sie gelernt, zäh zu sein. Bitter. Distanziert.

Was, so glaubte Charlotte, eines der Dinge war, die sie und den Grafen verbanden. Wrexford teilte dieselben Ansichten über die Welt, auch wenn sein Sarkasmus weitaus beißender war als ihrer. Er gab sich nicht der Illusion hin, dass das Leben von Vernunft und Gerechtigkeit beherrscht wurde. Das ermöglichte ihm, über die Wankelmütigkeit des Schicksals zu lachen – selbst wenn es ihm an den Kragen wollte.

Sie täte gut daran, es ihm gleichzutun.

Als sie ihren Blick senkte, war Charlotte überrascht, eine grobe Skizze von Wrexfords Gesicht auf dem Papier zu sehen.

Wrexford. Ein sonderbares, leichtes Kribbeln breitete sich für einen Augenblick in ihrem Innern aus und verschwand genauso schnell, wie es gekommen war. Sie seufzte, zerknüllte die Zeichnung und legte sie beiseite.

Genug des rührseligen *Gejammers. Nihil boni sine labore – von nichts kommt nichts.* Sie nahm eine leere Seite von dem Stapel mit Aquarellpapier und machte sich daran, einen Entwurf für ihren neuesten satirischen Druck anzufertigen.

„Danke, dass Sie gekommen sind, Octavia", sagte Isobel, als die Tür aufging und eine junge Frau zögerlich das Gesellschaftszimmer betrat. „Das ist Lord Wrexford, ein Freund und Arbeitskollege von Elihu. Er würde Ihnen gern einige Fragen zur Arbeit meines Ehemannes stellen."

Wrexford war sich nicht sicher, ob er sich das Zusammenzucken von Miss Merton bei dem Wort *Ehemann* nur eingebildet hatte.

„Ich hoffe, dass Sie einwilligen, mit ihm zu sprechen", fuhr Isobel fort. „Es könnte helfen, das Rätsel um Elihus Tod zu lösen."

Octavias Augen weiteten sich einen Moment lang, bevor sie ihren Blick schnell wieder auf den Teppich fallen ließ. „J- ja. Selbstverständlich."

Isobel erhob sich und nickte ihm zaghaft zu. „Wenn Sie mich entschuldigen würden, Lord Wrexford, ich habe noch einige Angelegenheiten mit dem Haushälter zu besprechen."

Eine taktvolle Geste, um den beiden etwas Ungestörtheit zu gewähren, doch die junge Frau wirkte misstrauisch, als sie auf dem Sofa Platz nahm.

Im Kontrast zu der zierlichen Statur und den dunklen Farben der Witwe war Olivia Merton groß und schlank wie ein Weizenstiel. Das einfallende Sonnenlicht ließ ihr mattgoldenes Haar stellenweise honigfarben und rostrot schimmern. Sie hatte nichts von Isobels Grazie. Wie von einer unsichtbaren Macht gebannt, waren ihre Bewegungen steif und plump.

Andererseits, erinnerte er sich, hatte sie gerade erst ihren Ersatzvater durch ein grausames Verbrechen verloren. Der Schock und die Trauer mussten tief sitzen.

Es sei denn, es handelte sich um eine andere Emotion.

„Mein aufrichtiges Beileid", murmelte Wrexford. Eine banale Plattitüde, doch ihm fiel nichts anderes ein.

„Danke", antwortete sie mit einem ausdruckslosen Flüstern.

„Wie ich gehört habe, standen Sie und Mr. Ashton sich nahe", fing er an und sah gleich darauf die Farbe aus ihrem Gesicht weichen.

„Wer hat Ihnen das gesagt?", fragte Octavia, ohne zu zögern.

Eine eigenartige Reaktion, fand er. „Ist das wichtig?", entgegnete er. „Dass Sie beide Hochachtung voreinander hatten, ist nichts, wofür Sie sich schämen müssen."

„Nein, natürlich nicht. Es ist nur ..." Sie nahm einen zittrigen Atemzug. „Vergeben Sie mir, Sir. I-ich habe Schwierigkeiten, zu realisieren, dass er nicht mehr unter uns ist."

„Das ist absolut verständlich, Miss Merton. Ich werde versuchen, mich kurz zu halten." Wrexford gab ihr einen Moment Zeit, um sich zu fangen, hakte dann jedoch weiter nach. Womöglich war es herzlos, angenommen ihre Trauer war echt, doch die Möglichkeit, dass Angst und Schuldgefühle sie anfällig für Versprecher machten, konnte er sich nicht entgehen lassen.

„Wie ich gehört habe, stand Ashton kurz davor, seine Arbeit an einer wichtigen Erfindung fertigzustellen – eine, die die Art und Weise der Produktion vieler Dinge in diesem Land verändert hätte", sagte er. „Ist das wahr?"

„Ja", sagte Octavia. „Eli war ein Genie. Seine neueste Idee war revolutionär." Sie hob ihren Blick und ließ zum ersten Mal zu, dass sich ihre Blicke kreuzten. „Sie haben mit ihm an einer Formel für Eisen gearbeitet, Lord Wrexford. Sie wissen also, dass sein Intellekt einzigartig war. Aber ..."

Eine kleine Falte bildete sich zwischen ihren Brauen. „Aber ich verstehe nicht, was all das mit seinem Tod zu tun haben soll."

Es schien, als hätte Mrs. Ashton Miss Merton nichts von der Nachricht erzählt, die ihren Mann in die Elendsviertel von St. Giles gelockt hatte. Etwa, weil sie davon ausging, dass die Sekretärin ihres Ehemannes bereits von ihr wusste?

Wrexford verdrängte derartige Gedanken bis auf Weiteres und erwiderte dann: „Ich habe Grund zu der Annahme, dass jemand wild entschlossen war, Ashtons Brillanz auszulöschen."

Octavia blinzelte, die einzige Spur einer Emotion. „Ich verstehe nicht ganz. Ich habe gedacht, es war ein willkürlicher Raubüberfall."

„Ganz im Gegenteil. Alle Zeichen deuten darauf hin, dass es ein wohlüberlegter Angriff gewesen ist. Dem

Zustand seiner Kleidung nach zu urteilen, hat der Mörder nach etwas gesucht. Ich vermute, dass es Dokumente gewesen sein könnten." Er ließ die Worte einen Moment lang wirken. „Fällt Ihnen irgendjemand ein, der dieses grausame Verbrechen begangen haben könnte?"

Ihre Fingerknöchel traten hervor, als sie ihre Hände zu Fäusten ballte. Stille legte sich über den Raum und verweilte so lange, dass Wrexford keine Antwort mehr von ihr erwartete. Doch als sie schließlich antwortete, war jegliches Zittern in ihrer Stimme verflogen. „Nein."

„Wenn seine Erfindung so revolutionär war, wie Sie sagen, wäre das Patent darauf ein Vermögen wert gewesen", betonte Wrexford.

„Eli war nicht daran interessiert, reich zu werden", sagte Octavia mit derselben bedächtigen Stimme.

Der Graf konnte sich das skeptische Schnaufen nicht verkneifen.

„Das ist die Wahrheit", beharrte sie. „Das Geld, das durch das Patent eingenommen worden wäre, hätte er ..." Ihre Worte verstummten abrupt.

„Was hätte er mit dem Geld getan?", drängte er.

Octavia erstarrte, ihr Gesichtsausdruck noch immer steinern. „Das ist jetzt nicht mehr wichtig. Er ist tot."

Wrexford dachte, dass es sehr wohl wichtig war, und machte sich eine Notiz, mehr über Ashtons Arbeit herauszufinden. Er betrachtete ihre starren Gesichtszüge und entschied, dass er, aller Wahrscheinlichkeit nach, keine weiteren Informationen über die Erfindung des Toten aus ihr herausbekommen würde, und so kehrte er zu seinen ursprünglichen Fragen zurück.

„Ashton mochte womöglich nicht daran interessiert gewesen sein, zu Reichtum zu kommen, die meisten Menschen sind es jedoch. Habgier ist ein überzeugendes Motiv. Ich habe hier eine Liste mit Personen, die von Ashtons Forschung gewusst haben." Papier raschelte, als er die Liste von seinem Schoß nahm und sie hochhielt. „Halten Sie irgendeinen von ihnen für imstande, eine Gewalttat zu begehen?"

Einen nach dem anderen las er die sechs Namen von der Liste ab und bekam jedes Mal ein vehementes Kopfschütteln als Antwort.

Er sah von dem Blatt Papier auf. „Und zu guter Letzt, Benedict Hillhouse."

„Benedict!" Das Echo, das von dem kunstvollen Mobiliar widerhallte, schien den schrillen Klang ihrer Stimme zusätzlich zu verstärken. Sie wirkte, als wankte sie zwischen Angst und Wut. „Nein. Niemals!"

Interessant. Der plötzliche emotionale Ausbruch deutete auf ein unterdrücktes, innerliches Feuer hin. Miss Octavia Merton versuchte mit großer Mühe, die Kontrolle über sich zu wahren, und doch schienen gewisse starke Gefühle unter ihrer Oberfläche zu brodeln.

„Sie scheinen sich dessen sehr sicher zu sein."

„Das bin ich."

Die Antwort machte ihn neugierig auf Ashtons Laborassistenten. „Ich würde mich gerne persönlich mit Mr. Hillhouse unterhalten. Würde es Ihnen etwas ausmachen, ihn zu fragen, ob er mir ein paar Minuten seiner Zeit widmen würde?"

„Er ist nicht im Hause", erwiderte Octavia leise.

„Wann wird er zurück sein?", entgegnete der Graf.

„Kann ich nicht sagen."

Kann nicht? Oder will nicht?

„Dann werde ich morgen Nachmittag zurückkehren. Sagen Sie ihm bitte, er möchte um halb drei hier sein."

Sie starrte ihn ungerührt an.

Wrexford entschied, dass es keinen Zweck hatte, die Befragung fortzuführen. „Vielen Dank, dass Sie sich die Zeit genommen haben, Miss Merton. Ich habe für den Augenblick keine weiteren Fragen."

Er steckte die Liste in seine Tasche, erhob sich und ging einige Schritte in Richtung der Tür, bevor er stehenblieb. „Wenn Sie Mrs. Ashton mit einem Wort beschreiben müssten, welches wäre es?"

Octavia ließ ihren Blick auf den Teppich sinken. „Ich bin nicht sonderlich gut im Umgang mit Worten."

Eine ausweichende Antwort. Was ihm möglicherweise mehr verriet, als sie beabsichtigt hatte.

In Gedanken vertieft, verließ Wrexford das Stadthaus und begann die kurze Strecke zurück zum Berkeley Square zu gehen. Zwischen all den Fragen, die in seinem Kopf umherschwirrten, hallte eine von ihnen besonders laut in seinem Schädel wider.

Warum zum Teufel ließ er sich in die Ermittlungen des Mordes an einem Mann hineinziehen, den er kaum kannte?

Es war nicht üblich, dass ihn Selbstzweifel nach einer Entscheidung plagten, diese jedoch nagte an ihm auf eine Weise, die er sich einfach nicht erklären konnte. War es närrisch von ihm gewesen, Isobels Bitte nachzugeben? Der Fall bot nichts als teuflisch verzwickte Rätsel, die es zu lösen galt. Selbst Griffin, ein Mann, der seinen Lebensunterhalt damit verdiente, Kriminelle zu verhaften, hatte seine Zweifel, was die Chancen anging, den Mörder jemals zu fassen.

War es Überheblichkeit, die ihn glauben lassen hatte, er allein könne den Fall aufklären?

Oder doch eine weniger nachvollziehbare Macht?

Als er sein Stadthaus erreichte, war seine Stimmung dank der kreisenden Gedanken auf einem Tief.

„Mylord", murmelte sein Butler, als er durch den Haupteingang stürmte und Hut und Handschuhe auf den Beistelltisch schleuderte.

„Jetzt nicht, Riche", fauchte er. „Was immer es ist, es wird warten müssen."

Riche folgte ihm unbeirrt. „Ehrlich gesagt, Sir, sollten Sie sich das Päckchen besser ansehen. Der Bote hat mir klar zu verstehen gegeben, dass es von äußerster Wichtigkeit ist."

Etwas an seinem Ton ließ Wrexford abrupt stehenbleiben. „Kommt es von Mrs. Ashtons Residenz?"

„Nein, Mylord. Ein ... Junge hat es gebracht."

„Beschreiben Sie ihn."

Riches Gesichtszüge durchliefen eine Reihe an Grimassen. „Angesichts seiner Kleidung würde ich das lieber nicht, Sir." Er räusperte sich und hielt ihm ein kleines, in braunes Papier eingewickeltes Päckchen entgegen. „Er hat jedoch gesagt, sein Name sei Master Thomas Ravenwood Sloane und dass ich diese", noch ein Räuspern, „Billy-Dus unter keinen Umständen jemand anderem als Ihnen übergeben solle."

Wrexford spürte seine Mundwinkel zucken. „Danke, Riche." Er öffnete das Garn und nahm sich einen Moment Zeit, um Charlottes Mitteilung und das beiliegende Pamphlet zu lesen.

Teufel noch eins. Jetzt kam er sich noch närrischer vor. Während er herumstümperte und nach Spuren haschte, schien Charlotte mit ihrer typischen messerscharfen Intuition zum Kern des Mysteriums vorgedrungen zu sein.

Ein Motiv zu haben, erleichterte die Aufklärung der meisten Verbrechen erheblich.

Es waren noch einige Stunden Zeit, bis Sheffield zurückkehren würde. Er sah auf und zog sich eilig Hut und Handschuhe wieder an.

„Lassen Sie Bailin meine Kutsche vorfahren."

Kapitel 7

Charlotte lehnte sich zurück und betrachtete ihre vollendete Zeichnung. Es fehlten zwar noch die Farben, doch die schwarzen Federstriche – das Herz eines jeden Drucks – waren kräftig und klar. Aus künstlerischer Sicht war sie zufrieden.

Doch hatte sie den feigen Ausweg gewählt?

Ja, die Geliebte des Herzogs von Cumberland schien mal wieder in eine schmutzige Schmiergeldaffäre verwickelt zu sein, die drohte, den Ruf der Königsfamilie noch weiter durch den Dreck zu ziehen. Und ja, das Volk verdiente es, davon zu erfahren. Sie bauten darauf, dass A.J. Quill die arrogante Anmaßung von Privilegien seitens der Adligen im Zaum hielt.

So zumindest erklärte Charlotte es sich.

Doch egal, wie sehr sie es sich einredete, die richtige Entscheidung bei der Wahl ihrer Motive getroffen zu haben, eine winzige Stimme in ihrem Kopf widersprach ihr.

Ihre *Mann gegen Maschine*-Reihe hatte nicht dasselbe schadenfrohe Gelächter ausgelöst wie ihre sarkastischen Angriffe auf die Adligen. Die meisten Menschen lechzten danach, sich an den Miseren anderer zu erfreuen. Sie wollten nicht mit ernsten Fragen konfrontiert werden – vor allem, wenn es keine simplen Antworten gab.

Panem et circenses. Brot und Spiele. Juvenal, der römische Satirendichter, verfügte über ein ausgeprägtes Verständnis von der Natur des Menschen.

Charlotte nahm ihren Pinsel zur Hand und begann, der schwarzweißen Zeichnung die strahlenden Farben zu verleihen, die sie zum Leben erwecken würden.

„Morgen", versprach sie, um ihr Gewissen zu besänftigen. „Morgen, werde ich meine Aufmerksamkeit wieder den Forderungen der Arbeiter widmen, die die Dampfmaschine um ihren Lebensunterhalt gebracht hat."

Was Elihu Ashtons Mörder anging ...

Ihre Hand erstarrte, noch bevor der Pinsel das Papier berührte. So schrecklich die Tat auch gewesen war, sie befürchtete, dass sich die Motive, die zu ihr geführt hatten, als noch abscheulicher herausstellen würden. *Hass, Gier, Neid, Verrat ...*

Ein Klopfen an der Eingangstür bewahrte sie vor weiteren finsteren Mutmaßungen.

Der Besucher würde sicher nicht dazu beitragen, ihre Stimmung zu heben. Sie hatte bereits eine Ahnung, wer es war.

„Sie scheinen einen sechsten Sinn für Verbrechen zu haben, Mrs. Sloane", sagte Wrexford, als er das Eingangsfoyer betrat und die Regentropfen von seinem Hut schüttelte. Er holte das Pamphlet aus seiner Tasche und fügte hinzu: „Mithilfe welcher gottlosen Magie haben Sie es geschafft, das herauszufinden?"

„Ich bin keine Hexe oder Alchemistin, wie Sie sehr wohl wissen. Ich mache lediglich Gebrauch von meinen Augen und Ohren", antwortete sie.

„Und doch sehen und hören Sie Dinge, die sich uns einfachen Sterblichen entziehen."

„Damit verdiene ich meinen Lebensunterhalt." Mit einer Handgeste bat sie ihn ins Hauptzimmer. „Bitte verzeihen Sie, es ist noch weniger Platz als sonst", murrte sie und verzog das Gesicht.

Er räumte einen hölzernen Farbkasten von einem der Stühle und nahm Platz. „Wann ziehen Sie in Ihr neues Quartier?"

„Übermorgen."

Sein schwerlidriger Blick schien in ihrem Gesicht nach etwas zu suchen.

„Sie klingen nicht gerade glücklich", stellte der Graf fest.

„Ich ..." Wie sollte sie ihm den Wirbelsturm gegensätzlicher Emotionen in ihrem Inneren verständlich machen? „Es ist nicht leicht, Mylord."

„Das sind die wenigsten Dinge im Leben." Auch ihn schien etwas zu beschäftigen.

Charlotte räumte ebenfalls einen Stuhl frei. „Einschließlich des Mordes an Elihu Ashton?"

„In der Tat." Wrexford trommelte mit den Fingerspitzen auf der verschrammten Tischplatte. Einen Moment lang schien er in Erwägung zu ziehen, sie weiter zu ihrem Privatleben zu befragen.

Wie gehofft, überwog jedoch sein innerlicher Drang nach Pragmatismus.

„Auch ich habe gestern einige Fakten gesammelt", sagte er. „Erzählen Sie mir jedoch zuerst von dem Pamphlet und wo Sie es herhaben. Es gibt uns einen überaus wichtigen Anhaltspunkt."

„Mir ist aufgefallen, dass die Schnitte auf Ihrer Skizze ein Symbol formen – eines, das mir bekannt vorkam." Charlotte erklärte ihm bündig, dass sie das Symbol schon einmal zuvor in Hennings Praxis gesehen und den Arzt an diesem Morgen dazu befragt hatte.

„Radikale Reformer, die den Fortschritt um jeden Preis aufhalten wollen?", murmelte er, nachdem sie ihr neu erlangtes Wissen über die Arbeiter Zions mit ihm geteilt hatte. „Gute Arbeit, Mrs. Sloane. Ihr scharfer Blick hat sich mal wieder als unschätzbar wertvoll erwiesen."

Doch Charlotte fühlte sich alles andere als heroisch.

„Henning war nicht sonderlich froh darüber, die Gruppe zu verraten, und ich kann seinen emotionalen Konflikt durchaus nachvollziehen. Auch ich sympathisiere mit den Arbeitern." Sie und ihr verstorbener Ehemann hatten sich durch magere Zeiten gekämpft. Daher verstand sie, was das tägliche Rennen gegen den Hungertod für eine zermürbende Angst mit sich brachte.

„Dennoch ...", fügte er hinzu.

Ihre Blicke kreuzten sich einen Moment lang, bis Charlotte ihren schnell wieder abwandte. Sie fühlte sich noch immer eigenartig verwundbar und war sich nicht sicher, ob sie wollte, dass der Graf davon etwas spürte. Er hatte einen äußerst scharfen Blick gepaart mit einer rasiermesserscharfen Zunge.

„Dennoch stellt eine radikale Gruppierung hier in London eine gefährliche Entwicklung dar", fuhr der Graf fort. „Ich denke, das ist keine Überraschung, auch wenn es hier weniger Fabrikarbeiter gibt als in anderen Teilen des Landes. Das sind wirklich schlechte Nachrichten für die Regierung. Die Angst vor Arbeitsplatzverlusten ist wie ein Pulverfass – es wird nicht mehr als einen Funken brauchen, um eine Explosion der Arbeitsunruhen auszulösen."

„Henning sagt, die Arbeiter Zions seien sogar noch radikaler als die Anhänger von Ned Ludd", sagte Charlotte und spürte, wie sich ihre Kehle mit jedem Wort enger zuschnürte. „Sie befürworten die Ermordung von Fabrikherren, sollten die Dampfmaschinen nicht mit anderen Mitteln aufgehalten werden können."

„Das ist Wahnsinn", ließ der Graf ihre Gedanken widerhallen. „Die Angst wird von Rädelsführern geschürt, die in den seltensten Fällen mit ihrem eigenen Blut für eine solche Demagogie bezahlen." In dem gedämpften Licht wirkten die kantigen Ebenen seines Gesichts noch strenger. „Sie wissen genauso gut wie ich, wer diejenigen sein werden, die leiden."

Charlotte schlang ihre Arme um ihre Brust. Er hatte recht. Gesellschaftliche Reformen waren unverzichtbar, um die Arbeiterklasse zu schützen. Doch Gruppen wie die Arbeiter Zions würden nichts als Elend über unzählige Menschen bringen, indem sie sie zu Chaos und Mord anstifteten. Die Regierung würde Gewalt mit Gewalt bekämpfen. Und es stand außer Frage, wer gewinnen würde.

Sie erschauderte.

Wrexford runzelte gedankenverloren die Stirn. „Doch wie bereits erwähnt, bin auch ich auf eine heiße Spur gestoßen. Dank Sheffield könnte ich dem tatsächlichen Mörder womöglich dicht auf den Fersen sein und dem, was Sie mir soeben erzählt haben, nach zu urteilen, habe ich allen Grund zu der Annahme, dass er sich als einer der Anführer der Arbeiter Zions herausstellen wird."

Er erzählte ihr, dass sein Freund die Handschrift der Nachricht wiedererkannt hatte, mit der Ashton in seinen Tod gelockt worden war, und von ihrem Plan, Gannett aufzuspüren.

Eine außergewöhnliche Glückssträhne, stellte Charlotte fest. Ihrer Erfahrung nach war das Glück allerdings selten so großzügig ...

„Sie glauben wirklich, dass es sich bei ihm um den Täter handelt?"

Wrexford reagierte mit einem hämischen Grinsen. „Tss-tss. Ich habe gedacht, zynisches Denken sei meine Aufgabe."

„Ich würde es realistisch nennen", antwortete sie.

Ein schroffes Lachen. „Um Ihre Frage zu beantworten, es ist durchaus möglich. Sheffield war sich ziemlich sicher, was die Handschrift angeht. Vielleicht haben wir also Glück", erwiderte er. „Manchmal *hat* man eben Glück."

„Vielleicht ist er auch nur ein Komplize", sinnierte Charlotte. „Hinter den meisten Verschwörungen steckt mehr als nur eine zischende Schlange." Ihre Gedanken sprangen zurück zu ihrer Unterhaltung mit dem Arzt. „Henning hat mir eine gute Beschreibung des Mannes gegeben, der die Pamphlete in seiner Praxis ausgeteilt hat. Ich könnte mich mit meinen Kontakten in der Gegend zusammensetzen und ihn ausfindig machen."

„Sollte er der Mörder sein ..." Wrexfords Ausdruck wurde finster.

„Ich kann auf mich aufpassen, Mylord."

„Ashton war wirklich kein schöner Anblick", sagte er mit sanfter Stimme.

„Holworthy ebenfalls nicht", konterte Charlotte.

Die Erinnerung an den Mord des Pfarrers ließ den Blick des Grafen noch finsterer werden.

„Wenn Sie also keine bessere Idee haben, wie wir fortfahren sollten ...“

„Die habe ich“, unterbrach er sie. „Ich habe sogar zwei.“ Das Pamphlet flatterte vor ihrer Nase. „Jetzt, da wir das hier haben, wird Griffin nicht länger abstreiten können, dass die Bow Street sich einer eingehenden Ermittlung des Mordes annehmen sollte.“

Charlotte musste ihm innerlich geben.

„Und zweitens“, fuhr der Graf fort, „habe ich bereits damit begonnen, die Namensliste, die uns von Mrs. Ashton zur Verfügung gestellt worden ist, genauer unter die Lupe zu nehmen.“ Er fasste kurz sein Treffen mit der Witwe und Octavia Merton für sie zusammen und erzählte ihr außerdem von seiner Absicht, Benedict Hillhouse am folgenden Tag zu treffen.

„Ich halte es für äußerst unwahrscheinlich, dass Ashtons vertraute Assistenten mit den Arbeitern Zions in Verbindung stehen“, sagte sie. „Oder etwa nicht?“

Er zuckte mit den Schultern. „Wie wir beide gelernt haben, sind Hinweise nicht immer das, was sie auf den ersten Blick vermuten lassen. Mord birgt nicht selten ein trügerisches Gewirr aus Motiven. Und ich habe das Gefühl, dass Miss Merton mehr weiß, als sie zugibt.“

So sehr Charlotte ihm auch widersprechen wollte, seine Worte enthielten zu viel Wahrheit. Blut, das durch einen gewaltvollen Tod vergossen wurde, befleckte oft sowohl die, die es vergossen hatten, als auch jene, die ihre Hände in Unschuld wuschen.

„Also gut. Ich werde davon absehen, den Mann zu finden, den Henning mir beschrieben hat“, sagte sie und konnte sich nicht verkneifen hinzuzufügen: „Vorerst.“

Das schien den Grafen nicht zu überraschen. Tatsächlich klang das tiefe Grollen in seiner Kehle einem Lachen verdächtig ähnlich.

„Dann lassen Sie uns Frieden schließen." Eine Pause. „Vorerst."

Frieden, so zerbrechlich er zwischen ihnen auch sein mochte, war ein willkommenes Angebot. Ihre Emotionen waren bereits aufgewühlt genug. Charlotte ließ ein zaghaftes Lächeln zu und stand auf. „Darf ich Ihnen etwas Tee anbieten?"

Wrexford schien das Angebot ablehnen zu wollen, änderte dann jedoch seine Meinung. „Gerne, vielen Dank." Anschließend murrte er: „Ein höllisch heißes Getränk wird vielleicht dabei helfen, den bitteren Nachgeschmack dieser verfluchten Ermittlung aus meinem Mund zu spülen."

Während Charlotte damit beschäftigt war, den Kessel zu füllen, ließ Wrexford einen prüfenden Blick durch das Zimmer und auf die halbfertig gepackten Kisten wandern. Der Umzug in einen neuen Stadtteil sollte sich nicht allzu schwer gestalten. All ihre Besitztümer würden in einen einzigen Karren passen.

Was ihre seelische Last betraf …

„Haben Sie sich bereits entschieden, auf welche Schule Sie die Wiesel schicken werden?", fragte er.

Sie ließ sich viel Zeit dabei, eine exakte Menge getrockneter Blätter aus der blechernen Teedose abzumessen. Antwort genug, beschloss Wrexford.

Das Wasser begann zu kochen und verschleierte ihren Gesichtsausdruck hinter einer Schwade aus Dunst.

„Ich ... ich weiß noch nicht, was ich tun werde", sagte sie schließlich in Begleitung der klimpernden Tassen. „Für den Moment habe ich vor, den Unterricht mit Mr. Keating fortzusetzen. Es ist zwar ein weiter Fußmarsch und nur einmal die Woche, doch..." Ihre Worte verstummten, als sie das Tablett an den Tisch brachte.

Wrexford sah die flimmernden Schatten unter ihren Lidern. „Doch was?"

Sie ließ den Tee noch einen Moment ziehen, bevor sie ihn einschenkte. „Doch ich habe die Sorge, dass sie nicht in ein Klassenzimmer passen." Ein Seufzen entwich ihren Lippen. „Es ist nun einmal eine wohlhabendere Gegend und ich befürchte, dass ihre Vorgeschichte ihnen dabei im Weg stehen wird, sich daheim zu fühlen."

Er wartete ihre Pause ab, ohne sich einzubringen.

„Raven hat Probleme damit, anderen zu vertrauen. Und Hawk macht alles, was sein Bruder macht", fuhr sie fort. „Es ist beängstigend, Mylord." Charlotte ließ sich kraftlos auf den Stuhl fallen. „Ich weiß nicht, ob ich der Aufgabe gewachsen bin, die Vogelmutter für zwei wilde Jungvögel zu spielen."

„Ihre Instinkte scheinen in allen anderen Dingen recht vorbildhaft zu sein", merkte Wrexford an. „Mir fällt kein Grund ein, warum das hier anders sein sollte."

„Das ist sehr freundlich, Mylord."

„Genau genommen hat es nichts mit Freundlichkeit zu tun. Es basiert vielmehr auf empirischer Beobachtung als auf Emotionen." Er nahm einige Schlucke von dem dampfenden Tee und stellte anschließend seine Tasse ab. „Wissen Sie, ich habe da womöglich eine Lösung zu Ihrem Dilemma."

„Noch eine?", scherzte sie. „Sollten Sie dieses Rätsel ebenso geschickt lösen, wie jenes mit der Namensfindung, werde ich anfangen müssen, *Sie* für Ihr einzigartiges Können zu bezahlen und nicht andersherum."

Es war humorvoll dahingesagt, doch er kannte ihre Stimme gut genug, um den subtilen Sarkasmus darin herauszuhören.

Die Tatsache, dass sie sein Geld im Gegenzug für Informationen ihrer Quellen während der Ermittlungen des Mordes an Pfarrer Holworthy angenommen hatte, war also noch immer ein wunder Punkt. Angesichts ihres sturen Bedürfnisses nach Unabhängigkeit hatte er nichts anderes vermutet. Was es umso schwerer machen würde, ihr seinen Vorschlag zu unterbreiten.

„Zufälligerweise kenne ich einen jungen Mann, den Sohn eines Pächters auf einem meiner Gutshöfe, der kürzlich in Oxford absolviert hat und jetzt nach einer Arbeit in London sucht. Er ist ein anständiger Bursche und kommt aus einfachen Verhältnissen. Er wird sich also gut mit den Jungen verstehen und in der Lage sein, auf ihre Bedürfnisse einzugehen."

Er pausierte. „Ich denke, ein Hauslehrer wäre eine bessere Wahl als eine Schule."

„Der junge Mann klingt vorbildlich", antwortete Charlotte, „Doch im Augenblick kann ich mir keinen Hauslehrer leisten."

„Sie haben noch nicht gehört, was seine Bedingungen sind", murmelte Wrexford.

„Er ist ein Mann aus bescheidenen Verhältnissen. Ich bezweifle, dass er unentgeltlich arbeiten wird."

„Nein " Einen Moment lang versuchte Wrexford eine taktvolle Formulierung zu finden. Dann warf er seine

Anstrengungen mit einem innerlichen Grinsen über Bord. Zur Hölle mit dem Taktgefühl - Subtilität war nicht seine Stärke.

„Lassen Sie uns also darüber reden, was genau es Sie kosten würde."

Sie kniff die Augen zusammen. „Woher wissen Sie, was der junge Mann für seine Dienste verlangt?"

„Das tue ich nicht." Genug drum herumgeredet. „Es spielt auch keine Rolle, denn ich werde ihn bezahlen."

„Einen Teufel werden Sie tun!", rief Charlotte erzürnt. „Ich werde nicht-" ..."

Er hob eine Hand. „Seien Sie so freundlich, mich ausreden zu lassen."

Sie verfiel in eine schwelende Stille. Er konnte beinahe den Dampf von ihrer glühend roten Haut aufsteigen sehen.

„Die beiden Jungen haben während der Ermittlungen zum Fall Holworthy große Courage bewiesen und ihr Leben riskiert, um meinen Hals vor der Schlinge zu bewahren. Dass ich meine Dankbarkeit zeigen möchte, ist nur natürlich. Sicherlich ist Ihnen bewusst, dass mir die Wiesel ..."

Er hielt einen kurzen Moment lang inne. „Es sind jedoch nicht *meine* Beweggründe, um die es geht, Mrs. Sloane, sondern Ihre. Sie sind verdammt egoistisch."

Ihre Augen weiteten sich vor Schock.

Noch bevor sie antworten konnte, fuhr er fort: „Bis zu einem bestimmten Grad ist Stolz erstrebenswert, wenn man es jedoch auf die Spitze treibt, wird er zur Sünde."

„Ich traue meinen Ohren nicht", sagte sie mit leiser Stimme. „Ausgerechnet Sie zitieren mir die Heilige Schrift?"

„Vielleicht nicht unbedingt eine Sünde", räumte er ein. „Aber eine stark fehlgeleitete Empfindung. Freundschaft ist nichts, was man mit Geld messen kann."

Sie blinzelte.

„Abgesehen jedoch von der Tatsache, dass ich mich in meinen Absichten gekränkt fühlen würde, wäre es außerdem ungerecht den Jungen gegenüber, mein Angebot abzuschlagen und ihnen damit die Chance zu rauben, ihr Leben zum Besseren zu wenden."

Die Röte in ihrem Gesicht war jetzt einem unnatürlichen Weiß gewichen.

„Seien Sie kein sturer Esel", drängte er. „Warum fürchten Sie sich so sehr davor, Hilfe von Freunden anzunehmen?"

„Ich ... Ich" Charlotte schlang die Hände um ihre Teetasse, als würde ihre Wärme dabei helfen, das Blut zurück in ihr Gesicht zu pumpen. „Ich bin nicht so abgehoben, wie Sie vielleicht glauben mögen. Ich nehme sehr wohl Hilfe an."

Sie machte eine ausladende Handbewegung in Richtung der gestapelten Kisten mit ihren Besitztümern darin. „Ohne die Hilfe eines Freundes hätte ich es nie fertiggebracht, in einen anderen Stadtteil zu ziehen. Es waren er und sein Makler, die das Haus gefunden und die Mietbedingungen für mich verhandelt haben."

Die Aussage überraschte Wrexford. Ohne nachzudenken, hakte er nach: „Wer?"

„Jemand, den ich seit meiner Kindheit kenne." Charlotte drehte sich um und starrte in die Schatten. In dem flackernden Lampenlicht wirkte ihr Profil wie aus Alabaster geformt. Die scharfen Kanten ihres Gesichts zeichneten sich auf der tintenschwarzen Dunkelheit ab.

„Seine Lebensumstände haben sich geändert", fuhr sie fort. „Damals war er lediglich der Sohn einer verarmten Adelsfamilie. Durch eine Laune des Schicksals – und des Glücks - erbte er jedoch die Baronie eines Cousins zweiten Grades."

Ein Freund – ein adliger Freund. Wrexford wusste, dass er keinen Grund dazu hatte, ungehalten über diese Offenbarung zu sein. Und doch war er es.

Sehr sogar.

„Und Sie haben es nicht für nötig gehalten, mir davon zu erzählen?", fragte er langsam.

Charlotte streifte sich eine verirrte Locke von der Wange und verdeckte dadurch kurzzeitig ihren Gesichtsausdruck. „Weshalb hätte ich das tun sollen?"

Gute Frage.

Er spürte, wie sich sein Magen zusammenzog, und ihm wurde klar, dass er die Antwort darauf nicht genauer ergründen wollte.

„Sie haben recht. Selbstverständlich geht es mich nichts an." Selbst in seinen eigenen Ohren klang seine Reaktion aufgeblasen. Wrexford zwang sich zu einem Lächeln, welches höchstwahrscheinlich genauso gekünstelt wirkte. „Ich bitte um Entschuldigung. Ich bin es, der sich wie ein Esel verhält, nicht Sie."

„Nein, Sie hatten alles recht dazu, mich für meinen Stolz zurechtzuweisen", erwiderte sie. Dunkelheit schien sich über ihr Gesicht zu legen und die Vertiefungen unter ihren Wangenknochen zu unterstreichen. „In meiner Vergangenheit gab es Zeiten, in denen es schien, als wäre es die einzige Waffe gegen die Launen des Schicksals. Ich denke, es ist zur Gewohnheit geworden, stets gewappnet sein zu wollen."

Plötzlich fühlte Wrexford sich nicht mehr wie ein Arsch, sondern vielmehr wie eine Kröte. Eine untypische Unbeholfenheit schien ihn in letzter Zeit in ihren Bann gezogen zu haben. Er war durch den Tag gestolpert, hatte die Befragung von Miss Merton verpfuscht, und jetzt brachte er eine Frau in Verlegenheit, die aber und abermals allen Widrigkeiten zum Trotz ihren Mut und ihr Durchhaltevermögen bewiesen hatte.

„Mrs. Sloane, es war falsch von mir …"

„Sie haben mir ein großzügiges Angebot gemacht, Sir", unterbrach Charlotte. „Es war unhöflich von mir, es abzulehnen. Sollte es noch immer stehen, dann …"

„Selbstverständlich tut es das", murrte er.

„Vielen Dank." Ein versöhnliches Lächeln zerrte an ihren Mundwinkeln. „Vielleicht sollten Sie ein Treffen zwischen mir und dem jungen Mann arrangieren, sobald ich eingezogen bin."

„Das sollte sich einrichten lassen." Wrexford erhob sich abrupt und verschüttete etwas von dem lauwarmen Tee auf dem Tisch. Er wusste, es war unhöflich, jetzt zu gehen, doch sie kannte seine Stimmungsschwankungen nur allzu gut. „Ich sollte mich besser auf den Heimweg begeben, um mich rechtzeitig auf mein Treffen mit Sheffield vorbereiten zu können."

Charlotte warf einen Blick auf die Uhr und zog eine Augenbraue hoch. „Es ist noch eine ganze Weile, bis die Mitternachtsstunde schlägt."

„Ja, ich hätte jedoch gern genug Zeit, um meine Pistolen zu reinigen und schussbereit zu machen", entgegnete er. „Mit etwas Glück, werde ich heute Nacht die Gelegenheit bekommen, den Übeltäter zu erschießen."

„Sie sind gereizt", sagte sie langsam. „Gibt es dafür einen Grund?"

„Bin ich das?" In der Einsamkeit seines Labors war sein Feingefühl für die leblosen Chemikalien unfehlbar präzise. Er verstand ihre Eigenschaften und was es bewirkte, wenn er X mit Y kombinierte. Bei den Menschen flogen ihm die Verbindungen meist um die Ohren.

Sie antwortete nicht und starrte ihn stattdessen mit einem durchdringenden Blick an.

„Einen schönen Tag noch", murmelte er.

„Weidmannsheil", erwiderte sie.

Als ihm keine passende Erwiderung einfiel, nahm Wrexford seinen Hut und ging.

In seinem Stadthaus angekommen, suchte er geradewegs Zuflucht im Labor. Er zündete eine Spirituslampe an und machte sich daran, eines von Priestleys Experimenten mit der chemischen Zusammensetzung von Luft zu replizieren.

Das Flüstern der Flamme, das Ritual der präzisen Messung, die für eine aufmerksame Beobachtung erforderliche Konzentration ... Wrexford spürte seine inneren Dämonen der Neugier weichen. Die Mysterien der Wissenschaft waren bei Weitem interessanter als die Mysterien der Menschheit.

Die Minuten vergingen und ihr rhythmisches Ticken entschleunigte allmählich seine rasenden Gedanken ...

Dann riss ihn ein Klopfen an der Tür plötzlich aus der Ruhe.

„Schnappen Sie sich Ihren Mantel, Wrex! Wir haben keine Zeit zu verlieren!", rief Sheffield, als er ins Zimmer platzte. „Ich komme gerade aus dem White's, wo ich zufällig gehört habe, dass Gannett vorhat, heute Nacht im Demon's Den *Vingt et un* zu spielen."

Sein Freund wedelte ungeduldig mit den Händen in Richtung des Arbeitstisches. „Teufel noch eins, blasen Sie die Lampe aus und schnappen Sie sich Ihre Pistolen. Wenn wir uns beeilen, erwischen wir ihn vielleicht."

Kapitel 8

„Arsch", murrte Charlotte. Sie starrte hinunter auf das Zeichenpapier und fügte dem Entwurf des Esels einige verschnörkelte Linien hinzu.

Reuevoll fragte sie sich, wessen Gesicht sie dem Tier verleihen sollte – ihres oder das des Grafen.

„Wer ist ein Arsch?" Raven sah von dem Buch auf, das er gerade las. Er lag vor dem Ofen, dicht neben einer Kerze, die die Seiten erhellte. „Prinny?" Der Schein der tänzelnden Flamme ließ ein Grinsen erkennen. „Wenn Sie mich fragen, sieht er eher aus wie 'n Schwein."

Sie musste zugeben, dass er recht hatte. Der Prinzregent war zwar in seiner Jugend ein ansehnlicher Mann gewesen, doch sein ausschweifender Lebensstil hatte zu einer erschreckenden Gewichtszunahme geführt. Es war allseits bekannt, dass er heutzutage ein Korsett trug, um den Schaden, den er seinem Körper zugefügt hatte, zu verbergen.

„Hüte deine Zunge", tadelte sie ihn in vollem Bewusstsein der Scheinheiligkeit ihrer eigenen Worte. „Du darfst nicht so respektlos von dem Mann sprechen, der der nächste König sein wird."

„Sie haben ihn viel schlimmere Dinge in Ihren Zeichnungen genannt", merkte Raven an.

„Aye", meldete sich Hawk zu Wort, der gerade auf dem Flickenteppich mit einer Handvoll Murmeln spielte. „Sie haben gesagt, er sei ein lüsterner alter Ziegenbock, dessen Schniedel ..."

„Genug des Viehzeugs", unterbrach Charlotte ihn. „Wir sollten über etwas anderes sprechen."

Raven grunzte wie ein Schweinchen, ganz zur Freude seines Bruders, bis Charlotte ihm einen ernsten Blick zuwarf.

„Was liest du?", fragte sie und entspannte ihr Gesicht zu einem Lächeln.

„Mr. Keating hat mir ein Buch über Mathematik gegeben. Zahlen sind nicht halb so langweilig wie Geschichte. Es gibt zum Beispiel etwas, das nennt sich Gleichungen, und man kann Spiele spielen, um sie zu lösen."

„Ist das so?" Die bescheidenen Summen in Charlottes Haushaltsbuch machten oft nicht das, was sie sollten, so sehr sie sich auch konzentrierte. Daher war sie überrascht, zu sehen, dass ihn das Fach anzusprechen schien. „Du findest das also interessant?"

„Es ist ein wenig so, als würde man die Teile eines Puzzles zusammensetzen", antwortete er. „Also ja, ich denke das tue ich."

„Laut Mr. Keating bist du sehr gut da drin", mischte sich Hawk ein.

„Wirklich?", fragte sie.

Raven zuckte mit den Schultern.

Stattdessen antwortete Hawk: „Aye, er sagt, Raven hat Talent." Er grinste spöttisch. „Ein richtiger Musterknabe."

Während die Jungs in gegenseitige Neckereien verfielen, wandte Charlotte sich wieder ihrer Zeichnung zu. Der Austausch war nur eine weitere Bekräftigung dafür gewesen, dass Wrexford sie zu Recht dazu gedrängt hatte, ihnen Zugang zu guter Bildung zu verschaffen. Nicht, dass sie eine gebraucht hätte. In ihrem Herzen wusste sie, dass er recht hatte.

Wenn sich also jemand wie ein Esel verhalten hatte, dann war sie es. Charlotte verlieh dem Tier auf ihrem Papier ihr eigenes Bildnis als Gesicht und fügte anschließend zwei große Eselsohren hinzu.

Ihre Reaktion auf die Konfrontation war kindisch gewesen. Doch das war seine ebenfalls.

Trotz all der Schwächen, die er hatte, war Wrexford eigentlich nicht nachtragend. Dieses Mal war es jedoch anders. Er war übellaunig davongestürmt - weshalb, konnte sie sich nicht erklären. Wenn sie es nicht besser gewusst hätte, wäre sie verleitet gewesen, zu glauben, dass sie seine Gefühle verletzt hatte. Diese Vorstellung war jedoch absurd. Seiner eigenen Aussage nach schützte er sich selbst mit einer Rüstung aus Zynismus, die so stark war, dass keine Häme sie jemals durchdringen konnte.

Charlotte gab ihre Versuche auf, herauszufinden, was ihn belastete, und fokussierte sich stattdessen darauf, eine Liste aller Dinge anzufertigen, die sie für den kommenden Morgen benötigte.

Morgen würde der letzte Tag in diesem Haus sein. Sie hob ihren Blick und ließ ihn durch den Raum wandern, obgleich jede Ecke und jede Spalte bereits unauslöschlich in ihrem inneren Auge eingebrannt waren. Dunkelheit und Licht – das stille Flackern der Lampe und der Kerzen tanzte über die winzigen Details ... der Riss in dem Fensterflügel, durch den stets der Wind pfiff, wenn er von Westen wehte ... der Spritzer blauer Farbe auf der gegenüberliegenden Wand, wo Anthony einmal seinen Pinsel frustriert durch das Zimmer geschleudert hatte ... die Delle in dem Herd, wo die

Gusseisenpfanne aufgeschlagen war, nachdem sie von einer Maus vom Regal gestoßen wurde ...

Erinnerungen, Erinnerungen.

Charlotte starrte noch einen Moment lang ihre eigenen tintenbefleckten Hände an, dann schüttelte sie die Schatten der Vergangenheit ab. Es war Zeit, nach vorn zu blicken.

Malum consilium est, quod mutari non potest. Ein Plan, der nicht geändert werden kann, ist ein schlechter. Diese Worte, egal, ob man sie leise auf Latein oder auf Englisch flüsterte, ließen es so einfach klingen ...

Sie nahm ein leeres Blatt von dem Stapel mit Zeichenpapier und legte es über ihre Kritzeleien. Mr. Fores erwartete bis zum morgigen Abend einen neuen Druck und da ihre Feder und ihre Farben noch nicht die Kunst gemeistert hatten, eigenständig Satire zu kreieren, machte sie sich an die Arbeit.

Eine kräftige Ladung männlicher Gerüche - Rauch, Schweiß und Brandy - umhüllten Wrexford, als er die Spielhölle betrat. Rotgoldene Flammen züngelten von den Glaskugeln der Wandleuchter empor, ihr öliges Licht hüllte das unübersichtliche Geschehen an den überfüllten Spieltischen in einen marsianischen Schein.

Krieg war eine treffende Analogie, dachte er hämisch. Eine Kakophonie von Flüchen, die mit betrunkenem Gelächter kollidierten, erfüllte die stickige Luft. Die primitiven Triebe des Mannes im Kampf gegen sein besseres Wissen.

Es stand außer Frage, was die Oberhand hatte.

„Gannett hält sich höchstwahrscheinlich in einem der hinteren Säle auf", murmelte Sheffield. „Folgen Sie mir."

Sein Freund ging voraus und bahnte sich den Weg durch das Menschengedränge zu einem schmalen Korridor, der tiefer ins Innere des Gebäudes führte. Das Klackern rollender Würfel hallte in dem schmalen Gang so laut wie Musketenschüsse. Sie passierten einige weitere schwach beleuchtete Räume, bevor Sheffield vor einem niedrigen Torbogen zum Stehen kam.

„Die tiefste Grube der Hölle", witzelte er. „Hier sind die Einsätze in der Regel am höchsten."

Durch den Schleier aus Zigarrenqualm hindurch konnte Wrexford die vagen Umrisse von Männern ausmachen, die um ungefähr ein halbes Dutzend Tische kauerten.

„Obwohl es mich überrascht, dass Gannett bei diesen Teufeln noch immer willkommen ist", fügte Sheffield hinzu. „Wie mir zu Ohren gekommen ist, hat er Schwierigkeiten, seine Schuldscheine zu bezahlen. Und Spieler, die ihre Schulden nicht bezahlen können, sind hier nicht gern gesehen."

Wrexford beobachtete das Aufblitzen der Pappkarten, als sie auf den grünen Filz fielen. In Anbetracht dessen, was Sheffield ihm über ihr Opfer erzählt hatte, fiel es ihm schwer zu glauben, dass einem solchen Tunichtgut wie Gannett irgendetwas an radikalen Reformen lag. Doch möglicherweise fand der Kerl auch einfach, dass Gewalt und Chaos zu schüren, den gleichen Rausch durch sein Blut jagte wie das Glücksspiel.

Gefahr machte süchtig.

„Sehen Sie ihn?", fragte er.

Sheffield machte einen Schritt zur Seite und starrte mit zusammengekniffenen Augen gen Dunkelheit. „Ja, gleich da vorn, in der hinteren Ecke."

Sie warteten, bis er sein Blatt gespielt hatte, und bahnten sich dann ihren Weg hinüber zu dem Tisch.

„Gannett", knurrte Wrexford. „Auf ein Wort."

Ein Mann hob seinen Blick. Sein Gesicht musste einmal ansehnlich gewesen sein, doch die bleiche Haut, die jetzt von seinen markanten Knochen hinabhing, verlieh ihm Ähnlichkeit mit einem toten Dorsch.

„Sehen Sie nicht, dass ich verdammt nochmal beschäftigt bin?", erwiderte er leicht lallend. „Verschwinden Sie."

Die Erwiderung zog grollendes Gelächter seiner Mitspieler nach sich.

Wrexford packte Gannett am Kragen und zerrte ihn auf die Beine.

Das Lachen verstummte.

„Das war keine Bitte", sagte er.

Gannett versuchte, sich frei zu winden. „Was zum Teufel – lassen Sie mich los!" Er sah Sheffield an. „Teufelszahn, Sheff, ich schulde weder Ihnen noch Ihrem rüpelhaften Freund irgendein Geld. Sagen Sie ihm, dass er von mir ablassen soll oder ..."

„Oder was?" Wrexford schüttelte den Mann so stark, dass er seine Zähne klappern hören konnte. „Werden Sie mich sonst ermorden?"

Gannett wurde plötzlich ganz still. „I-ich verstehe nicht ..."

„Das werden Sie gleich." Wrexford machte auf dem Absatz kehrt und zerrte seinen widerstandslosen Gefangenen in Richtung des Korridors neben sich her.

„Was …", begann Gannett und wurde kurz darauf von Wrexford mit einer derartigen Wucht gegen den Rauputz der Wand geschleudert, dass ihm die Luft aus den Lungen gepresst wurde. Sein Gesicht verkrampfte sich zu einem Blick der Furcht.

„Erzählen Sie uns, warum Sie Ashton ermordet haben."

„Ermordet?", keuchte er. „Hier muss ein schreckliches Missverständnis vorliegen." Gannett befeuchtete seine bebenden Lippen. „Ich weiß nichts von irgendeinem Mord. Das schwöre ich!"

„Versuchen Sie nicht, es zu leugnen", sagte Sheffield schroff. „Ich habe Ihre Handschrift auf der Nachricht wiedererkannt, die Ashton in seinen Tod gelockt hat."

Gannetts Knie gaben nach und er wäre zusammengebrochen, hätte Wrexford seinen Kragen nicht fest im Griff gehabt. Er versuchte zu reden, doch alles, was er über die Lippen brachte, war ein erbärmliches Wimmern.

Wrexford schüttelte ihn noch einmal. „Entweder Sie machen den Mund auf oder ich schleife Ihr nichtsnutziges Geripp zur Bow Street und lasse die Läufer die Wahrheit aus Ihnen herausquetschen."

„Deren Methoden", brummte Sheffield, „werden weitaus weniger vornehm sein als unsere."

Die Drohung schien zu fruchten und Gannetts anfängliche Panik zu besänftigen. Er holte tief Luft, stabilisierte seine Haltung und stieß einen bebenden Seufzer aus.

„J-ja, ich habe eine Nachricht geschrieben. Es sollte jedoch alles nur Teil eines ausgeklügelten Scherzes sein! Die Handschrift eines Fremden wurde benötigt - das zumindest habe ich mir sagen lassen -, sodass die Person, der er galt, sie nicht wiedererkennen würde. Verdammt, es klang nach einem harmlosen, heiteren Spaß … und man hat mir Geld angeboten, damit ich es tue."

Gannetts Zunge löste sich allmählich. „Kommen Sie, Sheff, Sie wissen, wie es ist, schwach auf der Brust zu sein. Ich habe das Geld dringend benötigt."

„Was sagt uns, dass Sie das Geld nicht dringend genug benötigt haben, um einen Mann zu ermorden, von dem Sie wussten, dass er prallgefüllte Taschen hat?", fragte Wrexford, obgleich er dem Spieler nicht wirklich zutraute, eine solch kaltblütige Tat begangen zu haben.

„Weil ich keine Ahnung habe, wer dieser Kerl namens Ashton überhaupt ist!", rief Gannett. „Wie sollte ich planen, einen Mann zu ermorden, von dem ich noch nie zuvor gehört habe?"

„Sie haben Ashtons Namen noch nie in der Zeitung gelesen?", fragte Sheffield. „Er ist einer der führenden Wissenschaftler Englands."

Der Mann verzog das Gesicht. „Das Rennprogramm beim Newmarket ist alles, was ich lese."

Wrexford tendierte dazu, ihm zu glauben. Der Spieler wirkte auf ihn wie ein stumpfsinniger Tunichtgut. Was bedeutete …

„Wenn an dem, was Sie sagen, etwas dran sein sollte und Sie tatsächlich nichts mit dem Mord an Ashton zu tun haben, dann hoffe ich für Sie, dass Sie uns den Namen von dem Mann geben können, der Sie angeheuert hat."

„Selbstverständlich kann ich das!" Hoffnung schimmerte in Gannetts Augen, als er einen Ausweg witterte. „Es war Gabriel Hollis."

Eine List? Er bezweifelte, dass der Spieler gerissen genug war. „Warum sollte er Sie fragen? Sind Sie ein Freund?"

„Nein! Wir lernten uns in Cambridge kennen, ich habe ihn seitdem jedoch nicht mehr gesehen, bis sich unsere Wege vor Kurzem in einer Taverne nahe Covent Garden gekreuzt haben. Wir sind ins Gespräch gekommen und ..." Gannett verzog das Gesicht. „Nach einigen Humpen Ale hat er mich darum gebeten, diese verflixte Nachricht zu verfassen."

Ah, womöglich kamen sie dem wahren Täter allmählich näher. „Hat er gesagt, wo er wohnt?"

„Nein, doch ..." Er atmete flach ein. „Doch er schien sich sehr gut mit dem Wirt zu verstehen. Fragen Sie im Crown und Scepter in der Cross Lane Ecke Cattle Street nach. Vielleicht hat er die Informationen, die Sie suchen."

„Ich kenne den Ort", sagte Sheffield. „Er zieht Raufbolde und Tunichtgute an."

Die Spur schien deutlicher zu werden, die Fährte stärker. Wrexford wollte jedoch sichergehen, dass sie sich bezüglich des Motivs des Täters auf dem richtigen Weg befanden.

„Eine letzte Frage noch: Hat Hollis jemals den Anschein erweckt, dass er radikale politische Ideen vertritt?"

Gannett blinzelte die Schweißperlen aus seinen Lidern. Vielleicht waren es auch Tränen der Erleichterung. „Gütiger Gott: Ja! Er hat sich ständig über die

Missstände unserer Gesellschaft beklagt und darüber, wie die Monarchie und die Kirche der Entstehung einer wahren Utopie im Wege ständen."

Sein Blick schweifte ab und plötzlich deutete er in die Dunkelheit. „Fragen Sie doch Kirkland!"

Wrexford drehte sich um und entdeckte die dunkle Silhouette einer Figur tief in den Schatten des Korridors. Dabei war er sich sicher gewesen, dass der Gang vor einigen Minuten noch menschenleer gewesen war, als er Gannett gegen die Wand gestoßen hatte.

Der Mann trat hervor und brachte eine kalte Brise mit sich, während er an seiner rutschenden Hose herumfummelte.

Das erklärt es, dachte der Graf. Der Hinterhof musste den Gästen als Latrine dienen.

„Kommen Sie, Kirkland, Sie kannten Hollis aus unseren Studienzeiten! Erzählen Sie davon, wie er verwiesen wurde, weil er ein Unruhestifter war", forderte Gannett ihn auf. „Erinnern Sie sich noch, wie er stets von den Rechten des einfachen Mannes und der Unterdrückung durch Staat und Kirche schwafelte?"

„Nein", erwiderte Kirkland. Das schwache Licht des Kerzenleuchters fing die arrogant geschürzten Lippen seines wohlgeformten Mundes ein, als er sich dem Grafen zuwandte. „Ich erinnere mich an nichts dergleichen."

„Das kann nicht sein!", rief der Spieler in Angst, dass sich sein Alibi in Luft auflösen könnte.

Kirkland gab ein gepeinigtes Seufzen von sich. Er hatte ein schönes Gesicht mit kantigen Zügen - und diesen Blick der arroganten Langeweile, den Wrexford bei Seinesgleichen so sehr verabscheute. Er schien einen

Moment lang über die Forderung nachzudenken und sagte dann überzogen schleppend: „Ich nehme an, der Name kommt mir irgendwie bekannt vor."

Mit einigen gleichgültigen Handbewegungen zog er sich ein Paar Lederhandschuhe an, die zur burgunderroten Farbe seines Mantels passten. „Und ja, der Bursche war ein ziemlicher Flegel."

„Sehen Sie?!", sagte Gannett gleich darauf. In der Hoffnung auf eine Chance, jemand anderem die Schuld in die Schuhe zu schieben, fügte er hinzu: „Jetzt wo ich darüber nachdenke, Carruthers kannte Hollis ebenfalls. Er ist nebenan und spielt Würfel - fragen wir ihn, ob er die Adresse dieses verfluchten Bastards kennt."

„Könnte nicht schaden", entgegnete Sheffield.

„Wenn die Herren mich entschuldigen würden ..." Mit einem kurzen Nicken drängte sich Kirkland an ihnen vorbei. „Ich muss Sie leider verlassen."

Wrexford sah ihm hinterher, als er ging. Der Mann kam ihm vage bekannt vor ... andererseits hatte er wahrscheinlich jeden Eselsarsch, der sich in den privilegierten Kreisen der Beau Monde bewegte, schon einmal gesehen.

„Ein eingebildeter Laffe", murrte Sheffield, als er die Neugier des Grafens bemerkte. „Er spielt häufig und meist um viel Geld, für gewöhnlich jedoch in vornehmeren Etablissements als diesem. Nicht, dass er sonderlich erfolgreich wäre, sein Geldbeutel scheint jedoch stets voll zu sein." Er verzog das Gesicht. „Ich tippe auf einen großzügigen Vater. Was verdammt ungerecht ist."

„Aye, *verdammt* ungerecht", stimmte Gannett ihm zu. „Das Glück sollte diejenigen begünstigen ..."

„Wir vergeuden wertvolle Zeit", unterbrach ihn Wrexford. „Gehen wir und finden heraus, ob Carruthers weiß, wo Hollis residiert. Wenn nicht, versuchen wir unser Glück als nächstens im Crown and Scepter."

Wie erwartet, hatten sie am Würfeltisch kein Glück. Entgegen Gannetts Gejammer ergriff Wrexford die Vorsichtsmaßnahme, den Wirt der Spielhölle dafür zu bezahlen, dass er den Spieler über Nacht in einer Abstellkammer einsperrte. So unscheinbar der Mann jetzt noch erscheinen mochte, der Graf war nicht gewillt, einen tödlichen Fehler zu riskieren.

Wie Sheffield angekündigt hatte, handelte es sich bei der Taverne um ein heruntergekommenes Drecksloch, das ein eher ungehobeltes Publikum bediente. Der Besitzer gab vor, nichts von Hollis zu wissen, doch eine Handvoll Guineen löste bald darauf seine Zunge und so erfuhren sie eine Adresse.

„Es ist nicht allzu weit von hier", sagte sein Freund, als sie das Gebäude durch die Hintertür verließen. „Mir nach."

Wrexford spürte, wie sich sein Puls beschleunigte und ihre Schritte auf dem unebenen Kopfsteinpflaster zu dem Rauschen des Blutes in seinen Venen tonierten.

Nachdem sie einen kurzen, gewundenen Gang durchquert hatten, blieb Sheffield am Beginn einer schmalen Gasse stehen und deutete auf ein Backsteingebäude zu ihrer Rechten.

Eilig holte der Graf zwei Pistolen aus seiner Manteltasche, überprüfte die Zündhütchen und überreichte

Sheffield eine der beiden Waffen. „Ab hier gehe ich vor", flüsterte er.

Wolken schoben sich vor den Mond und spendeten Sichtschutz, während sie sich dem morschen Eingangsbereich näherten. Er holte ein dünnes Messer aus seinem Stiefel hervor, um das Schloss zu knacken. Doch eine kurze Berührung des eisernen Schlüssellochs offenbarte, dass es defekt war.

Die Tür öffnete sich mit einem leisen Ächzen.

Er ging die Treppe hinauf, zwei Stufen mit jedem Schritt. Es war dunkel wie die Nacht und als er das oberste Stockwerk erreichte, war Wrexford gezwungen, sich seinen Weg an der Wand entlang zu ertasten, um die Tür zur Höhle ihrer Beute zu finden.

Auch hier gab die Tür dem Druck seiner Handfläche nach, was ein plötzliches Kribbeln in seinem Nacken hervorrief. Er packte Sheffields Arm und positionierte sich neben der Tür. Dann, nachdem er den Schlagbolzen seiner Waffe gespannt hatte, trat er die Tür ein und duckte sich tief.

Nichts. Kein Schuss kaum aus dem Innern. Tatsächlich war der Raum dunkel und unnatürlich still. Wrexford wartete noch einen Moment, bevor er vorsichtig über die Türschwelle schlich. Nach einigen Schritten stieß sein Stiefel gegen einen zertrümmerten Stuhl. Er griff nach unten und fühlte zerbrochenes Glas auf dem Boden. Der Geruch von Lampenöl stieg von den Dielen auf.

„Verdammt." Er fand eine umgefallene Kerze und entzündete den Docht mithilfe von Feuerstein und Stahl. Das aufflackernde Licht offenbarte einen Anblick der Verwüstung. Ein Tisch und drei weitere Stühle waren kurz und klein geschlagen worden. Der kleine Schreibtisch stand auf dem Kopf, die Inhalte der Schubladen lagen in den Ölpfützen verstreut. Federn von aufgeschlitzten Kopfkissen hatten sich über die Trümmer gelegt, die weichen Daunen stellten einen absurden Kontrast zu dem splittrigen Holz dar.

Die kleine Flamme brachte außerdem eine Vielzahl an Pamphleten zum Vorschein, die auf dem Boden verteilt lagen. Obwohl die Tinte bereits kaum noch zu lesen war, erkannte Wrexford eindeutig das Symbol und die Überschrift.

Die Arbeiter Zions. Sie waren am richtigen Ort.

Sheffield fand eine weitere Kerze und zündete sie an. Gerade, als er etwas sagen wollte, hob Wrexford die Hand und wurde vollkommen still.

Die Geräusche waren kaum wahrnehmbar – ein gespenstisches Knarren ertönte von den verdeckten Dachsparren, ein leises Sausen der Luft, die durch den Riss im Fenster wehte ...

Ein flüsterndes Stöhnen, das rhythmisch leiser und lauter wurde.

Einen weiteren Fluch murmelnd, begab sich der Graf in den Alkoven, der an das Zimmer angrenzte. Auf dem Boden entdeckte er einen Mann, alle viere von sich gestreckt, seine Atemzüge begleitet von einem schwerfälligen Gurgeln.

Als sich Wrexford neben ihn hockte und die Kerze näher in Richtung der Geräuschquelle führte, sah er den Grund dafür. Ein tiefer Schnitt klaffte quer entlang der Kehle des Mannes und hatte seine halbdurchtrennte Luftröhre freigelegt. Blut färbte sein Hemd scharlachrot.

Als das Licht sein Gesicht erfasste, flatterten die Augen des Mannes auf, Ergebung erfüllte die dunklen, geweiteten Pupillen.

Womöglich konnte er sehen, wie sich die Gestalt des Todes ihm unaufhaltsam näherte.

„Hollis?", fragte Wrexford.

Ein schwaches Nicken.

„Wer …", begann er zu fragen, doch als er sah, dass Hollis versuchte, etwas zu sagen, wurde er still und lehnte sich näher heran.

Die Lippen des Mannes bewegten sich und ein sanfter Hauch streichelte die Wange des Grafen. Doch es kamen keine Worte heraus. Lediglich ein tödliches Keuchen, leise und scheußlich, entwich der zerstörten Luftröhre.

Wrexford öffnete sein Halstuch und wickelte es vorsichtig um Hollis Hals, in der Hoffnung Gevatter Tod noch etwas länger in Schach zu halten.

„A-Ashton", brachte Hollis schließlich heraus. „Ich … habe Ashton … nicht … u-umgebracht."

„Wissen Sie, wer es getan hat?"

Holli bewegte seinen Kopf ein klein wenig, gefolgt von einem blutigen Husten.

Teufel noch eins – der Mann erstickt an seinem eigenen Blut.

„Ich … ich weiß …" Ein weiteres Husten. „Finden Sie …"

„Hier, ich mache es Ihnen etwas bequemer." Der Graf zog seinen Mantel aus und bettete den Kopf des sterbenden Mannes darauf, um ihm zu besserer Atmung zu verhelfen.

Hollis verzog das Gesicht. „Finden … finden …"

„*Wen* soll ich finden?", drängte Wrexford am Rande der Frustration. Er legte eine Hand auf Hollis Schulter und drückte sie in einem verzweifelten Versuch, ihn zum Durchhalten zu ermuntern.

Erschöpft ließ der Mann seine Augenlider zufallen. Schmerz verzerrte seine Miene. Die Sense des Gevatter Tod schnitt immer näher. Wrexford konnte die letzten Atemzüge in Hollis Lungen sterben hören.

Denk nach, denk nach! Nach jedem Strohhalm greifend, ging er die Liste der Witwe im Geiste durch.

„Einer von Ashtons Investoren? Seine Assistenten?", fragt er.

Ein kurzes Aufblitzen in Hollis Augen schien verneinen zu wollen. „F-finden Sie N-" Er hob eine Hand und winkte in Richtung des Hauptzimmers. „Zahlen... Zahlen werden alles ans Licht bringen."

„Wer ist Nevins? Und *welche* Zahlen?", bohrte Wrexford.

Keine Antwort.

„Verdammt - Sie dürfen jetzt noch nicht sterben", fluchte er, als er seine Hände unter den Kopf des Mannes führte, um ihm noch einige weitere kostbare Sekunden zu gewinnen.

Hollis öffnete die Augen. Seine Lippen formten das schwache Flüstern eines Hs, doch einen Herzschlag später war es schon wieder verstummt.

„Teufel noch eins." Der Graf ließ von der Leiche ab und starrte auf seine blutverschmierten Finger. Wäre die Kutsche doch nur etwas schneller über das Kopfsteinpflaster gerattert, hätte der Wirt in der Taverne sich nicht so quergestellt ...

Hätte er sich doch bloß nie in die stinkenden, versifften Gassen von Half Moon Gate begeben.

Sheffield legte eine Hand auf seine Schulter und holte ihn aus seinen Gedanken. „Seien Sie nicht so streng mit sich selbst, Wrex. Schuldige haben die Angewohnheit, Ihre Unschuld bis zu ihrem letzten Atemzug zu beteuern."

„Ganz im Gegenteil." Wrexford entfernte seinen Mantel von unter dem Kopf des Mannes. Der Anblick der blutdurchtränkten Meltonwolle ließ ihn das Gesicht verziehen. Tyler würde bei dem Versuch, sie zu reinigen, vermutlich in Ohnmacht fallen.

„Während des spanischen Unabhängigkeitskrieges sah ich weitaus hartgesottenere Kriminelle als Hollis ihre sterbliche Hülle verlassen", fuhr er fort. „Als sie ihrem Schöpfer gegenüberstanden, wünschten die meisten Männer, sich zu ihren Taten zu bekennen."

„Sie glauben ihm also, dass er es nicht getan hat?", fragte Sheffield.

„Ja." Ein Bauchgefühl. Doch laut Charlotte, sollte er lernen, seinen Instinkten zu vertrauen.

„Aber wenn Hollis Ashton nicht getötet hat ... wer war es dann?"

Wrexfords Mund spannte sich in grimmiger Skepsis.

„Ich habe keinen Schimmer." Er sah sich in dem chaotischen Zimmer um und fluchte erneut. „Und wir bräuchten teuflisches Glück, um hier etwas Nützliches zu finden."

Er erhob sich und trat aus Frustration gegen eine der herausgerissenen Schreibtischschubladen. Das laute Knacken, als sie in Einzelteile zerbarst, brachte eine solche Befriedigung, dass er der zweiten gleich auch einen Tritt verpasste.

Knack. Die Bodenplatte zerbrach und offenbarte ein kleines verstecktes Fach in dem falschen Boden. Im Schein der flackernden Kerzen war ein blasses Schimmern von Papier zwischen den Holzsplittern zu erkennen.

Sheffield bückte sich und befreite es. „Satan sei gepriesen", murmelte er, als er einen kurzen Blick geworfen hatte. „Sehen Sie sich das an."

Zahlen.

Wrexford begutachtete die Seite, die mit einem scheinbar wahllosen Wirrwarr aus Zahlen vollgeschrieben war. „Zimmer wie dieses werden in der Regel möbliert vermietet", merkte er an. „Wir wissen nicht, wie lange das schon in der Schublade gewesen ist."

Eine Liste mit Schulden, eine Art Inventurliste – Teufel noch eins, es hätte alles sein können!

„Da haben Sie recht", erwiderte Sheffield. „Vielleicht haben wir aber auch verdammt großes Glück."

„Es wäre kein Glück, Kit. Es wäre ein verflixtes Wunder", antwortete der Graf. Nichtsdestotrotz faltete er das Papier sorgfältig und steckte es in seine Tasche.

Kapitel 9

„Auf Wiedersehen", murmelte Charlotte.

Wie der Rest des winzigen Hauses, war auch das Hauptzimmer jetzt leer und kahl. Irgendwie wirkte es nun noch kleiner und nicht größer. Die Leere schien zu unterstreichen, wie wenig von diesem Ort sie in ihrem Herzen trug.

Erinnerungen.

Die wenigsten davon wollte sie mitnehmen. Sie dachte angestrengt nach, um sich an Momente des Glücks zu erinnern. Die meisten jedoch waren schwerer zu definieren. Sie wurden eher von dem subtilen Gefühl des Bedauerns begleitet als von strahlenden Ausbrüchen puren Sonnenscheins.

Anthony. Ihrem verstorbenen Ehemann war es hier schlecht ergangen, sowohl körperlich als auch mental. Sein Geist beschattete noch immer diesen Ort. Sie drehte sich im Kreis und beobachtete, wie düstere Grautöne über die schmutzigen Wände sprangen. Jegliche Farbe war längst aus dem Raum gewichen. Selbst das Licht war trübe geworden.

Jetzt, wo sie das Haus aufgab, würde vielleicht auch er an einen besseren Ort weiterziehen können.

Wie eine Antwort auf ihre Grübeleien wehte ein kühler Luftzug – ein Abschiedskuss? - durch den verflixten Riss in dem Fensterrahmen, der jedem ihrer Versuche, ihn zu reparieren, getrotzt hatte. Charlotte lächelte schief und zog ihren Schal etwas enger um ihre Schultern.

Ich lasse mein altes Leben hinter mir, um ein neues zu beginnen.

Sie hatte das Gefühl, ein bedeutsames Ritual vollziehen zu müssen, um das Ereignis zu zelebrieren. Ein rot züngelndes Feuer entfachen ... Einen Tanz aufführen ... Oder eine Jungfrau opfern ...

„Mylady, der Kutscher sagt, Ihre Sachen seien alle auf dem Karren verstaut. Er lässt die Peitsche knallen, wann immer Sie so weit sind." Zu ihrer Überraschung stellte Raven sich neben sie und nahm ihre Hand. Für gewöhnlich hielt er sich mit Körperkontakt zurück, weit mehr als sein jüngerer Bruder.

Vielleicht war das der Grund dafür, dass sich die unerwartete Wärme seiner Berührung so tröstend anfühlte. Sie standen noch einige Herzschläge lang in den wandelnden Schatten, bevor er hinzufügte: „Wir haben Ihnen einen Platz neben dem Fahrer freigehalten. Hawk und ich werden oben auf den Kisten mitfahren."

Sie drückte seine Hand. „Ja, ich bin so weit."

Raven eilte los. Ihre eigenen Schritte waren langsamer. Die Tür zum letzten Mal zu schließen, fühlte sich nicht so beängstigend an, wie sie es befürchtet hatte.

Respice finem. Siehe erst zurück, wenn es vorbei ist.

Sorgfältig hielt sie die Umhängetasche mit ihren Farben und Pinseln fest und kletterte auf ihren Platz auf der Kutsche. Ein Peitschenhieb setzte die Zugpferde in Bewegung. Schlamm schmatzte, als die Räder über die zerfurchte Fahrbahn rumpelten. Einige Minuten später hatten sie das Haus bereits weit hinter sich gelassen.

Sie drehte sich nicht mehr um.

Der Schlamm wurde zu Kopfsteinpflaster, als sie vom Rande des Elendsviertels in eine wohlhabendere

Gegend kamen. Hinter sich hörte sie die Jungen wie Gänse schnattern. Charlotte wünschte, sie wüsste, wie die beiden wirklich über ihr neues Nest dachten.

Doch um ehrlich zu sein, hatte sie ihre eigenen Gefühle noch nicht sortiert. Es würde Zeit brauchen. Sie würde geduldig sein müssen, sowohl mit ihnen als auch sich selbst.

Geduld. Ein selbstironisches Lächeln überkam ihre Lippen. Sie zählte nicht zu ihren Tugenden, das hatte sie mit dem Grafen gemeinsam.

Die Gedanken an Wrexford brachten sie zurück zu ihrer Diskussion über Ashtons Ermordung. Seine anmaßende Forderung, sich aus der Angelegenheit herauszuhalten, hatte einen wunden Punkt getroffen. Zugegeben, seine Argumente hatten Sinn ergeben. Das machte es jedoch nicht weniger schwer zu schlucken. Sie hatte sich ihre Unabhängigkeit schwer erarbeitet, umso schwerer war es, etwas von ihr aufzugeben.

Sturheit, räumte sie ein, war nur eine weitere ihrer vielen Schwächen.

Nach all diesen unbehaglichen Gedanken freute Charlotte sich umso mehr, als der Fahrer ankündigte, dass sie als nächstes in ihre neue Straße abbiegen würden.

Sie hob ihren Blick und sah einen schönen, stattlichen Kutschenwagen am Straßenrand vor ihrem neuen Wohnsitz stehen. Seine waldgrüne Tür trug ein diskretes Wappen in Taupetönen.

Ach, Jeremy. Trotz all der Umschwünge in ihrem Leben seit sie gemeinsam Äpfel aus dem Obstgarten des örtlichen Gutsherrn stibitzt hatten, war er ihr nie von der Seite gewichen. Seit ihrer Kindheit waren sie beste

Freunde gewesen. Ohne seinen Rückhalt während ihrer dunkelsten Tage ...

„Halloo!" Jeremy – Baron Sterling – trat auf die Straße und begrüßte sie mit einem Winken. Wie gewohnt war er tadellos gekleidet. Heute waren es biskuitfarbene Reiterhosen, dazu passende polierte Stiefel und ein in subtilem Azurblau gehaltener Mantel aus Merinowolle.

Wenn jemand seinen Adelstitel verdient hatte, dann war es Jeremy, dachte Charlotte mit einem innerlichen Grinsen. Er hatte schon immer einen ausgezeichneten Geschmack und ein Auge für Qualität gehabt. Und jetzt hatte er die Asche, um es sich leisten können, sich seinen Passionen für die Kunst und die Mode hinzugeben.

Er gab ein weiteres Handsignal, woraufhin ein livrierter Page herübereilte, während ihre Kutsche zum Stehen kam.

„Herr im Himmel", murmelte Charlotte, als sie dem eifrigen Diener zögerlich ihre Hand gab, damit er ihr beim Abstieg helfen konnte. „Du hättest dir nicht solche Umstände machen müssen. Ich bin schließlich kein Mitglied der Königsfamilie."

Jeremy hieß sie mit einer schnellen Umarmung willkommen. „Für mich wirst du immer eine Prinzessin sein", erwiderte er auf galante Weise gerade laut genug, dass sie es hören konnte.

Sie lachte spöttisch. „Ich muss mein verzaubertes Diadem auf dem Weg hierher verloren haben. Ich werde mich also bis auf Weiteres damit begnügen müssen, mein bescheidenes Ich zu bleiben."

„Man weiß nie, was die Zukunft bringen wird."

„Es kommt ausschließlich in Märchenerzählungen vor, dass sich ein einfaches Weib auf magische Weise in eine Königin verwandelt."

Er machte einen Schritt zurück, seine Stirn runzelte sich vor Sorge.

Charlotte tat so, als hätte sie es nicht bemerkt, und wandte sich dem Kutscher zu. „Mr. Holson, wenn Sie so freundlich wären, meine Sachen in den Hausflur zu bringen. Ich zeige Ihnen dann, wo alles hingehört."

Nicht, dass es viel Überlegung erfordern würde.

„Mein Lakai wird Ihnen dabei assistieren", rief Jeremy. Dann wandte er sich Charlotte zu und sagte: „Komm doch erstmal herein. Du siehst erschöpft aus." Seine Pause war kaum wahrnehmbar, ebenso wenig wie die Anspannung seiner Mundwinkel. „Lass uns einen Tee trinken."

Sein jovialer Ton klang ein wenig gezwungen. Charlotte kannte ihren Freund gut genug, um zu spüren, dass er ihr etwas vorenthielt.

„Bitte entschuldige, doch mein Kessel ist in irgendeiner von diesen Kisten verstaut", entgegnete sie. „Ich befürchte, wir werden dieses Mal auf Erfrischungen verzichten müssen."

„Was das angeht ..." Jeremy räusperte sich. „Ich habe mir die Freiheit genommen, meine Haushälterin mitzubringen, damit sie uns etwas zu Essen zubereiten kann. Die Jungen werden sicherlich hungrig sein und ich wollte nicht, dass sie verhungern." Ein Lächeln. „Es gibt Apfelkuchen von Gunthers. Und mit Vanillepudding gefülltes Baiser."

„Ein Schlag unter die Gürtellinie", murrte sie. Er wusste, wie unerbittlich sie jegliche Form der finanziellen Hilfe ablehnte, egal wie unbedeutend sie erscheinen mochte. Doch in diesem Fall konnte sie ihm nur schwer böse sein.

Raven und Hawk kletterten von dem Haufen aus Gepäckstücken herunter, in ihren schmuddeligen Gesichtern ein erwartungsvoller Blick. Sie lieferten gelegentlich Briefe zu seinem Haus, wo sie vermutete, dass die Bediensteten sie mit Süßigkeiten vollstopften.

„Sie waren ganz sauber, als wir losgefahren sind", sagte Charlotte mit einem erschöpften Seufzen. „Wie kommt es, dass Jungen Dreck wie Magneten anziehen?"

Jeremy antwortete mit einem Schmunzeln. „Das ist wohl eine dieser unumstößlichen Wahrheiten des Universums. Ich könnte mir vorstellen, dass Sir Isaac Newton darüber etwas in seinen Gesetzen der Bewegung geschrieben hat."

„Höchstwahrscheinlich." Sie würde Wrexford fragen müssen.

„Hey!", Raven sah beleidigt aus. Er hielt seine Hände hoch, welche für seine Verhältnisse recht annehmbar aussahen. „Sehen Sie, die sind blitzblank."

„Ja, das sind sie", antwortete sie mit einem Lächeln. „Und jetzt verbeugt euch vor Lord Sterling. Danach gehen wir ins Haus und schauen uns eure Hände ganz genau an. Wenn Sie die Musterung bestehen, gibt es etwas Apfelkuchen für euch."

„Juhu!" Sie flitzten davon, während sie die Hemden aus ihren Hosen zupften, um sich die Hände daran abzuwischen.

„Anständige Burschen", murmelte Jeremy.

„Es sind Heiden", sagte sie trocken und hoffte, dass sich ihre tiefsitzende Angst nicht in ihrer Stimme bemerkbar machte.

„Sie sind neugierig und gerissen, das ist es, was sie von anderen unterscheidet. Das ist jedoch nichts Schlechtes."

Charlotte hoffte, dass das die Wahrheit war. Doch angesichts ihrer eigenen bewegten Vergangenheit war sie davon nicht überzeugt. Das biedere, konventionelle Leben hatte etwas für sich.

Ihr Gesichtsausdruck muss ihre Gedanken verraten haben, denn ihr Freund fügte hinzu: „Das Leben innerhalb der beengenden Grenzen der Gesellschaft mag ein sicheres sein, doch es sind Herausforderungen, die das Beste in uns zum Vorschein bringen."

„Eine bewundernswerte Philosophie", entgegnete Charlotte. Vorausgesetzt, man war stark genug, um zu überleben.

Jeremy bot seinen Arm an. „Sollen wir reingehen?"

Sie hob ihren Blick. Es war ein bescheidenes, ein Jahrhundert altes Gebäude aus Stuck und Holz, das in einer Reihe ähnlicher Bauten stand, die sich über den gesamten Block erstreckten. *Zwei Stockwerke. Ein winziger Dachboden, versteckt unter dem schrägen Schieferdach.* Doch verglichen mit ihrem alten Wohnsitz sah es aus wie ein Schloss.

Ein leises Seufzen entwich ihr, als sie an die kahlen Räume und ihre dürftigen Einrichtungsgegenstände dachte. Die vollkommene Leere der Zimmer würde kein erbaulicher Anblick sein, doch sie konnte jetzt nicht mehr zurück. Es gab keinen anderen Ort, an den sie gehen konnte.

Numquam rediit retrorsum et deinceps semper. Gehe stehts vorwärts und niemals zurück.

Doch es war Jeremy, der zögerte. „Ich muss dich fairerweise warnen, Charley ...“

Sie erstarrte, was seinen Blick noch unheilvoller werden ließ. „Ich habe etwas mitgebracht, das vielleicht etwas schwerer zu verdauen sein wird als Apfelkuchen“, fuhr er fort.

Verflucht soll er sein. Charlotte ließ ihre Hand von seinem Ärmel gleiten. „Ich nehme an, du sprichst nicht von Rinderbraten?“

„Nein.“ Ihr Sarkasmus ließ seine Wangen leicht erröten, doch anstatt zurückzuweichen, umklammerte er ihr Handgelenk fester. „Ein Haus benötigt mehr als etwas zu Essen in der Speisekammer. Bitte, tue mir den Gefallen, dir anzusehen, was ich getan habe und dir meine Erklärung anzuhören, bevor du mich geißelst.“

Gott weiß, er hat es verdient. Das und so viel mehr.

Was nicht hieß, dass es ihr gefallen musste.

„Also gut“, sagte Charlotte und schluckte den bitteren Geschmack von Galle, der ihr in die Kehle gestiegen war. „Gehe vor.“

Die Eingangstür befand sich auf der linken Seite des Hauses und führte in ein Foyer mit einem einfachen Schuhschrank und einem türkischen Teppich in gedämpften Tönen von Indigo und Burgunder. Von da aus führte ein Korridor, der zur Hälfte von einem schmalen Treppengang in den zweiten Stock eingenommen wurde, in den hinteren Teil des Hauses. Die erste Tür rechts führte in einen Salon mit Dielenboden und wohlproportionierten Sprossenfenstern.

Behutsam trat Charlotte ein.

Ein großer Kamin nahm ein Ende des Raumes ein, vor ihm stand ein marineblau und taupe gestreiftes Sofa gegenüber von zwei Ledersesseln. Zwischen ihnen befand sich ein Teetisch aus geöltem Teakholz mit Messingecken.

Sie atmete tief ein und ließ ihren Blick wandern. Ein großes Bücherregal - bereits zur Hälfte gefüllt mit diversen ledergebundenen Büchern - stand auf der anderen Seite des Zimmers. Hinzu kam ein Spieltisch intarsiert mit dunklen und hellen Kacheln, mehreren Stühlen und einer Anrichte.

Ohne ein Wort zu sagen, teilte Charlotte ihm mit einem kurzen Nicken mit, dass sie bereit war, die Besichtigung fortzusetzen.

Die Küche und die winzige Speisekammer befanden sich im hinteren Teil – die Jungen verschlangen unter dem duldsamen Blick von Jeremys Haushälterin lautstark ihr Süßgebäck -, dann ging es die Treppen hinauf ins obere Stockwerk. Ihr Freund führte sie an der ersten Tür, welche geschlossen war, vorbei.

„Wir sehen uns gleich hier unten alles an", murmelte er, „doch zuerst möchte ich dir den Dachboden zeigen."

Unsicher, was sie erwartete, folgte sie ihm gehorsam.

Jeremy musste sich leicht bücken, um durch die Tür am oberen Ende der Treppe zu passen. Dahinter befand sich ein kleines, aber gemütliches Zimmer. Vordere und hintere Gaubenfenster ließen überraschend viel golden schimmerndes Licht hinein. Draußen erklang der trillernde Gesang eines Hänflings aus dem winzigen Garten und hallte leise von dem Glas wider.

Als sie sich leicht umdrehte, sah sie zwei schmale Betten, die nebeneinander an der Wand platziert worden waren, jedes mit einer hölzernen Truhe am Fußende. Auf der anderen Seite standen zwei Schreibtische mit einem Bücherregal dazwischen. Ein farbenfroher Flickenteppich bedeckte den Dielenboden.

„Ich dachte, die Jungen würden sich über ihr eigenes kleines Nest freuen", sagte ihr Freund.

Charlotte spürte, wie sich ein Klumpen in ihrer Kehle formte. Sie brachte kein Wort hervor, stattdessen antwortete sie erneut mit einem kurzen Nicken.

„Komm, wir sind fast fertig." Er schien ihr Schweigen nicht persönlich zu nehmen und stieg die Treppe hinunter in den zweiten Stock.

Am Fuße der Treppe angekommen, öffnete er die Tür zum Schlafzimmer mit einem Schwung. „Hier befindet sich das Hauptschlafgemach."

Auch dieses Zimmer war einfach, aber geschmackvoll eingerichtet.

„Wie du feststellen wirst, ist es hier deutlich ruhiger als in dem Zimmer auf der Straßenseite, und man hat eine schöne Aussicht auf den hinteren Garten." Er lächelte. „Ich gebe zu, er ist nicht sonderlich groß, doch es gibt einen Streifen mit Gras und eine Eberesche."

Oh, je. Was sollte sie nur sagen?

All die Möbel waren eindeutig gebraucht, doch von guter Qualität. Eine schnelle Kopfrechnung der Kosten machte deutlich, dass es ihre gesamten, hart erarbeiteten Ersparnisse gekostet hätte. Sie hatte geknausert und Opfer erbracht, um sich einen Puffer gegen jegliche Art der Veränderung ihrer gegenwärtigen Lebensumstände zu schaffen. Das Leben, wie sie sehr wohl wusste, konnte sich von einem auf den anderen Tag wenden.

Doch jetzt ...

Charlotte biss sich auf die Lippe. Sie hätte ihr Geld niemals für Bettwäsche und Vorhänge verschwendet, ganz egal, wie schön sie auch waren. Doch jetzt hatte man ihr keine Wahl gelassen.

Zorn kollidierte mit Dankbarkeit und ließ sie erschüttert zurück.

Jeremy war bereits wieder im Flur und öffnete die nächste Tür. „Hier ist noch ein kleines Zimmer. Ich habe den Pagen angewiesen, deine Sachen aus dem alten Haus hochzubringen und es vorerst als Gästeschlafzimmer einzurichten. Es könnte jedoch auch als informelles Empfangszimmer dienen, wenn du es wünschst."

Entscheidungen, Entscheidungen. Und doch fühlte es sich an, als würden ihr die Entscheidungen über ihr eigenes Leben aus den Händen entrissen.

„Es gibt noch ein letztes Zimmer zu sehen", murmelte er.

Sie hatte genug gesehen. Nur dem Bund langjähriger Freundschaft war es zu verdanken, dass sie ihm zur letzten geschlossenen Tür folgte.

„Einer der Gründe dafür, dass ich dich dazu gedrängt habe, dieses Haus zu nehmen, war, dass es genug Platz hat für ..." Die Tür öffnete sich. „... ein anständiges Atelier."

Ein großer Schreibtisch war so positioniert, dass er ein Maximum des durch die großen Fenster einfallenden Sonnenlichts auffing.

Nordlicht. *Des Künstlers Licht.*

Jeremy hatte an alles gedacht.

Tränen perlten plötzlich von ihren Wimpern, das salzige Stechen drang geradewegs in ihre Seele vor. „W-wie kann ich mich je revanchieren?", sagte sie mit bebender Stimme, während sie den hysterischen Drang zu lachen unterdrückte.

Natürlich wusste sie, wie, und es würde ihre Ersparnisse vernichten.

„Ich *werde* mich selbstverständlich revanchieren", fuhr sie fort. „Auch wenn ..."

Er presste seinen Zeigefinger auf ihre Lippen. „Du hast versprochen, mir zuzuhören, bevor du etwas sagst."

Charlotte blinzelte und plötzlich rollten die Tränen ihre Wangen hinab.

Verflucht – ich weine nie.

„Ich weiß, du willst keine Almosen, Charley. Dein unnachgiebiger Drang nach Unabhängigkeit ist eine der Dinge, die ich immer an dir bewundert habe", fuhr er mit sanfter Stimme fort, „doch Stolz kann sich zu einer Schwäche entwickeln."

Ihr Magen zog sich zusammen. Seine Worte schnitten noch tiefer, da in ihnen die Gefühle des Grafen so deutlich widerhallten.

„All das stammt von dem Dachboden in dem Herrenhaus des verstorbenen Barons", fuhr Jeremy fort. „Anstatt es in den Schatten verrotten zu lassen, erlaube mir bitte, meinen unverdienten Reichtum mit dir zu teilen. Das Schicksal nimmt oft seltsame Wendungen. Warum habe ich einen Adelstitel und ein Vermögen verdient und ein anderer nicht?"

Er zuckte salopp mit den Schultern. „Aber so ist es nun einmal. Also warum dem Schicksal ins Gesicht spucken? Ich sage, wir sollten es genießen."

All ihre Argumente schienen sich innerhalb eines Herzschlages aufzulösen. Er hatte recht – die Launen des Lebens waren absurd und ungerecht. Ein Grund mehr, warum Freundschaft über Stolz triumphierte. *Freundschaft.*

„Danke", sagte sie in dem Wissen, dass die wahre Tiefe ihrer Emotionen nicht in Worte zu fassen war.

Sonnenlicht vergoldete Jeremys Lächeln. „Gern geschehen."

Erst jetzt bemerkte sie, dass sie noch immer ihre Schultertasche mit ihren Pinseln und Aquarellfarben darin in der Hand hielt. Um die emotionale Anspannung zu brechen, setzte sie sie auf ihrem neuen Schreibtisch ab und begann, die Utensilien auszupacken.

„Es wird viel Freude machen, in diesem Zimmer zu arbeiten", sagte sie. „Was gut ist, denn ich laufe Gefahr, den Fertigstellungstermin meiner nächsten Zeichnung zu verpassen."

Ihrem Beispiel folgend lenkte Jeremy die Konversation in eine andere, weniger persönliche Richtung. „Da wir gerade bei Zeichnungen sind, hast du schon irgendetwas Neues über Mr. Ashtons Tod herausfinden können?" Ihr neuester Druck hatte großes Aufsehen erregt.

„Die Behörden scheinen noch immer davon überzeugt zu sein, dass es sich um einen willkürlichen Raubüberfall gehandelt hat", erwiderte Charlotte vorsichtig. Es stand ihr nicht zu, das Geheimnis zu offenbaren, dass die Indizien das Gegenteil nahelegten.

„Was für eine sinnlose Tragödie." Er schüttelte den Kopf und stieß einen schwermütigen Seufzer aus. „Ich werde ihn sehr vermissen."

Die Schachtel mit den Farben rutschte ihr aus den Fingern und fiel zu Boden.

„D-du *kanntest* Elihu Ashton?"

„Aber ja, wir waren gute Freunde." Jeremy beugte sich vor, um die Farben aufzuheben und sie auf den Schreibtisch zu stellen. „Tatsächlich bin ich einer der Investoren seines Projekts einer neuen, hochentwickelten Mühle."

Charlotte starrte ihn stumm vor Schock an.

„Offenbar hat er an einer Innovation gearbeitet", fügte ihr Freund hinzu. „Eine, von der er geglaubt hat, dass sie die bisherige Technologie in den Schatten stellen würde."

Kapitel 10

Wrexford legte die Morgenzeitung beiseite, nahm einen schnellen Schluck von seinem noch immer dampfenden Kaffee und ließ das heiße Gebräu einen Pfad des Feuers seine Kehle hinunterbrennen. Auf dass es den kupfernen Geschmack verbrühen würde, der sich hinter seiner Zunge festgesetzt hatte. Der Geruch des Todes hatte eine süß-saure Viskosität, die sich an lebendiges Fleisch haftete wie eine Klette. Blut, welches durch Gewalt vergossen wurde, hatte etwas an sich, das nicht so einfach weggewaschen werden konnte.

Der Krieg hätte ihn daran gewöhnt haben sollen. Doch die Ashton-Affäre weckte Gefühle, die er längst in der Vergangenheit begraben geglaubt hatte.

Oder waren es Ängste?

Wrexford spülte den beunruhigenden Gedanken mit einem weiteren Mundvoll Kaffee hinunter und richtete seine Aufmerksamkeit auf den Mord in der vergangenen Nacht. Selbstverständlich gab es darüber noch keine Berichte in den Nachrichten. Der Tod war eine allzu gewohnte Erscheinung in den wimmelnden Elendsvierteln der Stadt. Lediglich die Hochwohlgeborenen oder Wohlhabenden verdienten Erwähnung.

Er hatte jedoch eine Nachricht an Griffin über Hollis Ableben geschickt, zusammen mit einer Warnung vor einer radikalen Gruppierung in London. Angesichts der Furcht, die die Regierung vor Arbeitsunruhen hatte, würde die Bow Street das Rätsel von Ashtons grausamem Tod jetzt einer genaueren Prüfung unterziehen müssen.

Was Charlotte anging, so war er ihr einen Bericht über die jüngsten Geschehnisse schuldig. *Quid pro quo.* Er konnte nicht von ihr erwarten, dass sie ihm einfach Informationen aushändigte, ohne dass er sich revanchierte.

„Nichts", verkündete Tyler lauthals, als er den Frühstückssaal betrat. „Was das betrifft, können Sie beruhigt sein, Mylord. In Fores' Druckerei gibt es nichts Neues von A.J. Quill."

Die Nachricht überraschte ihn nicht. Charlotte hatte moralische Skrupel, wenn es darum ging, ihr Wort zu halten. Es konnte allerdings nicht schaden, sicherzugehen, im Falle, dass sie über eigene Quellen von Hollis Ableben erfahren hatte. Zuweilen schien ihre Gabe, jedes einzelne dunkle Geheimnis Londons zu enthüllen, die Luzifers zu übertreffen.

„Mrs. Sloane war anderweitig beschäftigt", antwortete Wrexford. „Sie bezieht heute ihren neuen Wohnsitz."

„Ah." Sein Kammerdiener, der von Charlottes geheimer Identität wusste, nickte verständnisvoll. „Es ist nicht leicht, sich von einem Ort zu entwurzeln, um an einen anderen zu ziehen, obgleich man beschlossen hat, dass der alte Rasen unfruchtbar geworden ist."

Der Graf betrachtete ihn mit einem fragenden Blick. Tyler war ein sarkastischer Schotte, der nur selten die Vermutung zuließ, dass sich unter seiner rauen Schale Emotionen verbargen.

Sein Kammerdiener erwiderte den Blick mit einer Miene, die unmöglich zu deuten war.

Nicht in der Stimmung für einen verbalen Schlagabtausch, ließ er das Thema gut sein.

„Ich statte ihr besser einen Besuch ab und weihe sie in die Geschehnisse der letzten Nacht ein." Er hatte eine Kopie des versteckten Dokuments angefertigt, das er in Hollis Zimmer gefunden hatte, auch wenn er keine großen Hoffnungen hatte, dass sie in der Lage sein würde, seine Bedeutung zu entziffern. Ihr Gebiet war die Kunst. Zahlen waren Zahlen. Ihre Nachricht erforderte eine andere Perspektive.

Der Gedanke brachte den Grafen plötzlich auf eine Idee. „Übrigens sollten wir Isaac Milner möglicherweise eine Kopie der Liste, die wir in Hollis Zimmer gefunden haben, zukommen lassen."

„Der Kerl, der am Trinity College unterrichtet?" Tyler zog die Augenbrauen hoch. „Wollen Sie einräumen, dass Cambridge über größeres Fachwissen auf diesem Gebiet verfügt als Oxford?"

„In diesem speziellen Fall, ja", antwortete der Graf. „Milner ist der Lucasische Professor für Mathematik. Es ist ein äußerst prestigeträchtiges Amt – Sir Isaac Newton ist einer der früheren Inhaber dieses Amtes – und es ist allseits bekannt, dass er ein Zahlengenie ist. Wenn jemand eine versteckte Botschaft in diesem verflixten Dokument finden kann, dann er."

„Ich werde noch eine Kopie anfertigen", sagte Tyler.

„Ich verfasse einen Brief an ihn, sobald ich zurückkehre. Wir kennen uns von der Royal Institution. Auf seine Diskretion ist Verlass."

„Ich bin kein Experte, wenn es um Zahlen geht, nichtsdestotrotz werde ich mir die Liste auch einmal genauer ansehen", fügte der Kammerdiener hinzu. „Ich habe mich ein wenig mit dem Thema der Kryptographie auseinandergesetzt und wir haben einige Bücher über das Thema in der Bibliothek. Vielleicht fällt mir etwas ein."

Wrexford nickte geistesabwesend und richtete seine Aufmerksamkeit dann wieder auf Charlotte. „Haben Sie das Paket für Mrs. Sloane vorbereitet?"

„Ja, Mylord. Es war allerdings *nicht* einfach, es zu verpacken." Ein Anflug von Erheiterung schwang in Tylers Stimme mit.

Der Graf ignorierte es. Er hatte keine Ahnung, wie sie auf die Gegenstände reagieren würde, die er ihr brachte. Sie waren zugegebenermaßen ein recht bizarres Geschenk, um den Umzug in ihr neues Heim zu zelebrieren. Andererseits war Charlotte eine äußerst unkonventionelle Frau. Er konnte sich vorstellen, dass es sie amüsieren würde.

Vielleicht würde sie auch versucht sein, ihn an Ort und Stelle umzubringen.

Seine Mundwinkel zuckten. *Das* würde sich sicherlich gut verkaufen. Die Öffentlichkeit, blutrünstig wie sie war, hätte helle Schadenfreude daran, zu sehen, wie der teuflische Graf von Wrexford in seiner eigenen Schlinge hing.

Er erhob sich und warf einen Blick auf seine Taschenuhr. Er sollte keine Zeit verschwenden, wenn er ihr einen Besuch abstatten und es im Anschluss rechtzeitig zu seiner Verabredung mit Benedict Hillhouse schaffen wollte. „Sagen Sie dem Fahrer, er möchte die Kutsche vorfahren."

„Freunde", wiederholte Charlotte. In Anbetracht der Altersdifferenz und der unterschiedlichen Interessen

überraschte sie die Verbindung zwischen Elihu Ashton und Jeremy. „Wie kam das zustande?"

„Während der letzten zwei Jahre musste ich einen Großteil meiner Zeit auf dem Sterling-Anwesen verbringen." Ihr Freund machte ein schiefes Gesicht. „Es fällt mir noch immer nicht leicht, es *mein* Heim zu nennen."

Charlotte wurde klar, dass sie nie einen Gedanken an sein Leben außerhalb Londons verschwendet hatte. Doch natürlich gab es Verantwortungen zu übernehmen, Ländereien zu beaufsichtigen.

„Es liegt in Hunslet", erklärte er. „Es war nur natürlich, dass ich Ashton durch die Soireen und die Abendessen der örtlichen Gesellschaft kennenlernte. Ich mochte ihn sehr gern. Er war ein Mann von großer intellektueller Neugier und wir genossen es, uns sowohl über die Philosophie als auch die Kunst und die Literatur zu unterhalten."

„Ich verstehe", murmelte sie.

„Tatsächlich war ich so beeindruckt von seinem Wissen und seinen fortschrittlichen Ideen zur Sozialreform, dass ich beschloss, der Gruppe von Investoren beizutreten, die sein neues Projekt finanzierte."

Gütiger Gott.

„Nicht nur das", fuhr Jeremy fort. „Sein Laborassistent, Benedict Hillhouse, war ein sehr guter Freund von mir in Cambridge, was ein weiterer Anlass für mich war, nur Gutes von ihm zu denken."

Obwohl ihr die unerwarteten Enthüllungen durch den Kopf schwirrten, zwang Charlotte sich dazu, sich zu beruhigen und logisch zu denken, die Puzzleteile erst einmal zu sammeln – sie konnten sie später zusammenfügen.

„Alte Freundschaften sind wichtig", murmelte sie.

„Über die Jahre verloren Benedict und ich uns aus den Augen", sinnierte Jeremy. „Ich war sehr froh, die Bekanntschaft wieder aufleben zu lassen."

„Verständlicherweise." Sie wusste nur wenig über Jeremys Leben während seiner Studienjahre. Sie und ihr verstorbener Ehemann hatten zu der Zeit in Italien gelebt ...

„Er arbeitet eng mit Ashtons persönlicher Sekretärin zusammen", fuhr ihr Freund fort, „und Miss Mertons Gesellschaft hat sich ebenfalls als sehr angenehm erwiesen." Sein Ausdruck wurde besorgt. „Beide werden tief bestürzt über seinen Tod sein."

Merton. Hillhouse. Die ersten beiden Namen auf Wrexfords Liste potenzieller Verdächtiger.

„Das tut mir schrecklich leid", sagte Charlotte. Mord war wie ein Steinwurf in einen ruhigen See – der Aufprall setzte Wellen in Bewegung, die selbst in weiter Ferne noch spürbar waren.

„Mir auch." Das Aufflimmern einer undeutbaren Emotion straffte Jeremys Gesichtszüge und war im Nu wieder verschwunden. „Ich hoffe, etwas Trost spenden zu können, solange sie hier in London sind. Die Atmosphäre in einem Haus der Trauer kann sehr bedrückend sein."

Zumal laut Wrexford böses Blut zwischen Ashtons Witwe und den Assistenten ihres verstorbenen Ehemannes herrschte.

„Ein Spaziergang im Park wird Balsam für die Seele sein", sagte er abschließend.

„Vielleicht würde Miss Merton die Gesellschaft einer anderen Frau begrüßen", sagte Charlotte langsam.

Sein Gesicht verzerrte sich zu einem Lächeln. „Das ist überaus freundlich ..."

Ehrlichkeit zwang sie dazu, ihn zu unterbrechen. „Ich tue es nicht nur aus altruistischen Motiven, Jem. Wie du weißt, arbeite ich an einer Bilderreihe mit dem Titel *Mann gegen Maschine.* Ich würde daher aus professionellen Gründen gerne ihre Sichtweise auf das Ganze erfahren – und die von Mr. Hillhouse."

Es war nicht gelogen, sondern lediglich die halbe Wahrheit, in welcher sie ihre Rolle in der Mordermittlung für sich behielt.

„Wenn es Freunde von dir sind", fuhr sie fort, „bin ich mir sicher, dass sie bedacht und wortgewandt sein werden."

Jeremy zögerte. „Das sind sie. Und ich glaube, ihr würdet euch alle sehr gut verstehen. Allerdings ..."

„Allerdings bedeuten Skandale mein tägliches Brot", sagte Charlotte leise. „Und du befürchtest, dass ich eine Mahlzeit aus ihnen machen könnte." Sie beobachtete, wie ein Schimmer des Nordlichts über ihre Schreibtischplatte glitt. Mit jedem verstreichenden Augenblick spürte sie, wie sie tiefer und tiefer in den Dunst ineinander verworrener Geheimnisse versank.

„Ich bin mir der Anforderungen deiner Arbeit bewusst", erwiderte Jeremy, „und werde dich nicht dazu zwingen, zwischen Freundschaft und dem Verdienst deines Lebensunterhaltes zu wählen."

„Ich habe gedacht, dass du mich gut genug kennst, um zu wissen, was bei mir stets an erster Stelle steht", sagte sie langsam.

Er streckte seine Hand aus und löste langsam ihre Finger, die sie zur Faust geballt hatte. „Ich würde dir mein Leben anvertrauen, Charley." Sein Gesicht wurde blass. „Genau genommen, habe ich das bereits. Das wissen wir beide."

„Ebenso wie ich dir meine tiefsten Geheimnisse anvertraut habe." Charlotte traute sich kaum, die nächste Frage zu stellen. „Ich habe es nie auch nur eine Sekunde lang bereut. Du etwa?"

Ein Anflug der Ergriffenheit verdunkelte seine Augen. „Nein. Nie."

Ihr Inneres entkrampfte sich. „Meine Feder mag ein Stachel sein, mit der ich die Aufgeblasenheit derer zum Platzen bringe, die sich über allen Regeln glauben. Doch in Fällen wie Ashtons Tod hoffe ich, stets die Stimme der Wahrheit und Gerechtigkeit zu sein."

„Daran habe ich keinen Zweifel", Jeremy presste seine Handflächen an seine Schläfen, „doch die Wahrheit wird nicht selten von anderen verdreht."

Wovor hat er solche Angst? Charlotte hielt es für eine eigenartig pessimistische Reaktion für jemanden, der die Kunst des graziösen Frohsinns gemeistert hatte. Doch für den Augenblick beschloss sie, diese Frage zu verdrängen.

„Nur ein Grund mehr, mich ihnen vorzustellen", drängte sie. „Ich kann eine einflussreiche Macht sein, wenn es darum geht, die öffentliche Meinung zu formen – sowohl zum Guten als auch zum Schlechten."

Ein unfreiwilliges Lachen entglitt seinen Lippen. „Ich wage zu behaupten, dass sich der Prinzregent bei dem Gedanken daran, das Motiv deiner Zeichnungen zu sein, vor Angst in seine Reiterhosen macht."

„Prinny macht sich in seine Reiterhosen, weil er Unmengen von Claret in sich hineinschüttet", erwiderte sie in der Hoffnung, die Anspannung, die in der Luft lag, zu lösen.

Wieder musste Jeremy lachen. Er blies nur selten länger als eine kurze Weile Trübsal, doch auch er, wie sie sehr wohl wusste, hatte seine eigenen Dämonen, mit denen er rang.

Haben wir die nicht alle?

„Stimmt", sagte er als Antwort auf ihre Stichelei. „Zufälligerweise weiß ich jedoch, dass er sich mehrere Tage lang in sein Schlafgemach zurückzog, nachdem deine Parodie seines Korsetteinkaufes veröffentlicht wurde."

Charlotte schob vorsichtig die Schachteln mit den Farben umher. „Ich habe meine Feder nie auf unschuldige Menschen gerichtet. Deine Freunde haben nichts zu befürchten."

Es sei denn, sie waren des Mordes an Elihu Ashton schuldig. In diesem Falle, glaubte sie, würde Jeremy ihr zustimmen, dass Wahrheit triumphieren müsse, ungeachtet davon, welchen persönlichen Preis es kostete.

Und doch ...

Ihre Blicke trafen sich und verweilten für einen langen Moment. Er war es, der seinen zuerst abwandte, und obgleich es bloß eine Laune des Lichtes gewesen sein könnte, schien ein Schatten seine Augen zu trüben.

„Das weiß ich." Jeremy setzte sich seitlich auf den Schreibtisch und glättete eine Falte in seiner Hose. „Bitte verzeihe mein Zögern. Ich werde dich ihnen vorstellen. Ich vermute jedoch, dass es nicht als A.J. Quill sein wird."

„Nein", stimmte sie ihm zu. „Lediglich als eine alte Freundin. In Anbetracht des Verhältnisses, das alle drei von euch mit Mr. Ashton hatten, und der öffentlichen Reaktion auf meine Bilderreihe *Mann gegen Maschine*, denke ich nicht, dass es ungewöhnlich ist, ihre Meinung über das Thema hören zu wollen."

Er nickte. „Wie es der Zufall will, planen wir, uns morgen Nachmittag für einen Spaziergang im Green Park zu treffen. Hättest du Lust, uns zu begleiten?"

„Ja", antwortete Charlotte, ohne zu zögern, obgleich ein Chor aus Stimmen eine Warnung zu singen begann.

Hüte dich vor den Gefahren, die auf diesem Wege liegen.

Sie war sehr vorsichtig gewesen, außerhalb der Kreise der feinen Gesellschaft zu wandeln. Der griechische Mythos von Persephone zeigte die Gefahren auf, die drohten, wenn man sich zwischen dem Land der Lebenden und dem Land der Toten vor und zurück bewegte.

„Also abgemacht." Jeremy streifte ein imaginäres Staubkorn von seiner Hose, bevor er sich abrupt und ohne seine übliche Grazie erhob. „Und jetzt gehe ich besser und überlasse dich der Einrichtung deines neuen Heimes."

„Danke noch einmal für alles, Jem", murmelte Charlotte. „Ich … Ich bin ehrlich dankbar."

Ihr Freund verabschiedete sich mit einem fröhlichen Salut und drehte sich in Begleitung des Flüsterns maßgeschneiderter Wolle um und ging.

Stirnrunzelnd sah sie ihm nach. Sie waren Geistesverwandte seit ihrer Kindheit gewesen und dank ihres künstlerischen Auges für Gesichter, war sie schon immer gut darin gewesen, die subtilen Nuancen seines Ausdruckes zu deuten.

Nicht, dass Jeremy gelogen hätte ...

Doch all seine sonnige Offenherzigkeit ließ sie in dem Verdacht, dass er etwas vor ihr verheimlichte.

Kapitel 11

Wrexford nahm sich einen Moment Zeit, um seine Umgebung zu studieren, bevor er seine Ankunft in Charlottes neuem Wohnsitz mit einem Schwung des Türklopfers ankündigte. Wenn auch bescheiden, war die Nachbarschaft weitaus angenehmer als ihre vorherige. Die Straße war kein matschiger Trampelpfad übersät mit Schlaglöchern, groß wie Portale zur Hölle, die Luft triefte nicht vor den ungewaschenen Gerüchen der Stadt, und das Haus wies keine Zeichen auf, die auf einen drohenden Kollaps hindeuteten.

Ihr Freund – der Baron, erinnerte er sich – hatte eine gute Wahl getroffen.

Ein weiteres Mysterium bezüglich Charlottes Vergangenheit. Doch wie die anderen auch, eines, dass sie erbittert bewachte.

Der Graf war gerade im Begriff, den schweren Messingring erneut gegen die Tür zu schlagen, als die Tür aufschwang.

„Was 'n das?", fragte Hawk und betrachtete das Leinenbündel mit leuchtenden Augen.

„Neugier ist der Katze Tod", entgegnete er.

Ein Grinsen zerrte an den Mundwinkeln des Jungen. „Macht nix: Ich bin ein Wiesel!"

„Auch nicht besser. Es sind beides kleine, pelzige Biester."

„Hey, aber ein Wiesel ist viel schlauer als eine Mieze."

„Nicht, wenn das kleine Biest es für amüsant hält, ein großes und jähzorniges Raubtier zu verärgern, dessen Arme müde werden", warnte Wrexford.

Die Erwiderung provozierte ein Lachen.

Ach, wie tief sind die Mächtigen doch gefallen. Sein erhabener Titel schüchterte in diesem Haushalt niemanden mehr ein. Er wechselte den Arm, mit dem er das Bündel hielt. „Dürfte ich eintreten?"

Hawk machte einen schnellen Schritt zur Seite. „Mylady! Mylady! Der feine Pinkel ist da!"

Von der Treppe ertönte das Gepolter von Schritten und kurz darauf erschien eine atemlose Charlotte im Hausflur.

„Lord Wrexford!" Sie blieb stehen und hob ihre Hand, um eine Locke, die sich auf ihrer Wange verirrt hatte, langsam um ihren Finger zu wickeln und sie unbeholfen hinter ihr Ohr zu stecken. „Ich ... habe keinen Besuch erwartet."

„Ich bitte um Verzeihung, sollte ich in einem unpassenden Moment hereingeplatzt sein."

„Nein - das habe ich damit nicht ..."

Noch nie hatte er Charlotte derartig durcheinander erlebt.

„Es ist nur so, dass ich soeben damit beschäftigt war, einen Teil der Möbel im Obergeschoss zu arrangieren", sagte sie mit sanfter Stimme.

„Ich bin mir sicher, Sie haben viel zu tun", antwortete er. „Ich werde Sie nicht lange aufhalten. Es gibt allerdings einige Dinge, die Sie wissen sollten. Es wird nicht lange dauern."

Charlotte zögerte, bevor sie ihn mit einer Handbewegung widerwillig bat einzutreten. Ihre Unruhe kam ihm merkwürdig vor. Er kannte ihr altes Haus und dessen spartanische Einrichtung – obwohl dem Foyer nach zu urteilen, das neue Haus mit einigen grundlegenden Annehmlichkeiten ausgestattet zu sein schien.

„Ich ..." Charlotte bewegte sich steif zu einer halb geöffneten Tür und verzog das Gesicht vor Verlegenheit. „Ich denke, wir können uns hier drinnen kurz unterhalten."

Wrexford erwartete ein leeres Zimmer. „Mrs. Sloane, es gibt keinen Grund ..." Seine Stimme verstummte, als er die Türschwelle überschritt.

„M-mein Freund ...", begann sie.

„Ihr Freund hat einen hervorragenden Geschmack", unterbrach er, während sein Blick über die wohl gewählten Möbel wandern ließ.

„I-ch habe nichts von seinen Plänen gewusst", stammelte sie. „Ich habe nicht ... Ich konnte nicht ..."

Wrexford musste beinahe grinsen, als er sie so sprachlos sah. Doch ihre Verzweiflung war kein Grund zum Lachen.

„Ein sehr schöner Salon", sagte er. „Ihr Freund scheint Sie offensichtlich gut zu kennen. Sie werden sich hier sehr wohl fühlen."

Ihr Gesicht wurde kurzzeitig kreidebleich, nur um gleich darauf wieder mit Farbe geflutet zu werden. „Es kam völlig überraschend!"

„Herr im Himmel, Sie brauchen nicht das Gefühl haben, mir eine Erklärung schuldig zu sein", erwiderte Wrexford mit einem gleichgültigen Schulterzucken. „Das Sofa sieht recht bequem aus. Darf ich mich setzen? Meine Arme werden allmählich müde."

„Reizen Sie mich nicht, Sir!"

Der Graf war erleichtert, ihr gewohntes Feuer wieder aufflammen zu sehen.

„Genau genommen, sind ... sind ...“ Charlotte schnaufte frustriert und machte ein schiefes Gesicht. „Genau genommen sind *Sie* an allem schuld!“

Er zog seine Augenbrauen hoch. „*Ich* bin schuld?“

„Ja.“ Ihr Mund bebte und schwankte zwischen einem Schmunzeln und einem Lächeln. „Ihr Vortrag darüber, Hilfe von Freunden anzunehmen, hat mich dazu verleitet, unvorsichtig zu werden.“

„Was etwas Gutes ist“, murmelte Wrexford.

„Ist es das?“ Unsicherheit überschattete ihre Gesichtszüge. Charlotte wandte ihren Blick ab und machte einen kontrollierten Atemzug und gleich darauf einen weiteren.

Wrexford blieb still. Welche Schlacht sie auch immer in ihrem Inneren austrug, er konnte spüren, dass er nicht der Feind war.

Als sie schließlich etwas sagte, war es kaum mehr als ein Flüstern. „Es fühlt sich an, als wäre ich am Nullpunkt angekommen.“

Humor, beschloss er, war das beste Mittel, um die Situation zu entschärfen.

„Da wir gerade von Zahlen sprechen, zufälligerweise ist das der Grund für meinen Besuch. Es gibt da etwas, das ich Ihnen zeigen möchte.“

Charlotte platzte ein Lachen heraus.

Ein gutes Zeichen.

„Sie unmöglicher Mann“, sagte sie. „Nehmen Sie denn gar nichts ernst?“

„Nur zu äußerst seltenen Anlässen. Das hier ist jedoch keiner davon.“ Er sah sich erneut um und fügte dann hinzu: „Meiner bescheidenen Meinung nach erzeugen Sie einen Sturm im Wasserglas. Ihr verehrter Freund hat Ihnen ein paar Möbel geschenkt – welche, so wage ich zu behaupten, von diversen mit Kram früherer Generationen vollgestopften Dachböden stammen. Es ist eine Geste der Freundschaft, nicht des Mitleids. Damit zu hadern und sich zu beklagen ist eine Beleidigung seiner Absichten."

Sie senkte ihre Lider und verbarg ihre Augen.

„Andererseits", fügte er trocken hinzu, „sind Sie nur zu gut mit meiner hämischen Ansicht der menschlichen Natur vertraut."

Mit einem Mal wich Charlottes finsterer Gesichtsausdruck einem Lächeln. „Sollten Sie versuchen, meinem Hochmut Einhalt zu gebieten, können Sie es als erledigt betrachten. Ich glaube, selbst der Teufel persönlich hätte mich nicht über heißere Kohlen schicken können."

„Ich denke, Sie wissen, dass es nicht meine Intention war, Sie zu verletzen." Wrexford unterdrückte den Drang, seine Hand auszustrecken und sie ihr zur Beruhigung auf die Wange zu legen. „Sie haben mir oft gesagt, dass es dabei helfen kann, eine Lösung für ein Problem zu finden, wenn man es aus einer neuen Perspektive betrachtet."

„Wie erniedrigend, meine eigenen Worte vorgehalten zu bekommen", murmelte sie.

„Besonders, wenn sie wahr sind?" Er lächelte. „Wenn es irgendein Trost ist, der Grund für meinen Besuch ist, dass mein Leben ebenfalls Kopf steht. Der Mord an Ashton hat eine erneute Wendung genommen und ich würde Ihre Meinung sehr zu schätzen wissen."

„Sie haben einen weiteren Hinweis entdeckt?", fragte sie, ohne zu zögern.

„Ja." Wrexford entledigte sich seiner unhandlichen Last. „Doch zuerst ..."

Er bemerkte ein quecksilbriges Flattern im Flur. „Ihr könnt aus eurem Versteck kommen, Wiesel. Es geht um euch."

Die beiden Jungen kamen in den Raum geflitzt.

„Siehst du?", flüsterte Hawk seinem Bruder zu. „Ich hab dir doch gesagt, es ist ein verflixt großes Bündel."

Charlotte fixierte sie mit Basiliskenblick. „Es gehört sich nicht, den Älteren nachzuspionieren."

Raven erwiderte den Blick, ohne mit der Wimper zu zucken. „Wir haben nicht spioniert. Wir sind bloß sichergegangen, dass wir Sie nicht beschützen müssen."

„Gentlemen sollten Ritter in glänzender Rüstung sein", meldete sich Hawk zu Wort. „Nicht wahr, Mylord?"

„In gewisser Weise", antwortete Wrexford trocken. Zu Charlotte fügte er hinzu: „Sie werden womöglich einen neuen Grund haben, wütend auf mich zu sein. Die Jungs haben gesagt, es gäbe eine kleine Gartenfläche. Daher habe ich mir die Freiheit genommen, Ihnen etwas mitzubringen."

Er deutete auf das in Leinen gewickelte Bündel. „Gestatten Sie den Jungen, es zu öffnen?"

Charlotte nahm auf dem Sofa Platz, bevor sie antwortete. Der Tag entwickelte sich zu einer Reihe aus Überraschungen. Sie war sich nicht sicher, ob sie auf eine weitere gefasst war. Wrexfords Gesichtsausdruck war jedoch in gewisser Weise beruhigend. Trotz seines sardonischen Auftrittes wirkte er etwas unbehaglich.

Was in aller Welt befand sich unter dem Leinentuch? Hätte es sich gewunden, hätte sie auf eine Schlange getippt.

Oh, das würde er sicher nicht ...

„Mylady?" Hawks sehnsüchtige Stimme riss sie aus ihren Tagträumen. „Dürfen wir?"

Sie realisierte, dass Wrexford sich seitlich auf die Armlehne des gegenüberstehenden Stuhls gesetzt hatte und die Arme vor seiner Brust verschränkte. Sein Gesicht verriet nichts.

„Ja", sagte sie und wappnete sich für ... weiß Gott, was.

Die Jungen stürzten sich auf das Bündel und machten sich daran, die Schnüre zu lösen. Mit einem Schnaufen stellte Raven es aufrecht hin, während sein Bruder den Stoff abstreifte.

Metall klirrte gegen Metall als ein Lichtschimmer auf poliertem Stahl traf.

Heilige Mutter Gottes.

Der Graf musste ihre Gedanken gelesen haben. „Bevor Sie sich dazu verleitet fühlen, mir die Leber herauszuschneiden, erlauben Sie mir anzumerken, dass die Spitzen abgeschliffen und die Schneiden stumpf gemacht wurden."

„Schwerter!" Zwei freudige Rufe erklangen nacheinander.

Charlotte konnte sich nicht zurückhalten. Sie brach in Gelächter aus.

Kling! Kling!

„Sind Sie wahnsinnig?", haspelte sie, als die beiden Waffen aneinanderschlugen.

„Halt!", rief der Graf.

Die Jungen gehorchten augenblicklich.

„Es gibt Regeln", sagte er, „und einen Ehrenkodex. Verstoßt ihr gegen eines der beiden, werden euch die Schwerter entzogen. Verstanden?"

Raven und Hawk nickten feierlich.

„Die Liste ist kurz. Der Schwertkampf ist ausschließlich im Garten erlaubt. Kein Stoßen, und es wird nur mit der flachen Seite der Klinge geschlagen. Und schlagt niemals im Zorn zu, denn ihr könntet ernsthafte Verletzungen verursachen."

Gut gemacht, räumte Charlotte ein.

„Letzten Endes überlasse ich es Mrs. Sloane, zu entscheiden, ob Blut oder blaue Flecken zur Entziehung der Schwerter führen sollten", fuhr der Graf fort. „Habe ich euer Versprechen, dass ihr euch daran haltet?"

„Aye, Sir", antworteten beide Jungen.

„Also dann, fort mit euch, Wiesel. Und denkt dran: Das Abtrennen von Ästen ist ebenfalls strengstens untersagt."

„Juhu!" Spielerisch schubsend und drängelnd schulterten die Jungen ihre Waffen und stapften davon.

Charlotte fand ein wenig Beruhigung in der Tatsache, dass die Schwerter zu schwer waren, als dass die Jungen sie richtig schwingen und bleibenden Schaden damit anrichten konnten.

Wrexford beäugte sie argwöhnisch, während er darauf wartete, dass sie zuerst etwas sagte.

Jeglicher Groll, den sie über sein selbstherrliches Geschenk gehegt hatte, löste sich in Luft auf, als sie sich an eine Konversation erinnerte, von denen ihr die Jungen viele Monate zuvor erzählt hatten, und in der es um Schwerter seiner Vorfahren und die lang zurückliegenden Duelle mit seinem jüngeren Bruder ging.

Die Geschichte solch verwegener Abenteuer hatte Raven und Hawk aus dem Staunen nicht mehr herauskommen lassen.

Dass Wrexford ihre Begeisterung gespürt hatte, war allein sein Verdienst. Doch nicht nur das, es offenbarte eine Schwachstelle in seiner Rüstung - eine, die er mit großer Mühe zu verbergen versuchte.

„Ich denke", sagte sie zögerlich, „ich sollte Mut darin fassen, dass Sie es irgendwie geschafft haben, diese Schlachten mit Ihrem Bruder zu überleben."

„Es mag hin und wieder ein blaues Auge geben, das macht einem jungen Burschen jedoch nichts aus", erwiderte er. „Gebrochene Knochen und Blutergüsse sind Ehrenabzeichen."

„Wie mir scheint", seufzte Charlotte, „sind Sie der Meinung, solch jugendliches Kräftemessen forme ein besonderes Band der Brüderlichkeit."

Sein Ausdruck wurde unlesbar. Eine sphinxartige Maske aus undurchdringlichem Stein.

Dachte er an seinen toten Bruder, niedergestreckt auf einem blutigen Schlachtfeld auf der iberischen Halbinsel? Sie konnte sich vorstellen, dass einem das Gefühl des Verlustes bis in das Mark der Knochen sickern musste.

„Vermissen Sie Thomas?", fragte sie abrupt.

Er drehte sich um und ein Spiel aus Abendlicht und Schatten tänzelte über die strengen Linien seines Gesichts. Womöglich war es nur eine flimmernde Reflektion in den Fensterscheiben, doch einen Moment lang schien die gemeißelte Arroganz einem gespenstischen Schmerz zu weichen.

„Jeden Tag", antwortete Wrexford. „Er war ein guter Mann. Ein weitaus besserer, als ich es bin."

Sie hatte seinen gewohnten Sarkasmus erwartet, nicht diese nackte Ehrlichkeit. „Es tut mir so leid."

Ein gleichgültiges Schulterzucken und der Moment war verflogen. „Wie Raven vor einer Weile so weise sagte, kümmert es Gevatter Tod nicht, ob man ein armer Schlucker oder ein wohlgeborener Pinkel ist, wenn er seine Sense schwingt."

Kling, kling – das Ringen der Schwerter wehte vom Garten herein und wurde begleitet von schallendem Jungengelächter.

„Die beiden werden in ihrem neuen Haus gut schlafen", merkte er an.

Eine bewusste Ablenkung von zarten Gefühlen. Sein kühles Lächeln schien jedes weitere Nachfragen zu dem Thema herauszufordern. Über Emotionen zu reden, fiel keinem der beiden leicht.

„Wenn körperliche Anstrengung dabei hilft, der Aufregung über ein eigenes Zimmer einschließlich Betten entgegenzuwirken, werde ich Ihnen zutiefst dankbar sein", antwortete Charlotte und folgte seinem Beispiel. „Obwohl ich befürchte, dass sie ..."

Das arhythmische Klirren der Schwerter untermalte ihre angespannten Nerven.

„Ich befürchte, dass sie nicht so glücklich sein werden, wie ich es mir für sie wünschen würde", sagte sie abschließend.

„Vertrauen Sie Ihrem Instinkt, Mrs. Sloane", murmelte der Graf. „Ich tue es auch." Ohne weitere Umschweife holte er ein Stück Papier aus seiner Tasche hervor. „Sie haben viel zu erledigen. Wenn Sie mir gestatten, Ihnen den wahren Grund für meinen Besuch zu erklären, werde ich Sie sogleich wieder Ihren Pflichten überlassen."

„Noch eine Spur?" Das Rascheln des Papiers verjagte alle anderen Gedanken aus ihrem Kopf. „Haben Sie Gannett gefunden?"

„Ja, und Sie hatten recht mit dem Verdacht, dass er nicht allein arbeitet." Wrexford kam herüber und setzte sich neben ihr aufs Sofa. „Er hat uns auf einen Mann namens Hollis hingewiesen, der, all den Pamphleten, die wir in seinem Zimmer gefunden haben, nach zu urteilen, ein Anführer der Arbeiter Zions gewesen zu sein scheint."

Die Tatsache, dass der Graf in der Vergangenheitsform sprach, rief ein Kribbeln in ihrem Nacken hervor. „Und was hat Mr. Hollis zu seiner Verteidigung zu sagen", fragte sie, „vorausgesetzt, Sie haben ihn gefunden?"

„Nicht sonderlich viel", entgegnete Wrexford mit finsterer Miene. „Jemand hatte ihm die Kehle aufgeschlitzt."

Charlotte zuckte zusammen.

„Er hat es geschafft, zu sagen, dass er Ashton nicht ermordet hat ..." Er blies gequält den Atem aus. „Doch der Rest seiner Worte war nichts als ein verfluchtes Stammeln."

„W-was hat er gesagt?", drängte sie.

„Auf die Frage, ob er wisse, wer der wahre Mörder ist, hat er geantwortet ,Finden Sie Nevins' - und bevor Sie fragen, ich habe keinen Schimmer, wer Nevins ist. Anschließend fügte er hinzu ,Zahlen - Zahlen werden alles ans Licht bringen'."

Sie starrte das gefaltete Stück Papier in seinen Händen an. „Haben Sie irgendeine Idee, was das bedeuten könnte?"

Er warf es auf den Teetisch und entfaltete es. „Ich habe gehofft, Sie würden etwas sehen, das mir entgangen ist."

Schwarz auf weiß - eine Reihe scheinbar zufälliger Zahlen erstreckten sich über die zerknitterte Seite. Charlotte starrte sie ausdruckslos an und hob dann ihren Blick. „Würde es sich um Kunst oder Symbole handeln, wäre ich womöglich eine Hilfe. Ich verfüge allerdings über keinerlei mathematisches Wissen, Sir."

„Ich habe gedacht, dass uns genau das zugutekommen könnte", murrte er.

„Ich nehme an, Sie haben gehofft, ich würde ein unerwartetes Muster entdecken." Sie warf einen zweiten Blick. „Es tut mir leid, es könnte genauso gut griechisch sein."

„Verflucht." Wrexford verzog das Gesicht und murrte: „Wäre es doch bloß Latein."

Hic sunt dracones – Hier sind Drachen, dachte Charlotte. Schon früh hatte sie ihre Kenntnisse der klassischen Sprache preisgegeben und der Graf hatte nie aufgehört, sie als Vorwand zu nutzen, um sie über ihre Vergangenheit auszufragen.

Den Kommentar ignorierend sagte sie: „Sie sind ein Mann der Wissenschaft. Sicherlich muss es irgendeine Logik geben, nach der sie zusammengerechnet werden."

„Nicht, soweit ich sehen konnte. Ich habe die Liste jedoch an einen Professor in Cambridge geschickt, der in der Mathematik weitaus begabter ist, als ich es bin. Mit einem Fünkchen Glück hat er ein paar Ideen."

In letzter Zeit hatte es das Glück nicht gerade gut mit ihnen gemeint, dachte Charlotte.

„Ich werde Ihnen diese Kopie hierlassen", fügte er hinzu. „Nur für den Fall, dass Sie doch noch eine Eingebung überkommt."

„Erzählen Sie mir mehr über Hollis und seine Verbindungen zu den Arbeitern Zions", sagte sie, nachdem sie das Papier an sich genommen hatte. „Möglicherweise verbirgt sich dahinter irgendeine Spur."

Der Graf erzählte ihr von den Geschehnissen des Vorabends. „Ich bin davon überzeugt, dass Gannett nicht mehr ist als eine unwissende Schachfigur. Und was Hollis angeht, werde ich mich heute Abend mit Griffin treffen müssen. Ich habe ihn über die Leiche und die Verbindungen zu radikalen Agitatoren informiert. Die Bow Street wird also zweifelsohne bereits Schaum vor dem Mund haben und den Rest der Gruppierung aufspüren wollen. Ich möchte ihn jedoch dazu bringen, sich tiefer in dieses verkommene Durcheinander hineinzubegeben. Diese Radikalen mögen involviert sein, doch mein Bauchgefühl sagt mir, dass er bezüglich seiner Unschuld an Ashtons Ermordung die Wahrheit gesagt hat."

„Er könnte einen Streit mit einem der Anführer gehabt haben", sinnierte Charlotte. „Vielleicht hat er damit sagen wollen, dass Nevins der Mörder ist."

„Das ist möglich, auch wenn ich nicht den Eindruck gehabt habe, dass es das war, was er zu sagen versucht hat." Wrexford verzog das Gesicht. „Ich denke nicht, dass wir die Idee über Bord werfen sollten, dass jemand aus Ashtons näherem Umfeld involviert ist."

Charlotte dachte einen Moment lang nach. „Ich frage mich ..." Sie sah auf und fragte: „Wie hat Hollis ausgesehen?"

„Ein großer Kerl, dunkles Haar, ein Muttermal auf der Wange."

„Das ist der Mann, den Henning mir beschrieben hat, als ich ihn gefragt habe, wer die Pamphlete bei ihm hinterlassen hat!" Sie stieß einen schweren Seufzer aus. „Er sagt, er wisse nichts über Hollis, und ich glaube ihm, doch möglicherweise weiß einer seiner Patienten etwas über Nevins und kann uns sagen, wo er sich aufhält."

„Guter Punkt", sagte der Graf. „Ich werde seiner Praxis einen Besuch abstatten. Ich hatte den Eindruck, das Hollis versucht hat, ein Wort zu sagen, das mit *H* beginnt, als er gestorben ist. Es ist durchaus möglich, dass er Hennings Namen sagen wollte, und das muss etwas bedeuten." Wrexford hielt inne. „Doch zuerst werde ich bei den beiden Assistenten von Ashton vorbeischauen."

Octavia Merton und Benedict Hillhouse. Charlotte spürte, wie sich ihr Magen zusammenzog. Sie musste eine Entscheidung treffen, und zwar schnell.

„Ich habe ein Treffen mit Mr. Hillhouse angesetzt", fuhr der Graf fort. „Ich bin gespannt, ob er ebenso verschlossen sein wird wie Miss Merton."

Einerseits wollte Charlotte ihre Ermittlungen der beiden Assistenten selbstständig weiterführen. Eng mit Wrexford zusammenzuarbeiten brachte seine eigenen Komplexitäten mit sich. Zuweilen fürchtete sie, dass es ihr Urteilsvermögen trübte. Selbst jetzt konnte sie spüren, wie sein giftgrüner Blick auf ihrem Fleisch brannte, als er auf eine Reaktion von ihr wartete.

Andererseits brauchte sie seine Hilfe.

„Angesichts Ihrer Begegnung mit Miss Merton", sagte sie, „könnte Mr. Hillhouse geneigt sein, Sie als Feind zu betrachten."

„Das lässt sich nicht ändern", erwiderte er kurz.

„Vielleicht ja doch, Mylord."

Sein prüfender Blick wurde noch stechender. „Und wie, wenn ich fragen darf?"

Die jüngsten vernichtenden Vorträge über Stolz und Freundschaft klangen noch immer in ihren Ohren nach. Und doch machte es das nicht leichter, ihre Befürchtungen hinunterzuschlucken.

„Mrs. Sloane?", drängte er.

Also gut. Wer A sagt, muss auch B sagen.

„Zufälligerweise ist mein Freund mit Mr. Hillhouse bekannt." Sie erzählte ihm von ihrem letzten Gespräch mit Jeremy.

Wrexford hörte zu, ohne zu unterbrechen, und als sie fertig war, sagte er noch immer nichts.

Charlotte wartete. Die Stille war beunruhigend. Der Graf war selten um Worte verlegen. Ihr blieb nichts anderes übrig als weiterzureden.

„Ich habe für morgen ein Treffen mit allen dreien arrangiert", erklärte sie. „Allerdings werde ich Sie dafür um einen freundschaftlichen Gefallen bitten müssen - was, wenn ich Sie daran erinnern darf, etwas ist, um das ich eindringlich gebeten worden bin."

Das rief endlich eine Reaktion hervor.

„Was meinen Sie?"

„Es ist ausgeschlossen, dass ich mich unter die Schönen und Reichen mischen kann, ohne mich an die strengen gesellschaftlichen Regeln zu halten. Es ist eine Sache, mich anständig zu kleiden und allein durch die Straßen Mayfairs zu flanieren. Die Menschen sehen in mir nicht mehr als eine einfache Frau der Arbeiterklasse, die sich an die Fransen der Achtbarkeit klammert.“

Sie beobachtete sein Gesicht und versuchte, seine Gedanken einzuschätzen. *Ha – sogar die in den Stein von Rosetta gemeißelten Hieroglyphen wären leichter zu entziffern gewesen.*

„Wenn ich allerdings Lord Sterling und seine Freunde bei einem gesellschaftlichen Ausflug begleiten soll, muss ich mich den Regeln der Schicklichkeit unterwerfen“, fuhr Charlotte fort. „Und das schließt auch die Begleitung durch ein Dienstmädchen mit ein.“

Wrexford schlug seine langen Beine übereinander und zögerte den Moment heraus, indem er eine Falte in seiner Hose glättete. „Ich hoffe, Sie wollen nicht darauf hinaus, dass ich Rock und Haube anziehen und mich als Ihre Bedienstete ausgeben soll.“

Ein finsterer Blick. „Sie können nicht beides haben, Mylord. Sie können mich nicht dafür tadeln, dass ich mich weigere Ihnen zu vertrauen, und mich dann dafür verspotten, wenn ich es tue.“

„Ein schlecht gewählter Scherz“, räumte der Graf ein.

Und doch lächelte er nicht.

„Ich bitte um Verzeihung“, fügte er hinzu.

Jetzt war sie es, die ihn mit einem eiskalten Blick fixierte.

Wrexford ließ sich nichts anmerken. „Also, worum Sie mich bitten, ist, dass Sie jemand aus meinem Hause begleitet."

„Ich bin mir sicher", sagte sie mit zusammengebissenen Zähnen, „dass ein Küchenmädchen für einige Stunden entbehrt werden könnte, ohne dass Ihr Haus im Chaos versinkt."

„Ich wage zu behaupten, dass die Dachschiefer nicht zu Staub zerfallen würden."

„Wenn Sie darauf bestehen, weiterhin unausstehlich zu sein, werde ich Jeremy fragen", feuerte sie zurück. „Auch wenn ich es vorziehen würde, das nicht zu tun. Diese Menschen sind seine Freunde und ich fühle mich bereits schuldig, weil ich ihm gegenüber nicht ganz offen war, was meine wahre Motivation hinter diesem Treffen betrifft."

„Wenn sie unschuldig sind, haben sie nichts zu befürchten."

Charlotte schnaubte verärgert. „Wir beide wissen, dass es so leicht nicht ist, Mylord. Jeder hat Geheimnisse, die er lieber begraben lassen würde. Der Verdacht schwingt einen eifrigen Spaten. Ihn kümmert nicht, wo er gräbt, solange er Dreck aufwirft."

„Eine äußerst einsichtsvolle Feststellung, Mrs. Sloane", sagte Wrexford langsam. „Da Sie ja so offensichtlich die Komplexitäten - und die Schattenseite – der Wahrheit kennen, gehe ich davon aus, dass Sie keine Einwände haben werden, wenn ich eine Bemerkung hinzufüge."

Quecksilbrig. Sein Gemüt schien sich in Windeseile zu ändern, und sie hatte keine Ahnung weshalb.

Der Graf wartete nicht auf eine Antwort. „Ihr werter Freund – Lord Sterling – ist sowohl ein Investor in Ashtons neue Dampfmaschine als auch ein Gefährte der beiden Hauptverdächtigen. Sicherlich ist es Ihnen nicht entgangen, dass auch er fortan aus einer anderen Perspektive betrachtet werden muss."

Jeremy sollte eines abscheulichen Verbrechens schuldig sein?

Ihr stockte der Atem. „Niemals", flüsterte Charlotte, sobald sie ihre Stimme wiedergefunden hatte. „Ich … ich kenne ihn. Er ist zu etwas derartig Bösem nicht fähig."

„Sie kannten Ihren verstorbenen Ehemann auf noch intimiere Art und Weise und doch erkannten Sie nicht, in welch wahrhaftige Dunkelheit er sich reißen ließ."

Sie wollte ihn dafür hassen. „Wie können Sie es wagen …"

„Weil", erwiderte er mit einer unerträglichen Ruhe, „es die Wahrheit ist und Sie sind klug genug, das zu wissen."

Sie sehnte sich danach, ihm zu widersprechen – nein, sie sehnte sich danach, ihm in seine smaragdgrünen Augen zu spucken!

Doch sie konnte nicht. Ihr Beruf hatte sie mit zu vielen herzzerreißenden Täuschungen konfrontiert. Das Böse lauerte überall, selbst in den Herzen, in denen man es am wenigsten erwartete.

Charlotte ließ sich zurück gegen die Kissen fallen und kämpfte damit, sich zu fangen.

Taktvoll wandte Wrexford seinen Blick ab. Das Klirren der Schwerter war verstummt und hatte den Raum in Stille gehüllt. Die Jungen mussten des Kämpfens müde geworden sein.

„Also gut", sagte sie, erleichtert, dass ihre Stimme nicht brach, „wie bereits gesagt, müssen wir Lord Sterling als potenziellen Täter betrachten." Eine Pause. „Doch nicht für lange. Ich werde seine Unschuld beweisen."

„Es würde mich sehr freuen, wenn Sie das täten", antwortete er. „Je weniger Gespenster wir jagen müssen, desto besser."

„Dann sollten wir uns beide besser an die Arbeit machen." Zu unruhig, um sitzen zu bleiben, stand Charlotte auf. „Haben Sie schon entschieden, ob Sie mir für morgen einen Begleiter gestatten?"

„Ich schicke jemanden mit einer Kutsche, um Sie abzuholen."

Charlotte schüttelte den Kopf. „Gütiger Gott, Sir ... Ich kann mich nicht in einem Ihrer Kutschenwagen sehen lassen! Ab dem Moment, an dem die Räder in Mayfair einrollen, wäre mein Ansehen ruiniert."

„Haben Sie ein wenig Vertrauen in mich, Mrs. Sloane. Ich bin mir durchaus bewusst, was eine anständige Dame tun kann und was nicht. Gelegentlich ziehe ich es vor, unauffällig zu reisen. Daher habe ich mehrere Fahrzeuge, die nicht gekennzeichnet und somit nicht zu erkennen sind."

Aus welchem Grund?, fragte sie sich, verdrängte den Gedanken jedoch gleich darauf wieder.

„Eine Kutsche, die Sie am Parkeingang absetzt, verstärkt Ihre Erscheinung als Witwe mit makellosem Anstand", betonte er.

„Das ergibt in der Tat Sinn", gestand Charlotte ihm in der Hoffnung zu, nicht zu verdrossen zu klingen. „Gibt es noch etwas, über das wir uns unterhalten sollten?"

„Nein." Wrexford tat es ihr gleich und erhob sich. „Ich werde mich Ihnen nicht länger aufdrängen."

Charlotte sah ihm nach, als er sich zur Tür begab. Das Zucken seiner Mundwinkel deutete an, dass sein gewohnter trockener Humor zurückgekehrt war. Und dennoch schien eine dunkle Wolke über ihm zu schweben.

Gespenster, in der Tat. Sie konnte nicht klar denken.

„Lord Wrexford."

Er blieb stehen und drehte sich langsam um.

„Ich ... ich habe mich noch nicht anständig für Ihr Geschenk bedankt, das Sie den Jungen gemacht haben."

„Sie sollten mit Ihrem Urteil dazu noch etwas warten." Es war nur so dahingesagt, doch wie so vieles in ihren Unterhaltungen, schwangen mehrere Bedeutungen in seinen Worten mit.

„Lassen Sie uns nicht uneinig auseinandergehen, Sir", erwiderte Charlotte. „Ich ..." Sie wollte noch etwas sagen, doch ihr schienen die richtigen Worte nicht einzufallen und so seufzte sie lediglich schwermütig. „Wie Sie sehr wohl wissen, habe ich eine scharfe Zunge. Es gibt Momente, in denen ich sie besser hüten sollte."

„Ich habe ein dickes Fell, Mrs. Sloane. Kein Blut vergossen."

Die Erwähnung von Blut ließ sie erschaudern.

„Ich bin erleichtert, das zu hören. Zu viel davon ist durch diese grausame Angelegenheit bereits geflossen."

„In der Tat." Er sah ihr einen Moment lang in die Augen. „Umso wichtiger ist es, dass wir das Rätsel, das den

Mord an Ashton umgibt, lösen und den wahren Mörder finden – bevor er erneut zuschlägt."

Kapitel 12

„Lord Wrexford."

Zur Überraschung des Grafen, war es Isobel und nicht Ashtons Laborassistent, die die Tür zum Salon öffnete.

„Bitte verzeihen Sie, doch ich habe gehört, dass Sie gekommen sind, um mit Benedict zu reden, und ich konnte nicht anders, als mich zu fragen ..." Sie warf einen Blick zurück in den Korridor und schloss dann die Tür hinter sich. „Haben Sie schon Erfolg bei der Suche nach dem Mann gehabt, der die Nachricht an Elihu verfasst hat?"

„Seien Sie versichert, ich hatte nicht die Absicht, zu gehen, ohne Ihnen von dem Abend zu berichten", antwortete er.

„Ich habe nicht andeuten wollen ..."

„Ich bitte um Entschuldigung", fügte er schnell hinzu. „Ich hätte Sie zuerst aufsuchen sollen." Es war die Wahrheit, dass er damit bis nach der Befragung von Hillhouse warten wollte. Enttäuschende Nachrichten waren nie leicht zu überbringen.

„Ich nehme an, es ist nicht sehr gut verlaufen", sagte sie leise.

„Nein", gestand Wrexford. „Wir haben den Mann zwar gefunden, der die Nachricht verfasst hat, doch er ist nichts weiter gewesen als eine unwissende Schachfigur in einem Plan, den er für einen harmlosen Spaß gehalten hat."

Ihr Gesichtsausdruck blieb ungerührt. „Ich verstehe."

„Allerdings konnten wir den Namen und die Adresse des wahren Täters herausfinden", fuhr er zögerlich fort. Die vergangenen Ereignisse rekapitulieren zu müssen, machte ihm unweigerlich all die kleinen Fehler bewusst, die er gemacht hatte. „Unglücklicherweise ist uns jemand zuvorgekommen."

Der Atem schien ihr in der Lunge zu stocken.

„Jemand hat ihn erstochen, nur wenige Minuten bevor wir eingetroffen sind."

„Um Himmels willen." Einen Augenblick lang befürchtete er, dass sie in Ohnmacht fallen würde, doch dann fing sie sich wieder und winkte seine ausgestreckte Hand mit einem schiefen Lächeln ab. „Ich bin bei Weitem nicht so fragil, wie ich aussehe. Es ist nur … ich habe gedacht … ich habe gehofft, dass …"

„Es tut mir leid. Er ist noch am Leben gewesen, doch seine Verletzungen waren einfach zu schwer."

„Er … er konnte Ihnen nichts sagen?"

Wrexford schüttelte den Kopf. „Ich befürchte nicht." Eine Lüge schien freundlicher, als erneut falsche Hoffnungen zu wecken. Die Liste mit den Ziffern konnte kaum als brauchbare Spur gewertet werden.

„Ich verstehe." Isobel drehte sich in Begleitung des Rauschens schweren schwarzen Bombasins um und sah aus dem Fenster. „Das heißt also, dass wir keine Anhaltspunkte mehr haben, um weiterzumachen."

„Das ist nicht ganz richtig", antwortete er. „Der Mann, der Ihren Ehemann mithilfe der Nachricht in den Tod gelockt hat, scheint Mitglied in einer radikalen Gruppierung namens ‚Die Arbeiter Zions' zu sein. Möglicherweise stecken sie hinter dem Mord an Ihrem Ehemann. Ich werde die Bow Street dazu drängen, gegen sie zu ermitteln."

„Eine radikale Gruppierung?" Ihr Körper wurde angespannt. Dann griff sie plötzlich nach der Glocke auf dem Beistelltisch und läutete nach einem Diener. „Bevor Sie Mr. Hillhouse treffen, möchte ich, dass Sie sich mit jemand anderem unterhalten."

Als der Butler eintraf, murmelte Isobel ihm Anweisungen ins Ohr und wenige Minuten später kehrte er mit einem großen, muskulösen Mann zurück, der schlichte dunkel gehaltene Kleidung trug.

„Lord Wrexford, darf ich Ihnen Mr. Geoffrey Blodgett vorstellen, der heute Morgen aus Leeds eingetroffen ist?", sagte Isobel.

Blodgett sah sich kurz um und schien sich aufgrund seiner opulenten Umgebung ein wenig unbehaglich zu fühlen.

„Er ist der Aufseher der Fabrik", erklärte sie, „und kannte Elihu seit er ein kleiner Junge war."

„Eine schreckliche Tragödie, Mylord", murmelte Blodgett, nachdem er flüchtige Begrüßungen mit dem Grafen ausgetauscht hatte. „Was für ein Verlust, sowohl für seine Familie als auch für unser Land. Mr. Ashtons Innovationen haben so viele Leben beeinflusst."

Wrexford war sich sicher, dass man den Mann nicht bloß geholt hatte, um Plattitüden von sich zu geben. „Ja, ja, ein brillanter Kerl", stimmte er ihm zu, bevor er der Witwe einen fragenden Seitenblick zuwarf.

Isobel reagierte mit einem wissenden Nicken. „So sehr wir Mr. Blodgetts Anteilnahme zu schätzen wissen, er ist nicht nur hier, um sein Mitgefühl auszusprechen. Es gibt eine Reihe wichtiger Angelegenheiten, um die sich gekümmert werden muss, damit weiterhin ein reibungsloser Betrieb der Fabrik gewährleistet werden kann." Sie lächelte traurig. „Ich habe das Glück, dass er jahrelang mit meinem Ehemann zusammengearbeitet hat und die technischen Details versteht."

Blodgett nickte leicht, um ihre Worte zu bestätigen.

„Mehr als das, ich habe das Glück, dass er versteht, wie mein verstorbener Ehemann sich wünschte, dass die Dinge gehandhabt werden. Es ist mir ein großer Trost, dass alles weiterhin mit optimaler Effizienz fortgesetzt wird. Das ist es, was Elihu gewollt hätte."

Der Graf hatte Schwierigkeiten, seine Ungeduld zurückzuhalten.

„Wie dem auch sei, das ist nicht der Grund, warum ich Mr. Blodgett gebeten habe, heute mit Ihnen zu sprechen. Er hat mir heute Morgen einige Dinge erzählt, die im Lichte dessen, was Sie mir soeben gesagt haben, einen Bezug zu Elihus Ermordung haben könnten." Sie wandte sich dem Fabrikaufseher zu. „Bitte wiederholen Sie für Seine Lordschaft, was Ihre Antwort gewesen ist, als ich Sie gefragt habe, ob Sie in den letzten Wochen irgendein verdächtiges Verhalten beobachtet haben."

„Aye, Madam." Blodgett räusperte sich. „Die Fabrik ist ein guter Arbeitsplatz und zahlt ausgezeichnete Löhne, unsere Angestellten haben daher kein Interesse daran, Staub aufzuwirbeln. Das hält jedoch radikale Gruppierungen nicht davon ab, sich dort herumzutreiben und Unruhe zu stiften. Eine Truppe von denen ist in die Gegend gezogen, wegen der ganzen Produktion, die dort stattfindet."

Er schluckte schwer und warf Mrs. Ashton einen nervösen Blick zu.

„Nur zu, Mr. Blodgett", sagte sie mit sanfter Stimme. „Sie müssen keine Angst haben, die Wahrheit zu sagen."

Der Aufseher sammelte sich und straffte die Schultern. „Die Sache ist, dass ich viel Zeit damit verbringe, die verschiedenen Abteilungen des Maschinenparks und die äußeren Lagerhallen zu kontrollieren, in denen wir unsere Rohstoffe lagern – das ist Teil meiner Tätigkeit. Und so habe ich vor einigen Wochen bemerkt, dass Mr. Hillhouse sich immer öfter mit einigen der Unruhestiftern getroffen hat – und zwar an abgelegenen Orten, als wollte er es vermeiden, gesehen zu werden."

„Gehört es zu Mr. Hillhouses Aufgaben, mit Ihren Arbeitern zu verhandeln?", fragte Wrexford.

„Nein, Mylord. Er hat mit Mr. Ashton im Labor gearbeitet und mit dem eigentlichen Betrieb der Fabrik nichts zu tun. Er ist sehr, sehr geschickt mit mechanischen Dingen." Der Leiter zögerte. „Bei allem Respekt kann ich ehrlich gesagt nicht dasselbe über seine Fähigkeiten im Umgang mit Menschen behaupten."

„Die Arbeiter können ihn nicht leiden?", fragte Wrexford.

„Es wäre nicht gerecht von mir, das zu sagen, Sir. Es ist vielmehr so, dass sie ihn für unnahbar halten." Eine Pause. „Das tun wir alle."

Der Graf dachte einen Moment lang über das nach, was er gerade gehört hatte, und versuchte, objektiv zu bleiben. „Fällt Ihnen irgendein Grund ein, warum Ashton Mr. Hillhouse möglicherweise darum gebeten haben könnte, mit den Arbeitern zu sprechen?"

„Ja, vermutlich", erwiderte Blodgett. „Wenn es ein mechanisches Problem mit einem Maschinenteil gegeben hat, ist es möglich, dass Mr. Hillhouse von Mr. Ashton darum gebeten worden ist, mit den Männern zu reden, die die Maschinen führen. Allerdings kann ich mir nur schwer vorstellen, dass ich davon nichts gewusst hätte."

Das ergab Sinn, beschloss Wrexford. Bemüht, unvoreingenommen zu bleiben, dachte er über eine letzte Frage nach, die Ashtons Assistenten in ein besseres Licht rücken könnte, doch ihm fiel nichts ein.

„Gibt es noch irgendetwas, das ich wissen sollte, bevor ich Mr. Hillhouse treffe?"

Blodgett senkte seinen Blick und hob ihn dann langsam wieder. „Nur ... Nur, dass er in den letzten Monaten noch nervöser und verschlossener zu sein schien als sonst." Der Fabrikaufseher schluckte schwer. „Andererseits sind wir beide nicht sonderlich gut aufeinander zu sprechen. Ich habe schon immer das Gefühl gehabt, dass er auf mich herabschaut, weil ich nie an einer Universität gelernt habe."

„Sonst noch etwas?", drängte Wrexford.

Der Aufseher schüttelte den Kopf.

„Ich danke Ihnen, Mr. Blodgett", sagte Isobel nach einem langen Augenblick. „Wenn Sie im Nebenzimmer auf mich warten würden, ich komme gleich nach, damit wir den Produktionsplan und die Bestellungen für den kommenden Monat durchgehen können."

Wie gut, dass sie ein reges Interesse am Geschäft zu haben schien, dachte der Graf. Die meisten Damen würden wohl eine gehörige Portion Riechsalz benötigen, wenn sie einen Frachtbrief lesen müssten.

„Ich werde nach Mr. Hillhouse läuten", sagte Isobell, nachdem Blodgett das Zimmer verlassen hatte. Doch noch bevor sie nach der Glocke griff, klopfte es an der Tür.

„Bitte verzeihen Sie, Madam." Der Butler trat ein und verbeugte sich entschuldigend. „Ich habe soeben die Nachricht von Mr. Hillhouse erhalten, dass es ein Problem mit den Werkzeugmachern gegeben hat und er in der Werkstatt aufgehalten wird."

„Wie bedauerlich." Sollte die Nachricht sie verärgert haben, merkte man es ihr nicht an. „Bitte entschuldigen Sie die Unannehmlichkeiten, Lord Wrexford. Wie es scheint, werden wir das Treffen auf einen anderen Tag verschieben müssen."

Er wartete, bis der Butler sich wieder zurückgezogen hatte, und zuckte anschließend mit den Schultern. „Das Geschäft geht selbstverständlich vor. Arbeitet er derzeit an einem Maschinenteil? Vielleicht ein Element der neuen Erfindung?"

„Das kann ich Ihnen leider nicht sagen." Es folgte eine Pause, die mehr sagte, als es Worte je hätten tun können. „Mein Ehemann gab Mr. Hillhouse die Befugnis, mit den Prototypen zu experimentieren, an denen sie arbeiteten. Allerdings hat er es bisher scheinbar nicht für nötig gehalten, mir die Details seiner Bastelei mitzuteilen."

Der Graf konnte sich vorstellen, dass sich das schon bald ändern würde. Sehr bald. Vorausgesetzt, der Kerl würde nicht vorher schon gefeuert werden.

„Es ist jedoch unwahrscheinlich, dass er das jemals tun wird", fuhr Isobel fort. „Wissen Sie, die Zeichnungen meines Ehemannes scheinen verschwunden zu sein. Ob Elihu sie bei sich trug, als er ermordet wurde, oder ob er sie an einen sicheren Ort gebracht hatte, ist bislang noch ein ungelöstes Rätsel."

Zusammen mit zu vielen anderen unbeantworteten Mysterien, dachte Wrexford.

Er quittierte ihre Bemerkung mit einem Nicken, bevor er einen Schritt in Richtung der Tür machte. „Ich werde mich verabschieden. Ich bin sicher, Sie haben viel zu tun." Es hatte keinen Zweck, länger zu verweilen, und sie schien es eilig zu haben, zu ihrer Besprechung mit dem Fabrikaufseher zurückzukehren.

Isobel wirkte dankbar und führte ihn in den Hausflur.

„Hier entlang, Sir", murmelte sie und deutete nach rechts. „Ich bringe Sie ..." Ihre Worte wurden abrupt unterbrochen, als ein Gentleman um die Ecke kam, der sich sehr daheim zu fühlen schien.

„Ah, ich bitte um Verzeihung, Mrs. Ashton. Jenkins hat nicht erwähnt, dass Sie Gesellschaft empfangen", sagte er mit langgezogenen Worten. „Ich hätte mein Kommen ankündigen sollen. In Anbetracht der tragischen Umstände ist es äußerst unangebracht von mir, Ihre Trauer derart zu stören."

Das Licht von dem Wandleuchter fing einen flüchtigen Funken der Überraschung in ihren Augen ein, als ihre Schritte an Geschwindigkeit verloren. Wäre Wrexford nicht ein Stück zur Seite gewichen, um ihr auszuweichen, hätte er womöglich nicht gesehen, wie daraus ein ängstliches Flimmern wurde, bevor es erlosch.

„Um Himmels willen, Sie brauchen sich nicht zu zieren, Sir. Dies ist Ihr Heim. Hätte ich gewusst, dass Sie vorhaben, in die Stadt zu kommen, hätte ich darauf bestanden, auf eine andere Unterkunft auszuweichen", entgegnete Isobel angespannt. Ihre Lider flatterten einen Moment lang und standen dann plötzlich still.

Eine verschleierte Warnung? *Doch wovor?*

Noch bevor Wrexford genauer darüber nachdenken konnte, wandte sie sich abrupt zu ihm und sagte: „Erlauben Sie mir, Viscount Kirkland vorzustellen, ältester Sohn des Marquess von Blackstone, der Freund meines Ehemannes, der uns für die Zeit unseres Aufenthaltes in London freundlicherweise sein Stadthaus zur Verfügung gestellt hat."

Blackstone. Warum klingelte es bei diesem Namen?

Scheinbar nervös drehte sie sich zu Kirkland. „Lord Kirkland, das ist Lord Wrexford."

„Wir sind uns letzte Nacht begegnet", sagte der Graf.

Kirkland betrachtete ihn einen Moment lang ausdruckslos. „Ah, ja. Das sind wir in der Tat." Ein desinteressiertes Lächeln. „Irgendein Glück bei Ihrer Suche nach dem Kerl?"

„Ja", antwortete Wrexford. Die prätentiöse Arroganz dieses Mannes wäre lachhaft gewesen, hätte seine Anwesenheit nicht einen derartigen Effekt auf die Witwe gehabt. Ihr Gesicht hatte jetzt eine arktische Blässe, als wäre ihr das Blut in den Adern gefroren.

„Bedauerlicherweise ist er keine große Hilfe gewesen", fügte er zögerlich hinzu, neugierig, wie der Mann darauf reagieren würde.

„Ein Jammer." Kirklands Blick war bereits wieder auf Isobel gerichtet. „Ich möchte nichts davon hören, dass Sie umziehen, Mrs. Ashton. Besonders jetzt, in diesen Zeiten schwerer Trauer." Der Viscount senkte seine Stimme zu einem spöttischen Flüstern. „Um ehrlich zu sein, ziehe ich den Komfort meines Clubs meinem

Stadthaus vor. Der Koch dort bereitet ein weitaus schmackhafteres Stück Rindfleisch zu als Mrs. Cook, aber sagen Sie ihr nicht, dass ich das gesagt habe."

„Was ist mit Ihrem Vater?", fragte sie zögerlich. „Vielleicht ist er ..."

„Ach, Vater ist letzte Woche nach Wales gereist, um Freunde der Familie zu besuchen, und von da aus wird er zu einem seiner irischen Anwesen fahren. Hat irgendetwas mit Pferdefleisch zu tun, glaube ich. Er wird mindestens einen Monat unterwegs sein, Sie brauchen sich also keine Sorgen zu machen." Kirkland zuckte gleichgültig mit den Schultern. „Tatsächlich bin ich mir nicht sicher, ob er bereits von Mr. Asthons bedauerlichem Ableben weiß. Ich habe ihm eine Nachricht nach Irland geschickt, doch Gott allein weiß, wann sie dort eintreffen wird."

„Möglicherweise möchte er nicht, dass sein Haus mit einer solchen Tragödie in Verbindung gebracht wird", drängte Isobel.

Die Widerrede schien mehr als nur eine Formalität zu sein. Noch ein *Warum* das es zu beantworten galt.

Ein leises Lachen entwich Kirklands Kehle. „Um Himmels willen, Vater steht weit über derartigen Skandalen und Geschwätz. In seiner Welt existieren solche Dinge ganz einfach nicht."

„Wenn Sie sich da sicher sind ...", sagte Isobel.

„Ziemlich sicher. Also ist es beschlossen", beharrte Kirkland. „Ich bin nur vorbeigekommen, um eine Auswahl von Vaters indischen Stumpen abzuholen." Er verbeugte sich höflich. „Ich werde mich kurz in sein Arbeitszimmer begeben und mich dann gleich wieder verabschieden."

Isobel stand wie versteinert da, während das Echo von Kirklands Schritten in den Schatten verschwand.

„Mrs. Ashton", sagte der Graf mit sanfter Stimme.

Sie drehte sich erschrocken um.

„Ich verabschiede mich ebenfalls."

„Verzeihen Sie", entschuldigte sie sich. „Ich kann nicht klar denken. Ich ... ich befürchte, Mr. Blodgetts Nachricht hat mich etwas überwältigt."

„Verständlicherweise", erwiderte Wrexford. Als er die Unsicherheit in ihrem Gesicht sah, konnte er nicht anders, als hinzuzufügen: „Was auch immer die Wahrheit über den Mord an Ihrem Ehemann ist, wir werden sie finden."

Isobel rührte sich und das Rascheln ihres schwarzen Bombasins erzeugte einen Wirbel aus Schatten. Einen Moment lang war ihr Gesicht in Dunkelheit gehüllt. „Glauben Sie das wirklich?"

Wahrheit oder Lügen?

„Als Mann der Wissenschaft", antwortete er, „folge ich dem Prinzip, dass es für jedes Problem eine Lösung gibt. Man muss sie nur finden."

Ein gezwungenes Lächeln. „Ich werde mir Ihren Optimismus zu Herzen nehmen."

„Forschung erfordert Geduld. Antworten findet man nur, indem man achtsam einen Fuß vor den anderen setzt."

„Ja, natürlich." Doch in ihrer Stimme schwang keine Überzeugung mit.

„Guten Tag, Madam." Gedankenverloren verließ Wrexford das Stadthaus und machte sich auf den Weg zurück zu seinem eigenen Anwesen.

Noch mehr Fäden hatten sich in dem Rätsel verfangen, welches sich jetzt zu einem gottverdammten gordischen Knoten entwickelt hatte.

Erst, als er das Kopfsteinpflaster überquert hatte und in die Grosvenor Street abgebogen war, fiel ihm ein, warum der Name Blackstone ihm so bekannt vorkam. Als Hauptinvestor in Ashtons Unternehmen stand der Marquess auf der Liste der Witwe mit den Namen von Leuten, die wussten, dass eine revolutionäre Erfindung in Arbeit war.

Während Wrexford darüber nachdachte, kam ihm plötzlich ein anderer Gedanke. Sicherlich hatte sich der Vater dem Sohn anvertraut, was bedeutete, dass auf der Liste ein Name fehlte.

Der von Viscount Kirkland ...

Wrexford blieb stehen, als er realisierte, dass ein weiterer ebenfalls ausgelassen worden war.

Der von Isobel Ashton.

Kapitel 13

Als Charlotte am nächsten Tag aufwachte, fühlte sie sich müde und unausgeglichen. Sie hatte unruhig geschlafen und war von Träumen unsichtbarer Bedrohungen gequält worden, die näher und näher rückten und ihr jegliche Luft zum Atmen abschnürten.

Der Morgen war wie im Fluge vergangen – zuerst hatte sie ein einfaches Frühstück zubereitet und im Anschluss die Jungen für die ersten Unterrichtsstunden mit ihrem neuen Lehrer hergerichtet. Wie versprochen hatte der Graf den jungen Mann für ein Vorstellungsgespräch am Vorabend vorbeigeschickt, und sie hatte ihn für eine gute Wahl gehalten. Mehr als das, er hatte Sinn für Humor, was ihm, so hoffte sie, bei der Zähmung der Wiesel zugutekommen würde. Da er ganz in der Nähe wohnte, hatte man sich darauf geeinigt, dass Raven und Hawk an diesem Morgen zu ihm gehen würden, um das Experiment zu beginnen.

Sie betete, dass es gut laufen würde. Die Jungen waren klug und die Chance, ihren Horizont zu erweitern, würde ihnen neue Welten eröffnen. Doch im Augenblick lag das nicht in ihrer Hand.

Was eine gute Sache war, denn sie hatte sich bei der Zubereitung der Mahlzeiten unerklärlich ungeschickt angestellt und sich die Finger an dem Kessel verbrannt, sowie einen Teller mit frisch geschnittenem Brot fallen gelassen.

Nach einigen halbherzigen Skizzen an ihrem Schreibtisch, von denen allesamt im Mülleimer landeten, war es Zeit, sich für ihre Verabredung mit Jeremy und seinen Freunden zu kleiden.

Charlotte starrte in den Spiegel und seufzte beim Anblick der dunklen Ringe unter ihren Augen. Wohl kaum ein verheißungsvolles Zeichen für ihren ersten offiziellen Vorstoß in die Welt der feinen Gesellschaft.

Hochstapler. Vielleicht sollte sie es sich einfach auf ein Schild schreiben und es sich ans Korsett stecken.

„Ich muss das nicht tun", murrte sie. Und doch, selbst als sie es ausgesprochen hatte, wusste sie, dass das nicht die Wahrheit war.

Der Grund schien sich Worten zu entziehen. Als sie zum ersten Mal die Rolle ihres verstorbenen Ehemannes als A. J. Quill übernommen hatte, war es schlicht und ergreifend eine Frage des Überlebens. Doch die frivolen Skandale der privilegierten Klasse mithilfe von Satire anzuprangern, hatte ihren Blick für die tiefsitzenden Ungerechtigkeiten der Gesellschaft geschärft und Charlotte hatte herausgefunden, dass für Wahrheit und Gerechtigkeit zu kämpfen für sie weitaus mehr war, als nur ein Mittel, um Essen auf den Teller zu bringen.

Mithilfe ihrer Kunst Lügen aufzudecken und das Böse zu entlarven, war mittlerweile ein Teil von ihr geworden.

Semper anticus. Stets vorwärts. Es gab kein Zurück.

Charlotte stand auf und öffnete die Türen ihres Kleiderschranks. Immerhin hatte sie eine anständige Rüstung, in der sie sich ins Gefecht stürzen konnte, dachte sie hämisch. Ein respektables Kleid, das nicht gänzlich außer Mode war, war notwendig gewesen, als sie Jeremy für die endgültige Wahl ihres neuen Heimes hatte begleiten müssen. Glücklicherweise gehörte ihrem Netzwerk aus Informanten auch eine italienische Modistin, die die Beau Monde bediente, an. Die Frau, die ihr Handwerk gut genug beherrschte, um sich als Französin auszugeben, hatte sich dazu bereiterklärt, ein passendes Kleid zu entwerfen.

Sie zupfte an der weichen Merinowolle herum und fühlte sich ein wenig schuldig für die Freude, die sie an derartigem Firlefanz fand. Das graublaue Kleid – der exakte Farbton der Dämmerung im September – war dunkel genug, um ein trauerndes Gemüt zu vermitteln. Und doch hatte es etwas Geheimnisvolles. Eine elementare weibliche Anziehungskraft. Was den Schnitt betraf, so schien es sich irgendeines Nadel-und-Faden-Zaubers zu bedienen, um ihre hohe und schlanke Form in etwas ... weniger Gewöhnliches zu verwandeln.

In ihrem faden Leben gab es so wenig Reize. Vielleicht war es nicht verkehrt, heimlich – heimlich! - den Gedanken zu genießen, die Aufmerksamkeit eines Mannes auf sich zu ziehen. Jeremy hatte ihr selbstverständlich blumige Komplimente gemacht. Ihr waren jedoch auch die bewundernden Blicke anderer Männer nicht entgangen.

Charlotte unterdrückte ein Schaudern – und den plötzlichen, unfreiwilligen Gedanken daran, was wohl Wrexfords Reaktionen wäre, wenn er sie wie eine anständige Dame gekleidet sehen würde - und fuhr mit einem Finger über die feinen Biesen des Korsetts, bevor sie ihren Morgenrock abstreifte.

Entgegen der Volksweisheit konnte man sehr wohl aus einem Ackergaul ein Rennpferd machen, dachte sie sarkastisch, als sie sich das Kleid über den Kopf streifte und es zuschnürte.

Eine Drehung vor dem bodenlangen Standspiegel bestätigte, dass Madame Franchot – geboren Franzenelli – wahrhaftig magische Kräfte besaß.

Sie versuchte, sich nicht wie ein Scharlatan zu fühlen, als sie an ihrem Schminktisch Platz nahm und nach Pinseln und Haarnadeln griff.

„Hoffen wir, dass der Zauber auch bei Wrexfords Dienstmädchen wirkt", flüsterte sie, sobald sie ihr Haar frisiert hatte. Anschließend nahm Charlotte die kleine, burschikose Strohhaube, die die Modistin passend zu dem Kleid angefertigt hatte, und wickelte die Bänder vorsichtig zu einer adretten Schleife zusammen.

Die Seide fühlte sich plötzlich etwas klamm an, als hätte sie das Seufzen eines Geists an ihren Fingern gespürt. Charlottes Nacken verkrampfte sich.

Nein, sie musste die Vergangenheit hinter sich lassen.

Sie schnappte sich ihre Handschuhe und ihren Schal und eilte nach unten, um auf Wrexfords Kutsche zu warten. Trotz ihrer Entschlossenheit, ruhig zu bleiben, schlug ihr Herz mit jeder Minute schneller.

Schließlich riss sie das Rattern von eisenbeschlagenen Rädern auf Kopfsteinpflaster aus ihrer Grübelei.

Sie erhob sich und ein Schwall der Panik jagte durch ihre Venen, als die Pferde zum Stehen kamen.

Ruhig, ruhig.

Wie Wrexford versprochen hatte, war es ein unscheinbares Gefährt, ohne ausgefallenen Lakaien oder Tiger, der sich an den Hochsitz klammerte.

Nihil sibi metuunt. Es gibt nichts zu fürchten außer die Furcht selbst. Charlotte atmete tief ein, bevor sie nach der Türklinke griff und hinaustrat.

„Sie sind ein schwer zu findender Mann, Griffin." Nachdem seine Suche nach dem Läufer vergangene Nacht erfolglos geblieben war, hatte er ihn schließlich in einer abgelegenen Taverne in St. Giles ausfindig machen können. „Es ist noch gar nicht allzu lange her, dass ich keinen Schritt machen konnte, ohne über Ihre Stiefel zu stolpern."

„Das war, als ich Ihren Kopf auf einem Silbertablett haben wollte. Dank Ihnen und der eigenartigen Anziehungskraft, die Sie auf Leichen zu haben scheinen, muss ich schon wieder einen Mordfall aufklären." Griffin verschlang den Rest seines Käsebrotes und schob den leeren Teller beiseite. „Haben Sie etwas für mich - außer ein Stück Apfelkuchen und einen Humpen Ale?"

„Man könnte meinen, Sie wären schon längst verhungert, wenn Sie mich nicht kennen würden." Nachdem er einer Bardame die Bestellung zugerufen hatte, nahm der Graf an dem kleinen Tisch Platz. „Die Antwort lautet, ja – ich habe saftige Neuigkeiten für Sie."

Griffin wartete, bis sein Kuchen und Ale eintrafen, bevor er murmelte: „Ich höre."

„Ich glaube, Hollis und die radikale Gruppierung sind möglicherweise nicht allein für den Mord an Ashton verantwortlich", begann Wrexford. Er erzählte dem Läufer von Hollis letzten Worten und den zusammengewürfelten Zahlen, die sie in der Schublade gefunden hatten. Nevins erwähnte er dabei jedoch nicht. Er hatte Henning noch nicht ausfindig machen können und solange er nicht mit dem Arzt geredet hatte, würde er die Behörden nicht in seiner Praxis herumschnüffeln lassen.

Griffin fixierte ihm mit unheilvollem Blick. „Denken Sie nicht, dass ich davon umgehend hätte erfahren müssen?"

Wrexford zuckte mit den Schultern. Zwischen ihm und dem Läufer herrschte zwar ein unausgesprochener Waffenstillstand, doch dieser war hochentzündlich. „Wie ich bereits gesagt habe, Sie sind nicht leicht zu finden."

„Hm."

„Es gibt zu viele mögliche - und belastende – Motive, denen noch nicht vollständig nachgegangen wurde", sagte der Graf. „Denken Sie einmal drüber nach, Griffin. Warum sollten die Radikalen ihr Symbol auf der Leiche hinterlassen? Angesichts der Angst, die die Regierung vor Arbeitsunruhen hat, wäre das, als würden sie das Militär dazu einladen, sie wie Ungeziefer zu jagen."

„Sie gehen davon aus, dass diese Menschen rational denken", merkte der Läufer an.

„Das ist mir zu einfach", beharrte Wrexford. „Ich denke, wir sollten prüfen, ob einer von Ashtons Investoren in den Mord verwickelt ist. Oder womöglich ein Mitglied seines Haushaltes." Er hielt inne. „Ashtons Assistent geht weiterhin einem Treffen mit mir zur Besprechung des Falls aus dem Weg."

Griffin gabelte ein Stück des Kuchens in seinen Mund und kaute nachdenklich, bevor er etwas sagte. Er ignorierte den Vorschlag des Grafens jedoch gänzlich und konzentrierte sich stattdessen auf die Fakten.

„Irgendein Glück bei der Entzifferung der Zahlen? Vorausgesetzt es handelt sich nicht um das sinnlose Gekritzel eines Kindes von vor zehn Jahren. Wie Sie bereits angemerkt haben, gibt es keinen Beweis, dass es von Hollis hinterlassen worden ist."

„Nein, ich habe mir darauf noch keinen Reim machen könne. Wie ich jedoch bereits gesagt habe, verrät mir meine Intuition, dass Sie nicht nur die radikale Gruppierung aufspüren, sondern ebenfalls die Leute um Ashton herum genauer unter die Lupe nehmen sollten. Das Motiv des Patents ist zu gewichtig, um es zu ignorieren. Geld ist schließlich die Wurzel allen Übels."

„Haben Sie irgendeinen – *irgendeinen* – Beweis dafür?"

Verflucht. Der Kerl war wie eine Bulldogge, die einen Knochen zwischen ihren Zähnen brauchte, bevor sie kauen konnte. „Um Himmels willen, benutzen Sie Ihre Fantasie."

„Meine Vorgesetzten bezahlen mich nicht dafür, dass ich mit dem Reich der Fantasie kommuniziere, Mylord." Griffin legte seine Gabel nieder. „Die Regierung ist extrem besorgt über die Aussicht, dass die Arbeiter Aufstände und Chaos im ganzen Land entfachen. Es besteht nicht der Hauch einer Chance, dass sie mir erlauben werden, meine Jagd nach den radikalen Anführern allein wegen eines Bauchgefühls abzubrechen. Selbst, wenn es Ihres ist."

Wrexford fluchte leise.

„Liefern Sie mir ein paar handfeste Beweise für Ihre Theorie", fuhr der Läufer fort. „Andernfalls sind Sie auf sich allein gestellt." Er nahm einen großen Schluck von dem Ale. „Seien Sie jedoch vorsichtig. Mir würde Ihre Gesellschaft fehlen, Mylord."

Wrexford erhob sich mit einem Schnauben. „Und die meines Geldbeutels."

„Guten Tag, Madam." Der Kutscher sprang von seinem Hochsitz und öffnete die Wagentür.

Dankbar, dass die kleinen Glasfenster nur wenig Licht durchließen, kletterte sie hinein. Die Schatten würden helfen, ihre Maskerade aufrechtzuerhalten.

Nachdem sie sich unter dem Rauschen ihres Rocks niedergelassen hatte, wagte sie einen Blick auf den gegenüberliegenden Sitz.

„Seine Lordschaft lässt Grüße ausrichten, Mrs. Sloane, und hofft, dass sich meine Gesellschaft als zufriedenstellend erweisen wird."

Auf die kehlige Stimme in Kombination mit dem scharfen schottischen Akzent war sie nicht vorbereitet gewesen. Sie hatte ein heranwachsendes Küchenmädchen erwartet, und nicht …

„Man hat mir gesagt, Sie würden es vorziehen, wenn man offen spricht", sagte die Frau, die ihr gegenübersaß. „Erlauben Sie mir also, Ihnen zu vergewissern, dass ich weder leicht aus der Fassung zu bringen bin noch habe ich eine Zunge, die zum Schwatzen neigt." Sie hielt einen Moment inne. „Ich bin gut darin, Geheimnisse für mich zu behalten."

„Wahrlich offen gesprochen", murmelte Charlotte. Sie nahm sich einen Moment lang Zeit, um ihre Begleitung zu studieren. Ein schmales, kantiges Gesicht, eine Höckernase und ein knochiger Körper - die Frau, die die erste Blüte ihrer Jugend weit hinter sich gelassen hatte, würde nie als Schönheit gelten, doch das Funkeln lebhafter Intelligenz in ihren Augen teilte die Finsternis.

Die Beklemmung in Charlottes Brust löste sich langsam mit einem leisen Ausatmen.

Ein schwaches Lächeln formte sich auf den Lippen der anderen Frau. „Aye, ich mag vielleicht nichts fürs Auge sein, doch Seine Lordschaft sagt, Sie benötigen jemand vertrauenswürdiges, und er weiß, dass man sich darauf verlassen kann, dass ich meinen Rand halte."

„Ich habe Angst zu fragen, was er Ihnen über mich erzählt hat", erwiderte Charlotte trocken. „Ich habe nicht vor, einen Mord zu begehen oder die Juwelen der Herzogin von Devonshire zu stehlen."

Das Lächeln wurde größer. „Was für ein Jammer. Das Leben war in letzter Zeit äußerst fade. Ein kleines Abenteuer wäre sehr willkommen gewesen." Die Frau lehnte sich gegen die Sitzpolster. „Ich bin McClellan."

Charlotte erinnerte sich, dass das Dienstmädchen einer Dame stets mit ihrem Nachnamen angesprochen wurde. „Ich bin Ihnen dankbar die Hilfe, McClellan." Aus einem Impuls heraus streckte sie ihre Hand aus. „Ich werde versuchen, Ihnen nicht allzu großen Ärger zu bereiten."

McClellan antwortete mit einem festen Handschlag. „Ein kleines bisschen Ärger macht das Leben interessant, Mrs. Sloane."

Sie fuhren einige Minuten lang in Stille, während Charlotte versuchte, ihre Gedanken zu sortieren. Wrexford hatte ein Händchen dafür, sie aus der Fassung zu bringen ...

Warum, war ein Rätsel für sich.

Sie runzelte die Stirn. Es machte sie wahnsinnig, jedes Mal aufs Neue ihren Stolz schlucken zu müssen. Doch Ehrlichkeit zwang sie dazu, zuzugeben, dass seine Unberechenbarkeit in diesem Falle sehr willkommen war.

McClellan, so bemerkte Charlotte, schien von der Stille unbeirrt zu sein. Ein weiterer Pluspunkt für die Frau. Eine schnatternde Gans hätte sie bloß abgelenkt.

Ihre Gedanken fanden ein frühzeitiges Ende, als der Wagen in die Piccadilly Street bog. Der Kutscher hielt vor dem Eingang des Green Park an, und kurz darauf schlenderte Charlotte den Schotterweg entlang. Das perfekte Bild einer sittsamen Dame mit ihrem Dienstmädchen, das ihr in diskretem Abstand folgte.

Oh, wie der Schein doch trügen konnte.

Die Ironie war recht amüsant. Sie war schließlich der Kern dessen, womit sie ihren Lebensunterhalt verdiente.

„Mrs. Sloane." Jeremy wartete am vereinbarten Treffpunkt. „Du siehst entzückend aus", sagte er galant.

„Spar dir die Schmeicheleien, Jem", murmelte sie.

Er schmunzelte. „Du kränkst mich, wenn du anzudeuten versuchst, meine Komplimente kämen nicht von Herzen."

„Du wirst es überleben."

Als sie seinen verwunderten Blick in Richtung McClellan sah, die in dem für Dienstmädchen erforderlichen Abstand wartete, erklärte Charlotte: „Ich kenne die Regeln der feinen Gesellschaft. So idiotisch sie auch sein mögen, muss ich sie dennoch befolgen, wenn ich wünsche, mich unter die Schönen und Reichen zu mischen. McClellan hat sich für den Nachmittag bereiterklärt, die Rolle des Dienstmädchens zu spielen."

„Wie ...", begann Jeremy.

„Ich habe jemanden um einen Gefallen gebeten", antwortete sie prägnant.

Er schien weiter nachhaken zu wollen, überlegte es sich dann jedoch anders. Stattdessen begrüßte er McClellan höflich, indem er sich kurz an seinen Hut tippte, bevor er Charlotte seinen Arm anbot. „Komm, sehen wir den Mädchen beim Melken der Kühe zu." Der Park war bekannt für seinen rustikalen Charme und die Milchkühe, die auf dem Rasen weideten. „Miss Merton und Mr. Hillhouse werden uns dort bei der Schankhütte treffen."

Charlotte war gespannt, die beiden zu treffen. Sie fragte sich, ob Wrexfords Vernehmung von Ashtons Assistenten besser verlaufen war als das Treffen mit seiner Sekretärin. Angesichts ihrer eigenen Erfahrungen mit seinen Verhörtechniken, bezweifelte sie es jedoch.

„Du sagst also, du kennst Mr. Hillhouse schon etwas länger?", fragte sie und richtete ihren Fokus auf Jeremy.

„Ja. Wir waren beide Stipendiaten in Oxford. Wir hatten eine gewisse Bindung. Anders als die schicken Söhne reicher Familien, hatten wir kein Geld für Zechgelage", antwortete er. „Es stellte sich jedoch heraus, dass wir beide die Gesellschaft des anderen genossen." Ein schiefes Lächeln zerrte an seinen Lippen. „Sein Interesse an der Mathematik und der Wissenschaft ging weit über mein Verständnis hinaus, allerdings hatten wir einen ähnlichen Geschmack, wenn es ums Lesen ging. Wir haben viele Stunden damit verbracht, uns über Kunst und Philosophie zu unterhalten."

Radikale Philosophie? fragte Charlotte sich. Was nicht verwunderlich gewesen wäre, in Anbetracht der Tatsache, dass sie intelligente, junge Männer ohne einen Groschen in der Tasche gewesen waren. Sie ließ die Frage ungestellt. Sie kannte die Tiefe von Jeremys Loyalität. Er hätte sich wie ein verschreckter Igel auf dem Boden zusammengerollt, wenn er den Verdacht gehabt hätte, dass sie ihm misstraute.

„Mr. Hillhouse klingt nach einem sehr interessanten Kerl."

Die Frage ist, ob er auch ein sehr gefährlicher war.

„Das ist er", antwortete Jeremy, als er zwei lachende Jungen umging, die sich einen Cricketball zuwarfen.

Eine Brise wirbelte den Duft vom sonnengewärmten Gras auf. Charlotte atmete tief ein und genoss seine Süße. Sie würde mit den Jungen herkommen müssen und sie zu einem Glas Milch einladen. Hawk, der Tiere liebte, würde sich ...

„Lord Sterling!" Der plötzliche Zuruf, der von hinten kam, klang ein wenig atemlos.

Charlotte blickte sich um und sah eine junge Frau, die auf sie zu rannte. Sie schien allein zu sein.

„Miss Merton", sagte Jeremy. Doch sein einladendes Lächeln verblasste schnell wieder, als er ihren Gesichtsausdruck sah. „Stimmt etwas nicht?"

„Nein ... Ja!" Octavia Merton kam unbeholfen zum Stehen.

Ob ihr Gesicht wegen ihres Sprints rot war oder vor Scham, einen solch dramatischen Auftritt hingelegt zu haben, konnte Charlotte nicht sagen.

„W-was ich meine ist", fügte Octavia eilig hinzu, „ich befürchte, irgendetwas ist furchtbar schiefgegangen."

Jeremy versteifte sich. „Atmen Sie erst einmal durch und dann sagen Sie mir, was passiert ist."

Octavia atmete tief ein und blies die Luft mit einem leisen Keuchen aus. „Benedict ist verschwunden."

Kapitel 14

„*Verschwunden?*", wiederholte Jeremy, seine Stimme schoss in ungewohnte Höhen.

Da sie spürte, dass sie allmählich neugierige Blicke auf sich zogen, stieß Charlotte ihn leicht an. „Lass uns gehen", flüsterte sie.

„Du hast recht." Er brachte seine Emotionen unter Kontrolle und zwang sich zu einem Lächeln, bevor er Octavia seinen anderen Arm anbot. „Kommen Sie, hier entlang."

Ashtons Sekretärin gehorchte ohne Einwände.

In einem bewusst gemächlichen Tempo führte Jeremy sie einen Pfad hinunter, der zu einem Hain führte. Eine Brise rauschte durch die Blätter über ihnen und ließ sie Schatten auf ihre Gesichter werfen. Seine Schritte wurden noch langsamer, als der Pfad in dichteres Dickicht führte, und nachdem er sich vorsichtig umgesehen hatte, redete er schließlich.

„In Ordnung, bitte erklären Sie, was passiert ist, Miss Merton."

„Benedict ist gestern nicht aus der Werkzeugmacherei zurückgekehrt", erwiderte Octavia. Ihre anfängliche Aufregung war verschwunden und angespannter Kontrolle gewichen. „Er ist mit Lord Wrexford verabredet gewesen, also habe ich zuerst angenommen, dass er nicht wollte, dass ..." Sie verstummte abrupt und warf Charlotte einen misstrauischen Blick zu.

Jeremy machte einen kontrollierten Atemzug. „Mrs. Sloane ist eine alte, vertrauenswürdige Freundin. Sie können offen sprechen."

Doch die winzige Andeutung eines Zögerns ließ Charlotte daran zweifeln, dass er das wirklich glaubte. Er hatte ihre Entscheidung, A.J. Quills Feder in die Hand zu nehmen, stets unterstützt, sie wusste jedoch, dass ein Teil von ihm es nicht verstand.

Schotter knirschte unter ihren Füßen, während sie weitergingen.

„Zuerst habe ich gedacht, dass er sich nicht mit dem Grafen treffen wollte", erklärte Octavia. „Doch jetzt befürchte ich, dass ihm etwas zugestoßen ist."

Jeremy runzelte die Stirn. „Möglicherweise hat er nur eine Taverne aufgesucht und ... nun ja, es wäre verständlich, wenn er nach Ashtons Tod etwas Trost suchen würde."

Octavia gab ein derbes Geräusch von sich. „Benedict würde mich nie im Stich lassen. Nicht bei all den Verdächtigungen, die ..."

Wieder warf sie Charlotte einen Blick zu, doch dieses Mal schien Jeremy zu beschäftigt, um es zu bemerken.

„Herr im Himmel, was meinen Sie?", drängte er.

„Ich weiß, die Nachrichten haben Elis Tod als das tragische Ergebnis eines willkürlichen Raubüberfalls abgeschrieben." Octavia senkte ihre Stimme zu einem Flüstern. „Doch in Wahrheit gibt es überzeugende Beweise, dass es *nicht* willkürlich war. Ich denke, Sie können sich vorstellen, warum."

„Sagen Sie nichts mehr", sagte Jeremy, während er sich erneut umsah. „Wir sollten das in der Privatsphäre Ihres Stadthauses besprechen."

Die Schatten konnten das Aufflammen des Zorns in Octavias Augen nicht verbergen. „Privatsphäre - ha! Irgendeiner von Mrs. Ashtons Bediensteten scheint stets in den Korridoren zu lauern und uns auszuspionieren. Und Benedict ist sich sicher, dass unser Arbeitszimmer durchsucht worden ist."

„Nach was?", fragte Jeremy mit einer Anspannung, die Charlotte noch nie zuvor in seiner Stimme gehört hatte.

Octavia antwortete nicht.

Gütiger Gott. Charlotte wunderte sich, was Wrexford wohl von dieser Anschuldigung halten würde. Vorausgesetzt, Octavia sagte die Wahrheit. Immerhin war die Frau eine Verdächtige ...

Und dann, mit einem Mal, fiel ihr Wrexfords hässliche Andeutung wieder ein. Das war, so sagte er, Jeremy ebenfalls.

Nein. Sie verdrängte den Gedanken. Das war unvorstellbar. Sie kannte ihren Freund zu gut.

„Sie glauben, dass Mrs. Ashton ..." begann Jeremy, wurde dann jedoch von Charlotte unterbrochen.

„Lord Sterling hat recht. Wir sollten zum Stadthaus zurückkehren, Miss Merton. Es ist gefährlich, solch private Angelegenheiten in der Öffentlichkeit zu besprechen." Sie tat es Jeremy gleich und blickte sich um. McClellan, die pflichtbewusst hinterhergelaufen war, schien die Anspannung in der Luft zu spüren. Auch sie unterzog ihrer Umgebung einem prüfenden Blick.

„Worte haben es an sich, ihren Weg in falsche Ohren zu finden", sagte Charlotte. Sie hatte zwar das Gefühl, in Sicherheit zu sein, doch sie wusste, dass Gefahren oft im Verborgenen lagen.

„Wir nehmen eine Droschke in der Piccadilly Street", sagte Jeremy. Und doch schien er unwillig, sich in Bewegung zu setzen.

„Nicht nötig. Meine Kutsche wartet dort bereits", erwiderte Charlotte. Sie ignorierte seinen überraschten Blick und zerrte an seinem Arm. „Wir sollten gehen."

Die Fahrt zurück zum Grosvenor Square über herrschte unangenehme Stille. Octavia schien in sich gekehrt, was möglicherweise mit Reue über ihren früheren Ausbruch zu tun gehabt haben könnte. Ihr Gesicht verriet nichts über ihre Emotionen. Man sagte zwar, die Augen seien das Fenster zur Seele, doch ihre waren durch den dichten Kranz ihrer Wimpern verschleiert.

Charlotte verstand sich selbst als jemand mit einer guten Menschenkenntnis, Ashtons Sekretärin stellte sich allerdings als teuflisch schwierig zu entziffern heraus. Octavia schien eine sonderbare Mischung aus Feuer und Eis zu sein. Ihre frühere Aufregung hatte ehrlich gewirkt. Wie Wrexford jedoch angemerkt hatte, waren die beiden Morde mit tückischer Akribie begangen worden. Wer auch immer eine solche Skrupellosigkeit besaß, war mit hoher Wahrscheinlichkeit ein Meister der Täuschung.

Lügen und Ablenkung. Rauch und Taschenspielertricks.

Als sie das Stadthaus betraten, erschien der Butler im Hausflur und räusperte sich. „Miss Merton, Mrs. Ashton lässt ausrichten, dass Sie zu ihr in den Salon kommen möchten, sobald Sie zurückgekehrt sind."

„Das werde ich tun", antwortete Octavia. „Sowie ich meine Gäste ins Arbeitszimmer begleitet und ihnen etwas Tee kommen lassen habe."

Der Mann wirkte unzufrieden mit der Antwort, doch trat er widerwillig beiseite, um sie hindurchzulassen.

„Gestatten Sie meinem Dienstmädchen, in der Küche zu warten?", fragte Charlotte in dem Wissen, dass es eine absolut angemessene Frage war. Es war nicht ungewöhnlich für die Bediensteten, über die Geschehnisse in einem Haus zu tratschen, und McClellan wirkte auf sie wie jemand, der Augen und Ohren offenhalten würde.

„Aber natürlich, Madam." Er gestikulierte in McClellans Richtung. „Folgen Sie mir."

Octavia schaute den Flur auf und ab, bevor sie die Tür des Arbeitszimmers schloss und sich ihnen zuwandte. „Bitte halten Sie mich nicht für eine hysterische Gans. Ich versichere Ihnen, mich hat noch nie jemand einer überschäumenden Fantasie bezichtigt." Sie verzog das Gesicht. „Ganz im Gegenteil sogar."

„Benedict hat nichts als Lob für Ihren Intellekt und Ihren Verstand übrig", entgegnete Jeremy.

Nichtsdestotrotz konnte Charlotte erkennen, dass ihn etwas beschäftigte. Auch für sie war der plötzliche Umschwung der Ereignisse schwer zu schlucken. Mord, kryptische Hinweise und jetzt das Verschwinden eines potenziellen Verdächtigen - es klang mehr und mehr nach einem von Mrs. Radcliffes schaurigen Romanen.

Auch Octavia entging der Anflug von Zweifel in seiner Stimme nicht. „Lord Sterling, ich verurteilte Sie nicht dafür, zu glauben, ich würde Ammenmärchen erzählen. Doch ich kann mich erklären." Ein gequältes Seufzen. „Ich weiß, dass Benedict Sie für einen Mann hält, bei dem ein Geheimnis sicher ist ..."

Jeremy erblasste.

„Daher glaube ich, dass ich Ihnen vertrauen kann – nein, muss. Etwas Böses ist hier im Gange und ich habe den Verdacht ..." Sie zögerte. „Dürfte ich Sie darum bitten, mich in den hinteren Salon zu begleiten, sodass wir unter vier Augen reden können, Sir?"

Charlotte beobachtete, wie Octavias Blick zu ihr herüberwanderte. „Bitte verzeihen Sie die Unhöflichkeit, Mrs. -" Ein Stirnrunzeln. „Es tut mir leid. Ich erinnere mich nicht einmal an Ihren Namen."

„Sloane", sagte sie leise. „Und es ist ganz und gar verständlich, dass Sie solch schwerwiegende Angelegenheiten nicht mit einer Fremden zu teilen wünschen." Sie ließ ein schwaches Lächeln zu. „Das würde ich auch nicht."

„Ich danke Ihnen." Octavia wandte sich Jeremy zu. „Sir?"

Er nickte mit finsterer Miene, doch als er an ihr vorbeiging, sah sie, dass es nicht nur Sorge war, die an seinem Gesicht zerrte.

Es war Angst.

Die Tür schloss mit einem trübsinnigen Knarren und hüllte den Raum in eine Stille, die einer Krypta glich.

Gute Entscheidung, mir nicht zu vertrauen, Miss Merton, dachte Charlotte, als sie zu dem Schreibtisch hinübereilte und die Unterlagen überflog, die sich auf der Schreibunterlage befanden. Als sie nichts von Interesse fand, ging sie zu den Schubladen über. Jetzt war es zu riskant, die Inhalte zu durchstöbern, sollte sie jedoch etwas finden, das vielversprechend aussah, konnte sie in der Nacht für einen heimlichen Besuch zurückkehren.

Doch sie fand nichts Verdächtiges, was sie nicht überraschte, da Octavia schließlich erwähnt hatte, dass das Zimmer durchwühlt worden war. Es war jedoch einen Versuch wert gewesen.

Egal für wie gerissen wir uns halten, wir alle machen Fehler.

Wieder einmal zischten Wrexford beunruhigende Worte über Geheimnisse wie eine Schlange in ihrem Kopf und ließen ihr einen Schauer den Rücken hinunterkriechen.

Charlotte schüttelte das Gefühl ab. Sie sah auf und entdeckte eine große Majolika-Figur am anderen Ende des Tisches, halb versteckt zwischen zwei Stapeln Bücher. Eine Spezialität der Toskana. Sie war albern – der farbenfrohe Hahn hatte eine fast komische Naivität an sich. Und doch schien ihr die Luft in der Lunge zu stocken.

Wie absurd. Sie sollte den Drang verspüren, zu lachen und nicht zu weinen.

Wider besseres Wissen überquerte Charlotte den Teppich und hob die Figur mit großer Vorsicht auf. Das überraschende Gewicht, die glatte Lasur, die reinen Farben – alles war schmerzhaft vertraut, bis ins letzte Detail des grinsenden Schnabels.

Ihr verstorbener Ehemann hatte auf einem Ausflug nach Florenz während ihrer Zeit in Rom eine ähnliche Figur gekauft. Sie hatte ihr kümmerliches Budget weit überstiegen, doch er hatte darauf bestanden, sie zur Feier ihres Geburtstages zu kaufen. Ein Talisman für die guten Zeiten und das Glück, das vor ihnen lag, hatte er gesagt. Sie hatte auf dem Küchentisch gesessen, ein kleiner Lichtblick, während die Schatten der Armut allmählich den Optimismus aus Anthonys Geiste quetschten. Obwohl sie ihn sorgfältig eingepackt hatte, war der Hahn während der Rückreise nach England irgendwie zerbrochen worden.

Ein Talisman, in der Tat.

„Miss Merton." Ein flüchtiges Klopfen, bevor sich die Tür einen Spalt weit öffnete. „Dürfte ich Sie sprechen?"

Charlotte ließ das Stück beinahe fallen, als sie aus ihren Tagträumen gerissen wurde und sich umdrehte.

„*Jetzt*, bitte", fügte die schlanke Frau hinzu, die im Türrahmen stand.

„Es tut mir leid, aber Miss Merton und Lord Sterling sind für einen Augenblick rausgegangen." Die Frau erschrak, als Charlotte in den Lichtkegel der Tischlampe trat. „Bitte verzeihen Sie den Schock, eine völlig Fremde in Ihrem Haus vorzufinden." Charlotte hatte keinen Zweifel daran, dass sie mit Elihu Ashtons Witwe sprach, und fuhr fort: „Es war schrecklich unhöflich von mir, Ihr Haus zu betreten, ohne mich förmlich vorzustellen. Ich bin Mrs. Sloane, eine Freundin von Lord Sterling. Wir haben Miss Merton im Green Park getroffen und sind anschließend hergekommen, um ... Tee zu trinken."

Trauer schmeichelte den wenigsten Frauen, doch auf gewisse Weise betonte all das Schwarz die zarte Schönheit der Dame. Ihr blasses, porzellanähnliches Gesicht hob sich von dem dunklen, schwach beleuchteten Korridor ab und zog Blicke auf sich, wie das Feuer die Motte.

„Ich bin es, die sich entschuldigen sollte, Mrs. Sloane. Mir war nicht bewusst, dass Miss Merton Gäste empfängt", erwiderte Isobel. Die dunkle Seide, die kaum von den Schatten zu unterscheiden war, rauschte und flatterte. „Bitte, halten wir uns nicht an Formalitäten auf. Ich bin Mrs. Ashton."

Eine elegante Ansprache, gefolgt von einem Lächeln, doch es war keine Wärme darin zu spüren.

Als Charlotte realisierte, dass sie noch immer den Hahn in den Händen hielt, errötete sie und fühlte sich wie ein Schulmädchen, das man beim Abschreiben erwischt hatte. „Ich weiß, es ist furchtbar unhöflich von mir, fremde Besitztümer zu durchstöbern, doch der Hahn hat mich an eine Figur erinnert, die mein verstorbener Ehemann und ich in Italien kauften." Es mochte manipulativ sein, auf ihre eigene Witwenschaft anzuspielen, doch vielleicht konnte sie diese anfängliche Unannehmlichkeit zu ihrem Vorteil wenden.

Isobels Lippen schienen ein wenig aufzutauen. „Er weckt sehnliche Erinnerungen?"

„Ja. Leider wurde er während der Reise zurück nach England zerstört." Charlotte stellte ihn zurück auf den Tisch. „Ich bitte noch einmal um Verzeihung für meine schlechten Manieren."

Ein kehliges Lachen. „Ich bin selbst ein Gast in diesem Hause, Sie haben also keinen Anstoß erregt. Der Großteil der Dinge, die Sie hier sehen, gehört mir nicht."

Die Witwe hatte eine einzigartige Vitalität an sich, die die meisten Menschen anziehend finden würden, dachte Charlotte, als sie die Augen der anderen Frau aufblitzen sah. Ganz besonders Männer. Merkwürdig, dass Wrexford nichts dergleichen erwähnt hatte. Er war für gewöhnlich äußerst empfänglich für derartige Dinge und zögerte nicht, sie zu kommentieren.

„Doch wie es der Zufall will, ist dieser Hahn gemeinsam mit uns hergereist", fuhr Isobel fort. „Ein paar Freunde haben ihn meinem Ehemann geschenkt. Es sollte ein Scherz sein. Wie eine Eule arbeitete auch er lieber im Dunkel in der Nacht, er war also kein Frühaufsteher."

Charlotte lächelte höflich.

„Er fand es höchst amüsant, ich bin dennoch überrascht, dass er ihn mitgenommen hat." Die Witwe betrachtete die Figur einen Moment lang. „Ich kann nicht behaupten, dass ich seinen Reiz erkenne."

„Er hat keinen künstlerischen Wert an sich", stimmte Charlotte zu. „Man müsste eine emotionale Bindung zu ihm haben, um irgendeinen Wert in ihm sehen zu können."

„Ich möchte nicht vorgeben ein Auge für die Kunst zu haben. Ich ziehe Musik Zeichnungen vor." Als der Klang sich nähernder Schritte aus dem Korridor widerhallte, eilte Isobel zu dem Tisch herüber und nahm die Figur in die Hand. „Bitte, ich möchte, dass Sie ihn haben."

„Oh, nein, das kann ich nicht", protestierte Charlotte, verblüfft über das unerwartete Angebot.

„Ehrlich gesagt, würden Sie mir damit einen großen Gefallen tun", entgegnete die Witwe. „Es würde mir die Mühe ersparen, ihn zurück nach Leeds zu transportieren."

Noch bevor Charlotte antworten konnte, kam Octavia dicht gefolgt von Jeremy in das Zimmer gestürmt.

„Oh, Sie hätten sich nicht die Mühe machen müssen, zu mir zu kommen, Mrs. Ashton", sagte Octavia lauthals. Die Worte standen in Kontrast zu ihrem erzürnten Blick. „Ich bin gerade dabei gewesen, Tee für Lord Sterling und Mrs. Sloane servieren zu lassen, als Sie mich gerufen haben."

Isobel musterte Jeremy mit unergründlicher Miene. „Wie nett von Ihnen, vorbeizuschauen, Lord Sterling."

Charlotte wurde klar, dass die beiden sich selbstverständlich kennen mussten. „Ich freue mich über die Gelegenheit, Ihnen persönlich mein Beileid auszusprechen, Mrs. Ashton", antwortete er gelassen, als hätte er den Unterton in ihrer Stimme nicht bemerkt. „Ein großer Verlust sowohl für Sie als auch für alle, die Ihren Ehemann ihren Freund nennen durften."

„Ich danke Ihnen." Sie hielt inne und verzog das Gesicht zu einem fragenden Blick.

Jeremy zog des Öfteren derartige Blicke von Frauen auf sich, dachte Charlotte. Doch dieser schien seltsam unpersönlich zu sein.

„Elihu genoss Ihre Gesellschaft und Ihre intellektuelle Neugier sehr", fuhr Isobel fort. „Die meisten seiner Investoren sind nicht sonderlich an seinen Ideen interessiert, sondern lediglich daran, was sie produzieren."

War das ein Anflug von Bitterkeit, fragte sich Charlotte, oder eine andere Emotion?

Jeremy würdigte ihre Worte mit einem kurzen Nicken. „Es ist sehr freundlich von Ihnen, das zu sagen."

Der Majolika-Hahn in Charlottes Händen kam ihr plötzlich schwer wie Blei vor. Dieser Schleier der makellosen Höflichkeit täuschte niemanden. Unter ihm knisterte ein Glutnest der Spannungen.

Octavias Blick wurde von der Farbenpracht angezogen. „Ah, wie ich sehe, haben Sie Elis Haustier gefunden."

Die Witwe versteifte sich bei der Erwähnung des Namens ihres Ehemannes.

„Er war sehr vernarrt in diesen albernen Vogel", fügte Octavia hinzu.

„Es scheint, als hätte Mrs. Sloane in ihrer Vergangenheit eine emotionale Bindung zu einer ähnlichen Figur gehabt", erwiderte Isobel und pausierte mit dem dramatischen Instinkt einer Schauspielerin. „Daher habe ich sie ihr geschenkt. Ich weiß, dass Elihu froh darüber gewesen wäre, dass sie jemandem Freude bereitet, der sie zu schätzen weiß, jetzt, wo er nicht mehr da ist."

Die Farbe wich aus Octavias Gesicht. „Aber ..."

„Aber was?", fragte Isobel leise. *Stahl im Seidengewand.* Ihre Blicke mochten viele Menschen täuschen, Charlotte aber ließ sich nicht hinters Licht führen. Sie spürte, dass sich hinter der fragilen Weiblichkeit der Witwe ein Wille verbarg, der brechen würde, ehe er sich beugte.

Octavia biss sich auf ihre blutleere Unterlippe.

„Wenn Miss Merton Trost darin finden würde, es als Erinnerung ...", begann Charlotte.

„Sie hat bereits genügend Erinnerungsstücke von meinem Mann, falls solche Dinge überhaupt eine sentimentale Bedeutung für sie haben", sagte Isobel trotzig. „Was ich allerdings stark bezweifle. Miss Merton hat selbst mehrfach betont, dass sie stolz darauf sei, nach Vernunft und Sachlichkeit zu handeln, und nicht nach Emotionen." Ein Blick in Octavias Richtung. „Nicht wahr, Miss Merton?"

„Ja." Das Flüstern schien einer atemlosen Lunge zu entweichen.

„Sehen Sie, Mrs. Sloane? Damit ist es besiegelt. Es bereitet mir große Freude, zu wissen, dass dieses Stück Töpferkunst ein liebevolles Zuhause gefunden hat."

Charlotte blieb keine Wahl. Die Figur abzulehnen, würde unglaublich unhöflich wirken. „Das ist überaus großzügig von Ihnen."

„Ganz und gar nicht", erwiderte die Witwe freiheraus. „Wahre Großzügigkeit ist, sich von etwas zu trennen, das einem am Herzen liegt."

Charlotte spürte, dass man sie testen wollte. „Dann nennen Sie es eben wohltätig. Ein Akt der Güte gegenüber einem Fremden."

Erheiterung umspielte Isobels Lippen. „Ich hätte pragmatisch vorgeschlagen. Wie gesagt, erspart es mir die Mühe, einen zerbrechlichen Gegenstand zu transportieren, sowie die Schuldgefühle, etwas kaputtgemacht zu haben, das Elihu etwas bedeutete."

„Pragmatismus", murmelte Charlotte, „ist in meinen Augen ein ehrenwerter Wesenszug." Besonders für eine Frau.

„In der Tat." Die Fenster klapperten, als eine aufkommende Böe gegen die Scheiben schlug. Ein paar Regentropfen prasselten gegen das Glas. Octavia erschrak, doch die Witwe blieb unberührt.

Isobel Ashton, beschloss Charlotte, würde eine formidable Widersacherin sein. Die Schatten drangen tiefer in den Raum hinein und verdunkelten ihn. Ein Klirren ertönte jetzt im Flur, zusammen mit zaghaften Schritten. Das junge Dienstmädchen, das das schwere

Teetablett trug, zögerte einen Moment lang verunsichert, bevor es das Zimmer betrat.

„Kommen Sie ruhig herein", sagte Isobel. „Und zünden Sie bitte auch die anderen Lichter für unsere Gäste an."

„Ich denke, es wäre besser, wenn wir den Tee auf einen anderen Tag verschieben", schlug Jeremy vor. „Ich habe das Gefühl, dass wir zu einem ungünstigen Zeitpunkt gekommen sind."

„Nein", rief Octavia. Sie hob ihr Kinn in herausfordernder Manier. „Sie müssen nicht gehen. Wenn es eine Angelegenheit gibt, die Mrs. Ashton mit mir zu besprechen wünscht, bin ich gerne jetzt dazu bereit."

Isobel ignorierte den Protest unbeeindruckt. „Vielen Dank, Lord Sterling. Ich weiß Ihr Verständnis zu schätzen. Ein andermal wäre besser." Zu Octavia sagte sie: „Ich möchte mit Ihnen über den Verbleib von Mr. Hillhouse sprechen. Ich bin zum zweiten Mal gezwungen gewesen, Lord Wrexford über seine Abwesenheit zu informieren."

„Es ist nicht nötig, dass Sie uns hinausbegleiten", murmelte Jeremy. „Das Dienstmädchen wird das tun."

Charlotte wechselte den Arm, mit dem sie das Geschenk hielt, und hakte sich mit dem anderen bei Jeremy ein. Als sie sich umdrehten, um zu gehen, konnte Charlotte nicht umhin, zu bemerken, dass Octavia gegen das Bücherregal lehnte. Obwohl ihre Hände den Stoff ihres Rocks griffen, schienen sie zu zittern. Ihr Gesicht war leichenblass.

Kapitel 15

McClellan, die den Majolika-Hahn mit beiden Armen vor der Brust hinter den beiden hertrug, befand sich noch immer einige Meter hinter ihnen, als sie die Straße erreichten und Charlotte Jeremys Arm fester griff und sich von der wartenden Kutsche wegdrehte. „Lass uns einen Spaziergang über

den Platz machen, bevor mich der Kutscher heimbringt."

Er wirkte nicht sehr erfreut über die Bitte, gab ihr jedoch seufzend nach.

„Ich habe wirklich nichts weiter von meinem privaten Gespräch mit Miss Merton zu berichten", murmelte er, als sie zu dem zentralen Garten hinübergegangen waren und die schmiedeeisernen Tore durchquert hatten. „Benedict ist letzte Nacht nicht heimgekehrt, und außer, dass er wegen irgendetwas verängstigt gewesen ist, fiel auch ihr kein Grund ein, warum."

„Erscheint es dir nicht auch ominös?", drängte Charlotte.

In plötzlicher Verzweiflung zuckte Jeremy mit den Schultern. „Teufel noch eins, Charley ... Ich weiß es nicht! Trauer ergreift Menschen auf unterschiedliche Weise. Womöglich hat er sich selbst in einen blinden Stupor gesoffen oder Trost im Bett eines willigen Weibes gesucht."

Er beschleunigte seinen Schritt und beförderte eine Gischt aus Kieseln ins Gras. „Ich denke nicht, dass es irgendeinen Grund zur Panik gibt."

„Miss Merton scheint allerdings furchtbar beunruhigt zu sein", hakte Charlotte nach. „Und Sie kennt ihn sehr gut."

„Nicht so gut, wie ich es tue", sagte Jeremy mit zusammengebissenen Zähnen.

Charlotte warf einen unauffälligen Seitenblick auf sein Profil und spürte einen Schauer der Besorgnis. Nachdem sie einen unwillkürlichen Blick hinter sich geworfen hatte, fragte sie: „Was verheimlichst du mir?"

„Verdammt noch mal - hör auf, mir in den Ohren zu liegen!"

Sie stolperte und verlor um ein Haar den Halt. Noch nie, in all den Jahren ihrer Freundschaft, hatte Jeremy seine Stimme gegen sie erhoben.

Er packte ihren Arm und stützte sie. „Gütiger Gott, bitte verzeih mir." Reue schnürte ihm die Kehle ab und ließ seine Stimme wie ein Flüstern klingen. „Es ist nur, manche Geheimnisse sollten besser im Verborgenen bleiben."

Furcht machte sich in ihrem Magen breit und ließ ihr Inneres zu Eis gefrieren.

Als er ihre Reaktion spürte, stieß er ein gequältes Seufzen aus. „Es hat nichts mit mir oder meinem schmutzigen Geheimnis zu tun, wenn es das ist, was dir Sorge bereitet."

Wie sollte ich nicht besorgt sein – nein, wie sollte ich nicht verängstigt sein?

Eine unangenehme Stille herrschte zwischen ihnen, als sie weitergingen. Sie wagte es nicht, ihn weiter auszufragen. Ihre Freundschaft – die jetzt, so fürchtete sie, an einem dünnen Faden hing – war mehr wert als die Information.

Sollte Wrexford doch den Spaten schwingen, wenn er nach der Wahrheit graben wollte.

„Ich bin dir nicht böse", murmelte Jeremy schließlich und zwang sich zu einem kaum wahrnehmbaren Lächeln. „Ich bin erzürnt über diese Wendung des Schicksals, die auf ungerechte Weise die Vergangenheit wieder aufleben lassen und womöglich Benedict an den Galgen bringen wird."

Charlottes Blick blieb starr nach vorn gerichtet. Es war ihm überlassen, wie viel er ihr anvertrauen würde.

„Ich weiß genauso gut wie du, dass lang begrabene Geheimnisse nicht selten wieder ans Tageslicht kommen", erklärte er. „Angesichts des öffentlichen Interesses an Ashtons Tod ist es unvermeidbar, dass jemand den Mund aufmacht." Er schluckte schwer. „Benedict hat in seiner Jugend einen schweren Fehler begangen ..."

Knirsch, knirsch. Das Geräusch ihrer Schritte auf dem Schotterweg schien das unbändige Pochen ihres Herzens zu untermalen.

„Genau wie ich musste er während seiner Studientage jeden Groschen zweimal umdrehen. Es ist nicht leicht, arm zu sein und für das Nötigste kämpfen zu müssen, während Gleichaltrige Säcke voll Geld zur Verfügung haben, um Vergnügungen nachzugehen."

Sie schwieg noch immer.

Jeremy seufzte, was gleich darauf von dem Rauschen der Blätter in der warmen Brise verschluckt wurde.

„Er brauchte dringend Lehrbücher für sein Chemiestudium. Teure Lehrbücher. Eines Nachts also, als er einen seiner reichen Freunde sah, der im Vollrausch seinen Übermantel auszog, um zu pinkeln ..."

Charlotte konnte sich die Szene gut vorstellen. *Betrunkenes Gelächter. Versteckspiel im Mondlicht. Ein Moment der Verlockung.*

„Benedict konnte nicht klar denken. Er kam gerade aus dem Zimmer eines Kommilitonen, der ihn mit Ale abgefüllt hatte", fuhr Jeremy fort. „Aus einem Impuls heraus rannte er los, durchstöberte die Taschen des Mannes und fand seinen Geldbeutel. Es dauerte nur einen kurzen Moment, doch leider wurde er von zwei anderen Studenten erkannt, als er sich umdrehte und mit dem Geld floh. Sie rannten hinterher und holten ihn ein."

Der Weg führte sie zurück zum Eingangstor des Parks.

„Glücklicherweise erfuhr ich gleich darauf von dem Vorfall, und da ich diverse einflussreiche Freunde hatte, die einwilligten, mir zu helfen, konnte ich das Opfer dazu überreden, keine Anzeige zu erstatten", sagte Jeremy . „Außerdem konnte ich einen kleinen Kredit für Benedict in die Wege leiten, genug, um die Bücher kaufen zu können. Er beendete sein Studium und verließ Cambridge wenige Monate nach dem Vorfall."

Oh, Jeremy. Ein treuer und unerschütterlicher Freund, egal wie hässlich die Dinge auch zu sein schienen.

„Ich weiß, wie sehr Benedict seinen Fehler bereut", fügte Jeremy hinzu. „Er war verzweifelt und wollte unbedingt seinen Abschluss schaffen, um mit seiner wissenschaftlichen Gabe etwas Gutes für die Welt zu tun." Er hielt inne. „Er hätte niemals – *niemals* – Ashtons Vertrauen in ihn gebrochen."

Ihr Freund hatte die Gabe, stets das Beste in einem Menschen zu sehen. Sie war keine Ausnahme. Sie hoffte nur, dass er in diesem Falle durch den blauen Dunst hindurchsah.

„Wusste Mr. Ashton von dem Vorfall?", fragte Charlotte. Als sie sich an Octavias verängstigtes Gesicht erinnerte, fügte sie hinzu: „Und weiß Miss Merton etwas davon?"

„Ich *kenne* Benedict und kann mir nicht vorstellen, dass er es ihnen nicht erzählt hat. Abgesehen von dem, was ich dir gerade erzählt habe, ist er durch und durch ehrlich." Er schloss die Augen, jedoch nicht schnell genug, um den Anflug von Zweifel zu verbergen. „Doch ich kann es nicht mit Sicherheit sagen."

Gütiger Gott, was für eine Wendung.

„Ich denke, es wäre klug von dir, es herauszufinden", riet Charlotte.

Er nickte niedergeschlagen.

Sie konnte es nicht übers Herz bringen, hinzuzufügen, dass es außerdem klug wäre, seinen Freund ebenfalls als Täter in Erwägung zu ziehen. Trotz all seiner weltlichen Weisheit, war Jeremys Herz unglaublich verletzlich, während sie schon vor langer Zeit ihren Frieden mit den Ernüchterungen des Lebens geschlossen hatte.

Oder doch nicht? Charlotte traute sich nicht, ihn anzusehen.

„Übrigens", sagte er einen Moment später. „Miss Merton ist ihr unhöfliches Verhalten dir gegenüber äußerst unangenehm. Sie hat vor, dir eine Entschuldigung zukommen zu lassen."

„Ihre Diskretion ist lobenswert gewesen", murmelte Charlotte. „Man kann nie vorsichtig genug sein."

Die Bemerkung schien nichts an seiner Stimmung zu ändern.

Sie warteten am Tor auf McClellan, und sobald sie sie eingeholt hatte, eskortierte er Charlotte ohne weitere Umwege zu der wartenden Kutsche.

„Ich werde zu Fuß zu meiner Residenz zurückgehen", murmelte er, während er ihr die Stufen hinaufhalf.

„Ich werde helfen, wo ich kann", sagte sie leise.

Der Winkel seines Hutes verbarg sein Gesicht. „Ich bin mir nicht sicher, was irgendeiner von uns tun kann."

Sie hasste es, ihn so niedergeschlagen reden zu hören. „Komm schon, es sieht dir nicht ähnlich, so ein langes Gesicht zu machen", tadelte sie ihn. „Sollte Mr. Hillhouse unschuldig sein, werden wir es beweisen."

Das entlockte ihm ein widerwilliges Lächeln. „Oder Gott helfe dem Teufel, der sich uns in den Weg stellt."

„Ja, schließlich habe ich es zu meiner Lebensaufgabe gemacht, Teufel in die Schranken zu weisen." Sie drückte seine Hand. *„Semper fortis." Allzeit tapfer.*

„Semper fortis", wiederholte er. „Hätte ich doch bloß einen Hauch deiner Courage."

Sobald sie gegenüber von McClellan Platz genommen hatte, schloss Jeremy die Tür und wies den Kutscher an, loszufahren. Die Peitsche knallte und der Wagen setzte sich in Bewegung, um sich der Kakophonie aus Rädern und eisenbeschlagenen Hufen, die über die belebte Straße prasselten, anzuschließen.

Charlotte ließ sich gegen die Sitzpolster sacken und presste ihre Fingerspitzen an ihre Schläfen, in dem

Versuch, ihre Gedanken zu sortieren. Die Sorge um ihren Freund ließ ihr Blut pochen. Sie konnte spüren, wie die langsame, rhythmische Hitze durch die dünnen Ziegenlederhandschuhe zu brennen begann. Die bisherigen Umstände schienen einen düsteren Schatten des Misstrauens auf Benedict Hillhouse zu werfen. Sein Verschwinden, kurz nachdem ein weiterer Mord geschehen war, warf alle möglichen Fragen auf. Unter anderem die nach dem Motiv ihres guten Freundes.

Sie konnte nicht umhin, sich an Octavias ersten emotionalen Ausbruch zu erinnern: *Ich befürchte, irgendetwas ist furchtbar schiefgegangen.* Die Formulierung erschien ihr eigenartig, so als hätte es einen Plan gegeben.

Sie war sich sicher, dass Wrexford sich darauf stürzen würde.

Der Geschmack von Galle stieg ihr in den Rachen.

Ein Schlagloch ließ Charlottes Fuß gegen McClellans robusten Stiefel stoßen und erinnerte sie daran, dass sie nicht allein war. Sie hob ihren Blick auf die Witwe, die aus dem Fenster starrte, von ihr ausgehend war eine Aura der unerschütterlichen Ruhe, die Charlottes eigenen inneren Tumult zu besänftigen half.

„Danke, McClellan", murmelte sie.

Die Bedienstete drehte sich zu ihr und wieder wurde Charlotte von der stechenden Intelligenz in ihren nussbraunen Augen überrascht.

„Dafür, dass Sie neben Ihrer eigentlichen Aufgabe auch die Pflichten der Magd übernommen haben", fügte sie hinzu und deutete auf den Majolika-Hahn, der sich in McClellans Schoß eingenistet hatte.

„Nur solange nicht von mir verlangt wird, irgendwelche Federn zu rupfen oder ihn zum Braten vorzubereiten. Ich habe zwei linke Hände, wenn es um Küchenarbeit geht."

Irgendwie bezweifelte Charlotte das. „Außerdem bin ich dankbar, dass Sie mich nicht mit Fragen löchern", fügte sie wahrheitsgemäß hinzu.

Ein Flackern des Sonnenlichts fing das Zucken der Lippen der Bediensteten ein. „Es ist nicht meine Aufgabe, das zu tun, Mrs. Sloane."

Sie entschloss sich, McClellans Gelassenheit auf die Probe zu stellen. „Sicherlich ist es jedoch Ihre Aufgabe, sie zu beantworten, sollte Ihr Arbeitgeber sich dazu entschließen, welche zu stellen."

„Ich bezweifle, dass Seine Lordschaft das tun würde", erwiderte die Bedienstete.

Eine kluge Antwort. „Wenn er es aber täte?"

„Dann werde ich berichten, was ich gesehen habe. Was die meiste Zeit über die Hinterteile von drei wohlgekleideten Herrschaften beim Nachmittagsspaziergang waren."

Charlotte konnte sich das Lachen nicht verkneifen. „Ich vermute, Lord Sterlings Hinterteil hat die Langeweile in Schach gehalten."

„Er ist ein sehr gut aussehender Mann", stimmte McClellan ihr mit unberührter Miene zu. „Gut sitzende Stiefel. Sie sahen aus, als wären sie von Hoby."

„Keine Frage", sagte Charlotte trocken. Jeremy hatte in der Tat sehr lange, wohlgeformte Beine. „Er hat einen vorzüglichen Kleidergeschmack. Daher kann ich mir vorstellen, dass er nur das Beste wählen würde."

Sie tauschten ein Lächeln aus.

„Um darauf zurückzukommen, was Sie gehört haben ..." Charlotte glättete eine Falte in ihrem Rock. „Dürfte ich fragen, was das Gesprächsthema in der Küche gewesen ist?"

McClellan ließ sich Zeit mit der Antwort. „Der jüngste Mord an ihrem Hausgast hat die Dinge völlig auf den Kopf gestellt. Alle Bediensteten wissen von dem bösen Blut, das zwischen der Witwe von Mr. Ashton und seinen zwei Assistenten herrscht. Und wie es scheint, ist einer von ihnen – ein gewisser Mr. Hillhouse – die ganze Nacht fort gewesen und noch immer nicht wiedergesehen worden."

„Gibt es Spekulationen, warum?", fragte Charlotte.

„Die Dienstmädchen halten ihn für einen sehr attraktiven Mann und wären nicht überrascht, hätte er sich den leiblichen Genüssen hingegeben, die London einem Gentleman wie ihm bietet", antwortete das Dienstmädchen. „Obwohl eines der jüngeren Mädchen der Meinung war, dass er und Miss Merton wie Pech und Schwefel seien."

Charlotte richtete sich auf. „Tatsächlich?" Das war gut zu wissen.

„Aye. Es wurde außerdem viel darüber geredet, dass der Herr des Hauses zwar reich wie Krösus ist, aber ein Geizhals sein soll, wenn es um Kost und Lohn geht."

„Ich vermute, so gehen die Reichen sicher, dass sie reich bleiben", sinnierte sie.

Erheiterung funkelte in McClellans Augen. „Wer weiß."

Charlotte sah, dass sie in ihre Straße abbogen. „Danke für Ihre Hilfe", sagte sie, als sie auf ihrem Sitz nach vorn rutschte. „Und Ihre Gesellschaft."

„Ich sollte Ihnen danken, Madam. Ich konnte für einen Nachmittag davor fliehen, der Haushälterin beim Polieren des Silbers zu assistieren."

„Eine Verschwendung Ihrer Talente", murmelte Charlotte.

„Ihr Wort in Gottes Ohr." Das Dienstmädchen hielt ihr den Hahn entgegen. „Hier, vergessen Sie den nicht."

In Wahrheit hatte sie gemischte Gefühl was das Zusammenleben mit einer wiedererweckten Erinnerung betraf. Doch dafür war es jetzt zu spät, räumte Charlotte ein, als sich ihre Hände um die glatte Oberfläche der Figur schmiegten.

Es sei denn, es würde ihr zufällig durch die Finger gleiten und auf dem Bürgersteig aufschlagen.

Ein schändlicher Gedanke. Der Vogel hatte ein besseres Schicksal verdient.

Der Kutscher hüpfte von seinem Hochsitz herunter und öffnete die Wagentür.

Ihr Geschenk fest umklammert, stieg sie vorsichtig die Stufen hinab. „Bitte richten Sie seiner Seiner Lordschaft aus, dass ich ihm in Kürze ein Schreiben über den Verlauf des heutigen Nachmittages zukommen lassen werde."

„Sehr wohl, Mrs. Sloane."

In ihrem Haus angekommen, hielt Charlotte die Ohren nach einem Zeichen für Ravens und Hawks Rückkehr offen. Einen Augenblick lang befürchtete sie, allein zu sein, was kein gutes Omen für den Verlauf der Unterrichtsstunde war. Doch dann erklang ein beruhigendes Klimpern über ihr – Hawk fand große Freude darin, die Schwerter auf Hochglanz zu polieren – und verriet ihr, dass sie oben in ihrem Nest waren.

Aber das Wichtigste zuerst. Der verflixte Hahn war zu zerbrechlich, um ihn ihrem jungenhaften Übermut auszusetzen. Seufzend betrat sie den Salon. Bis auf Weiteres würden seine knalligen Farben der ruhigen Seriosität der Einrichtung einen Tupfer Extravaganz einhauchen.

„Du bist ein quadratischer Klotz, der versucht, in ein rundes Loch zu passen, genau wie ich", murmelte sie, als sie ihn auf dem Tisch nahe der Fenster abstellte. Sonnenlicht schimmerte durch die Glasscheiben, als sich die Wolken verzogen, und entfachten die roten und kobaltblauen Töne zu einem noch helleren Strahlen.

„Richtig so – zum Teufel mit den Bestrebungen, sich dem Diktat des guten Geschmacks zu unterwerfen." Charlotte streifte sich ihre Kleidung ab und berührte den grinsenden Schnabel mit einem Finger, bevor sie sich umdrehte und zu den Treppen ging.

Die Tür zum Nest stand offen und ein Blick hinein offenbarte Raven, der eingerollt auf dem Bett lag und in ein Buch vertieft war. Hawk hatte die Schwerter gegen die Wand zwischen den Fenstern gelehnt und war jetzt damit beschäftigt, ein Regiment aus Bleisoldaten aufzustellen, die Jeremy in den Holztruhen gelassen hatte.

Sie klopfte leise gegen die Zarge, um auf sich aufmerksam zu machen. „Wie ist der Unterricht gelaufen?"

„Hey!" Hawk rappelte sich auf und stieß seine Truppen um. „Mr. Linsley ist ein Wahnsinnslehrer! Wir werden viele sehr interessante Dinge lernen und wir haben unsere Handschrift geübt." Er eilte zu seinem

Schreibtisch und schnappte sich einen Bogen Papier. „Sehen Sie mal!"

„Wirklich sehr hübsch!"

„Bald kann ich Ihnen helfen, Ihre Zeichnungen zu beschriften."

„Ich wage zu behaupten, dass du schon bald dein ganz eigener Satiriker sein wirst", erwiderte sie mit einem Lächeln. Hawk verfügte über eine wunderbare Vorstellungskraft und auch seine Geschicklichkeit mit der Feder war ihr nicht entgangen. „Die Kunst ist eine sehr ehrenwerte Betätigung."

Raven gab einen unanständigen Laut von sich.

„Ein Talent für das Zeichnen wird von vielen bewundert", versicherte sie seinem Bruder, bevor ihr Blick zurück zu Raven wanderte. Seine Nase war noch immer in das Buch vergraben, was, so hoffte sie, ein gutes Zeichen war.

„Und was hältst du von Mr. Linsley?", fragte sie ihn.

„Er mag Mathematik", kam als Antwort zurück, „und sagt, dass man mit Zahlen alle möglichen interessanten Dinge verstehen kann – zum Beispiel, wie weit eine Kanonenkugel fliegen kann und wie Schiffe navigieren können, indem sie den Winkel der Sonne berechnen."

„Er hat Raven ein Buch über Zahlen gegeben", sagte Hawk.

„Und gefällt es dir?", fragte sie.

„Ja." Schließlich sah Raven von dem Buch auf. „Das tut es."

Charlotte lächelte, gerade genug, um zufrieden, aber nicht eingreifend auszusehen.

„Dann möchte ich dich nicht länger vom Lesen abhalten." Sie ging zur Tür. „Dürfte ich euch dennoch darum bitten, nach dem Abendessen etwas für mich zu erledigen? Ich muss Lord Wrexford eine Nachricht zukommen lassen und es ist wichtig, dass er sie noch heute Abend erhält."

„Natürlich." Ravens Blick wurde schärfer. „Buchwissen wird uns schon nicht verweichligen."

„Verweichlichen", verbesserte sie ihn. „Ihr könnt harte Kerle bleiben und euch trotzdem wie Gentleman ausdrücken."

„Bitte sagen Sie mir, dass Sie etwas Neues über die Morde herausgefunden haben." Sheffield betrat das Arbeitszimmer des Grafen und ließ sich mit einem missmutigen Schnaufen in einen der Sessel sacken. „Ich bin gelangweilt. Und da der Inhalt meines Geldbeutels von der Laune anderer abhängig ist, habe ich keine Möglichkeit, mich zu vergnügen."

„Suchen Sie sich eine Freizeitbeschäftigung." Wrexford, der gerade versuchte, die zusammengewürfelten Ziffern zu deuten, die er in Hollis Quartier gefunden hatte, sah von dem Papier auf. Frustration forderte sein Temperament heraus. Er hatte es noch immer nicht fertiggebracht, Henning ausfindig zu machen, was ihm in Verbindung mit Hillhouses Abwesenheit das Gefühl gab, sich im Kreis zu drehen.

„Lesen vielleicht?", fügte er in sarkastischem Ton hinzu. „Die Gesetze der Wahrscheinlichkeit wären ein ausgezeichnetes Themengebiet."

„Ich bitte Sie." Sheffield gab ein theatralisches Schaudern vor. „Ich versuche, die Schmerzen in meinem Kopf zu lindern, nicht einen Eiszapfen in meinen Schädel zu rammen." Nachdem er seine Beine übereinandergeschlagen hatte, starrte er übellaunig auf die Spitzen seiner Stiefel und fügte hinzu: „Gibt es denn wirklich gar nichts Neues?"

Wrexford legte seine Feder beiseite. „Nichts, was wirklich nützlich sein könnte. Der Assistent, Hillhouse, ist nicht zu unserem verabredeten Gespräch gekommen, ich habe also noch nicht mit ihm geredet. Allerdings ist Mrs. Sloane heute Nachmittag mit ihm und Miss Merton verabredet gewesen. Vielleicht hat sie etwas Bedeutungsvolles herausgefunden." In Wahrheit begann er jedoch zu befürchten, dass der Fall allmählig zu verknotet war, um ihn je entwirren zu können.

Sheffield setzte sich aufrecht hin. „Ich schwöre Ihnen, es gibt Momente, da jagen mir ihre Fähigkeiten, Informationen aus dem Nichts heraufzubeschwören, eine Heidenangst ein. Wie zum Teufel hat sie diese Verbindung zustande gebracht?"

„In diesem Fall ist die Antwort etwas profaner als Magie. Sie haben einen gemeinsamen Freund, der das Treffen arrangiert hat."

„*Wer?*"

„Ein Freund aus ihrer Jugend, der offenbar mit Hillhouse zusammen studierte."

„Was für ein Freund?", hakte Sheffield nach.

Die Frage schürte Wrexfords schwelende Frustration. „Wenn Sie so verdammt neugierig sind, dann fragen Sie sie doch selbst", schnauzte er. „Vielleicht haben Sie ja ausnahmsweise einmal Glück."

Kaum waren ihm die Worte über die Lippen gekommen, bereute er sie. „Ich bitte um Verzeihung, Kit. Es war gemein von mir, das zu sagen."

„Aye, das war es." Sheffield wirkte jedoch nicht beleidigt. „Allerdings nicht unverdient. Ich überdenke vieles." Ein schiefes Grinsen. „Obwohl Sie zugeben müssen, dass ich scheinbar ein gewisses Händchen dafür habe, Ihnen beim Aufspüren von Schurken zu helfen."

„Ja, das haben Sie." Wrexford war froh über die gutmütige Kameradschaft. Trotz all seiner Fehler war Sheffield ein loyaler Freund. Und er wusste, dass seine eigenen sprunghaften Launen nicht einfach zu ertragen waren.

„Ich werte das als Erlaubnis, mir ein Glas Ihres vorzüglichen Brandys einzuschenken", murmelte Sheffield.

Während er seinen Freund dabei beobachtete, wie er zu der Anrichte hinüberschlenderte, kam ihm eine Idee. Eine Möglichkeit, nicht nur zur Wiedergutmachung, sondern auch einer Idee nachzugehen, die langsam, aber sicher in seinem Kopf Gestalt angenommen hatte. „Da wir gerade von Schurken gesprochen haben, möglicherweise gibt es tatsächlich etwas, das Sie tun können, um zu helfen."

Sheffield hielt mit dem Dekanter in der Hand inne.

„Erinnern Sie sich noch an diesen Eselsarsch, dem wir in der Spielhölle begegnet sind – Kirkland?"

Ein Nicken.

„Ich habe mir anfangs nichts weiter dabei gedacht – eine zufällige Begegnung, mehr nicht – bis ich ihn letzte Woche in Mrs. Ashtons vorübergehender Residenz hier in London wiedergesehen habe. Wie sich herausgestellt hat, ist er der Sohn des Hauptinvestors ihres verstorbenen Ehemannes." Wrexford erzählte ihm von dem unerwarteten Erscheinen des Viscounts und der Reaktion der Witwe auf seine Anwesenheit.

„Es würde mich nicht überraschen, wenn Kirkland in irgendeine zwielichtige Machenschaft verwickelt wäre", sagte Sheffield, sobald der Graf mit seiner Erklärung fertig war. Er stellte den Brandy zurück auf das Tablett. „Man erzählt sich, dass es in letzter Zeit nicht allzu gut für ihn gelaufen ist und er verzweifelt nach Mitteln sucht, um seine Schulden zu bezahlen – und zwar nicht bloß seine Schuldscheine, sondern auch sein Darlehen von den Kredithaien."

„Er hat sich mit Geldverleihern eingelassen?" Wrexford runzelte die Stirn. Das war in der Tat ein verzweifeltes Zeichen. Sie erhoben exorbitante Zinsen, bis zu hundert Prozent auf ein Darlehen, und das Versäumen der Rückzahlungsfrist hatte äußerst unangenehme Konsequenzen. Anders als ihre Kunden erhoben die Kredithaie nicht den Anspruch, Gentlemen zu sein.

„Und dabei", sinnierte er, „ist der Vater des Viscounts sehr wohlhabend."

„Kirkland ist extrem verschwenderisch mit seinem Geld", antwortete Sheffield trocken. „Ich habe gedacht, dass man ihm für seine Zechgelage unbegrenzte Mittel zur Verfügung stellt. Womöglich ist sein Vater es jedoch leid, die Kassen nachzufüllen."

„Man muss davon ausgehen, dass Kirkland von Ashton und dem Erfolg seiner vorherigen Erfindungen gewusst hat", sagte der Graf. „Und sollte er auch von dem neuen Projekt Wind bekommen haben, wird er mit hoher Wahrscheinlichkeit den Wert eines Patents gekannt haben."

„Der Viscount ist nicht dämlich, nur leichtsinnig", merkte sein Freund an. „Und sein Vater wurde ein wohlhabender Mann, indem er kluge Investitionen in Unternehmen tätigte. Ich meine mich zu erinnern, dass er Teilhaber einer Vielzahl an hoch profitablen Kohlebergwerken in Wales ist."

„Ausgerechnet Kirkland weiß also um das Potenzial von Metall und Dampf, um Geld zu generieren", warf Wrexford ein.

„Ja", sagte Sheffield, der mit dem Thema allmählig warm zu werden schien. „Doch selbst, wenn wir davon ausgehen, dass er gerissen genug ist, einen Plan auszuklügeln, um Ashtons Erfindung zu stehlen, würde er sich mit jemandem zusammenschließen müssen, der technisches Fachwissen besitzt. Schließlich würde es Verdacht erregen, wenn er eine solche Innovation für sich beanspruchen würde."

Guter Punkt. Doch wie eine Spinne, begann das Gespräch ein verlockendes Netz aus Verbindungen zu weben.

„Das würde es", stimmte Wrexford zu. „Da Kirkland jedoch inmitten von geschäftlichen Machenschaften aufgewachsen ist, wird er sich der Tatsache bewusst sein." Er legte die Fingerspitzen aneinander und hielt einen Moment lang inne, um sich ins Gedächtnis zu rufen, was er über einige der früheren Patente auf Dampfmotoren wusste. Ashtons Idee zur Finanzierung seiner Arbeit war nicht neu. Es gab Präzedenzfälle, in denen ein Erfinder eine Partnerschaft mit Investoren einging, um die Herstellung einer Maschine zu finanzieren.

James Watts Genie und seine Innovation der Dampfkraft hätten möglicherweise nie das Licht der Welt erblickt, hätte er sich nicht mit Boulton zusammengetan, der das nötige Geld hatte, um aus dem Konzept profitable Realität werden zu lassen. „Dampfmotoren von Watt und Boulton dominierten sowohl die Bergbau- als auch die Textilindustrie knapp ein halbes Jahrhundert lang. Ein radikal anderes Modell, das ein völlig neues Leistungsniveau bietet, würde die Produktion revolutionieren."

„Und wer könnte es sich schon leisten, darauf zu verzichten?", sagte Sheffield und beendete den Gedanken des Grafen.

„Wie wir bereits gesagt haben, liegt der Schlüssel darin, jemanden auf seiner Seite zu haben, der sich mit der Technologie auskennt, nicht nur um ein glaubwürdiger Antragsteller zu sein, sondern auch um ein funktionierendes Modell zu bauen, das beweisen würde, dass die Idee nicht nur heiße Luft ist." Wrexford pausierte kurz. „Und wer eignet sich dafür besser als Hillhouse?"

„Die Wissenschaft ist heutzutage ein beliebtes Gesprächsthema", fuhr er fort. „Was ein Bewusstsein dafür geschaffen hat, inwieweit wissenschaftliche Entdeckungen die Zukunft prägen werden. Wenn Kirkland ein paar reiche Bekannte davon überzeugen könnte, dass er mit jemandem befreundet ist, der einen revolutionären Motor kreiert hat, ist es durchaus denkbar, dass er und Hillhouse ein mächtiges Konsortium gründen könnten. Was es ihm wiederum ermöglichen würde, günstigere Bedingungen mit den Kredithaien auszuhandeln."

„Das setzt jedoch voraus, dass er keine Skrupel hätte, all das seinem Vater vorzuenthalten", sagte Sheffield.

Wrexford lächelte grimmig. „Die Rivalität zwischen Vätern und Söhnen ist eine Geschichte so alt wie die Zeit."

„Es scheint sich alles sehr gut zusammenzufügen." Sheffield schien ebenso willens, den Gedankengang fortzuführen. „Es könnte Leute geben, die riechen, dass an der Sache etwas faul ist, doch Investoren neigen dazu, verschwiegen zu sein, und da Ashton seine Entwürfe nie veröffentlicht hat, wäre es schwer, Hillhouse zu beschuldigen, die Idee gestohlen zu haben."

Wrexford erhob sich und begann auf und ab zu laufen, während er über die plötzlich verschobenen Puzzleteile nachdachte. War es wirklich die unverfälschte Wahrnehmung oder wurde die Linse durch Wunschdenken verzerrt?

„Spekulationen sind schön und gut", murrte er. „Doch als ein Mann der Wissenschaft bin ich mir der Tatsache bewusst, dass es unerlässlich ist, Schlussfolgerungen auf Fakten und empirischem Wissen zu basieren, nicht auf bloßen Mutmaßungen."

„Dann sollte ich mich besser an die Arbeit machen und sehen, welche Fakten ich über Kirkland herausfinden kann", entgegnete Sheffield.

Sein Freund, bemerkte der Graf, hatte nicht einen Tropfen Brandy angerührt. Wie er schon lange vermutet hatte, schien Sheffield, wenn man ihm die Wahl ließ, eine intellektuell anspruchsvolle Herausforderung berauschender zu finden als den ausschweifenden Konsum von Genussmitteln.

„Danke, Kit. Denken Sie daran, dass jede noch so kleine Information, die Sie über sein Verhältnis zu der liebreizenden Witwe herausfinden können, ebenfalls sehr hilfreich wäre", sagte er. „Und je eher, desto besser, bevor wir über noch mehr Leichen stolpern." Wie bereits Shakespeare so treffend festgestellt hatte, zogen Familientragödien es vor, mit Blut geschrieben zu werden.

„*Cherchez la femme?*", fragte sein Freund. „Mrs. Sloane könnte Anstoß daran nehmen, dass wir davon ausgehen, dass hinter der Boshaftigkeit eines Mannes stets eine Frau lauert."

„Mrs. Sloane liest die klassische Literatur. Ich habe die Bücher auf ihrem Schreibtisch gesehen – inklusive *Ilias.*"

„Es wird Ihre Hybris sein, die sie aufs Korn nimmt, nicht meine, Wrex", erwiderte Sheffield. „Gott sei Dank."

„Sie kann mich gerne vom Gegenteil überzeugen. Ich bin durchaus bereit, meinen Stolz zu opfern, solange es auf dem Altar der Wahrheit geschieht."

Sein Freund hob ein leeres Glas zu einem Toast. „Auf *Veritas.*"

Ja, auf die Wahrheit, dachte der Graf. Was auch immer das heißen sollte.

Kapitel 16

Nachdem sie den Brief geschrieben und an den Grafen geschickt hatte, ging Charlotte in ihr Arbeitszimmer und setzte sich an den Schreibtisch. Bedauerlicherweise hatte sie ihre Kunst in letzter Zeit stark vernachlässigt. Tinte und Farbe waren von den überwältigenden Anforderungen der Realität verdrängt worden. Der Umzug, die Morde, die Sorge um die Jungen, die sich in ihrem neuen Leben zurechtfinden mussten.

Sie musste sich eingestehen, dass ihre eigenen Gefühle noch immer etwas Kopf standen. Versteckt in den Schatten der Slums hatte ihr Leben eine gewisse Einfachheit, was es ihr erlaubte, sich darauf zu fokussieren, all ihre Leidenschaft und ihre Ideen durch ihre Feder fließen zu lassen. Kunst und Kommentar waren ihre Stimme.

Jetzt waren die Dinge um ein Vielfaches komplizierter. Die Anonymität war ein schützender Mantel gewesen. Mit jedem Zentimeter, den sie seine verbergende Haube weiter zurückzog, machte sie sich verwundbarer.

Veränderung bedeutete Risiko.

Charlotte ließ ihren Blick auf ihr aufgeschlagenes Skizzenbuch fallen. Sie brauchte sich nur die vorläufigen Entwürfe ihrer *Mann gegen Maschine*-Reihe ansehen, um das zu erkennen.

Sie nahm ihr Federmesser zur Hand und bereitete eine frische Feder vor.

Mr. Fores war überraschenderweise von dem ernsten Thema begeistert gewesen. Obgleich die Drucke sich

nicht so gut verkauften wie die, in denen sie die Königsfamilie verhöhnte, fand er Befriedigung in der Tatsache, dass beinahe jedes Ministerium und alle führenden Politiker Nachrichten sendeten, um Kopien zu er-
werben. Die Vorstellung, dass sein Laden die öffentliche Meinung prägte, war in seinen pfiffigen Augen eine
lohnende Investition

Nicht nur das, Charlotte war sogar der Meinung, dass
Mr. Fores in seinem Herzen ein heimlicher Unterstüt-
zer der Sozialreform war.

Die Feder war jetzt einsatzbereit. Es gab nichts Neues,
dass sie über Ashtons Tod erzählen konnte – oder
wollte. Doch es gab Myriaden von Fragen über die Revolution, die durch die englischen Fabriken fegte, zu ergründen. Welchen Platz hatten die Menschen in einer
Welt, in der die Maschinen ihre Arbeit überflüssig
machten? Was erwartete jene Menschen, die mit ihren
Händen arbeiteten?

Das waren wichtige Fragen. Und sie waren funda-
mental dafür, welche Art von Gesellschaft sich das
Land für seine Zukunft vorstellte.

Die Glätte des Schafts, die Weichheit der Fasern, die
ihre Knöchel streiften – Charlotte realisierte, wie sehr
sie es vermisst hatte, Bilder und Worte zu kreieren, die
die Menschen dazu brachten, zu denken und zu reagieren.

Wissenschaft und Technologie waren wichtig. Doch
das waren Kunst und abstrakte Ideen ebenfalls.

Ein kurzes Eintauchen der Spitze in die Tinte. Sie
schlug eine neue Seite auf und begann, eine erste Idee
zu skizzieren.

„Mylord, Sie haben einen Besucher, der Ihre sofortige Audienz verlangt."

Wrexford starrte unbeirrt weiter auf sein Laborjournal. Nachdem er seine Bemühungen, die Zahlen zu entziffern, aufgegeben hatte, nutzte er sein früheres Experiment, um sich abzulenken. „Was haben Sie sich dabei gedacht, Riche? Sie kennen die Regeln bezüglich des Unterbrechens meiner Arbeit."

„Was ich mir dabei gedacht habe, Sir", erwiderte der Butler mit einem Schniefen, „ist, dass ich lieber Ihren Zorn über mich ergehen lasse, als zu riskieren, dass mir dieser Junge mit dem fies aussehenden Messer, das er mit seiner schmutzigen Faust umklammert, die Leber herausschneidet."

„Ah." Der Graf klappte das Buch zu. „Ich nehme an, Master Sloane ist an der Tür."

Tyler, der gerade damit beschäftigt war, die wissenschaftlichen Instrumente auf einem der Arbeitstische zu reinigen, rutschte ein Kichern heraus.

„Ja, Mylord. Soll ich ihn hereinbitten?"

„Das sollten Sie besser tun. Es wäre überaus mühselig, einen neuen Butler einstellen zu müssen."

„Das wäre es in der Tat", scherzte Tyler. „Jemanden zu finden, der sich freiwillig Ihren Launen aussetzt, wäre keine leichte Aufgabe."

Riche trottete kommentarlos davon.

„Mylady sagt, es wäre dringend", kündigte Raven ohne Vorrede an, als er in den Raum gestürmt kam und einen zusammengefalteten Bogen Papier auf den Schreibtisch des Grafen schleuderte.

„Danke." Wrexford nahm ihn in die Hand. „Wo ist dein Schatten?"

„Wir sind durch die Gasse am Marstall gelaufen. Einer der Stallburschen hat gerade einen großen schwarzen Hengst gestriegelt und gesagt, Hawk könne bleiben und zusehen." Raven sah sich um. „Was ist das?", fügte er abrupt hinzu, während sein Blick auf den großen Messingapparat fiel, den Tyler polierte.

„Ein Mikroskop." Er brach das Wachssiegel auf. „Seine Linsen vergrößern Dinge um ein Vielfaches ihrer wahren Größe."

Der Junge starrte noch immer.

Die Nachricht war länger als Charlottes übliche Briefe. „Tyler, zeig dem Jungen, wie es funktioniert, während ich mir das hier ansehe."

Der Klang ihrer Stimmen verblasste zu einem unverständlichen Summen, als Wrexford die Neuigkeiten über Hillhouses Verschwinden las. Waren sie endlich auf die Spur des Täters gestoßen? Das Blut in seinen Adern wurde zu einem reißenden Strom bei dem Gedanken, dass die Jagd jetzt richtig begonnen hatte. Er zwang sich jedoch dazu, seine Aufregung im Zaum zu halten.

Keine leichte Aufgabe, denn gleich in den nächsten Sätzen schilderte Charlotte die Details von Hillhouses moralischem Fehltritt in seinen Jugendtagen. Zugegeben, ein einziger Fehler verdammte einen Mann noch nicht für die Ewigkeit. Wenn allerdings Geld schon einmal eine unwiderstehliche Versuchung dargestellt hatte, warum dann nicht auch ein zweites Mal?

Beweise. Immerhin sammelte er allmählich Beweise, anstatt nur dazusitzen und Theorien zu spinnen. Nachdem er die Nachricht noch einmal gelesen hatte, nahm er sich Zeit, um die Fakten zu betrachten und darüber nachzudenken, was sie bedeuten könnten. Hillhouse, Kirkland ... und Isobel Ashton? Vertieft in seine Gedanken, war er sich nicht sicher, wie viele Minuten vergangen waren, als ihn ein gedämpfter Ruf wieder in die Realität zurückholte.

„Hey!" Mit einem Blick, der eine Mischung aus Staunen und Misstrauen zu sein schien, hob Raven seinen Kopf von dem Okular des Mikroskops. „Sie halten mich wohl für dämlich, stimmts?", sagte er zu Tyler. „Das ist ein Trick. Das hier ist nicht wirklich das Auge einer Schnake, habe ich recht?"

Der Kammerdiener grinste. „Doch, Junge." Er schob zwei dünne Glasplatten heraus und zeigte dem Jungen das winzige Insekt, das zwischen ihnen eingeklemmt war.

„Wie funktioniert es?", fragte Raven, während er neugierig mit einem schmuddeligen Finger das glänzende Metall berührte.

Tyler zuckte zusammen, verkniff sich jedoch seinen Tadel und entschloss sich stattdessen zu einer Erklärung der konkaven und konvexen Linsen.

Der Junge, so bemerkte Wrexford, stellte viele intelligente Fragen.

„Komm, ich zeige dir einen Wassertropfen", sagte der Kammerdiener, der sich selbst neu für das Thema zu begeistern schien. „Du wirst erstaunt sein, was das bloße Auge zu sehen in der Lage ist."

Als Wrexford aufstand, sah er Ravens langes Gesicht. „Haben Sie eine Nachricht geschrieben, die ich zurückbringen soll?", fragte er und rutschte zögerlich von seinem Hocker.

Der Graf hatte noch nicht entschieden, wie seine Antwort an Charlotte lauten sollte. Ihre Nachricht schien zu bestätigen, dass er und Sheffield einem vielversprechenden Pfad gefolgt waren, doch es gab viele Fragen, die er mit ihr zu besprechen wünschte. Es war alles noch immer reine Mutmaßung und mit einem Schrecken wurde ihm plötzlich klar, wie sehr er ihr Urteilsvermögen zu schätzen gelernt hatte.

Der Junge warf einen sehnsüchtigen Blick auf das Mikroskop.

Wrexford biss frustriert die Zähne zusammen, als er realisierte, dass ein Besuch zu dieser Stunde nicht möglich war. Jetzt, da sie sich in einer respektableren Gegend niedergelassen hatte, waren die Regeln nicht mehr dieselben. Er konnte nicht länger kommen und gehen, ohne hämisches Getratsche loszutreten.

„Du brauchst noch nicht loszustürmen. Ich muss ein wenig nachdenken", sagte er zu Raven. Er drehte sich zur Tür und fügte dann hinzu: „Tyler tendiert dazu, wie ein Wasserfall zu plappern. Wenn er dir also zu langweilig wird, darfst du gerne in der Küche warten."

„Nay, schon in Ordnung. Stört mich nicht", erwiderte Raven mit einem überzogenen Schulterzucken.

Seine Schritte erweckten die Leere im Hausflur zum Leben, als er sich in sein Arbeitszimmer begab. Schatten kamen aus der Finsternis hervor, dunkle, sardonische Gestalten wanden und drehten sich im Flimmern des Lampenlichts.

Fragen über Fragen. Und so wenige solide Antworten.

Er fühlte sich seltsam verunsichert.

Das schwindende Licht des späten Nachmittags hatte sein Arbeitszimmer in einen halbdunklen Schleier gehüllt. Wrexford ging an den Lampen vorbei, ohne sie anzuzünden, und schenkte sich einen Brandy ein, bevor er vor dem leblosen Kamin Platz nahm. Ein kalter Luftzug schien vom Inneren der schwarzen Kohlen auszugehen und sich um seine Stiefel zu schnüren.

Er hatte kein zartes Herz – nicht seit den Tagen seiner unerfahrenen Jugend, in denen die rasiermesserscharfen Schnitte der weiblichen Tücken es unheilbar vernarbt hatten. Heute störten Frauen nur noch selten seinen Seelenfrieden. Und doch schien Isobel Ashton ihm unter die Haut gegangen zu sein. Der Brandy erfüllte seinen Mund mit einer plötzlichen Hitze und hinterließ eine brennende Spur in seiner Kehle.

Auch wenn er es nicht wollte, er fühlte sich zu ihr hingezogen. Verlockend. Faszinierend. In der Welt der Schönen und Reichen war es für die Frauen de rigueur, nichts als farblose Silhouetten zu sein. Leere Hüllen in Seide und Satin. Kein Wunder, dass die Aura der selbstsicheren Individualität der Witwe wie ein loderndes Feuer hervorstach.

Wrexford rollte das Glas zwischen seinen Handflächen und spürte das Prickeln der kalten, geschliffenen Glasfacetten. Noch nie zuvor hatte er jemanden wie sie getroffen. Hübsch, aber mit einer ungewöhnlichen Stärke und Intelligenz, die der Oberfläche eine weitaus tiefere Bedeutung verliehen.

Dann war da natürlich noch Charlotte. Doch sie war anders.

Er runzelte die Stirn, während er versuchte, die richtigen Worte zu finden, um sie zu beschreiben.

Lästig? Nein, das wäre ungerecht. Sie provozierte ihn, forderte ihn heraus.

Und welcher Mann mochte das schon?

Nicht nur das, sie zwang ihn durch die schiere Kraft ihrer eigenen, unerschütterlichen Leidenschaften dazu, mehr über Begriffe wie richtig und falsch nachzudenken, als ihm lieb war.

Noch ein Schluck Brandy. Zynismus war bequemer.

Der Graf verdrängte seine Gedanken an Charlotte und stellte sich dem Gespenst der Isobel Ashton – und der Tatsache, dass sie in den Mord an ihrem Ehemann verwickelt sein könnte.

Er hatte keinen Zweifel daran, dass sie gerissen genug war. In ihr brannte ein Feuer, doch es wurde gezähmt durch Eis.

Und ihm wurde klar, dass das der grundlegende Unterschied zwischen ihr und Charlotte war. Die Witwe, so glaubte er zu spüren, war fähig, zu morden. Während Charlottes natürliche Wärme niemals – *niemals* – eine so kaltblütige Tat zulassen würde.

Dass er Isobels Charakter so falsch eingeschätzt haben könnte, nagte an ihm. Nach der schmerzhaften Lektion seiner jugendlichen Torheit, hatte er geglaubt, dass sein Hirn ein weniger primitives Organ als andere Teile seines Körpers geworden war. Doch womöglich hatte er sich geirrt. Zu grübeln war jedoch der Ausweg des Feiglings. Welcher Zauber auch immer ihn zu Isobel hingezogen hatte, war dadurch gebrochen worden, dass er sie für fähig hielt, einen kaltblütigen Mord zu begehen.

Wrexford erhob sich und ging zu seinem Schreibtisch hinüber. Ein Funke aus Feuerstein und Stahl entzündete eine Kerze. Er verfasste schnell eine Nachricht und versiegelte sie mit einem Kreis aus geschmolzenem Wachs.

„Wiesel", rief er, als er in sein Labor zurückkehrte.

Tyler hob einen ermahnenden Finger. „Einen Moment, Mylord. Wir sind gleich fertig."

„Fertig womit?" Neugierig näherte sich Wrexford dem Tisch, an dem Raven vornübergebeugt saß. Der Klang von Bleistiften, die über Papier kratzten, erhob sich über das leise Zischen der Öllampe.

Der Kammerdiener deutete auf das aufgeschlagene Hauptbuch, das zwischen einem Haufen anderer Bücher lag. „Der Bengel hat das Hauptbuch gesehen, als ich ihm unsere Arbeit gezeigt habe. Er glaubt, einen Fehler in meiner Zusammenrechnung der monatlichen Aufwendungen gefunden zu haben. Wir sind gerade dabei, die Konten noch einmal abzustimmen."

„Bitte, lassen Sie sich nicht stören." Eine oder zwei Minuten der Verzögerung würden keinen Unterschied machen.

Kratz, kratz.

Schließlich pfiff Tyler beeindruckt. „Heilige Mutter Gottes. Bitte entschuldige Junge. Du hattest recht."

Raven machte eine letzte Kalkulation, bevor er seinen Stift mit einem eulenhaften Blinzeln niederlegte. „Ja, sieht ganz danach aus."

Wrexford ging näher heran und begutachtete die Seite. „Du hast den Fehler anfänglich gefunden, indem du das alles im Kopf zusammengerechnet hast?"

Der Junge nickte. „Sind Sie mir böse, weil ich Ihren Kammerdiener darauf hingewiesen habe?"

„Nicht im Geringsten", antwortete der Graf. „Du scheinst ein Händchen für Zahlen zu haben. Das ist eine ausgezeichnete Fähigkeit."

„Glauben Sie wirklich?" Raven kreuzte langsam seinen Blick, Skepsis spiegelte sich in seinen Augen wider. „Keine Ahnung, was daran so toll sein soll. Aber Mr. Linsley sagt, dass man einen Haufen interessanter Dinge mit Zahlen erklären kann."

„Er hat Recht, es ist ein faszinierendes Fach, Junge." Eine weitere Überraschung, an einem Tag voller Überraschungen. „Und ich freue mich darauf, mich ausführlicher mit dir über die Wunder der Mathematik zu unterhalten." Wrexford hielt den versiegelten Brief hoch. „Im Augenblick wartet Mylady allerdings auf eine Antwort von mir."

Leise fluchend zerknüllte Charlotte das Schreiben des Grafen und warf es in ihre Schreibtischschublade.

„Wir haben viel zu besprechen", wiederholte sie murrend die ersten beiden Sätze, zu denen er gerade noch sich herabzulassen bereit war. Der zweite lautete lediglich ‚Die Kutsche wird Sie morgen Mittag abholen.'

Seine Selbstherrlichkeit erzeugte eine Schlinge der Verachtung, die ihren Brustkorb zuschnürte. Obgleich sie wusste, dass er damit recht hatte, die Regeln der Gesellschaft zu befolgen. Es war die Schroffheit in seiner Nachricht, die sich ein wenig wie ein Schlag ins Gesicht anfühlte. Charlotte hatte gedacht, ihre Freundschaft wäre trotz ihrer Höhen und Tiefen ein Band, das zu mehr als bloßem Pragmatismus herangewachsen war.

Was ihr Urteilsvermögen in Bezug auf viele andere Dinge, die Wrexford betrafen, in Frage stellte. Einschließlich ihrer eigenen Gefühle für ihn ...

Die Schlinge wurde plötzlich noch enger, so eng, dass sie die Luft aus ihren Lungen quetschte, und sie einen Moment lang befürchtete, dass ihre Rippen brechen könnten.

Nein, ich bin stärker als solch willensschwache Sehnsüchte, sagte sie sich selbst und verdrängte die Gedanken an den Grafen. *Um zu überleben, muss man pragmatisch sein.*

Charlotte machte zwei kontrollierte Atemzüge und spürte, wie sich der eiserne Griff um ihren Brustkorb löste.

Sie nahm ihre Feder zur Hand und richtete ihren Blick wieder auf die angefangene Zeichnung auf ihrem Schreibtisch. Es ging nichts über das Bedürfnis, Essen auf den Tisch zu bringen, um seinen Fokus zurück auf ein vorliegendes Problem zu richten. Sie hatte sie Mr. Fores zu morgen versprochen und es noch nie versäumt, ihr Wort ihm gegenüber zu halten. Mit diesem Ansporn im Hinterkopf, machte sie sich an die Arbeit.

Es war schon beinahe Mitternacht, als Charlotte ihren Stuhl zurückschob und die Steifheit aus ihren Schultern streckte. Die Komposition hatte eine dramatische Balance zwischen Schwarz und Weiß erfordert, für die eine aufwändige Reihe an schraffierten Schattierungen notwendig war. Doch als sie ein kritisches Auge auf die Details warf, beschloss sie, dass sie mit dem Ergebnis zufrieden war.

Die farblichen Hervorhebungen konnten bis morgen warten. Erschöpfung benebelte ihren Kopf und zerrte an ihren Lidern. Charlotte bemerkte, dass sie kaum noch ihre Augen aufhalten konnte, als sie aufstand und sich auf den Weg in den dunklen Hausflur machte, der in ihr Schlafzimmer führte. Dennoch blieb sie kurz am Fuße der schmalen Treppe stehen, die in das Nest auf dem Dachboden führte, und spitzte ein Ohr, um die leisen Rührungen der Jungen zu hören, die in ihren Betten schliefen.

Raschelnde Wolle, ein schnaufendes Atmen – die Geräusche waren beruhigend. In letzter Zeit waren ihre nächtlichen Erkundungen weniger geworden. Ein Zeichen dafür, so hoffte sie, dass sie sich an ein ruhigeres Leben gewöhnten.

Im Augenblick war alles in Ordnung, und doch verweilte Charlotte und dachte über die Hoffnungen und Ängste nach, die die Liebe mit sich brachte.

Liebe.

In der Einsamkeit ist das Herz sicherer. War es das, was Raven auf Distanz hielt? Der Junge hatte genug von den Grausamkeiten des Lebens gesehen, um zu wissen, welche Gefahren es barg, sich zu sehr zu kümmern.

Was ihre eigenen Emotionen anging ...

Charlotte blickte die Treppen hinauf, doch die schlummernde Finsternis offenbarte keine Antworten. Sie fragte sich, was im Stadthaus des Grafen vor sich gegangen war. Hawk sah überglücklich aus, als er heimgekommen war – der stechende Geruch nach Pferd, der an seiner Kleidung hing, erklärte warum. Auch Raven hatte über irgendetwas erfreut gewirkt, auch wenn ihm ihr vorsichtiges Nachhaken nicht mehr als ein kryptisches Lächeln entlockt hatte.

Sie wünschte ...

„Ach, wären Wünsche geflügelte Einhörner, könnte ich noch vor Tagesanbruch in einem Streitwagen zum Mond und wieder zurückfliegen." Ein Gähnen unterbrach ihr Gemurmel. Zeit, zu schlafen, bevor ihre Gedanken noch mehr quecksilbrige Albernheiten zusammenspannen.

Ein diskretes Klopfen an der Tür zum Labor riss Wrexford aus seiner Grübelei.

„Mylord, Mr. Henning wünscht, Sie zu sprechen. Er sagt, es sei sehr dringend."

Immerhin etwas, dachte der Graf. Er war nicht in der Stimmung gewesen, sich ein weiteres Mal in den Elendsvierteln auf die Suche zu begeben. „Bringen Sie ihn herein, Riche."

Als der Arzt in das Zimmer geschlürft kam und noch zerzauster aussah als sonst, fügte Wrexford hinzu: „Wo zum Teufel haben Sie gesteckt? Gabriel Hollis ist ermordet worden."

„Ein Ausbruch der Grippe hat die Mietshäuser nahe des Foundling Hospital befallen. Ich bin die letzten Tage über dort gewesen." Henning kam näher und als er sich mit der Hand über das unrasierte Kinn fuhr, fing das Lampenlicht die Ringe der Erschöpfung ein, die sich unter seinen Augen abzeichneten. „Was Hollis betrifft, habe ich bereits davon gehört." Er holte ein kleines Päckchen aus seiner Tasche und warf es auf den Schreibtisch. „Deswegen habe ich gedacht, es wäre das Beste, wenn Sie das hier so früh wie möglich sehen."

Als Wrexford es aufhob, stieß Henning einen Seufzer aus und sah sich um. „Dürfte ich mir ein kleines Schlückchen von Ihrem herrlichen Malt einschenken?"

„Sie können die ganze verdammte Flasche haben", murrte Wrexford, während er auf die Worte starrte, die auf dem Paket standen.

Von Gabriel Hollis. Zu Händen William Nevins im Fall meines Todes.

„Jemand hat es unter meiner Tür hindurchgeschoben, bevor ich heute Abend heimgekommen bin", sagte Henning, als er zur Anrichte hinüberschlurfte. „Hollis ist ein vorausschauender Mensch gewesen, wie es scheint."

„Ja", murrte Wrexford. „Sheffield und ich haben ihn vorletzte Nacht während seiner letzten Atemzüge gefunden. Jemand hat ihm die Kehle durchgeschnitten, genau wie bei Ashton." Er nahm seinen Brieföffner zur Hand und machte einen Schlitz in das Packpapier. „Irgendeine Ahnung, wer Nevins ist?"

„Ich habe gerade erfahren, dass er einer der Anführer der Arbeiter Zions ist."

In dem Paket befand sich ein Duplikat der Liste mit den Ziffern, die er in Hollis Zimmer gefunden hatte. Das beantwortete eine Frage – die Liste war tatsächlich von dem radikalen Anführer geschrieben worden. Und wie es schien, war Nevins der Schlüssel, um herauszufinden, was die Zahlen bedeuteten. „Ich muss sofort mit ihm sprechen."

Hennings Gesichtsausdruck, der sowieso nie sonderlich ermutigend war, wurde noch finsterer. „Ich befürchte, das wird nicht möglich sein, mein Lieber. Einer meiner Patienten hat mir mitgeteilt, dass seine Leiche heute Morgen in einer der Seitengassen nahe Seven Dials gefunden worden ist. Jemand hat ihm die Kehle durchgeschnitten."

Wrexford kochte vor Wut. Dieser verdammte Dreckskerl war ihm stets einen spöttischen Schritt voraus.

Nachdem er einen schlürfenden Schluck Whisky genommen hatte, beugte Henning sich vor, um einen genaueren Blick auf das Papier zu werfen. „Irgendeine Ahnung, was das bedeuten könnte?"

„Nein. Und ohne Nevins sind unsere Chancen, herauszufinden, welche Art der Verschlüsselung er verwendet hat, gleich null."

„Falls es irgendwie helfen sollte, ich habe die Gespräche in den Elendsvierteln mitgehört und man erzählt sich, Hollis und Nevins wären geschockt gewesen, als sie von Ashtons Ermordung erfahren haben, und sie hätten behauptet, dass sie nichts damit zu tun haben."

„Ich bin geneigt, ihnen zu glauben", antwortete Wrexford. „Es zu beweisen ist jedoch soeben sehr viel schwerer geworden."

„Aye. Andererseits scheinen Sie Gefallen daran zu finden, auf Messers Schneide zu tanzen." Henning kippte seinen Drink hinunter. „Passen Sie nur auf, dass Sie Ihr Gleichgewicht nicht verlieren."

Eine Brise wirbelte den nächtlichen Nebel auf, der sich in gespenstischen Schwaden erhob und gegen die Fensterscheiben züngelte. Die dicken Ranken des Efeus, der die Stuck- und Holzwand emporwuchs, flüsterte gerade laut genug, um die eiligen Schritte auf dem feuchten Gras zu überdecken. Wolken zogen vor den Mond und tauchten den Garten in Dunkelheit.

Tief geduckt verschmolz die schwarzgekleidete Gestalt mit den blattreichen Schatten des Gebüschs, während sie sich langsam und verstohlen an die Hinterseite des Hauses anschlich. Finsternis verbarg das Aufschnellen einer Messerklinge, die zwischen den Fensterrahmen nach dem Riegel suchte.

Charlotte wachte auf, unsicher, was sie aus den Tiefen ihres Schlafes geholt hatte. Ihr Herz klopfte nervös, ihre Muskeln waren angespannt.

„Ein schlechter Traum", flüsterte sie, in dem Versuch, das erdrückende Gefühl des Unbehagens zu verdrängen.

Sie setzte sich langsam auf und sah sich um. Der Kleiderschrank ... der Frisiertisch ... das Waschgestell und die cremefarbene Kanne, die sanft im Schimmer des Mondlichts leuchtete. Nichts fehlte.

Mit einem selbstironischen Seufzen beruhigte Charlotte sich wieder. All das Knarren und Knacken in ihrem neuen Heim waren noch immer ungewohnt. Wie das *Tip-tip* der Eibenhecke an der Rückseite des Hauses, wenn der Wind sie zum Schwingen brachte.

Das Geräusch verstummte und sie fühlte sich noch närrischer. Immerhin bildete sie sich noch nicht das Rasseln von Ketten oder das Heulen von Gespenstern ein.

Dann kam das Kratzen zurück, dieses Mal lauter und metallischer klingend.

Charlotte warf das Bettzeug ab und schnappte sich ihren Morgenrock. Mit einem stillen Gebet, dass die Bodendielen sie nicht verraten würden, bewegte sie sich rasch zu den Treppen und schlich gerade weit genug nach unten, um einen Blick auf den Flur erhaschen zu können.

Sie konnte Schritte hören, die sich von der Speisekammer zur Küche bewegten.

Erst dann fiel ihr auf, dass sie nicht daran gedacht hatte, sich etwas zu greifen, das sie als Waffe verwenden konnte.

Dafür war es jetzt zu spät. Jemand näherte sich.

Charlotte verlagerte ihr Gewicht auf ihre Fußballen und ballte eine Faust. Ihr verstorbener Ehemann hatte ihr beigebracht, wie man einen anständigen Schlag austeilte. Abgesehen davon entfachte der Gedanke an einen Eindringling, der den Jungen Schaden zufügen könnte, eine Wut in ihr, die sie befähigte, mit ihren bloßen Händen zu morden.

Doch die Schattengestalt eilte an den Treppen vorbei und in den Salon hinein.

Charlotte wartete einen Augenblick und ging dann auf Zehenspitzen die letzten Stufen hinunter. Unten angekommen positionierte sie sich neben der Tür. Von dort aus konnte sie die dunkle Silhouette ausmachen, die langsam einen Rundgang durch den Raum machte. Sie atmete tief ein und versuchte, ihr rasendes Herz zu beruhigen.

Glücklicherweise schien der Einbrecher sich ihrer Gegenwart nicht bewusst zu sein. Sie streckte ihren Rücken durch und begann, ihren Gegner zu studieren, um mögliche Schwachstellen zu finden. Sein Gesicht war durch die Haube seines Umhangs verborgen, dessen schwere Falten bis zu den enganliegenden, halbhohen Stiefeln hinunterreichten. Er war durchschnittlich groß und schien schlank und drahtig zu sein – eher ein rein-und-wieder-raus-Typ als ein prügelnder Rohling.

Seine Schritte stockten, sein Kopf schwenkte von einer Seite zur anderen ... Er suchte nach Wertgegenständen, keine Frage.

Ein erfahrener Dieb hätte nicht den Fehler gemacht, in dieser Gegend Kerzenständer aus Silber oder kostbaren Schmuck zu erwarten. Möglicherweise hatte sich herumgesprochen, dass eine schicke Kutsche im Trubel des Umzugs vor ihrer Haustür gesichtet worden war.

Der Mann hatte einen schweren Fehler bei der Wahl seines Opfers gemacht, dachte Charlotte. Angst wich brennendem Zorn als sie mit ansah, wie ihr Haus geschändet wurde. Ihr Blut brodelte. Selbst, wenn der Übeltäter versuchen würde, mit leeren Händen zu fliehen, würde sie ihn nicht entkommen lassen.

Er wandte ihr den Rücken zu und trat zu dem Beistelltisch.

Charlotte erkannte ihre Chance, sich unbemerkt in das Zimmer zu begeben, und ging hinter einem der Sessel in Deckung. Einige Momente vergingen, bevor sie ein leises Rascheln hörte, gefolgt von dem Rauschen von Wolle. Als sie einen kurzen Blick riskierte, sah sie, wie der Eindringling sich von dem Tisch abwandte und mit einer fließenden Bewegung den Majolika-Hahn in seinem Mantel verschwinden ließ, bevor er sich in Richtung Tür begab.

Noch ein oder zwei Schritte und er würde auf gleicher Höhe mit ihrem Versteck sein ...

Die Stille wurde durch polterndes Stampfen und klirrenden Stahl durchbrochen, als Raven mit einem von Wrexfords Schwertern in den Händen vom Flur hereingestürmt kam. Hawk folgte gleich dahinter und versuchte mannhaft, das Schwert aufrecht zu halten.

„Hey!", rief Raven und holte zum Schlag aus, als der Eindringling versuchte, an ihm vorbeizukommen. Die flache Seite der Klinge traf den Kerl am Bein und beförderte ihn auf den Boden.

„Nein!", schrie Charlotte, als sie aufsprang, um sich zwischen den Jungen und die Gefahr zu stellen.

Wendig wie ein Aal wich der Eindringling zurück, gerade als Raven das Schwert ein zweites Mal schwang. Die Klinge streifte ihn lediglich, als der Mann es schnaufend schaffte, einen Satz um das Sofa herum zu machen.

Hawk ließ sein Schwert fallen und eilte mit wedelnden Fäusten zum anderen Ende des Sofas hinüber, um ihm den Weg abzuschneiden.

„*Nein!*", rief Charlotte erneut. Der Junge war kein Gegner für einen in die Ecke getriebenen Mann. Sie stürzte sich auf ihn, um ihn aufzuhalten, gerade als sein älterer Bruder dasselbe tat. Sie kollidierten und Ravens Schwert rutschte ihm aus der Hand, als sie in einem Knäuel aus ineinander verworrenen Gliedmaßen zu Boden fielen.

Sie wand sich frei und sah, wie der Eindringling Hawk mit einem Hieb seines Ellenbogens beiseitestieß und mit dem Hahn noch immer unter seinem Mantel zur Tür sprintete.

Nein, nein, nein!

Der Mann war flink – doch Raven war flinker. Er schlängelte sich vorwärts, griff sich sein Schwert und schleuderte es wie einen Speer in Richtung der Füße des Mannes und seines flatternden Umhangs. Das

Geschoss verfing sich in dem Stoff und landete zwischen seinen Beinen, was ihn erneut zu Fall brachte.

Blitzschnell saß Raven auf ihm und versetzte dem Vermummten Faustschläge auf den Kopf. Kurz darauf warf sein Bruder sich auf die strampelnden Beine des Mannes und klammerte sich fest wie eine Klette.

Charlotte strich sich die Haare aus den Augen und schnappte sich Hawks Schwert. „Es reicht!", rief sie, als sie an den Eindringling herantrat und die Schwertspitze nur wenige Zentimeter über seiner Kehle ansetzte. Sein Kopf war zur Seite gedreht und die Falten des Stoffes verbargen noch immer sein Gesicht. „Lasst ihn los und tretet zurück."

Die Jungen gehorchten zögerlich.

„Sie sollten ihn uns überlassen, Mylady. Wir machen Hackfleisch aus ihm", murrte Raven und rieb sich die Fingerknöchel.

„Genau", stimmte sein Bruder zu, der nicht anders konnte und dem Gefangenen einen letzten Tritt gegen das Schienbein verpasste.

Ein gedämpftes Geräusch ertönte unter der Wolle.

„Gentlemen treten einen Feind nicht, sobald er sich ergeben hat." Charlotte wandte ihren Blick von dem Eindringling ab, um tadelnd mit dem Zeigefinger zu wedeln. „Es ist unehrenhaft."

Der Eindringling nutzte die Gunst der Ablenkung für einen letzten Fluchtversuch. Er rollte sich seitwärts und sprang auf die Beine. Die Freiheit war nur noch ein paar kleine Schritte entfernt.

Sie hatte keine Wahl. Stahl blitzte auf, als das wuchtige Schwert durch die Luft schnitt und ihm einen harten Schlag zwischen die Schulterblätter versetzte. Er taumelte. Charlotte schlug ein zweites Mal zu – ein schwerer Treffer, der ihn herumwirbelte.

Halb wahnsinnig vor Kampfeslust, ließ sie ihre Waffe fallen und packte ihn am Mantel. „Verdammter Bastard!", schrie sie, während sie ihn herumschleuderte und gegen die Wand beförderte.

Der Hahn fiel aus seinem Mantel und schlug auf dem Boden auf.

Das Klirren riss sie aus ihrer Trance. Sie schüttelte ihren Kopf, um die letzten Überreste ihres Wahns zu vertreiben, und senkte bestürzt ihren Blick, gerade als Raven zur Hilfe eilte.

„Teufel noch eins", zischte der Junge, während er auf die Scherben starrte. Er bückte sich und zupfte ein stramm gebundenes Bündel Papier aus der zerbrochenen Keramik hervor.

„Teufel noch eins", wiederholte Charlotte, als ihr Blick von dem Papier zurück zu ihrem Gefangenen wanderte.

Die Haube war während des Kampfes verrutscht und offenbarte ein blasses Gesicht – an dessen Kinnspitze jetzt ein immer dunkler werdender blauer Fleck prangte – und volle, weizenfarbene Locken.

Merde", sagte Octavia Merton und ließ resigniert die Schultern hängen.

Kapitel 17

Ihr Kopf wurde mit einer Myriade Fragen geflutet – Charlotte schob sie jedoch beiseite. Das Wichtigste zuerst.

„Hawk, such ein Seil", befahl sie, während sie ihre Gefangene fest im Griff behielt. „Raven, trägst du ein Taschenmesser bei dir?"

„Aye, Mylady." Mit einem unheilvollen Schnappen sprang die Klinge auf.

„Ich stelle keine Bedrohung für Sie dar", sagte Octavia leise.

„Zwei Menschen sind ermordet worden, ihre Kehlen wurden mit grausamer Präzision aufgeschlitzt. Ich lasse also lieber Vorsicht walten." Charlotte sah zu Raven hinüber. „Gib es her."

Zu ihrer Erleichterung, folgte er der Aufforderung ohne Widerrede. Im Gegensatz zu ihr war er nicht groß genug, um die Spitze an Octavias Hals zu pressen. „Jetzt durchsuche sie nach Waffen. Und wenn Sie auch nur zusammenzucken, Miss Merton, werde ich nicht davor zurückschrecken, die Zahl der Toten um eins zu erhöhen."

„Ich habe ein Messer in der rechten Tasche meines Umhangs – es hat lediglich dazu gedient, die Fenster aufzuhebeln" sagte Octavia mit ruhiger Stimme. „Abgesehen davon bin ich unbewaffnet."

Raven fischte es heraus. „Sie sagt die Wahrheit", murrte er einen Moment später. „Was jetzt?"

Charlotte sah Hawk mit einem Seil über der Schulter aus der Speisekammer kommen. „Nimm deinen Bruder und hol einen Stuhl aus der Küche", antwortete sie.

Im Handumdrehen waren die beiden zurück.

„Stell ihn dort ab", sagte Charlotte und deutete auf eine Stelle neben dem Sofa.

„Ihre Söhne?", fragte Octavia, während sie die beiden bei der Ausführung ihrer Aufgabe beobachtete.

„Meine Schützlinge", antwortete Charlotte und gab ihrer Gefangenen einen leichten Schubs nach vorn. „Was nicht heißt, dass sie mir weniger am Herzen liegen. Es ist ein großer Fehler gewesen, diejenigen zu bedrohen, die ich liebe."

„Sie sind nie in Gefahr gewesen."

„Ich hoffe, Sie können mir verzeihen, dass ich Ihnen nicht glaube. Sie haben das Blaue vom Himmel gelogen. Was so manche Dinge betrifft."

„Ja, das habe ich", räumte Octavia ein und ließ sich auf den harten Stuhl sacken. „Aber nicht die Dinge, die Sie denken."

Charlotte schnaufte verhalten. „Raven, binde sie an den Stuhl – eng genug, dass sie sich nicht freiwinden kann."

„Lassen Sie Ihre Arme an der Seite runterhängen, Miss", befahl er, bevor er das Seil um sie herumschlang. Er ging schnell und methodisch vor und hatte sie innerhalb weniger Augenblicke gefesselt.

Die Knoten, stellte Charlotte fest, als sie eine Kerze anzündete, hätten einen Oberfähnrich zur See stolz gemacht.

„Ausgezeichnet. Jetzt holt eure Mäntel und Stiefel. Ich möchte, dass ihr zwei Nachrichten für mich ausliefert."

Wrexford musste davon erfahren. Ebenso wie Jeremy, beschloss sie, was dem Grafen nicht gefallen würde, doch ihr Freund hatte ihr Vertrauen verdient ... bis er sich als unwürdig erweisen würde.

„Sie scheinen sehr tapfere und einfallsreiche Burschen zu sein", murmelte Octavia, als sie losrannten. „Die meisten Kinder wären vor Angst gelähmt gewesen."

„Sie sind nicht wie andere Kinder", erwiderte Charlotte bündig.

Octavia nickte nachdenklich, bevor sie ihren Kopf drehte, um aus dem Fenster auf der Straßenseite zu sehen. Charlotte war sich nicht sicher, weshalb.

Der Nebel hatte sich zu einem undurchdringlichen Schleier gespenstischer Graunuancen verdichtet und das undurchsichtige Glas ließ nichts als die verschwommene Reflektion ihrer vom schwachen Kerzenlicht erhellten Silhouetten erkennen.

Charlotte fragte sich, welche Gedanken Octavia durch den Kopf schwirrten, als sich Stille über den Raum legte. Das Gesicht der jungen Frau war ausdruckslos.

Sie spürte ein kühles Kribbeln in ihrem Genick. Ein skrupelloser Mörder bräuchte genau diese Art von kaltblütiger Abgeklärtheit. Und anders als die meisten Menschen, machte Charlotte sich keine Illusionen darüber, ob eine Frau fähig war, zu morden oder nicht.

Gekleidet und gewappnet für die Nacht, kamen die Jungen kurze Zeit später zurück.

„Raven, du gehst und weckst Wrexford."

Octavia zuckte zusammen, als sie den Namen des Grafen hörte, ihr erstes wahres Zeichen von Emotion.

„Sag ihm, er möchte umgehend kommen", fuhr Charlotte fort. „Hawk, du musst zu Lord Sterlings Residenz laufen und ihm dieselbe Nachricht mitteilen."

Raven nickte entschlossen. „Wir werden fliegen wie der Wind, Mylady." Ein leiser Pfiff zu seinem Bruder und weg waren sie.

„Wrexford", wiederholte Octavia. „Sie haben also für ihn spioniert."

Charlotte antwortete nicht. Sie rollte langsam das Papierbündel aus, das in dem Hahn versteckt worden war.

„Wer sind Sie? Seine Geliebte?"

Charlotte ignorierte die Beleidigung, nahm auf dem Sofa Platz und glättete das oberste Blatt. Und dann noch eins und noch eins.

Gütiger Gott. Das eingerollte Bündel bestand aus mehreren Seiten technischer Zeichnungen, die in akribischem Detail dargestellt waren. *Ashtons fehlende Entwürfe?*

„Ich bin es, die hässliche Anschuldigungen erheben sollte, Miss Merton."

Das schwache Licht fing die erröteten Wangen der anderen Frau ein. „Ich … ich kann das alles erklären … Sie werden mir jedoch nicht glauben." Ihr Mund verzog sich. „Isobel Ashton verführt fast jeden Mann, der ihren Weg kreuzt. Offensichtlich hat sie auch den Grafen in ihren Bann gezogen. Und Sie …"

„Und ich habe die Witwe bis zum heutigen Nachmittag noch nie zuvor gesehen", betonte Charlotte. „Ich gebe zu, sie hat eine gewisse Anziehungskraft. Ob sie das eines Verbrechens schuldig macht, kann ich derzeit noch nicht beurteilen. Ihr Verhalten hingegen ist äußerst verdächtig gewesen." Eine Pause. „Es gibt ein altes Sprichwort: *Wenn es watschelt wie eine Ente und quakt wie eine Ente, dann ist es höchstwahrscheinlich auch eine Ente.*"

„Sie jagen den falschen Vogel", erwiderte Octavia verbittert. „Sehen Sie sich den Schwan an, da Sie gerade mit Sprichwörtern um sich werfen. Seine Federn sind zwar schön und weiß, doch bedenken Sie, dass er darunter eine rabenschwarze Haut hat."

Das Feuer der jungen Frau war spürbar. Entweder war Octavia eine vollendete Schauspielerin oder sie glaubte, was sie sagte.

Charlotte senkte ihren Blick auf das Papier und spürte einen Anflug von Zweifeln. Sie fing allmählich an, ihr menschliches Urteilvermögen in Frage zu stellen. Und diese Realisation ließ sie ein wenig erschüttert zurück. „An diesem Punkt ist etwas dran, das gebe ich zu. Lassen Sie uns jedoch auf die Gentlemen warten, bis wir näher darauf eingehen. Sie werden Fragen haben und ich bezweifle, dass Sie das Verhör zwei Mal über sich ergehen lassen möchten."

Octavia rutschte leicht auf dem Stuhl umher und erzeugte ein raues Flüstern eng gewundenen Hanfes.

„Sollte es unbequem sein, tut es mir leid. Doch ich denke, Sie verstehen den Grund dafür, Miss Merton."

„Natürlich tue ich das." Octavia machte einen zittrigen Atemzug. „Ich bin eine Frau, die es gewagt hat, sich über den für unser Geschlecht konventionellen Pfad hinwegzusetzen. Meiner Erfahrung nach sind die geschniegelten und gestriegelten Damen der gehobenen Kreise darüber entsetzt – und ihre Reaktion ist meist noch giftiger als die der Gentleman. Ich stelle eine

Bedrohung dar für alles, was Ihnen lieb und teuer ist. Es ist also selbstverständlich, dass Sie mich eines grausamen Verbrechens für schuldig halten – selbst wenn es Mord ist."

„Ich bin aufgeschlossener, als Sie glauben", murmelte Charlotte. „Sollten Sie unschuldig sein, lasse ich mich gern überzeugen." Die Kerze flackerte und ließ das Licht über die in Schatten gehüllten Skizzen tänzeln. „Doch es wird mehr bedürfen als bloßer Theatralik."

Sie hielt die oberste Zeichnung hoch, die ein Ineinandergreifen von Zahnrädern und Hebeln darstellte. „Mr. Ashton wusste, dass es unabdinglich war, deutlich zu machen, warum etwas die Wahrheit ist. Genau wie er, werden Sie ein überzeugendes Argument liefern müssen, warum wir Ihnen glauben sollten."

„Benedict und ich haben sorgfältig eine Erklärung zusammengestellt für das, was passiert ist, und können Ihnen ein perfektes Diagramm zeichnen", feuerte Octavia zurück. „Unsere Vermutungen sind durch verschiedene Quellen bestätigt worden. Was die Beweise angeht ..."

Charlotte wartete, während sich die Lippen der anderen Frau in einem schmerzerfüllten Krampf zu einer straffen Linie formten.

„Ach, was bringt denn das alles noch?", fuhr Octavia mit einem niedergeschlagenen Flüstern fort. „Ohne Benedict ist jede Hoffnung verloren." Ihr Gesicht war aschfahl geworden, wodurch die Blutergüsse ihres Kampfes noch deutlicher zur Geltung kamen. „Nur zu, werfen Sie mich ins Newgate Gefängnis. Es würde jedoch bedeuten, dass Mrs. Ashton mit einem Mord davonkommt."

„Das ist eine schwere Anschuldigung, Miss Merton."

„Ja, das ist es", erwiderte sie, ohne zu zögern. „Weshalb ich es nicht gesagt hätte, wäre ich mir nicht sicher, dass es wahr ist."

Wrexford blickte abrupt von seinem Buch auf. Da war es schon wieder – das *Ding, Ding* von Kieselsteinen, die gegen die rautenförmigen Fensterscheiben prasselten.

Er stand auf und zog die halbgeschlossenen Vorhänge vor den Fenstern des Labors zur Seite. Der hintere Garten war eine Zwischenwelt aus dunklen, blättrigen Gestalten, die sich aus einem quecksilbrigen Meer aus Dunst erhoben. Die tiefen Zierbäume wiegten sich in der unbeständigen Brise, ihre schwarzfingrigen Zweige schlängelten sich durch die Nebelschwaden.

Der Graf spähte mit zusammengekniffenen Augen in die Dunkelheit der Nacht und versuchte, irgendeine verstohlene Bewegung inmitten der Pflanzen auszumachen. Die Steine hatten sich schließlich nicht selbst geworfen. Er wartete noch einen Moment, dann entriegelte er das Fenster und öffnete es.

„Teufelszahn", murrte er, als ein nächtlicher Windstoß seine Wangen peitschte.

„Vor Kindern soll man nicht fluchen." Eine Hand erschien in der Dunkelheit unter ihm und hielt sich am Fenstersims fest. Wrexford hörte Efeu rascheln und kurz darauf schwang Raven ein Bein herauf und hievte sich auf den schmalen Steinvorsprung.

„Du bist kein Kind. Du bist ein Ifrit, der aus einer verteufelten Lampe befreit wurde, um die Menschheit zu plagen."

„Was ist ein Ifrit?"

„Ein Dämon." Er reichte ihm die Hand. „Komm herein. Es scheint, als würde ein Sturm aufziehen."

„Kann nicht", entgegnete Raven. „Mylady sagt, Sie sollen schnell kommen."

Wrexford überkam ein Schauer der Beunruhigung. „Was ist geschehen?"

„Jemand ist eingebrochen und ..."

„Ist sie verletzt?", unterbrach er scharf.

„Nay, wir haben die Übeltäterin überwältigt", antwortete der Junge. „Und dann haben wir sie schön fest an einen Stuhl gefesselt. Mylady steht Wache, aber sie will, dass Sie sehen, was passiert ist."

„Übeltäterin?", rief der Graf, während er eilig seine Pistole aus ihrem Koffer holte.

„Sie werden es gleich selbst sehen", sagte Raven. „Legen Sie einen Zahn zu, Sir. Wir müssen uns beeilen."

Teufel noch eins. Alle möglichen grausamen Szenarien spielten sich in seinem Kopf ab. *Warum musste sie sich stets auf gradem Wege in den Schlund der Gefahr stürzen?*

Eine idiotische Frage. Wrexford blies seinen Atem aus, als Verzweiflung mit Bewunderung rang. Weil sie eine Kriegerkönigin war, die mehr Leidenschaft und Prinzipien besaß, als gut für sie war.

„Wir treffen uns auf der anderen Seite des Platzes", rief er. „Es geht schneller, wenn wir ein Stück des Weges mit einer Droschke fahren, als den ganzen Weg zu Fuß zu laufen."

Das aufblitzende Gold hielt den Kutscher an, durch die verlassenen Straßen zu fliegen, als wäre er eine Fledermaus, die den Tiefen der Hölle entkommen war. Sie kamen ein paar Straßen von Charlottes Haus entfernt zum Stehen, von wo aus Raven sie zu Fuß durch eine Reihe an Gassen bis in den hinteren Garten führte.

„Hier durch", sagte der Junge, während er mehrere versteckte Haken löste und ein loses Brett bewegte, um eine schmale Lücke in dem Zaun zu öffnen.

Das Haus war völlig dunkel, was Wrexford in zusätzliche Unruhe versetzte, als er auf Raven wartete, der den geheimen Eingang wieder versperrte.

„Beeilung", schnauzte er. „Sonst entkommt er – ich meine *sie* - uns noch."

„Nicht aus meinen Knoten", erwiderte Raven, während er dem Grafen signalisierte, ihm zu folgen. „Und selbst wenn doch, würde Mylady ihr wieder eins überziehen."

„Ich gehe vor", flüsterte Wrexford und zog Raven hinter sich, sobald der Junge den Schlüssel im Türschloss zur Küche gedreht hatte. Mit gezogener Pistole schob er sich langsam durch die halbgeöffnete Tür, durchquerte die Küche und betrat den dunklen Flur.

Über ihm erklangen gedämpfte Stimmen. Er spannte langsam den Hahn und rückte weiter vor.

Dann erklang ein lautes Klirren - Metall traf auf Metall. Wrexford rannte los.

Die Tür zum Salon stand halb offen, die schwache Aureole des Lichts machte es schwer, zu sehen, was vor sich ging. Charlotte stand mit dem Rücken zu ihm. Sie stand gebeugt über ... Plötzlich blitzte etwas Metallisches hinter ihr auf.

„Keiner bewegt sich!", befahl er, als er die Tür auftrat und die Mündung seiner Pistole hob.

Charlotte drehte sich langsam um. „Danke, dass Sie gekommen sind, Wrexford. Ich bitte um Verzeihung, dass ich Sie zu so später Stunde geweckt habe." Der Anflug eines Lächelns gab sich auf ihren Lippen zu erkennen. „Darf ich Ihnen etwas Tee anbieten?", fügte sie hinzu und deutete auf den dampfenden Topf, der auf dem Zinntablett stand.

„Sie haben sie losgebunden", sagte Raven mit gerunzelter Stirn, als er sich in der Tür zu Wrexford stellte.

„Ja, sie hat mich davon überzeugt, dass von ihr keine Bedrohung ausgeht", antwortete Charlotte.

Wrexford betrat das Zimmer und ließ seinen Blick von Charlotte zu Octavia wandern, die auf einem Stuhl saß und sich in einem Gewirr aus Seil die Handgelenke rieb. „Ist das Ihre Vorstellung eines Scherzes?", fragte er. „Sollte dem so sein, ist es ganz und gar nicht amüsant."

„Ich versichere Ihnen, Sir, ich würde mich nie zu solch kindischen Scherzen herablassen", entgegnete Charlotte. „Obgleich es Momente gibt, in denen Ihre arrogante Attitüde es nicht anders verdient hätte."

Der Graf beschloss, sich seine trotzige Erwiderung zu verkneifen, als er Octavias derangierte Kleidung und die blauen Flecken in ihrem Gesicht sah. Erst jetzt bemerkte er, dass Charlotte nichts weiter trug als eine Nachtmütze und ihren Morgenrock. Ihre Füße waren nackt.

Dann stieß sein Blick auf die Scherben der zersprungenen Keramik auf dem Boden und die zwei Schwerter, die an der Wand lehnten. „Darf ich fragen – bei aller Bescheidenheit natürlich - was hier vor sich geht?"

„Setzen Sie sich, Mylord." Sie deutete auf einen der Sessel, der zusammen mit dem Sofa verrückt worden war. „Es wird ein längeres Gespräch werden. Allerdings müssen wir noch auf eine weitere Person warten, bevor wir beginnen können."

Wenn er ein Getränk brauchte, dann war es Brandy, kein Tee.

„Hawk holt ihn ..." Sie spitzte ein Ohr. „Ah, ich glaube, sie sind jetzt da."

Der Graf drehte sich und sah das vertraute Gesicht des Jungen – auch wenn es besudelter war als gewöhnlich - in der Tür erscheinen. Hinter ihm, größtenteils in Schatten gehüllt, war ein großer, schlanker Fremder, dessen gut geschnittene Kleidung verriet, dass er ein Gentleman war, auch wenn es wirkte, als hätte er sie sich in Eile übergeworfen.

„Charley, bist du sicher, dass du nicht verletzt bist?", rief der Kerl zu Charlotte. „Und Miss Merton ..." Er hielt inne, um die Unordnung in dem Zimmer zu betrachten. „Herr im Himmel."

„Mir geht es gut, Jem", antwortete Charlotte. Zu Wrexford sagte sie: „Erlauben Sie mir, Lord Sterling vorzustellen."

Ihr guter Freund und Wohltäter. Die Erinnerung trug nicht gerade zur Verbesserung seiner Laune bei.

„Das hier mag vielleicht ein Teekränzchen sein, lassen Sie uns dennoch auf die verfluchten Formalitäten verzichten, einverstanden?", knurrte der Graf. „Ich bin Wrexford", sagte er zu Jeremy in brüskem Ton. „Können wir jetzt zur Sache kommen? Ich nehme an, wir beide möchten wissen, warum Mrs. Sloane uns herbeordert hat."

Jeremy sah Charlotte mit hochgezogenen Augenbrauen an, eine stille Bestätigung der Aussage des Grafen.

Wortlos nahm sie das Papierbündel von dem Teetisch auf und hielt es hoch.

Jeremy stockte der Atem. „Sind das etwa Ashtons fehlende Zeichnungen?"

„Das", antwortete Charlotte, „wird uns hoffentlich Miss Merton erklären können." Eine Pause. „Zusammen mit einer Menge anderer Dinge. Sie hat einige schwerwiegende Anschuldigungen gemacht, von denen sie behauptet, sie beweisen zu können."

Blasse Dunstschwaden stiegen von der Teetasse in Octavias Händen auf und verschleierten ihr Gesicht. Eine treffende Illusion, fand Wrexford. Alles an der Ermordung des Erfinders schien in und aus dem Fokus zu tanzen und jeden Sinn der Wahrnehmung zu verhöhnen.

„Fangen wir damit an, was hier passiert ist, bevor ich Miss Merton für sich selbst sprechen lasse", fuhr Charlotte fort. „Ich bin aufgewacht, als ich gehört habe, wie sich jemand Zugang zu meinem Haus verschafft, und bin nach unten gegangen, um nachzusehen."

„Ist Ihnen nicht in den Sinn gekommen, dass es gefährlich sein könnte?", fragte Wrexford.

Sie ignorierte die Frage. „Ich habe eine Gestalt in einem Mantel gesehen, die in den Salon geschlichen ist – Miss Merton, wie ich später herausfand – und den Majolika-Hahn gestohlen hat, den Mrs. Ashton mir geschenkt hatte. Mit der Absicht, den Diebstahl aufzuhalten, habe ich sie konfrontiert und mit der Hilfe der Jungen – und den Schwertern des Grafen – konnten wir sie überwältigen."

„Gütiger Gott." Wrexford schüttelte den Kopf. „Sie haben Ihr Leben für ein Stück Keramik riskiert?"

Sie hob ihr Kinn in einer Manier, die er für die personifizierte Sturheit hielt. „Es war eine Frage des Prinzips."

Prinzipien. Ein Wort, das sowohl das Beste als auch das Schlimmste in ihr zum Vorschein brachte.

„Abgesehen davon, hat er sich als *äußerst* wertvoller Vogel erwiesen. Während des Kampfes ist er auf den Boden gefallen und zersprungen – wodurch die technischen Zeichnungen im Inneren zum Vorschein gekommen sind." Charlotte zögerte einen Moment, bevor sie sich etwas Tee einschenkte. Sie wirkte plötzlich erschöpft, doch die schnellen Schlucke schienen sie wiederzubeleben. „Das sind alle Fakten, von denen ich weiß. Für alles Weitere müssen Sie sich an Miss Merton wenden."

Stille legte sich über den Raum. Selbst die Jungen hörten auf zu zappeln. Octavia wandte ihren Blick ab. Sie schien sich mit jedem Wogen der Kerzenflamme weiter in sich zurückzuziehen.

„Also dann, Miss Merton", sagte Wrexford ungeduldig in dem Entschluss, dass es an der Zeit war, die eiserne Faust zu Charlottes seidenem Handschuh zu spielen. „Wäre es Ihnen etwa lieber, wenn wir die Läufer von der Bow Street herbeirufen?"

„Octavia", appellierte Jeremy. „Bitte. Wenn wir irgendeine Hoffnung darauf haben sollen, Ihnen und Benedict zu helfen, müssen Sie die Wahrheit sagen."

Die junge Frau sackte nach vorn und vergrub ihr Gesicht in den Händen. „Ich gestehe – Benedict und ich haben es getan."

Kapitel 18

Der heiße Tee wurde eiskalt auf Charlottes Zunge. Octavias passionierte Unschuldsbeteuerungen, als sie auf die Herren gewartet hatten, war tief in sie vorgedrungen – also hatte sie ihrem Instinkt vertraut.

Offensichtlich ein Fehler.

Charlotte stellte die Tasse ab und schloss ihre Augen. Sie fühlte sich wie ein absoluter Narr.

„Was genau haben Sie getan?", fragte der Graf trocken und durchbrach die angespannte Stille. „Es gibt eine Reihe abscheulicher Verbrechen, für die Sie die Hauptverdächtige sind."

Octavias Kopf schoss hoch. „Gütiger Gott, ich habe nicht gemeint, dass ... das ist ... Bitte verzeihen Sie. Ich rede Unsinn." Sie seufzte selbstironisch. „Ich bin für gewöhnlich keine dumme Gans. Ich ... ich fange besser noch einmal von vorn an."

„Lassen Sie sich Zeit", ermutigte Jeremy sie, während er auf dem Sofa Platz nahm und die Beine übereinanderschlug.

Wrexford, wie Charlotte bemerkte, hatte sich seitlich auf den Arm des gepolsterten Beistellstuhls gesetzt. In den rauen Schatten wirkten die scharfen Kanten seines Gesichts noch abweisender als gewöhnlich. Er kniff die Augen zusammen und fixierte die arme Frau mit einem einschüchternden Blick.

„Sterling mag vielleicht bereit sein, bis zum Morgengrauen hier herumzutrödeln", schnauzte er, „ich jedoch würde es vorziehen, wenn wir uns ein wenig beeilen würden, Miss Merton."

Sie nickte leicht. „Vor einigen Monaten begannen Benedict und ich, Unregelmäßigkeiten in Elis Arbeitszimmer und seiner Werkstatt zu bemerken. Nichts Großes, doch in unseren Augen waren Gegenstände nicht da, wo sie hingehörten, als wenn jemand die Unterlagen durchwühlt und sich die Prototypen angesehen hätte. Als wir Eli davon erzählten, tat er es mit einem Schulterzucken ab, doch uns fiel auf, dass er vorsichtiger wurde und Zeichnungen und Teile für den neuen Motor wegsperrte. Und wir genauso."

Octavia streifte sich eine verirrte Locke aus ihrem Gesicht. „Zu diesem Zeitpunkt bemerkten wir auch, dass Lord Kirkland auf dem Anwesen seines Vaters zu Besuch gewesen ist und sich regelmäßig in der Residenz der Ashtons aufgehalten hat. Benedict ist außerdem aufgefallen, dass er immer häufiger in der Textilfabrik herumlungerte."

„Ist das ungewöhnlich?", fragte Jeremy.

„Sehr", antwortete Octavia. „Kirkland besuchte die Blackstone Abbey nur äußerst selten. Und wenn er es tat, dann hieß es, er sei nur gekommen, um sich vor Gläubigern zu verstecken und dem Marquess mehr Geld zu entlocken. Er hat sicherlich kein Interesse an Elis Fabrik gezeigt - außer, um zu sehen, wie viele Guineen er aus den Profiten seines Vaters herausquetschen konnte."

„Sein Vater ist der Hauptinvestor in Ashtons Unternehmen", sinnierte der Graf. „Hat Kirkland nicht auch einen Anteil an der Firma besessen?"

„Nein. Tatsächlich hörte Benedict oft, wie Lord Blackstone abfällig über die Intelligenz seines Sohnes und seine Unfähigkeit, die Feinheiten der Finanzwelt zu verstehen, redete", antwortete Octavia.

Charlotte dachte über diese Information nach. „Sie haben mir gegenüber angedeutet, dass Sie und Mr. Hillhouse vermuten, Kirklands wachsendes Interesse an Ashtons Angelegenheit wäre persönlicher Natur gewesen."

„In der Tat." Octavias Gesichtsausdruck wurde finster. „Eli verbrachte mehr und mehr Zeit mit Benedict in der Werkstatt, die sich in einem Nebengebäude auf dem Gelände befindet. Da sich meine Arbeit im Arbeitszimmer abspielte, bekam ich eher mit, wer im Haupthaus ein und ausging. Kirkland fing an, beinahe täglich mit Mrs. Ashton Tee zu trinken." Ihr Gesichtsausdruck wurde sardonisch. „Das heißt, der Tee wurde in den Salon gebracht. Was hinter den verschlossenen Türen passierte, kann ich nicht sagen."

„Sie könnten eine Vermutung wagen", sagte Wrexford.

„Es ist nicht so, dass ich einen verdorbenen Verstand hätte, Sir", erwiderte Octavia ein wenig defensiv. „Jedoch war Eli wie ein Vater für mich, und da ich wusste, wie sehr er seine Frau liebte, machte ich mir Sorgen, dass man ihn verraten und sehr verletzen könnte." Sie atmete zittrig ein. „Also begannen Benedict und ich, Nachforschungen anzustellen. Und das Geheimnis, auf das wir dabei stießen, erschütterte uns bis ins Mark."

Charlotte sah zu Wrexford hinüber. Sein Gesichtsausdruck blieb unverändert. Jeremy hingegen wirkte zunehmend beunruhigter.

Geheimnisse. Egal wie tief sie vergraben waren, irgendwie bahnten sie sich immer einen Weg an die Erdoberfläche.

„In ihrer Jugend", fuhr Octavia fort, „gab es eine Zeit, in der Mrs. Ashton sich mit einer finanziellen Notlage konfrontiert sah. Ihr Vater hatte sein Unternehmen verloren und nach seinem Tod fand sie sich auf der Straße wieder. Doch auch wenn sie kein Geld hatte, so verfügte sie über zwei sehr wertvolle Dinge – ihr umwerfendes Aussehen und ihre Fähigkeit, Männer zu verzaubern. Sie benutzte beide, um einen wohlhabenden Beschützer in ihren Bann zu ziehen."

„Lord Kirkland?", riet Charlotte.

„Lord Kirkland", bestätigte Octavia.

„Haben Sie dafür Beweise?", fragte Wrexford.

„Dazu komme ich gleich, Mylord", antwortete Octavia. „Wir fanden außerdem heraus, dass Kirkland gerne mit Neville McKinlock in einer Spielhölle in London Karten spielt, in denen um exorbitante Einsätze gespielt wird."

Wrexfords Ausdruck wurde finster. „Der Besitzer von Locke and Wharton?"

„Genau der, Sir."

„Locke and Wharton ist Ashtons Hauptkonkurrent", erklärte der Graf den anderen. „Ihre Dampfmotoren sind sehr gut, wenn Ashton jedoch einen Weg gefunden hätte, seine Modelle leistungsfähiger zu machen, hätte McKinlocks Firma seinen Staub gefressen."

„Exakt", sagte Octavia. Ihre Stimme wurde immer eindringlicher. „Als wir also erfuhren, dass Kirkland McKinlock gegenüber ein regelrechtes Vermögen an

Spielschulden hatte, erkannten wir allmählich, wie sich alles zusammenfügte."

„Eine Vermutung", murmelte Wrexford.

„Dessen waren wir uns bewusst, Sir", konterte Octavia. „Wir wussten, dass wir Beweise zusammentragen mussten, um Eli davon zu überzeugen, dass er doppelt verraten wurde."

„Sie sagen also, dass sich seine Frau und Kirkland verschworen haben, um Ashtons Erfindung zu stehlen", sagte Jeremy.

„Ja! Sie McKinlock zu geben, hätte es ihm und nicht Eli ermöglicht, das Patent anzumelden. Lock and Wharton haben Erfahrung mit Dampfmaschinen. Es wäre so gut wie unmöglich gewesen, ihren Antrag abzulehnen." Sie zuckte mit den Schultern. „Der rechtliche Präzedenzfall gibt vor, dass der Sieger derjenige ist, der es zuerst beantragt – und ihm gehört der Gewinn."

„Eine fesselnde Geschichte", sagte der Graf langgezogen. „Aber noch einmal, können Sie es beweisen?"

Ein Anflug von Emotionen huschte über Octavias Gesicht, verflog jedoch zu schnell wieder, als das Charlotte sie hätte deuten können.

„Wir fügten die Geschichte durch Unterhaltungen mit vertrauenswürdigen Personen zusammen, doch wir sind nicht naiv, Lord Wrexford", erwiderte Octavia. „Wir begannen, handfeste Beweise zusammenzutragen, um zu bestätigen, was wir gehört hatten. Doch ......" Ihre Stimme stockte. „Doch Eli wurde ermordet ..."

„Und dann Hollis", warf Wrexford ein.

„Was die Angelegenheit umso dringlicher machte", sagte Octavia. „Ganz offen gesagt, Benedict war besorgt, dass wir in Gefahr sein könnten, wenn Kirkland oder die Witwe von unserem Tun Wind bekommen hätten."

Charlotte kam nicht umhin, sich eine Sache zu fragen. „Ashtons Zeichnungen, woher haben Sie gewusst, dass sie in dem Hahn versteckt waren?"

„*Wir* haben sie darin aufbewahrt." Sie machte ein schiefes Gesicht. „Wir waren uns bewusst, dass unsere Sachen durchsucht wurden, und da wir auch wussten, dass Mrs. Ashton den Vogel nicht ausstehen konnte, haben wir ihn für ein schlaues Versteck gehalten."

„Zu schlau", murmelte Charlotte.

„Ja, Sie können sich meinen Unmut sicher vorstellen, als sie ihn an Sie verschenkt hat." Octavia seufzte. „Ich war mir nicht sicher, ob ich lachen oder weinen sollte."

„Vielleicht", sinnierte sie, „ist es zu unserem Besten gewesen."

„Kommen wir zu Benedict und seinem Verschwinden zurück", drängte Jeremy. „Oder war das etwa ein bloßes Ablenkungsmanöver, um uns von der Fährte abzubringen?"

Octavia sah erschrocken aus. „Nein!", rief sie. „Das schwöre ich! Benedict hat dem Werkzeugmacher einen Besuch abgestattet. Anschließend hat er ein ehemaliges Dienstmädchen in Mrs. Ashtons Liebesnest treffen wollen, das behauptet hat, Briefe von Lord Kirkland an seine Geliebte zu besitzen. Allerdings ..." Sie schluckte schwer und versuchte, ihre Stimme vor dem Brechen zu bewahren. „Allerdings ist er nie zurückgekehrt."

Ihr Blick fiel auf Jeremy, der aussah, als würde er sich übergeben müssen. „Wie ich Ihnen bereits gesagt habe, fürchte ich, dass etwas Schlimmes geschehen ist.

Benedict würde sich *niemals* einfach davonschleichen und mich sitzen lassen."

„Sie scheinen sich dessen sehr sicher zu sein", sagte Charlotte leise. Angesichts dessen, was sie über die Vergangenheit des jungen Mannes wusste, kam ihr ein äußerst hässlicher Gedanke.

„Das bin ich." Octavia zögerte. „Sie müssen wissen, wir haben es vor dem Hintergrund der aktuellen Umstände noch niemandem erzählt, doch wir sind verlobt und haben vor, zu heiraten."

„Liebe." Wrexford schnaufte entnervt. „Als hätten wir nicht schon genügend jugendlichen Aberwitz, mit dem wir uns herumplagen müssen."

Charlotte warf ihm einen ermahnenden Blick zu.

Die Stirn runzelnd verstummte er.

Niemand schien etwas sagen zu wollen. Jeremy stand auf und begab sich ans Fenster. Die Vorhänge zitterten, als er sich nach vorn lehnte und seine Stirn gegen das beschlagene Glas presste.

Ihr Herz schmerzte, als sie ihn so sah. Es sah aus, als siedete heiße und ätzende Galle in seinem Magen. Sie vermutete, dass er dasselbe dachte, wie sie.

Octavia beobachtete ihn mit besorgtem Blick. „Lord Sterling? Stimmt etwas nicht?"

Einen Moment lang schien Jeremy sie nicht gehört zu haben. Er stand so still da, dass seine Gestalt langsam in den ihn umgebenden Schatten versank.

Wenn es doch nur so einfach wäre, den Ängsten zu entfliehen, die das bedrohen, was uns lieb ist.

Schließlich riss sich Jeremy von seinen inneren Dämonen los und drehte sich um, um sich ihnen zu stellen. „Miss Merton, so sehr es mich auch schmerzt, dies zu tun, bin ich gezwungen, Sie zu fragen, wie viel Benedict Ihnen über seine Vergangenheit verraten hat."

Ein winziger Muskel kam an ihrer Kehle hervor, als sie den Kloß in ihrem Hals hinunterschluckte. „Ich nehme an, es geht um ein Missverständnis bezüglich des fehlenden Geldbeutels eines Freundes in Oxford."

Ein schmerzverzerrter Blick erfüllte Jeremys Augen.

Octavia bemerkte es und erstarrte vor Schreck. „Es war ein Irrtum", sagte sie. „Benedict hob den Mantel seines Freundes hoch, in der Annahme, der Mann hätte ihn in der Seitenstraße vergessen, und wurde beschuldigt ..."

„Es war kein Irrtum", unterbrach Jeremy. „Benedict wurde von der Not getrieben, Geld für seine Bücher aufzutreiben, und er traf eine falsche Entscheidung. Ich war es, der ihm half, sich aus der Affäre zu ziehen und dafür zu sorgen, dass er nicht für das Verbrechen angeklagt wurde."

„Nein", flüsterte sie. „Das glaube ich nicht. Benedict hat nicht eine böse Zelle in seinem Körper."

„Nichtsdestotrotz ist es die Wahrheit", antwortete Jeremy knapp. „Er ist ein enger Freund – denken Sie, es bereitet mir Freude, alte Skandale über ihn auszugraben?" Er presste seine Fingerspitzen an seine Schläfen. „Ich glaube nicht, dass ein Fehltritt einen Mann für immer verdammt. Ich habe stets an Benedicts Integrität geglaubt. Doch ich muss akzeptieren, dass ich mich geirrt haben könnte. Wir dürfen die Augen nicht vor der Realität verschließen, dass Geld ihn schon einmal zuvor dazu verleitet hat, seine Skrupel zu vergessen."

„Und wenn er es einmal getan hat", warf Wrexford ein, „ist es wahrscheinlich, dass er es wieder tun würde."

„Das glaube ich nicht", wiederholte Octavia, die leichenblass war, doch ihr Kinn herausfordernd hob.

Die Tatsache, dass die Frau sich weigerte, Benedict den Wölfen zum Fraß vorzuwerfen, ließ Charlotte allmählich Gefallen an ihr finden. Und dennoch ...

„Wir müssen die Möglichkeit in Erwägung ziehen, dass Mr. Hillhouse der Versuchung des Geldes nachgegeben hat und in irgendeiner Weise mit dem Mord an Mr. Ashton in Verbindung steht", sagte sie. „Wir sollten jedoch auch offen für die Tatsache sein, dass er einen Ast in ein Nest von Vipern gestochen haben könnte."

„In welchem Falle", sagte Octavia mit angespannter Ruhe, „Benedict wahrscheinlich tot wäre."

„Nicht unbedingt", entgegnete Charlotte. „Er könnte gezwungen sein, sich zu verstecken, oder man hat ihn gefangen genommen."

„Tief in einem Kerker von übernatürlichen Kräften gefangen gehalten?", murrte Wrexford sarkastisch. „Na los, ich bin mir sicher, wenn wir alle mitmachen, könnten wir einen schaurigen Roman schreiben, der sich besser verkauft als *Udolphos Geheimnisse.*"

„Wie Sie so gern betonen, Sir, wäre es falsch von uns, ohne handfeste Beweise von der Schuld des Mannes auszugehen", erwiderte Charlotte. „Ich sage lediglich, dass wir für alle Szenarien offenbleiben sollten."

Wrexford nickte widerwillig. Er fing an, mit langsamen, bedachten Schritten den Raum im Kreis abzulaufen, vorbei an den Jungen, die sich in der Hoffnung, unbemerkt zu bleiben, hinter das Sofa geschlichen hatten, vorbei an den Bücherregalen und vorbei an den Keramiksplittern, die auf dem dunkel gemaserten Boden verstreut lagen.

„Offenbleiben", murmelte er. Als er sprach, blieb er abrupt stehen und hievte eines der Schwerter hoch. Ein Lichtblitz tänzelte über die Länge seiner Klinge. „Anstatt mit wilden Vermutungen wahllos um uns zu werfen, sollten wir die wissenschaftliche Methode anwenden und anfangen, uns bei unseren nächsten Schritten von Vernunft und Logik leiten zu lassen."

Die Jungen streckten ihre Köpfe hervor und beobachteten den Grafen, der nachdenklich auf die stumpfe Spitze der Waffe starrte und sie auf- und abfedern ließ. Er hielt das Gewicht mit Leichtigkeit und strahlte eine Aura der Herrschaft aus. Sie war von den flimmernden Funken, die von dem glatten Stahl reflektierten, wie hypnotisiert.

„Was nützt uns das bloße Nachdenken?", fragte Jeremy. „Mrs. Ashton hat vor der Bow Street darauf bestanden, dass der Tod ihres Ehemannes nicht das Ergebnis eines willkürlichen Raubüberfalles gewesen ist. Sie will, dass ein Schuldiger gefasst wird, und jetzt können wir uns denken, warum." Er ballte seine Hände neben sich zu Fäusten. „Sobald Benedicts Geheimnis gelüftet wurde, wird die Bow Street mit schäumenden Mündern seinen Kopf wollen."

„Oh, Sie Kleingläubigen", murmelte Wrexford. „Wenn Miss Merton die Wahrheit sagt, wird es einen Weg geben, es zu beweisen."

„Und Sie sind willens, uns dabei zu helfen?", fragte Octavia herausfordernd.

„Ich bin willens, Gerechtigkeit walten zu sehen", korrigierte sie der Graf.

Eine sehr wrexfordsche Antwort, dachte Charlotte, als ihr ein schwaches Lächeln über die Lippen rutschte. Seine sprunghaften Stimmungen konnten sie wahnsinnig machen, doch wenn es um intellektuelle Rätsel ging, war er in der Lage, seine Emotionen auszublenden und sich pedantischer Präzision hinzugeben. Sie hoffte, dass das zu ihrem Vorteil ausfallen würde.

Das Schwert schwang vor und zurück und erzeugte mehr quecksilbrige Lichtreflektionen. Plötzlich stellte Charlotte mit Schrecken fest, wie sehr sie Benedict Hillhouses Unschuld beweisen wollte. Ihr erster Eindruck von Octavia war kein positiver gewesen. Die junge Frau hatte ausweichend und nicht vertrauenswürdig auf sie gewirkt - verständlicherweise, angesichts dessen, was sie nun wusste. Doch die draufgängerische Missachtung ihrer eigenen Sicherheit und die entschlossene Verteidigung des Mannes, den sie liebte, hatte ihr Charlottes widerwilligen Respekt eingebracht.

„Wie können wir helfen?", meldete sich Raven aus seinem Platz in den Schatten zu Wort.

„Im Augenblick gar nicht", antwortete Charlotte schnell und gleich darauf wurde ihr klar, dass sie mehr mitgehört haben mussten, als ihr lieb war. „Du und Hawk solltet zurück ins Bett gehen."

„Noch nicht", sagte Wrexford und erntete damit zwei dankbar grinsende Gesichter. „Womöglich wäre es besser, wenn sie hierbleiben und uns zu Ende zuhören würden. Ich habe vielleicht eine Aufgabe für sie."

Charlotte war sich nicht sicher, ob ihr der Klang davon gefiel. Das letzte Mal, als der Graf die Jungen für eine seiner Ermittlungen in Dienst genommen hatte, wären sie zu den Strafkolonien am anderen Ende der Welt verfrachtet worden, hätte man sie erwischt.

„Das wird nicht möglich sein", erwiderte sie knapp. „Ihr Unterricht mit Mr. Linsley erfordert viel Zeit und Lernen."

Raven nuschelte ein Wort, von dem Charlotte vorgab, es nicht gehört zu haben.

Das Schwert war jetzt so ausgerichtet, dass es auf eine Stelle auf dem Sofa zeigte. „Tun Sie mir den Gefallen und lassen mich aussprechen, bevor Sie sich dazu entschließen, mir die Leber mit Ihrem Federmesser herauszuschneiden."

Die Gedanken des anderen lesen zu können, war ein zweischneidiges Schwert, stellte Charlotte fest, als sie Platz nahm. „Also gut, Sir."

„Wie mir scheint, gibt es drei Wege, die wir gehen können", sagte der Graf ohne weiteres Vorwort. „Erstens wären da unsere zwei Hauptverdächtigen." Er setzte sein Abwandern des Raumes fort. „Wir müssen mehr über Lord Kirkland und Mrs. Ashton herausfinden – über ihre Geschichte und ob sie sich tatsächlich verschworen haben. Und wir dürfen selbstverständlich McKinlock nicht vergessen."

„Wie …", begann Jeremy, bevor er von einem Rauschen des Stahls unterbrochen wurde.

„Zufälligerweise habe ich bereits meinen guten Freund Kit Sheffield gebeten, nach Schmutz über Kirkland zu graben", entgegnete der Graf. „Die Spielhöllen sind ein vielversprechender Nährboden für Schmutz jeglicher Art."

„Können wir Sheffield vertrauen?", fragte Octavia.

„Absolut", antwortete Charlotte.

Die Antwort schien die junge Frau zufriedenzustellen. Sie lehnte sich ohne weitere Einwände zurück.

„Des Weiteren ist es unerlässlich, Beweise für jedwede Untreue zu sammeln", fuhr Wrexford fort. „Dazu wäre es hilfreich, wenn wir die Liebesbriefe in die Finger bekommen könnten, die Mr. Hillhouse gesucht hat. Und die täglichen Bewegungen der beiden zu kennen – wen sie treffen, wohin sie gehen, besonders, wenn es McKinlock involviert – könnte der Schüssel zur Bestätigung unserer Vermutungen sein."

Wrexford war mittlerweile bei Charlotte angekommen. „Mrs. Sloane, ich werde die Liebesbriefe Ihnen und Ihrem Netzwerk überlassen."

Octavia rutschte wieder einmal auf ihrem Stuhl nach vorn. „Wie ..."

„Unwichtig", unterbrach Jeremy sie. „Doch seien Sie versichert, sie stellen jeden Bow Street Läufer in den Schatten."

„Wiesel, ihr spielt dabei ebenfalls eine Rolle", fuhr der Graf fort. „Könntet ihr eure zuverlässigen Schmutzfinke für den Überwachungsdienst rekrutieren?"

Die Jungen hatten einen vertrauenswürdigen Kreis von gewieften, zähen Gassenkindern, die sich in der Aufklärung des Mordfalls Holworthy als extrem hilfreich erwiesen hatten.

„Na klar", antwortete Raven. „Skinny, der einäugige Harry, Alice das Aalmädchen, Moppel ..."

„Ich überlasse es dir, die Gruppe zusammenzustellen", warf Wrexford ein. „Ich werde dir die Anweisungen im Laufe des morgigen Tages mitteilen."

Octavia schaute immer verblüffter, behielt jedoch alle weiteren Fragen für sich.

„Dann wäre da noch die Frage, wie wir Mr. Hillhouse finden." Wrexford wandte sich Jeremy zu. „Sie kennen ihn gut. Und Miss Merton allem Anschein nach ebenfalls. Sie beide haben die Aufgabe, zu überlegen, wo er untergetaucht sein könnte, sollte er in Schwierigkeiten stecken."

„Er wäre zum Haus zurückgekehrt", beharrte Octavia.

Der Graf richtete seine lange Nase auf sie, als er auf sie hinabschaute. „Und hätte damit jedwede Bedrohung, der er entkommen musste, geradewegs zu Ihnen geführt?"

„Oh", sagte sie mit leiser Stimme.

„Ich habe da bereits ein paar Ideen", sagte Jeremy. „Ich bin sicher, Miss Merton wird auch etwas einfallen, sobald sie erst einmal darüber nachgedacht hat."

„Stellen Sie Ihre Nachforschung diskret an, Sterling", warnte der Graf.

Wieder rauschte das Schwert durch die Luft, während er sprach. „Angesichts Ihres Hintergrunds nehme ich an, dass Sie das schaffen werden."

„Wenn Sie damit fragen wollen, ob ich es schaffe, nicht über meine adligen Füße zu stolpern, dann ja, ich denke, das schaffe ich", kam die kühle Antwort.

„Ich kann Mrs. Ashtons Salon und die Privaträume durchsuchen, wenn sie anderweitig beschäftigt ist", schlug Octavia vor.

„Nein", sagte Charlotte entschlossen. „Sie müssen mir versprechen, dass Sie nichts tun werden. Wie Sie festgestellt haben, sind geheime Aktivitäten nicht so leicht, wie man glaubt. Die Witwe zu alarmieren, dass sie unter Verdacht steht, könnte katastrophale Auswirkungen haben. Das Element der Überraschung ist der Schlüssel, wenn wir sie auf frischer Tat ertappen möchten."

Octavia sah unglücklich aus, doch Charlotte hoffte, dass die Vernunft überwiegen würde. „Das verstehe ich."

Die Liste war bereits entmutigend genug, doch der Graf hatte drei Möglichkeiten genannt, sich vorzuarbeiten. „Und was, Sir", fragte Charlotte, „ist der dritte Weg?"

Kapitel 19

Wrexfords Wanderung durch den Raum hatte ihn zurück zur Tür geführt, wo das andere Schwert an der Wand lehnte. „Wir dürfen die Möglichkeit nicht außer Acht lassen, dass der wahre Täter jemand ganz anderes ist. Unsere Verdächtigen sind nicht die einzigen, die enorme Profite ernten würden, besäßen sie Ashtons Erfindung. Und als ein Mann der Wissenschaft habe ich gelernt, dass man bei der Durchführung eines Experiments stets alle Faktoren miteinbeziehen sollte."

Er stellte die Waffe langsam neben ihr Gegenstück. „Sonst besteht das Risiko, dass es einem um die Ohren fliegt."

„Ja, doch ... wo fangen wir an?", grübelte Charlotte laut. „Wenn Mr. Hillhouse in weiß Gott was für Schwierigkeiten steckt, läuft uns die Zeit davon."

„Tatsächlich ist die Antwort sehr simpel. Wir – oder vielmehr ich – beginne bei der Royal Institution, wo der neueste Klatsch der Welt der Wissenschaft über ihre majestätischen Korridore hallt, bevor er an die Öffentlichkeit gelangt." Wrexford ließ sich zu einem zynischen Lächeln verleiten. „Männer tendieren dazu, noch geschwätziger zu sein als eine Schar Damen beim Nachmittagstee. Sollte McKinlocks Unternehmen an irgendwelchen neuen Projekten arbeiten, wird einer der Mitglieder der Institution davon gehört haben."

Charlotte nickte langsam. „Eine ausgezeichnete Idee, Mylord. Es ergibt Sinn, dass wer auch immer versucht, mit der Erfindung ein Vermögen zu machen, sich mit jemandem zusammenschließen würde, der bereits Dampfmotoren herstellt."

„Das würde er in der Tat." Wrexfords Blick wanderte zu Ashtons technischen Zeichnungen herüber, die Charlotte auf den Tisch neben dem Sofa gelegt hatte. „Miss Merton, ich weiß um den Aufwand, den Sie betrieben haben, um an die Unterlagen zu kommen, doch ich würde sie gern bis auf Weiteres an mich nehmen. Nicht nur sind sie in meinem Stadthaus sicherer, sondern es würde mir und meinem Laborassistenten außerdem die Möglichkeit geben, zu verstehen, an welcher Art revolutionärer Innovation Ashton arbeitete."

„Ventile", flüsterte Octavia. „Es dreht sich alles um Ventile."

Dampfkraft, so wusste er, hatte mit Hitze, Kondensation und dem Erzeugen eines Vakuums zu tun. Je schneller und effizienter ein Motor diesen Prozess durchlaufen konnte, desto mehr Druck – und in Folge Kraft – konnte er erzeugen.

„Ich verfüge nicht über das technische Fachwissen, um Ihnen mehr als eine rudimentäre Erklärung der Funktionsweisen der Konstruktion zu geben. Sie beinhaltet *vier* Ventile in jedem Zylinder. Die Verbindungen, um sie zu öffnen oder zu schließen, werden unabhängig voneinander gesteuert, wodurch die Temperatur konstant bleibt. Das Ergebnis ist deutlich mehr Leistung. Zusätzlich kalkulierten Eli und Benedict, dass der neue Motor um ein Vielfaches effizienter sein und dreißig Prozent weniger Treibstoff verbrauchen würde."

„Das ist in der Tat revolutionär", murmelte Wrexford.

„Was Ihr Einbehalten der Zeichnungen angeht, so lässt meine Situation kaum Einwände zu", fügte

Octavia mit einem zynischen Schulterzucken hinzu. „Abgesehen davon, stimme ich Ihnen zu, dass sie in Ihren Händen vermutlich am sichersten sind."

Der Graf beugte sich gerade hinüber, um sie aufzuheben, als Charlotte sich räusperte. „Mir ist gerade ein Gedanke gekommen. Hätte irgendjemand auch ohne die Unterlagen als Referenz das Wissen oder die Kompetenz, den neuen Motor herzustellen?"

Eine gute Frage. Wrexford war bereits dabei, sich die Pläne genauer anzusehen.

„Die Werkzeugmacher, die die Teile für unsere Experimente anfertigten, haben eine Ahnung, woran Eli arbeitete", antwortete Octavia. „Und einige der Investoren könnten eine Vorstellung davon haben, dass es etwas mit einem neuen Konzept für Ventile zu tun hat. Der Teufel liegt jedoch im Detail. Die genaue Konstruktion ist äußerst kompliziert und ich bezweifle, dass es jemanden gibt, der in der Lage ist, sich in sein kreatives Denken hineinzuversetzen." Das winzige, herzschlaglange Zögern schien durch die Stille im Raum zusätzlich hervorgehoben zu werden.

„Außer natürlich Benedict", fügte sie leise hinzu, „der die Pläne in- und auswendig kennt."

„Dann sollten wir also dringend Mr. Hillhouse finden", sagte Wrexford. „Allem Anschein nach ist er der Schlüssel, um dieses Mysterium zu lüften." Papier raschelte, als er versuchte, die winzigen mathematischen Gleichungen zu fokussieren, die in die Seitenränder gekritzelt worden waren. Sein Kopf fühlte sich vom Schlafmangel plötzlich benebelt an.

„Für den Moment gibt es hier allerdings nichts was wir tun können. Wir alle benötigen einen klaren Kopf, bevor wir die uns zugeteilten Aufgaben in Angriff nehmen." Er fasste sich ans Kinn und spürte das schwache Kratzen der Barthaare auf seiner Haut. Es weckte das unbehagliche Gefühl, dass er etwas übersehen haben könnte.

Und doch konnte er nicht genau sagen, was es sein mochte.

Die Dringlichkeit des Hier und Jetzt verdrängte den Gedanken. „Sterling, Sie müssen dafür sorgen, dass Miss Merton sicher zurück nach Mayfair gelangt. Und ich schlage vor, Sie tun es jetzt, bevor die Stadt zum Leben erwacht."

Jeremy nickte. Octavia erhob sich und holte ihren Umhang.

„Einer der Jungen wird sie an eine Stelle bringen, von wo aus eine Droschke herangewunken werden kann, ohne unerwünschte Aufmerksamkeit zu erregen."

Raven stupste seinen jüngeren Bruder an. „Du hast den feinen Pinkel gehört. Bring sie raus zur High Street. Und zwar schnell."

Charlotte wartete, bis der Klang eiliger Schritte von der Nacht verschluckt wurde, bevor sie fragte: „Also, was halten Sie von dieser neuen Wendung, Sir?"

Wrexford konnte sich ein Lächeln nicht verkneifen. „Sie sind diejenige, die Intuition zu deuten weiß, Mrs. Sloane. Mein beschränkter Intellekt muss sich auf Fakten und Logik verlassen. Beides stellt sich in diesem Fall als verflucht schwierig heraus." Er nahm sich einen Moment Zeit, um die Zeichnungen eng zusammenzurollen. „Reich mir etwas Zwirn, Wiesel."

Raven schien das Zimmer nur ungern verlassen zu wollen, eilte dann jedoch in die Küche.

„Meinem Bauchgefühl nach sagt Miss Merton die Wahrheit", sagte Charlotte.

„Die Wahrheit, wie sie sie versteht", murrte der Graf.

Die Kerze flackerte, während Wachs den Zinnkerzenständer hinuntertropfte. Sie brannte schwach.

„Guter Punkt", räumte Charlotte ein. Nach einer langen Pause fuhr sie fort, in ihrer Stimme, schwang jetzt ein besorgter Ton mit. „Wir haben vielversprechende Hinweise, doch nur sehr wenige Fakten. So vieles scheint von Mr. Hillhouse und der Frage abzuhängen, ob er eine Kraft des Guten oder des Bösen darstellt."

„So ähnlich wie eine komplizierte mathematische Gleichung." Raven materialisierte sich aus der Dunkelheit heraus und hielt ihnen ein Stück Schnur entgegen. „Sie wissen schon, wo man den Wert für x oder y rausfinden muss, bevor man die richtige Antwort errechnen kann."

„Ganz genau, Junge", erwiderte Wrexford. Sich den Bewegungen seiner Finger nur halb bewusst, begann er damit, einen Knoten um die Rolle zu binden. *Aus dem Mund von Kindern und Säuglingen ...* die Worte des Jungen verstärkten sein Gefühl, etwas übersehen zu haben.

Erschrocken hob Charlotte ihren Blick. „Mathematik!", rief sie. „Wir haben das Papier mit den Zahlen, das Sie in Hollis' Zimmer gefunden haben, mit keinem Wort erwähnt. Dabei sind seine letzten Worte doch gewesen, dass die Antwort zu Ashtons Tod in den Zahlen versteckt sei."

Verdammt. Wrexford fühlte sich wie ein Idiot.

„Ich vermute, Sie haben nichts von dem Professor in Cambridge gehört?"

Der Graf schüttelte den Kopf. „Ich werde ihm erneut schreiben. Allerdings hat Henning mir heute Abend den Beweis vorbeigebracht, dass Hollis sie geschrieben hat." Er erzählte ihr knapp von der Nachricht für Nevins und davon, dass sie noch immer keine Ahnung hatten, wie sie das seltsame Durcheinander interpretieren sollten. Es war eine Erinnerung daran, wie sehr seine übliche Klarheit während dieser Ermittlung auf eigenartige Weise getrübt war. Der Grund dafür war etwas, über das er nicht nachzudenken wünschte.

Und doch musste er.

„Wrexford ..."

Charlottes scharfer Tonfall weckte ihn aus seinem kurzzeitigen Grübeln.

„Ich muss Ihnen eine unbequeme Frage stellen."

„Nur zu", sagte er affektiert. „Ich wage zu behaupten, Sie würden sie mir sowieso stellen, ob mit oder ohne meine Erlaubnis."

Sie lächelte nicht. Kein gutes Zeichen, beschloss er, obgleich er nicht sicher war, welche Missetat er begangen hatte, die ein solch ernstes Gesicht rechtfertigte.

Sie wandte sich Raven zu. „Es ist Zeit für dich, ins Nest zurückzukehren. Du musst etwas schlafen, wenn du morgen konzentriert genug sein willst, um unsere Verdächtigen zu bewachen." Als sie sah, dass er im Begriff war, zu protestieren, erhob sie ihre Stimme, etwas, das sie nur selten bei den Jungen tat. „Los." Ihre Wimpern zitterten und verdunkelten die Schatten um ihre Augen. „Ich muss mit Seiner Lordschaft unter vier Augen sprechen."

Raven sah unglücklich aus, gehorchte jedoch zögerlich. Charlotte wartete, bis sie das Knarren der Treppenstufen hörte, bevor sie sich räusperte.

Noch ein schlechtes Zeichen, dachte Wrexford. Sie schreckte nie davor zurück, die verbalen Schwerter mit ihm zu kreuzen. Es war eines der Dinge, die er an ihr respektierte.

Die eigenartige Zurückhaltung zerrte an seinen Nerven.

„Es macht auf mich den Anschein, dass Ihre gewohnte objektive Distanziertheit bei diesem Fall von Anfang an gefehlt hat", begann sie. „Gibt es dafür einen Grund?"

„Wenn Sie damit andeuten möchten, ich sollte in der Lage sein, jedes Verbrechen zu lösen, egal wie komplex oder ..."

„Das habe ich damit ganz und gar nicht sagen wollen", unterbrach sie ihn schroff. „Ich glaube, Sie haben zugelassen, dass Ihre Emotionen Ihr Handeln beeinflussen – was, so warnten Sie mich einst, ein Garant für Ärger ist."

Wrexford fiel keine geistreiche Erwiderung ein. Er wollte sie nicht beleidigen, in dem er vorgab, nicht zu wissen, auf was sie anspielte. Mit ihrer gottlosen Gabe der Intuition schien Charlotte die Wahrheit noch vor ihm gespürt zu haben.

Nicht, dass er dankbar dafür war.

Charlotte nahm sein Schweigen als Bestätigung ihrer Mutmaßung. „Ich habe Mrs. Ashton kennengelernt. Die Witwe ist ..." Es folgte ein Herzschlag eines Zögerns, als sie ihre Worte mit Bedacht wählte. „... eine eindrucksvolle Erscheinung. Sie ist attraktiv. Bezaubernd. Und ..."

„Und Sie glauben, ihre weiblichen Reize haben mich verführt?"

„Ich glaube, sie haben Ihr Urteilsvermögen getrübt", entgegnete Charlotte geradeheraus. Die Kerze gab ein letztes Flackern von sich und erlosch dann mit einem kurzen Zischen. Leise fluchend schnappte sie sich eine Öllampe, die auf dem Beistelltisch stand. Sie benötigte mehrere Schläge des Stahls auf den Feuerstein, um den Docht anzuzünden.

„Ob sie Ihr Bett wärmt oder nicht, geht mich nichts an", fuhr Charlotte fort. „Was mich jedoch etwas angeht, ist Ihr emotionaler Zustand. Wenn Sie nicht in der Lage sind, sich der Ermittlung mit unvoreingenommenem Auge zu widmen, bringt uns das alle in eine untragbare Situation. Es würde es nicht nur nahezu unmöglich machen, die Wahrheit herauszufinden, sondern es könnte auch Menschen in Gefahr bringen, die mir am Herzen liegen."

Mit anderen Worten, dachte der Graf, war sie besorgt, dass er nicht von seinem Gehirn, sondern einem anderen Teil seiner Anatomie geleitet wurde.

„Ich *muss* wissen, dass ich Ihnen vertrauen kann, Wrexford."

Einen Moment lang hielt er seinen Blick auf den Teppich gerichtet und beobachtete, wie dunkle, nächtliche Gebilde durch die schwache Aureole des Kerzenlichtes wanderten.

Dann sah er auf und kreuzte ihren fragenden Blick. „Mrs. Ashton ist ohne Frage eine Schönheit, die eine natürliche Sinnlichkeit ausstrahlt."

Charlottes Ausdruck blieb unberührt. Wie Stein – unempfindlich gegenüber den Elementen, die ihn umgaben.

„Was nicht ungewöhnlich ist für die Beau Monde. Frauen haben nicht viel mehr als ihre Reize, die sie als Druckmittel in Verhandlungen mit Männern einsetzen", fuhr er langsam fort. „Die Witwe jedoch besitzt zudem einen scharfen Intellekt, was weitaus seltener ist. Ich gebe zu, das fasziniert mich. Also ja ..."

War es bloß eine Laune des Lichts oder hatte er in Charlottes Augen einen Anflug von Schmerz gesehen? Er war so schnell wieder verschwunden, dass er beschloss, sich geirrt haben zu müssen.

„Also ja, möglicherweise ist es eine Ablenkung gewesen."

Sie ließ ihren angehaltenen Atem so leise und zaghaft entweichen, dass er die umgebende Luft kaum aufwirbelte. „Eine, die sich als tödlich herausstellen könnte."

„Möglicherweise", stimmte Wrexford zu. „Vorausgesetzt, dass meine Reaktion auf sie, wie Sie feinfühlig angedeutet haben, eine primitive und keine zerebrale gewesen ist."

Trotz der Dunkelheit war die Errötung über ihren Wangenknochen nicht zu übersehen.

„Mrs. Ashton hat eine stählerner Verschwiegenheit ..."

„Und Gott bewahre, dass Frauen Geheimnisse haben", flüsterte Charlotte. „Oft sind sie jedoch unsere einzige Verteidigung. Wie Sie so weise gesagt haben, haben wir nur wenige Möglichkeiten, um der Macht, die die Männer über uns in dieser vermeintlich zivilisierten Gesellschaft ausüben, entgegenzuwirken."

Ihre Blicke kreuzten sich und als er das vorüberge-
hende Flimmern der schieren Verletzlichkeit in ihren
Augen sah, kämpfte er gegen das Verlangen an, sie in
die beschützende Wärme seiner Arme zu ziehen. Wieder einmal wünschte er sich zu wissen, was in ihrer
Vergangenheit lag.

„Da widerspreche ich Ihnen nicht, doch erlauben Sie
mir bitte, auszureden", sagte er mit überraschend ruhiger Stimme. „Die Witwe hat eine gewisse Verschwiegenheit, und auch wenn irgendwo in ihrem Inneren
eine Leidenschaft brennt, ist es unmöglich auszumachen, was diese Leidenschaft ist. Mein Bauchgefühl
sagt mir, es ist etwas sehr Persönliches. Und es wird
durch Eis gezähmt. Sie wird wahrscheinlich nie wirklich ihr Herz öffnen."

„Sie unterschätzen Ihre eigenen Fähigkeiten, Wrexford. Die meisten Frauen finden Sie vermutlich ..."

Ihre Gesichtsröte wurde noch sichtbarer. „Aber ich
brauche Ihrer Eitelkeit nicht zu schmeicheln. Mein
Punkt ist, Mrs. Ashtons Leidenschaften sind ..."

„Privater Natur", sagte er geradeheraus. „Anders als
Ihre, welche durch Ihr Mitgefühl und Ihre Hingabe für
Ideale, die größer sind als Sie selbst, geweckt wird. Ich
kann mir nicht vorstellen, dass sie ihren Hals für abstrakte Konzepte wie Wahrheit und Gerechtigkeit riskieren würde, wie Sie es tun."

Ein erstaunter Blick breitete sich in Charlottes Gesicht aus. „S-sie halten meine Leidenschaft für nervtötend."

Er ließ ein kleines Lächeln über seine Lippen kommen. „Ja, das heißt jedoch nicht, dass ich sie nicht be-
wundere. Tatsächlich habe ich durch den Vergleich

zwischen Ihnen und ihr zu klarem Verstand zurückgefunden."

Dass Charlotte sprachlos war, war ein seltener Anblick. Er nahm sich einen Moment Zeit, ihn zu genießen.

„So suspekt mein Urteil über Frauen auch sein mag, und Gott weiß, ich wurde in meiner Vergangenheit hintergangen, bin ich bezüglich der Witwe dennoch zu demselben Schluss gekommen wie Sie", erklärte er. „Ob sie sich als schuldig erweisen wird oder nicht, ich vermute, dass Idealismus nicht Teil ihrer Natur ist. Welche Anziehung ich auch immer gespürt haben mag – und übrigens hat sie nie mein Bett gewärmt - sie ist verschwunden. Ich gebe Ihnen mein Wort."

„Dann ist die Angelegenheit geklärt", sagte Charlotte, die noch immer ein wenig aus der Fassung zu sein schien.

„Noch nicht ganz", erwiderte er, als sie sich dem Teetisch zuwandte. „Anziehung ist ein zweischneidiges Schwert, Mrs. Sloane. Lord Sterling steckt bis zum Hals in diesem Mysterium mit drin. Dass Sie aufgrund Ihrer offensichtlichen Verbindung zwischen Ihnen beiden die Augen davor verschließen, könnte genauso gefährlich für uns alle sein."

„Jeremy und ich sind Freunde, weiter nichts."

„*Gute* Freunde", betonte Wrexford und wiederholte ihre früheren Worte. „Möglicherweise sind *Sie* es, die sich selbst unterschätzt. Er sieht Sie an wie ..."

„Er sieht mich wie jemanden, den er seit seiner Kindheit kennt!", unterbrach ihn Charlotte.

Sie wirkte unnatürlich aufgebracht über die Andeutung einer romantischen Verstrickung, doch der Graf war sich nicht sicher, weshalb. War sie sich ihrer eigenen Anziehungskraft nicht bewusst?

„Die Verbindung, die Sie sehen, ist die zweier verwandter Seelen, die nicht in die konventionellen Zwänge ihrer Welten passen", fuhr sie zögernd fort und rang sichtlich um Worte. „Wir haben uns in der Vergangenheit gegenseitig durch ... schwere Zeiten geholfen. Das bildet ... ein Urvertrauen, das schwer zu erklären ist."

„Und das verleitet Sie nicht dazu, ihm im Zweifelsfall den Vorzug zu gewähren?"

Die Hauptschlagader an ihrem Hals begann zu pochen, als Charlotte ihren Blick abwandte, um über die Frage nachzudenken. Ihr Haar hatte sich aus ihrem Nachtzopf gelöst und die dunklen, gelockten Strähnen verdeckten ihr Profil.

In den sich langsam wandelnden Schatten sah sie schmerzhaft schön aus. Er verspürte einen plötzlichen Anflug roher Eifersucht auf Lord Sterling und die Enge zwischen ihnen.

„Ich bin damit vertraut, mich hässlichen Wahrheiten zu stellen, Wrexford. Mein Band mit Jeremy, so stark es auch sein mag, wird meinen Sinn für richtig und falsch nicht trüben."

„Ich kann nicht anders, als mich zu fragen, welche tiefen, dunklen Geheimnisse Sie teilen?" Obgleich es nur leichthin gesagt war, meinte er es dennoch todernst.

„Die haben nichts mit diesem Fall zu tun." Charlottes Atem wurde unruhig. „Ich versichere Ihnen, zwischen uns besteht nichts weiter als eine Freundschaft."

Wrexford glaubte nicht, dass sie log, doch irgendetwas stimmte nicht. „Ich bin nicht sicher, ob Sterling dasselbe fühlt", drängte er.

„Das tut er", beharrte sie.

„Wie können Sie sich so sicher sein?"

Das unstetige Licht konnte ihre Reaktion nicht verbergen. All die Farbe war aus ihrem Gesicht gewichen und hatte sie leichenblass zurückgelassen. „Ich … ich habe Ihr Wort hingenommen, ohne es in Frage zu stellen, da ich das Gefühl habe, dass auch wir einen gewissen Grad des Vertrauens entwickelt haben. Ich erwarte dasselbe von Ihnen."

Verdutzt verfiel der Graf in Schweigen, eine Falte bildete sich auf seiner Stirn. Charlotte hielt sich für gewöhnlich nicht mit ihren Worten zurück. Warum zum Teufel redete sie im Kreis? Es ergab keinen Sinn.

Sein Stirnrunzeln vertiefte sich. Es sei denn …

Die Erkenntnis dämmerte ihm, als er beobachtete, wie sich ein fürchterlicher Krieg der Emotionen in ihrem Gesicht austrug. Es war nicht sie selbst, um die sie sich sorgte.

„Ah", sagte er leise. „Ich glaube, ich verstehe endlich, was Sie zu sagen versuchen. Sterlings Gefühle für Sie sind … platonisch."

„Ja", flüsterte sie, während sie ihm in die Augen sah. „Ich habe mich Ihnen gegenüber verwundbar gemacht. Und ihn auch. Es ist jedoch wichtig, dass es zwischen uns keine Missverständnisse gibt, Sir. Wir müssen uns gegenseitig uneingeschränkt vertrauen können."

„Einverstanden. Vertrauen ist eine Frage der Ehre. Es sollte unantastbar sein zwischen Freunden." Er las den stummen Appell in ihren Augen und fügte hinzu: „Sie haben oft gesagt, dass kein Geheimnis je vollkommen sicher ist, doch seien Sie versichert, dass ich, trotz meiner vielen Makel, Ihr Vertrauen niemals missbrauchen werde."

„Danke." Erleichterung resonierte in der Luft zwischen ihnen. „Ich … ich hoffe, dass Sie, der eine gesunde Skepsis gegenüber Konventionen hat, Jeremy nicht zu scharf verurteilen werden."

„Mrs. Sloane, ich bin viel zu sehr mit dem prekären Zustand meines eigenen Seelenheils beschäftigt, als dass ich mich um die sogenannten Sünden anderer scheren würde."

Papier raschelte, als er einen Schritt zurücktrat und die Rolle mit den Zeichnungen zwischen seinen Händen hin und herreichte, in der Absicht, ihr einen Moment der Privatsphäre zu lassen. Auch Charlotte entfernte sich. Das leise Klirren des Teegeschirrs half ein wenig, die Spannung zu brechen.

„Danke", wiederholte sie. „Dass Sie … so ein guter Freund sind."

Freund. Das Wort war kaum mehr als ein Flüstern gewesen, und doch schien es mit einem Summen durch den Raum zu hallen, das bis in sein Mark vordrang.

Wrexford änderte seine Haltung und versuchte, das Gefühl abzuschütteln. Und doch zwang ihn seine Ehrlichkeit nach einigen langsamen, pochenden Herzschlägen, sich einzugestehen, dass seine Gefühle für Charlotte weit über bloße Freundschaft hinausgingen.

„Wrexford …"

Er sah auf.

„Sie scheinen … nicht Sie selbst zu sein."

Das bin ich nicht – und womöglich werde ich nie wieder ganz der Alte sein.

Sie bewegte sich um den Tisch herum und schloss die Leere zwischen ihnen, bevor sie zu seiner Überraschung ihren Arm ausstreckte und ihre Hand auf seine Wange legte. Die Wärme ihrer Haut ließ Funken von seinem Kopf bis zu den Zehen sprühen.

Ohne darüber nachzudenken, legte er seine Hand auf ihre. Sie standen einen Moment lang still und regungslos da, bevor er widerwillig von ihr abließ und einen Schritt zurückwich.

„Ich bin nur erschöpft, das ist alles", murmelte er.

Charlotte nickte und gab sich wortlos wieder der Aufgabe hin, den Tisch abzuräumen. „Also, gibt es sonst noch etwas, das wir besprechen müssen?", fragte sie, nachdem sie die Tassen und den Kessel sorgfältig auf dem Tablett arrangiert hatte. „Ansonsten schlage ich vor, Sie gehen heim und schlafen ein wenig."

„Ich denke nicht", antwortete der Graf. „Unsere Strategien stehen fest." Er machte eine kurze Abschiedsgeste und begab sich zur Tür. „Es wird sich zeigen, ob sie aufgehen."

Charlotte war durch ihre Begegnung mit Wrexford zu aufgewühlt, um zu schlafen. Am oberen Ende der Treppen angekommen, begab sie sich in ihr Arbeitszimmer, anstatt ins Bett zu gehen. Es war sicherlich eine Nacht der Enthüllungen gewesen, inwieweit sie jedoch alle miteinander zusammenhingen, war unmöglich vorherzusehen.

Wahrheit und Lügen, und keine Möglichkeit, eins von dem anderen zu unterscheiden.

Was ihre persönlichen Rätsel anging Charlotte presste ihre Handflächen aneinander und spürte die raue Wärme, die von Wrexfords borstigem Kinn zurückgeblieben war. Wie konnte er so hart und doch so weich sein?

Fragen, Fragen. Ihre Emotionen waren im Augenblick zu verworren, um zu versuchen, sie zu sortieren.

Stattdessen suchte sie Zuflucht in der Mordermittlung. Es *musste* einen Weg geben, wie sie ihren Intellekt einbringen konnte. Nachdem sie im Zimmer einmal auf- und abgelaufen war, nahm sie an ihrem Schreibtisch Platz. Sie atmete aus und öffnete eine der Schubladen, um die Kopie der Zahlen herauszunehmen, die Wrexford in Hollis Zimmer gefunden hatte.

Einfache Symbole, deutlich geschrieben in Schwarz auf Weiß. Charlotte kniff die Augen zusammen. Sicherlich sollte sie in der Lage sein, einen Hinweis, eine Art Muster zu erkennen. Sie nahm einen Bleistift zur Hand und startete einen Versuch, die Zahlen in Buchstaben umzuwandeln.

Kauderwelsch.

Geschlagen ließ Charlotte sich gegen die Lehne ihres Stuhls sacken.

„Mylady?"

Ravens katzenfüßige Verstohlenheit war schon immer ein wenig nervenaufreibend, doch sein plötzliches Erscheinen nur eine Armlänge von ihr entfernt, ließ sie beinahe aus ihrer Haut fahren.

„Entschuldigung", sagte er und wich so schnell einen Schritt zurück, dass etwas Tee über den Rand der dampfenden Tasse schwappte, die er in seinen Händen hielt. „Ich ... ich dachte, Sie möchten vielleicht etwas Warmes zu trinken."

„Wie aufmerksam! Das wäre in der Tat ganz reizend." Charlotte tätschelte eine Stelle auf dem Schreibtisch. „Na los, stell sie ab, bevor du dir die Finger verbrennst."

Sobald er getan hatte, wie ihm aufgetragen, zog sie ihn in ihre Arme, ungeachtet dessen, wie sehr er sich normalerweise vor Umarmungen scheute. Sie überkam plötzlich das Bedürfnis, die Weichheit seiner Wange und das beruhigende Schlagen seines Herzens durch sein Hemd zu spüren. Wie schnell er der Kindheit doch entwuchs. Er war nichts als Haut und Knochen gewesen, als sie sich das erste Mal begegnet waren. Jetzt wurde sein magerer Körper mit beängstigender Geschwindigkeit immer kräftiger und er schoss in die Höhe wie Unkraut.

Noch ein Jahr, dann ...

„Hey." Raven wand sich unbehaglich. Seine Wangen waren gerötet, doch ein Hauch eines Lächelns erweichte sein Murren.

Zögerlich ließ Charlotte von ihm ab.

„Schniefen Sie etwa?", fragte er erschrocken.

„Ich muss ein wenig Dreck von deinem Hemd in meine Augen bekommen haben", antwortete sie, während sie gegen die Tränen anblinzelte. *Gütiger Gott, Wrexford muss meine Emotionen wirklich aus dem Lot gebracht haben.* „Dabei habe ich es doch gestern erst gewaschen. Was stellst du bloß immer an - schlägst du Rad durch jede Schlammpfütze, die du finden kannst?"

Er grinste. „Ich muss üben, wendig zu sein, wenn ich dem Teufel einen Schritt voraus bleiben will."

Sie zerzauste sein Haar. „Du hast dich für eine Nacht genug gewendet und gedreht. Geh ins Bett."

„Na gut, aber das sollten Sie auch."

„Das werde ich." Dampf stieg von der Tasse auf. „Sobald ich meinen Tee getrunken habe."

Auch Raven wandte seinen Blick ab, nicht auf die silbrigen Schwaden über der Tasse, sondern auf das Blatt Papier, das auf der Schreibunterlage ausgebreitet war.

„Ist das der Hinweis, den seine Lordschaft erwähnt hat?"

Wie würde Wrexfords Antwort lauten? Kaum hatte sie sich die Frage gestellt, ertappte Charlotte sich selbst dabei, ein Lachen schlucken zu müssen. *Mit brutaler Ehrlichkeit,* beschloss sie, als sie sich an sein lange zurückliegendes Gespräch mit den Jungen erinnerte, in dem es um den Tod und die Launen des Sensenmannes ging. Mit ihm gab es kein Auslöffeln zuckersüßer Plattitüden. Er behandelte sie nicht wie Kinder.

„Ja", antwortete sie. „Das ist er."

Raven reckte seinen Hals, um einen besseren Blick auf das Papier werfen zu können.

Sie schob das Blatt näher an ihn heran, wodurch ihr eigenes albernes Gekritzel von Buchstaben zu sehen war.

Er stützte seine Ellenbogen auf das dunkel gemaserte Eichenholz und beugte sich hinüber, um die Zahlen zu betrachten. Obwohl ein krauses Gewirr aus ungekämmtem Haar sein Gesicht verdeckte, konnte sie beobachten, wie er konzentriert die Augen zusammenkniff.

Beschämt darüber, wie schnell sie aufgegeben hatte, fühlte sie sich dazu angehalten, einen weiteren Blick zu werfen.

„Du scheinst ein Händchen für Zahlen zu haben. Hast du eine Vorstellung, was diese hier bedeuten könnten?", fragte sie schließlich.

Er runzelte die Stirn und zuckte wortlos mit den Schultern. Welche Gedanken auch immer in seinem Kopf Gestalt annahmen, er behielt sie in sehr Raven-typischer Manier für sich.

„Doch der Kerl hat sie alle in dieser Reihenfolge aufgeschrieben", grübelte der Junge, „also müssen sie irgendetwas bedeuten."

Charlotte starrte mit scheelem Blick auf das Papier, in dem verzweifelten Versuch, es mit der Kraft ihrer Gedanken dazu zu bringen, ihr sein Geheimnis zuzuflüstern.

Und als nächstes lernen Schweine eine Arie aus einer von Mozarts Opern.

„Ja, das müssten sie. Wrexford sagt ..." Angestrengt versuchte sie, sich an seine genauen Worte zu erinnern, als er ihr die Kopie gegeben hatte. „Wrexford sagt, die letzten Worte des ermordeten Mannes waren, *Zahlen – die Zahlen werden alles ans Licht bringen.*"

„Sie sagen überhaupt nichts", scherzte Raven nach einigen Augenblicken der Stille.

„Nein, das tun sie wirklich nicht." Leise fluchend faltete sie die Seite wieder zusammen und legte sie auf ihrer Schreibunterlage beiseite. Ihre Hand verweilte auf dem dunklen Leder. Die wehende Nachtkühle hatte längst die Wärme aus dem Haus vertrieben. Eine Böe dröhnte durch den Schornstein und sie fühlte, wie sich ein Schauer durch ihr Mark zog.

Charlotte nahm ihre Tasse und trank einen großen Schluck und war dankbar über die Wärme, die sich jetzt in ihrem Magen ausbreitete. Dieser Fall hatte ihr den letzten Nerv geraubt – sie schien sich einfach nicht zurechtfinden zu können. Möglicherweise war es überheblich von ihr gewesen, zu glauben, sie könnte einfach ihre Sachen packen und von einem Leben ins andere ziehen, ohne einen Teil von sich selbst dabei zurückzulassen.

„Der Tee wird kalt." Das Lampenlicht fing die schimmernde Besorgnis in Ravens Augen ein. „Ich kann Ihnen einen neuen bringen."

„Geh ins Bett, Wiesel." Charlotte benutzte absichtlich den sardonischen Spitznamen des Grafen.

Raven lächelte.

„Ich werde dasselbe tun, sobald ich ausgetrunken habe."

Das schien den Jungen zufriedenzustellen. Er nickte und stapfte zur Tür. Ob er sich in sein Nest auf dem Dachboden begeben oder dem Ruf der Nacht nicht widerstehen können würde, war eine Frage, die sie sich in diesem Moment nicht zu stellen wagte. *In diem vive. Lebe einen Tag nach dem anderen*, erinnerte sie sich selbst.

Eine hart erkämpfte Lektion, die sie im Leben gelernt hatte, war, dass man einen Gegner nur dann besiegen konnte, wenn man einen Weg fand, um seine eigenen Stärken zu nutzen.

„Und Gott weiß, das habe ich in diesem Fall nicht getan", murmelte sie in ihren lauwarmen Tee hinein. Ihre beste Waffe war ihre Feder, und die war in dieser Angelegenheit seltsam still geblieben. Ihre Kunst zu benutzen, um die Schwachstelle eines Gegners zu ertasten und einen Fehltritt zu provozieren, hatte sich in der Vergangenheit als höchst effektiv erwiesen. Aus irgendeinem Grund hatte sie aus den Augen verloren, was sie am besten konnte.

Charlotte nahm eine Feder aus ihrem Halter, öffnete ihr Tintenfass und breitete ein leeres Blatt Zeichenpapier auf der Unterlage aus. Zahlen mochten ein Mysterium für sie sein, Worte und Bilder jedoch waren Seelenverwandte. Sie begann zu skizzieren, ihren Gedanken freien Lauf zu lassen, keine Zensur. Fantasie war korrigierbar.

Die Einzelheiten von Ashtons Tod und die finsteren Verdächtigungen gegen die radikalisierten Arbeiter konnten der Öffentlichkeit nicht offenbart werden. Doch es gab stets einen anderen Winkel, von dem aus das Böse aus den Schatten getrieben werden konnte. Sie musste ihn nur finden.

Die Federspitze kreiste und kreiste durch eine Reihe kunstvoller Schnörkel. Und dann lächelte Charlotte plötzlich, als sich eine Idee materialisierte.

Herrje, es war so offensichtlich – warum hatte sie nicht schon früher daran gedacht?

Geld war stets ein Thema, das das öffentliche Interesse weckte. Was Patente zu einem provokanten Gegenstand für ihre Bilderreihe machte, der vielleicht dazu dienen könnte, ein paar Schlangen aus ihren dunklen Löchern herauszulocken.

Eilig schnappte sie sich einen leeren Bogen Aquarellpapier und machte sich an die Arbeit

Kapitel 20

Wrexford streifte sich seinen Übermantel ab und ließ ihn auf den Boden fallen, während er sich mit der Absicht, sich ein dringend benötigtes Glas Brandy einzuschenken, zur Anrichte begab. Oder doch einen schottischen Malt. Er brauchte einen ordentlichen Schuss ...

„Verdammter Mist." Zwei gleichermaßen entrüstete Flüche kollidierten in der Dunkelheit.

„Ich glaube, Sie könnten mir einen Knochen gebrochen haben", fügte Sheffield missmutig hinzu, während er sich das geprellte Schienbein rieb.

Nachdem er über die ausgestreckten Beine seines Freundes gestolpert und gegen die spitze Ecke von einem der Arbeitstische gestoßen war, verzog der Graf das Gesicht. „Warum schlafen Sie in meinem Sessel und nicht in Ihrem eigenen Bett?"

„Ihre Auswahl an Getränken ist größer als meine", witzelte Sheffield.

Nicht in der Stimmung für Scherze humpelte Wrexford zu dem Tablett mit den Glaskaraffen hinüber. Der gerade noch vermiedene Sturz hatte sich definitiv zu Gunsten des Whiskys ausgewirkt. Er schenkte sich ein Glas ein.

„Zufälligerweise warte ich hier schon seit kurz vor Mitternacht, eine durchaus angemessene Zeit", fügte sein Freund hinzu. „Was die Frage aufwirft, was Sie zu so gottlos früher Stunde getrieben haben."

Wrexford nahm sich einen Moment Zeit, um den Docht der Lampe auf der Anrichte mithilfe von Stahl und Feuerstein anzuzünden und die Flamme aufzudrehen. „Es hat eine weitere unerwartete Wendung in dem Fall gegeben."

Das einfallende gelbgoldene Licht fing die Anspannung von Sheffields Gesichtszügen ein, als er in eine aufrechte Sitzposition schoss und plötzlich hellwach wirkte. „Doch wohl nicht noch ein Mord?"

„Nein", antwortete er. „Obgleich ein sehr farbenfroher Hahn ein vorzeitiges Ende gefunden hat."

„Ein Hahn?" Sheffield zog die Augenbrauen hoch. „Wenn ich Sie wäre, würde ich den Whisky auslassen. Ihr Verstand ist auch ohne Dämonentrank schon benebelt genug."

„Ganz und gar nicht", sagte Wrexford, nachdem er sich einen langen Schluck auf der Zunge zergehen lassen hatte. „Tatsächlich hat mein nächtlicher Streifzug einen klaren Kopf erfordert, um all die Fäden entwirren zu können. Sagen wir einfach, meine Aufwendungen haben zu einer bedeutsamen Entdeckung geführt."

„Genau wie meine", erwiderte Sheffield. „Und wenn Sie aufhören würden, so ein Esel zu sein, und mir ein Glas von diesem köstlichen Malt einschenken, werde ich Ihnen erzählen, was ich herausgefunden habe." Nachdem er Sheffield damit beauftragt hatte, durch den Dreck der verrauchten und verschwitzten Spielhöllen zu waten und sich nach Gerüchten über Kirkland umzuhören, hatte sein Freund wahrscheinlich einen Schlüssel zum gesamten Weinkeller verdient.

„*Slainte mhath*", murmelte er und reichte Sheffield ein großzügiges Glas des Whiskys. Ihre Gläser stießen mit einem Klirren zusammen und entsandten wild schimmernde, bernsteinfarbene Muster entlang der Wand.

„Ich überlasse Ihnen die Ehre, den Anfang zu machen", fügte Wrexford hinzu. „Meine Erzählung wird wahrscheinlich die längere von beiden sein."

Sheffield legte seine gelangweilte Theatralik ab und stellte sein Glas beiseite, bevor er bis an die Kante seines Stuhls vorrutschte. „Ich habe beschlossen, mein Glück in einer der weniger frequentierten Spielhöllen in Seven Dials zu versuchen, da ich mich daran erinnert habe, dass Herrington, ein Kerl, der in Kirklands Kreisen verkehren soll, dort Faro zu spielen pflegt. Und siehe da, ich bin fündig geworden."

Er musste zugeben, sein Freund hatte nicht zu viel versprochen.

„Es hat mich zwei verdammt teure Flaschen Brandy gekostet - für die ich eine Erstattung erwarte -, doch dann begann Herringtons Zunge aufzutauen", erzählte Sheffield. „Offenbar war Mrs. Ashton vor einigen Jahren Kirklands Geliebte. Er zahlte die Miete eines kleinen, charmanten Hauses in einem Dorf namens Morley nahe Leeds, und unterstützte sie auch in anderen Bereichen."

Wrexford nickte. „Gut gemacht, Kit. Das bestätigt, was ich gehört habe."

Sheffield schaute verblüfft. „Sie haben bereits davon gewusst?"

„Erst seit knapp einer oder zwei Stunden. Ich werde es Ihnen gleich erklären, beenden Sie jedoch erst Ihren Bericht."

„Herrington ist sich nicht sicher gewesen, was die einstige Übereinkunft zunichtemachte. Allerdings hat er gesagt, Kirkland habe seinen Kumpanen erzählt, dass er die Beziehung wieder aufleben lässt und erwartet, bald ein sehr reicher Mann zu sein, sobald die Trauerphase vorbei ist und die Witwe wieder heiraten kann, ohne damit für einen Skandal zu sorgen."

„Alle Achtung." Wrexford hob sein Glas zu einem Toast.

Sheffield sah zufrieden aus. „Nun, erzählen Sie mir von Ihren nächtlichen Aktivitäten."

„Abenteuer trifft es wahrscheinlich besser", sagte der Graf trocken. „Es hat alles damit begonnen, dass eines der Wiesel zu mir gekommen ist, und mich zu alarmieren, dass jemand in Mrs. Sloanes Haus eingebrochen ist."

„*Was?!*", rief sein Freund empört. „Ist sie verletzt?"

Wrexford rutschte ein schroffes Lachen heraus. „Müssen Sie das wirklich noch fragen? In Anbetracht der zwei kleinen Dämonen und Mrs. Sloanes höllischer Entschlossenheit, würde der Teufel höchstpersönlich nicht den Hauch einer Chance gegen sie haben."

Sheffield ließ sich zurück in den Sessel sinken. „Wer ..."

„Miss Merton, eine unserer Verdächtigen. Sie war auf der Suche nach dem Keramikhahn ..." Wie versprochen, bedurfte es einer ziemlich langwierigen Erklärung, um seinen Freund in alle Geschehnisse des Abends einzuweihen.

„Teufel noch eins." Sein Freund gab einen beeindruckten Pfiff von sich, als die Erzählung endete. „Was kommt als Nächstes?"

„Sterling wird versuchen, Hillhouse ausfindig zu machen, und die Wiesel werden ihre verbündeten Lumpensammler zusammentrommeln, um Kirklands Bewegungen genau im Auge zu behalten – und die der

Witwe", antwortete der Graf. Nach einem langen, nachdenklichen Schluck Whisky, fügte er hinzu: „Ich ziehe in Erwägung, Mrs. Ashton zu konfrontieren, jetzt da Sie den Skandal in ihrer Vergangenheit bestätigt haben."

„Haben Sie Griffin von diesen Entwicklungen in Kenntnis gesetzt? Es macht auf mich den Anschein, als hätten Sie den Fall für ihn so gut wie gelöst." Sheffield zog eine sardonische Grimasse. „Gier, Lust und Verrat – ein urzeitliches Dreieck, dass sich durch die gesamte Zeitspanne der menschlichen Geschichte zieht."

„So scheint es in der Tat, doch bis ich mir wirklich sicher bin, habe ich beschlossen, ihm nichts zu sagen. Die Bow Street steckt in einem schwierigen Dilemma." Wrexford schirmte die Lippen und starrte in die bernsteinfarbene Spirituose. „Die Regierung brennt darauf, die radikalen Anführer still und heimlich dingfest zu machen, während sie die Öffentlichkeit in dem Glauben lässt, Ashtons Tod wäre das Ergebnis eines willkürlichen Raubüberfalles gewesen. Solange es keine eindeutigen Beweise gibt, würde Griffin lediglich seine eigene Position riskieren, sollte er sie dazu anhalten, gegen einen hochwohlgeborenen Angehörigen des Adels wie Kirkland zu ermitteln, vor allem, da sein Vater ein derartig einflussreicher Mann ist."

„Und Sie denken, Sie könnten die Witwe dazu bringen, ein Geständnis abzulegen?" Sheffield klang skeptisch. „Ich habe das Gefühl, durch ihre Venen fließt Eis und kein Blut. Sie wird sich nicht so leicht einschüchtern lassen."

„Durch ihre Venen mag Eis fließen, doch ihrem klugen Kopf wohnt ein klarsichtiger Pragmatismus inne." Der Graf lächelte finster. „Seinen Partner zu verraten, um seinen eigenen Hals vor der Schlinge zu retten, ist ebenfalls ein seit Beginn der Menschheitsgeschichte gängiges Verhaltensmuster."

„Sie sind ein alter Zyniker."

Wrexford kippte den letzten Schluck hinunter. „Was meine Worte nicht weniger wahr macht."

Das erntete ein sardonisches Lachen. Sheffield sah einen Hauch von Morgenröte den Nachthimmel färben, streckte sich faulenzerisch und schlug seine Beine wieder übereinander. „Wann wird das Frühstück serviert?"

„Sobald ich ein paar Stunden geschlafen habe." Der Graf stand auf. „Sollten die Würfel weiterhin zu unseren Gunsten fallen, werden wir für den heutigen Tag unsere Sinne schärfen müssen."

Sein Freund gähnte lauthals. „Wecken Sie mich, wenn der Kaffee fertig ist."

Charlotte legte ihren Pinsel beiseite und rieb sich die müden Augen. Sie konnte kaum noch geradeaus schauen, doch sie begutachtete das fertiggestellte Kunstwerk ein letztes Mal und war mit ihrer Arbeit zufrieden. Müde, aber zufrieden.

Eine produktive Nacht. Obwohl es genau genommen schon weit nach Sonnenaufgang war. Das blasse, perlmuttartige Licht erweichte die Schatten auf der Straße und den Häusern gegenüber von ihrem eigenen. Irgendwo in ihrem Hintergarten begrüßte eine Ringeltaube gurrend den neuen Tag. Als sie sich langsam erhob, spürte sie die Müdigkeit in ihr Knochenmark dringen und rollte die Zeichnung in ein schützendes Stück Öltuch.

Über ihr konnte sie hören, wie sich die Jungen zu regen begannen. Keine Frage, sie würden einen frühmorgendlichen Gang zu Mr. Fores Druckerei begrüßen, vor allem, wenn sie ihnen einen extra Schilling für ein paar heiße Rosinenmuffins von der Bäckerei in der Nähe des Covent Garden mitgab.

Charlotte wartete auf das Poltern ihrer Schritte auf den Stufen, bevor sie den Flur betrat.

Raven kam zum Stehen und fixierte sie mit einem Basiliskenblick. „Sie haben mir eine dicke Lüge aufgetischt, Mylady. Sie haben gesagt, Sie schließen Ihre Gucker, wenn ich dasselbe tue."

„Das habe ich auch ernsthaft vorgehabt, doch dann ist mir eine Idee gekommen." Sie hielt die zusammengerollte Zeichnung hoch. „Und da Mr. Fores darauf angewiesen ist, dass ich meine Termine einhalte, hat mich mein Ehrbewusstsein dazu gezwungen, sie unverzüglich umzusetzen. Er hat nichts anderes verdient."

„Wenn Sie das sagen", erwiderte Raven. Er nahm die Rolle an sich. „Nachdem wir das hier ausgeliefert haben, werden wir uns auf die Suche nach Moppel machen, damit wir den anderen Bescheid sagen können, dass der feine Pinkel Arbeit für uns hat."

Charlotte gab ihm einige Münzen. „Vergesst nicht, euch zwischendurch ein paar Muffins zum Frühstück zu kaufen."

„Muffins!" Hungrig beäugte Hawk das Silber. „Juhu!"

Sie streckte die Hand aus und zerzauste das Haar des Jungen. „Na los, verschwindet." Sie zögerte, konnte dann jedoch nicht anders, als hinzuzufügen: „Und seid vorsichtig. Ihr habt letzte Nacht mehr gehört, als ich mir gewünscht hätte, lasst es jedoch eine Erinnerung daran sein, dass wir es mit sehr gefährlichen Widersachern zu tun haben, die vor nichts zurückschrecken, um zu bekommen, was sie wollen."

„Mylord." Riche klopfte an die Tür und betrat das Labor des Grafen.

„Ah, ist es Zeit für Tee?", fragte Sheffield und sah von dem Roman auf, den er las.

„Gütiger Gott, wir haben gerade erst gefrühstückt. Wenn man bedenkt, wie viel Essen Sie verschlingen, ist es ein Wunder, dass Sie nicht so viel wiegen wie ein Ochse", stellte Wrexford fest, was Tyler, der am anderen Ende des Raumes damit beschäftigt war, die wissenschaftlichen Instrumente zu polieren, ein Kichern entlockte.

Er legte Ashtons technische Zeichnungen aus der Hand und warf einen Blick auf die Uhr, die auf der Anrichte stand, bevor er seinen Butler mit einer fragend hochgezogenen Augenbraue ansah. Er hatte nur noch eine halbe Stunde, bevor er sich auf den Weg zu seiner Verabredung in der Royal Institution machen musste. „Ja, Riche?"

„Master Thomas Ravenwood Sloane wünscht, mit Ihnen zu sprechen."

„Bringen Sie ihn herein."

Sheffield wirkte überrascht. „Hat Mrs. Sloane einen jüngeren Bruder?"

„Man hat beschlossen, dass die Jungen anständige englische Namen benötigen, mit denen sie in ihrer neuen Nachbarschaft nicht auffallen. Seien Sie versichert, dass der zivilisierende Effekt nur oberflächlich ist ..." Als Raven das Labor betrat und mit mehr Dreck als gewöhnlich bedeckt war, fügte der Graf schnell hinzu: „Wenn überhaupt."

„Wir haben unsere Freunde benachrichtigt", sagte Raven ohne Vorrede. „Sie treffen mich in einer Stunde in der Gasse hinter der St. Stephen's Kirche, um ihre Anweisungen zu erhalten."

„Ausgezeichnet", antwortete der Graf. „Sheffield hat sich vergewissert, dass Lord Kirkland im White's Karten spielt und den Rest des Nachmittags dort sein wird. McKinlock besucht eine Vorlesung an der Royal Institution, und mein Lakai hat sich von Miss Merton bestätigen lassen, dass Mrs. Ashton ihr Stadthaus nicht verlassen hat. Wir können die Überwachung also in Gang setzen."

Der Junge nickte aufmerksam, doch in Wrexfords Augen, wirkte sein Ausdruck ein wenig getrübt.

„Stimmt etwas nicht, Junge?"

Raven zögerte, bevor er antwortete: „Skinny ist seit vorgestern nicht mehr gesehen worden und es sieht ihm nicht ähnlich, seinen Platz in der Silver Street zu verlassen, wo er für gewöhnlich den Dreck kehrt."

„Womöglich fühlt er sich nicht gut."

„Nay, das würde ihn nicht von der Arbeit abhalten", erwiderte Raven. „Er kann es sich nicht erlauben, krank zu sein."

Freunde blieben Freunde, reflektierte Wrexford, unabhängig von Alter oder sozialem Stand. „Geben wir ihm noch einen Tag, dann sehen wir, was wir tun können." Auch wenn er befürchtete, dass es nicht viel gab, das sie tun konnten. Die Gefahren, der ein Gassenkind ausgesetzt war, das allein auf der Straße lebte, waren zu viele, um sie zu zählen.

Raven wusste das genauso gut wie er und zuckte lediglich mit den Schultern. „Da kann man nix machen, wenn der Sensenmann beschließt, dass es Zeit ist, zu gehen."

Auch wenn das die Wahrheit war, so war es dennoch ernüchternd, eine so zynische Aussage von einem so jungen Menschen zu hören. Wrexford wechselte das Thema.

„Wo ist dein Bruder?"

„Bei den Ställen. Er sieht sich Ihre Pferde an." Der Junge warf ihm einen unsicheren Blick zu. „Macht es Ihnen etwas aus?"

„Ganz und gar nicht." Der Graf nahm sein Notizbuch zur Hand und setzte sich seitlich auf seinen Schreibtisch. „Lass uns die Überwachung besprechen."

Sie verbrachten die darauffolgenden Minuten damit, die logistischen Fragen zu klären. Der Plan war, dass zwei Gassenkinder Kirkland, McKinlock und die Witwe beschatteten – eines, um zurückzurennen und sie zu informieren, sollten sich die beiden Verdächtigen treffen, während das andere in Position blieb. Wie Wrexford von Charlotte, der Meisterin der Informationsbeschaffung, gelernt hatte, schenkten die meisten Menschen Kindern keinerlei Beachtung, was sie zu den perfekten Spionen machte.

Raven war scharfsinnig und obwohl er sich die Einzelheiten zu merken schien, anstatt sie sich zu notieren, war Wrexford zuversichtlich, dass alles wie ein Uhrwerk laufen würde.

„Nur noch eine letzte Sache. Erinnere deine Freunde daran, dass ihre Zielobjekte als höchstgefährlich eingestuft werden müssen. Sie sollen sie nur aus sicherer Entfernung beschatten, nichts weiter. Verstanden?"

„Aye." Der Junge schlurfte mit den Füßen und schien noch nicht gehen zu wollen. „Darf ich Sie etwas fragen? Es geht um Zahlen."

Der Graf bemerkte, dass Tyler aufhörte, zu polieren, und ein Ohr spitzte. „Natürlich, Junge."

„Sie und Mylady haben sich über das Papier mit den Zahlen unterhalten, das Sie zusammen mit dem zweiten ermordeten Kerl gefunden haben. Sie haben sie einem Experten der Mathematik zugesendet und ich habe mich gefragt, ob Sie wirklich glauben, dass Zahlen eine Nachricht verstecken können?"

„Ja, die Geschichte von Zahlen, die verwendet werden, um Verschlüsselungen zu kreieren, reicht weit zurück. Das Problem ist, dass es unendlich viele Möglichkeiten gibt, also sind unsere Chancen, herauszufinden, welches System angewandt wurde, nicht sonderlich gut."

„Selbst für einen Experten", fügte Tyler hinzu. „Ich habe mir die Zahlen selbst einmal genauer angesehen und soweit ich es beurteilen kann, könnte es sich um eine Variation der Vigenère-Chiffre handeln, die sowohl Zahlen als auch Buchstaben verwendet. Sollte dem so sein, ist jegliche Hoffnung verloren, denn man müsste das Schlüsselwort kennen. Wir beten also besser, dass es eine der anderen ist."

„Noch keine Nachricht von Milner?", unterbrach der Graf.

„Noch nicht, Mylord. Er könnte irgendwo eine Vorlesung halten." Der Kammerdiener wandte sich zurück zu Raven und klopfte mit einem Finger auf ein dickes Buch, das auf dem Tisch lag. „Komm, Junge. Wenn du möchtest, zeige ich dir ein Diagramm der Chiffre und einige andere bekannte Verschlüsselungen aus der Vergangenheit."

Der Junge sah Tyler erwartungsvoll an und fixierte Wrexford anschließend mit einem fragenden Blick.

„Du würdest mir einen großen Gefallen tun, wenn du ihn mir eine Weile abnimmst", sagte er trocken. „Andernfalls müsste ich mir womöglich einen Vortrag über Caesar-Verschlüsselungen anhören und ich laufe sowieso schon Gefahr, zu spät zu meiner Verabredung zu erscheinen."

Raven eilte quer durch den Raum und nahm auf dem Hocker neben dem Kammerdiener Platz.

„Ich werde euch beide jetzt allein lassen", murmelte der Graf, als er aufstand. Sheffield fragte er: „Was sind Ihre Pläne?"

„Ich werde zurück ins White's schlendern und Augen und Ohren nach Kirkland offenhalten", erwiderte sein Freund. „Es sei denn, Sie haben eine andere Aufgabe für mich."

„Im Augenblick nicht. Bis auf Weiteres sollten wir den nächsten Zug unserer Widersacher abwarten."

Ein Sonnenstrahl weckte Charlotte aus ihrem tiefen Schlaf. Obwohl die Erschöpfung noch immer an ihr zerrte, beschloss sie, dass ihre Gedanken zu erregt waren, um an weiteren Schlaf zu denken. Nachdem sie sich angezogen und eine Kanne Tee gekocht hatte, fühlte sie sich etwas wacher, doch die Frage, was sie als Nächstes tun sollte, schien dadurch nur noch lauter in ihrem Kopf widerzuhallen.

Zugegeben, sie sollte ihr Netzwerk aus Informanten in Bewegung setzen, um zu sehen, ob sie die Liebesbriefe ausfindig machen konnten. Doch das kam ihr wahnsinnig weit von der eigentlichen Handlung entfernt vor. Alles, was dazu nötig war, waren ein paar kryptische Nachrichten an Schlüsselpersonen, und die würden die Jungen ausliefern.

Sie steckten mitten im Geschehen. Genau wie Wrexford.

Es schmerzte, sich so passiv zu fühlen.

Nachdem sie die Nachrichten an ihre Informanten verfasst und für die Auslieferung vorbereitet hatte, nahm sich Charlotte ein leeres Blatt Papier und begann zu kritzeln. Das Zeichnen schien stets ihre Fantasie anzuregen. Es *musste* einen kreativen Weg geben, zu helfen – sie musste ihn nur finden.

Bald darauf waren mehrere Seiten mit fetten, schwarzen Kritzeleien bedeckt. Erst mit dem vierten Blatt nahm eine Idee plötzlich Gestalt an. Sie würde ein wenig improvisieren müssen, gestand sie sich ein.

Und Wrexford würde es nicht gefallen.

Unsicher, wie sie mit dem Gedanken umgehen sollte, dachte sie einen Moment lang darüber nach. Irgendetwas hatte sich letzte Nacht zwischen ihnen geändert. Sie hatte es gespürt, als sich kurzzeitig ihre Hände berührt hatten – und sie war sicher, dass er es auch gespürt hatte. Doch da sie noch nicht definieren konnte, was es war, beschloss sie, es bis auf Weiteres zu verdrängen, und ganz einfach ihrem eigenen Urteilsvermögen zu vertrauen.

Ja, der Plan barg ein Risiko, es war jedoch eines, dass sie bereit war, einzugehen.

Sie begab sich eilig in ihr Schlafzimmer zurück und zog sich elegantere Kleidung an. Sie warf einen kritischen Blick in den Standspiegel und drehte sich einmal herum, um sicherzugehen, dass alles seine Ordnung hatte. Sie musste ein perfektes Aushängeschild des Anstands sein. *Oder vielmehr ein Wolf im Schafspelz.*

Wie passend, trug Mrs. Ashton doch die gleiche Verkleidung.

Zufrieden mit ihrer Aufmachung, schnappte Charlotte sich ihren Mantel und ihr Kopftuch. Auf der Straße angekommen, winkte sie eine Droschke heran und machte sich auf den Weg nach Mayfair, wo sie einige Straßen vom geliehenen Haus der Witwe entfernt, hinabstieg. Ein kurzer Fußmarsch brachte sie zum Vordereingang.

„Bitte fragen Sie Miss Merton, ob Sie Zeit hat, um Mrs. Sloane zu empfangen", sagte sie zu dem Butler, der das Portal öffnete.

„Jawohl, Madam." Mit einer Handbewegung bat er sie, einzutreten.

Octavia erschien binnen weniger Minuten. „Mrs. Sloane. Wie schön, Sie zu sehen", sagte sie höflich, obwohl der fragende Blick in ihren Augen nicht zu übersehen war.

„Bitte verzeihen Sie, dass ich unangemeldet komme", antwortete Charlotte etwas lauter als nötig. „Aber meine Modistin ist noch nicht ganz fertig mit der Pelisse, die ich bestellt habe, und da die Verzögerung etwas länger zu werden verspricht, lasse ich mein Dienstmädchen auf das Kleidungsstück warten, während ich Ihnen einen Besuch abstatte." Eine Pause. „Ich hoffe, es macht Ihnen nichts aus."

„Überhaupt nicht. Lassen Sie uns in mein Arbeitszimmer gehen. Ich werde uns etwas Tee bringen lassen."

„Tee wäre ganz reizend", stimmte sie zu.

Die Charade der guten Manieren hörte nicht auf, bis sie in dem Zimmer saßen und das Dienstmädchen die Erfrischungen gebracht hatte. Octavia wartete, bis die Tür geschlossen war, stand dann schnell auf und presste einen Augenblick lang ein Ohr an das getäfelte Holz.

„Wir sind allein, zumindest für den Moment", sagte sie in einem verschwörerischen Flüstern, als sie zu ihrem Stuhl zurückkehrte und nervös an ihrem Rock zupfte. „Gibt es irgendetwas Neues von Benedict?"

„Dafür ist es noch viel zu früh", entgegnete Charlotte.

„Warum sind Sie dann ..."

„Ich habe eine Idee. Doch dazu benötige ich Ihre Hilfe."

Kapitel 21

Nach einem brüsken Winken als Antwort auf die Begrüßung des Portiers, eilte Wrexford durch den großen Säuleneingang der Royal Institution und nahm auf dem Weg nach oben in den Laborbereich zwei Stufen mit jedem Schritt. Horatio Johnson, der sowieso schon ein jähzorniger Kerl war, neigte dazu, unausstehlich mürrisch zu werden, wenn man ihn warten ließ.

„Hmmpf. Wurde auch Zeit." Ein großer, spindeldürrer Mann mit einem dichten, roten Haarschopf und ausgeprägtem Backenbart sah von einem Haufen Maschinenteilen auf seiner Werkbank auf und warf einen irritierten Blick auf das Schiffs-Chronometer über seinem Bücherregal.

Die Zeiger, bemerkte der Graf, zeigten genau zwei Uhr dreiundfünfzig an.

„Alles unter einer Minute gilt nicht als verspätet", sagte er, während er interessiert das Durcheinander aus Kolben und Zylindern betrachtete.

„Präzision, Wrexford. Präzision", tadelte Johnson. „Sie sind ein respektabler Naturphilosoph – wie Ihre chemische Methodik zeigt, mit der Sie unterschiedliche Dehnfestigkeiten in Eisen kreieren -, wenn Sie auf die kleinen Details achten."

„Mir mangelt es an Ihrem Talent für Geduld." Männer der Wissenschaft, die einen Großteil ihrer Arbeit und Bastelei in Einsamkeit verübten, waren anfällig für ein wenig Schmeichelei, also fügte Wrexford hinzu: „Oder Ihrer präzisen Genialität."

„Hmmpf." Das Grunzen klang deutlich weniger verärgert als das erste.

„Ich habe mich gefragt, ob ich Sie um Ihre Meinung zu einem Konzept in Bezug auf Dampf und die Energie, die er erzeugen kann, stellen dürfte." Johnsons Passion war der Verbrennungsmotor, und er hatte über vier Jahre lang an der Verfeinerung der wasserstoff- und sauerstoffbetriebenen Konstruktion gearbeitet, die von dem Schweizer Francois Isaac de Rivaz patentiert worden war. Doch sein Hintergrund in der Arbeit mit Dampfkraft machte ihn auch zu einer Autoritätsperson auf diesem Gebiet.

Johnson lehnte sich zurück und zupfte an den Spitzen seiner Weste. „Ich wage zu behaupten, dass ich Ihnen dabei behilflich sein kann", antwortete er mit übertriebener Bescheidenheit. „Ich habe ein wenig Erfahrung in diesem Bereich."

Wrexford entfaltete die Notizen, die er nach der Analyse von Ashtons Plänen angefertigt hatte. „Angenommen, man könnte eine Möglichkeit entwickeln, vier Ventile in einem Zylinder zu verbauen, und einen Ventilmechanismus zur Regulierung des Dampfeinlasses und Dampfauslasses entwerfen, welcher die großen Temperaturschwankungen während des Vorganges eliminieren würde", erklärte er, „dann würde man dadurch ein gänzlich neues Leistungsniveau erreichen, nicht wahr?"

„*Vier* Ventile?" Johnson runzelte konzentriert die Stirn. „Ein radikaler Gedanke ..." Nach einem kurzen Absuchen seiner Taschen fand der Erfinder ein kleines Notizbuch und den Stummel eines Bleistiftes. Er schlug eine Seite auf und begann, ein schnelles Diagramm zu kritzeln. „Man müsste die Bewegung von einem einzelnen Exzenter auf die vier Ventile übertragen ... Auslöseventile ... eine Art Schwungrad ...“

Er schürzte die Lippen. „Ja, theoretisch ist es möglich - und ja, es wäre ein revolutionärer Fortschritt. Doch es würde eines technischen Zauberers bedürfen, um ein funktionierendes Modell zu entwerfen.“ Weiteres Gekritzel und Grummeln. „Nein, viel zu schwierig. Ich bezweifle, dass selbst Hephaistos, der griechische Gott der Metallurgie, eine solche Innovation kreieren könnte.“

„Schwierig, jedoch nicht unmöglich“, grübelte der Graf.

„Und dann wäre da natürlich noch die Frage des Eisens. Der zusätzliche Druck solcher Ventile würde ein sehr starkes Metall erfordern, wie Sie sehr wohl wissen.“

„Ich könnte mir vorstellen, dass es machbar wäre“, antwortete der Graf. „Auch das ist schwierig, aber nicht unmöglich.“

„Sagen Sie nicht, Sie möchten Ingenieur werden? Ich würde es nicht empfehlen. Es erfordert viel Geduld und ich habe gehört, dass das nicht gerade Ihre Stärke ist.“ Johnson verzog das Gesicht. „Aber womöglich haben Sie ja schon einen Prototypen Ihrer Ventile, den Sie der Öffentlichkeit vorführen können.“ Die Vorstellung schien ihn zu amüsieren. „Ha, ha, ha.“

„Ha, ha, ha“, wiederholte Wrexford. „Leider nein. Ein Freund und ich haben uns über die Angelegenheit ausgetauscht, doch leider sind wir uns nicht einig geworden. Sie sind sehr hilfreich bei der Beilegung unseres Streits gewesen.“ Er faltete das Papier wieder zusammen und steckte es zurück in seine Tasche. „Vielen

Dank. Ich werde nicht länger Ihre wertvolle Zeit in Anspruch nehmen."

„Schon in Ordnung", sagte der Erfinder, als seine Augen wieder zu seinem Notizbuch wanderten. „Hmmpf, man bräuchte eine Sperrklinke ... einen Bremszylinder ..."

Wrexford ließ Johnson vor sich hinmurmelnd allein, unterhielt sich noch mit einigen anderen Mitgliedern und verließ anschließend die Institution. Keiner hatte etwas von neuen Plänen auf McKinlocks Zeichenbrett gehört.

Von der Institution aus legte er einen Zwischenstopp bei einer Werkzeugmacherei ein, die für ihre Präzisionsarbeit bekannt war. Der Besitzer, Joseph Clement, war ein schroffer, ungehobelter Mann, doch seine technische Begabung war in der wissenschaftlichen Gemeinschaft unbestritten. Jeder, der komplizierte, mechanische Geräte bauen wollte, kam zu ihm. Eine kurze Konversation – und auch nur, weil er Clements mit ein paar Guineen geschmiert hatte - bestätigte Johnsons Einschätzung, dass Ashtons Ventile mit der richtigen Planung und dem notwendigen Material funktionieren könnten.

Die in dem Keramikhahn gefundenen Pläne waren also in der Tat ein Vermögen wert, dachte der Graf, als er sich auf den Weg zurück zum Berkeley Square machte. Vorausgesetzt jemand hatte die Expertise, um die letzten kleinen Details umzusetzen, die nicht auf den Zeichnungen zu sehen waren.

Und egal wie lange er darüber nachdachte, der einzige Name, der ihm in den Sinn kam, war Benedict Hillhouse.

„Wir werden starke Nerven benötigen, wenn wir erfolgreich sein möchten", sagte Charlotte. „Wenn meine Vermutung richtig ist, könnten wir den Beweis finden, den wir benötigen, um Mrs. Ashton ihrer Perfidie zu überführen. Wir müssen jedoch sehr vorsichtig sein. Wenn wir einen Fehler machen, wird es schwerwiegende Konsequenzen haben."

Octavia blieb regungslos. „Sagen Sie mir, was ich tun soll."

„Ich brauche Zugang zu Mrs. Ashtons Schlafzimmer im oberen Stock. Angesichts des Grundrisses des Hauses vermute ich, dass sich Ihr Zimmer ganz in der Nähe befindet?"

„Ja, aber wie ..."

„Ich werde einen plötzlichen Anfall von Migräne haben und mich eine Weile hinlegen müssen, woraufhin Sie mich mit großer theatralischer Fürsorge nach oben in Ihr Zimmer begleiten."

Octavias Augen leuchteten verständnisvoll auf. „Sie denken an irgendwelche Nachrichten zwischen ihr und Lord Kirkland? Äußert gerissen von Ihnen. Doch Sie haben zu mir gesagt, dass heimliche Aktivitäten nicht so leicht sind, wie man glaubt."

„Ich habe Erfahrung mit solchen Dingen", erwiderte Charlotte entschlossen.

Sie schätzte es, dass Octavia nicht infrage stellte, weshalb, sondern lediglich nickte, damit sie fortfahren konnte.

„Und ja, die Chancen stehen gut, dass sie dort belastende Briefe aufbewahrt. Immerhin ist Kirkland in London und die beiden kommunizieren mit hoher

Wahrscheinlichkeit miteinander. Wenn ich sie wäre, würde ich sie nicht entsorgen, da ein Diener sie finden könnte. Ich habe bereits eine Idee, wo ich nachsehen werde", erklärte Charlotte. „Es ist jedoch von elementarer Wichtigkeit, dass wir das Stockwerk für uns allein haben. Denken Sie scharf nach, Miss Merton – arbeiten dort zu dieser Tageszeit für gewöhnlich irgendwelche Dienstmädchen?"

„Nein", antwortete Octavia. „Sie erledigen ihre Aufgaben stets in den Morgenstunden."

„Ausgezeichnet. Also, sobald Sie mich die Treppen hinaufbegleitet haben, wird Ihre Aufgabe sein, am oberen Ende der Stufen Wache zu halten. Sollten Sie hören, dass Mrs. Ashton oder eines der Dienstmädchen die Treppe raufkommt, müssen Sie sich etwas einfallen lassen, wie Sie mir genug Zeit verschaffen, um das Schlafzimmer zu verlassen – fangen Sie von mir aus an, zu schimpfen, dass ich absolute Stille brauche, oder so etwas in der Art. Schaffen Sie das?"

„Ja", erwiderte sie nachdrücklich. „Wir haben großes Glück. Mrs. Ashton ist derzeit bei einem Treffen mit Mr. Blodgett, der Fabrikaufseher, da er heute nach Leeds zurückkehrt."

Ein Glücksfall, in der Tat. Sie hoffte, dass das Glück anhalten würde. „Also los, lassen Sie uns keine Zeit verschwenden."

Charlotte klatschte sich auf die Wangen, um einen Schwall Farbe in ihr Gesicht zu bringen, bevor sie ein paar Strähnen aus ihrem Haar löste und den oberen Verschluss ihres hohen Kragens öffnete. „Geben Sie mir Ihren Arm", sagte sie und stand auf, „und helfen Sie mir auf den Flur."

Sie stützte sich auf Octavia und ließ sich von ihrer Freundin mit unsicheren Schritten führen. Sie hoffte, ihr Instinkt lag richtig und die Frau würde die Nerven behalten.

Octavia bewies sofort ihr Können und spielte ihre Rolle der besorgten Freundin äußerst überzeugend, als ein Küchenmädchen mit einem leeren Kohleneimer in der Hand an ihnen vorbeikam.

So weit, so gut.

„Gut gemacht", murmelte Charlotte, sobald sie die Hälfte der Treppen passiert hatten.

„Sie spielen die Rolle der Invaliden perfekt", flüsterte Octavia bewundernd. „Beinahe hätte ich geglaubt, Sie stünden tatsächlich vor einem tödlichen Zusammenbruch."

„Die Not ist ein hervorragender Lehrer des Schauspiels", antwortete Charlotte trocken. Dann, als sie den oberen Treppenabsatz erreichten, warf sie jegliche Vorgabe von Trägheit ab und wurde hellwach. „Beschreiben Sie die Anordnung der Zimmer", forderte sie.

„Mein Quartier ist die erste Tür auf der linken Seite, danach kommt die Suite von Mr. Ashton", erklärte Octavia. „Mrs. Ashtons Zimmer erreicht man durch die letzte Tür."

„Und auf der rechten Seite?"

„Bloß zwei Wäscheschränke. Die Tür gegenüber von meiner führt zu Benedicts Quartier."

Charlotte nahm sich einen Moment Zeit, ihre Umgebung zu studieren und die Entfernungen zwischen den Zimmern abzuschätzen. Als sie zufrieden war, sagte sie: „Warten Sie hier. Sie kennen Ihre Rolle. Sollten Sie sie spielen müssen, stellen Sie sicher, dass ich Sie höre."

„Verstanden." Octavia sah blass, aber entschlossen aus.

Charlotte spürte, wie sich ihr Puls beschleunigte, als sie rasch den Flur überquerte und das Zimmer von Mrs. Ashton betrat. Zurück in ihre zweite Haut zu schlüpfen - die Frau, die alle Tricks gelernt hatte, um in den Elendsvierteln zu überleben - fühlte sich weitaus angenehmer an als die schicken Kleider, die sie trug. Es dauerte nur einen kurzen Moment, bis sie die kleine Wohnstube erreicht hatte. Der Sekretär könnte ein mögliches Versteck sein, doch sie hielt es für unwahrscheinlich. Charlotte hatte gelernt, dass selbst die gerissensten und klügsten Menschen es zuließen, dass Urtriebe ihre Vernunft außer Kraft setzten, wenn es um kostbare Besitztümer ging. Man behielt sie dicht bei sich.

Ein Schmuckkästchen, ein Reiseschreibtisch für private Korrespondenz, eine Schachtel mit Schultertüchern aus Spitze. Ihr Gefühl sagte ihr, dass mögliche belastende Briefe an einem intimen, tragbaren Ort aufbewahrt werden würden. Da ihr die Zeit davonlief, war eine gründliche Durchsuchung nicht möglich. Sie würde auf ihren Instinkt hören müssen.

Ohne zu zögern, ging Charlotte weiter ins Schlafzimmer.

Auf den ersten Blick war keinerlei femininer Schnickschnack erkennbar – es war in genau denselben dunklen, maskulinen Farben gehalten, die den Rest des Hauses dominierten. Die Einrichtung war aus Mahagoni, schwer und mit aufwendigen Schnitzereien verziert. Es gab keine Wärme in diesem Raum, und doch spürte sie, dass sich die Witwe hier daheimfühlte.

Charlotte begab sich geradewegs zum Schminktisch hinüber, auf dem eine Reihe an silbernen Haarbürsten und ein Sortiment aus gläsernen Kosmetikbehältern auf beiden Seiten eines großen, in ein Messinggestell eingerahmten Spiegel angeordnet waren. Mrs. Ashtons eiserner Wille zur Selbstbeherrschung schien sich auch in ihrer Toilette widerzuspiegeln.

Rechts neben den Bürsten stand eine kleine Rosenholzkommode, deren Deckel mit einer kunstvollen Rosette aus Elfenbein verziert war. Sie senkte ihren Blick und entdeckte ein großes Schlüsselloch aus Messing.

Ein kurzes Ziehen bestätigte, dass es verschlossen war.

Charlotte zog eine stählerne Haarnadel aus ihrem Dutt und nach ein paar präzisen Biegungen und Drehungen, wurde sie mit einem befriedigenden *Klick* belohnt.

Das obere, mit Samt ausgekleidete Fach enthielt mehrere Ohrringpaare und dazu passende Armbänder. Granat und Peridot – nichts Protziges. Darunter befand sich ein größeres, unterteiltes Fach, mit einem doppelten Strang aus Perlen auf einer Seite und einer filigranen Goldhalskette auf der anderen. Sie hob den Schmuck aus der Truhe und inspizierte vorsichtig das Samtfutter, stocherte und tastete mit der Haarnadel, um zu sehen, ob es irgendein Anzeichen für einen falschen Boden gab.

Nichts. Und eine schnelle Überprüfung mit ihren Fingern bestätigte, dass es kein Geheimfach gab. Nachdem sie alles genauso zurückgelegt hatte, wie sie es vorgefunden hatte, schloss sie die Truhe und verschloss den Deckel wieder.

Charlotte plante eine Viertelstunde für die Durchsuchung ein. Sie schätzte, dass sie noch ungefähr elf Minuten hatte.

Die Kommode enthielt nichts als Handschuhe, Schals und kleine Kleidungsstücke. Als sie um das Himmelbett herumging, sah sie, dass auf dem Nachttisch lediglich eine gläserne Öllampe und ein Buch lagen. Zwischen seinen Seiten klemmte ein Lesezeichen, aber keine anderen Papiere.

Hinter ihr tickte dir Uhr auf dem Kaminsims.

Sie lauschte, doch hörte kein Anzeichen einer Störung, also duckte sie sich und betrat das Ankleidezimmer. Diverse Kleider hingen in einem großen, lackierten Kleiderschrank. Daneben befanden sich zwei Truhen, neben denen sich einige kleinere Reisekoffer stapelten. Vor die Wahl gestellt, entschloss Charlotte sich schnell für das Gepäck. Sollten die Briefe zwischen der Seide und dem Satin versteckt sein, waren sie vor ihren neugierigen Augen sicher.

Als sie die kleine, messingbeschlagene Kiste öffnete, die oben auf lag, kam eine Ansammlung von Stiften, Tintenfässern und Siegellack zum Vorschein. Keine Zettel, und die dünne Schicht Filz war fest mit dem Holz im Inneren verklebt und bot keinen Platz für ein Versteck.

Das Gefühl der Dringlichkeit wuchs. Charlotte nahm einen tiefen Atemzug, um ihre blank liegenden Nerven zu beruhigen und schlug die Kiste schnell wieder zu, bevor sie zur nächsten überging.

Verdammt. Nichts als mit Schleifen bedeckte Ballsaalschuhe.

Das glatte, dunkle Ebenholz der untersten Kiste fühlte sich kalt an – vielleicht lag es auch daran, dass das Blut in ihren wühlenden Fingern allmählich eine höllische Hitze angenommen hatte. Es dauerte mehrere Versuche, sie zu öffnen, bevor sie realisierte, dass sie verschlossen war. Wieder fummelte sie die Nadel aus ihren Haaren und entriegelte das Schloss.

Charlotte überkam ein Schwall der Überraschung, als sie sah, dass die Inhalte allesamt einem Herrn gehörten. Sie nahm eine schöne Taschenuhr heraus und drehte sie um. *EJA* war in verschnörkelten, ineinander verschlungenen Buchstaben in das goldene Gehäuse eingraviert. *Das persönliche Hab und Gut ihres Ehemannes?* Das ergab durchaus Sinn. Es war nur natürlich, dass Mrs. Ashton sie an einem Ort aufbewahren wollte, wo sie sicher waren.

Die Logik gab vor, dass weiteres Suchen keinen Sinn haben würde. Doch eine leise Ahnung kribbelte in ihren Fingerspitzen, also grub Charlotte tiefer. Diverse Bruyère-Pfeifen ... ein Beutel mit Uhrenketten ... ein abgenutztes, ledernen Skizzenbuch ...

Hatte sie ein Geräusch auf dem Flur gehört?

Sie befreite das Buch und begann, durch die Seiten zu blättern. *Schneller, schneller.*

Wieder Geräusche - sie konnte nicht länger bleiben.

Das Buch klappte zu und ein kleines Stück Briefpapier fiel heraus. Ein schneller Blick verriet, dass es an Isobel adressiert war. Genug für Charlotte, um einen Entschluss zu fassen. Sie stopfte es in ihr Korsett und brachte hastig alles wieder in Ordnung.

Ein kurzer Sprint brachte sie zur Tür, wo sie stehen blieb und ein Ohr spitzte.

Octavias Stimme erklang vom Fuße der Treppe. „... leidet unter *tierischem* Kopfweh. Ich befürchte, das kleinste Geräusch könnte für sie zur *Qual* werden."

Charlotte eilte zu Octavias Tür und schüttelte ihren Rock auf, bevor sie sich mit langsamen, schlurfenden Schritten in Richtung des Treppenabsatzes begab.

„Bitte verzeihen Sie, dass ich Ihren Haushalt derart in Aufruhr versetzt habe", sagte sie schwächlich.

Sowohl Mrs. Ashton als auch Octavia blickten nach oben. Ein Mann stand einige Schritte hinter der Witwe. Auch er warf einen kurzen Blick auf Charlotte, wandte ihn dann jedoch schnell wieder ab. Mit gesenktem Kopf begann er, mit der Krempe seines Huts zu spielen.

„Es gibt nichts, wofür Sie sich entschuldigen müssten, Mrs. Sloane", sagte Octavia. „Mit Krankheit ist nicht zu spaßen. Sie sollten so lange ruhen, wie Sie es für nötig erachten." Sie wandte sich Mrs. Ashton zu. „Ich bin mir sicher, Sie sehen das ähnlich."

„Natürlich", antwortete die Witwe langsam. „Ich brauche nur einen Moment, um ein paar Unterlagen für Mr. Blodgett aus meinem Schreibtisch zu holen, bevor er uns verlässt. Danach werde ich Sie in Ruhe lassen, bis Sie sich wieder besser fühlen, Mrs. Sloane."

„Das ist sehr freundlich von Ihnen, aber es ist wirklich nicht nötig. Das Schlimmste habe ich überstanden." Charlotte sah hinunter und stützte sich schwer auf das Geländer. „Tatsächlich halte ich es für das Beste, wenn ich mich heimbegebe und meine Medizin einnehme, um einen weiteren Anfall zu vermeiden. Mein Dienstmädchen wird noch immer bei der Modistin aufgehalten ... Miss Merton, wenn ich Sie jedoch bitten dürfte, mich in der Droschke zu begleiten ..."

„Mit Vergnügen." Begleitet von dem Rauschen ihres Rocks eilte Octavia zu ihr auf die Treppe. „Bitte gestatten Sie mir, Ihnen zu helfen."

„Danke", murmelte Charlotte und hakte sich bei ihrer Freundin ein.

Mrs. Ashton ging zur Seite, um sie vorbeizulassen. „Ich hoffe, Sie erholen sich rasch."

„Glücklicherweise habe ich diese Anfälle sehr selten, aber leider kommen sie ohne Vorwarnung." Sie zuckte leicht zusammen. „Und sie sind heftig, solange sie andauern."

„Dann lassen Sie sich bitte nicht aufhalten", erwiderte Mrs. Ashton.

Blodgett schlurfte tiefer zurück in die Schatten, um ihnen Platz zu machen, damit sie durch den Torbogen gehen konnten, der in die Eingangshalle führte. Er war ein gutaussehender Mann, bemerkte Charlotte, als sie ihn passierte. Seine Augen wanderten immer wieder zu der Witwe hinüber – sie schien Männer anzuziehen, wie der Nektar die Bienen -, doch als er sich drehte, kreuzte sein Blick einen Moment lang Charlottes.

Leidenschaft. Trotz all der Unterwürfigkeit, die er an den Tag legte, vernahm Charlotte einen heißen Funken glühender Emotion, bevor er seinen Blick abwandte.

War Blodgett eine von Isobels Eroberungen? Oder war es bloß Schwärmerei aus der Ferne? Er war der Aufseher der Fabrik ... Gütiger Gott, könnte auch er darin verwickelt sein, Ashtons Geschäft zu übernehmen?

Sie zwang sich, derartige Gedanken auf später zu verschieben. Ihre Nerven lagen blank - womöglich sah sie bloß Gespenster.

Octavia spielte ihre Rolle gut und führte Charlotte die Eingangstreppen hinunter. Keiner von beiden sagte ein Wort, bis sie in der Droschke saßen und durch das Gedränge der Kutschen auf der Piccadilly Street fuhren.

„Also?" Octavia flüsterte trotz des Straßenlärms. „Haben Sie irgendetwas gefunden?"

„Möglicherweise." Charlotte holte das Papier aus ihrem Korsett, das jetzt etwas zerknittert war, und glättete es auf ihrem Schoß. „Sie kennen Ashtons Handschrift." Sie hielt die oberste Nachricht hoch. „Ist sie das?"

Die Antwort kam, ohne zu zögern. „Nein."

„Sehen Sie genauer hin. Sie müssen sich absolut sicher sein."

„Ich habe mich seit meinem fünfzehnten Lebensjahr um Elis Korrespondenz gekümmert", erwiderte Octavia. „Die Neigung und die Rundung der Buchstaben sind vollkommen falsch. Er hat diese Nachricht nicht geschrieben."

Charlotte nahm sie beim Wort. „In dem Fall, ja, ich glaube, wir haben etwas Interessantes gefunden. Sehen Sie, die Nachricht beginnt mit *Meine liebe Isobel,* und da Sie sicher sind, dass sie nicht von Ashton geschrieben wurde, erregt es definitiv Verdacht." Sie erklärte weiterhin, wo sie die Nachricht gefunden und warum sie sie mitgenommen hatte.

Octavia rutschte auf ihrem Sitz vor. „Was steht in dem Rest der Nachricht?"

Ein Lächeln formte sich langsam auf ihren Lippen, als Charlotte die kurze Nachricht überflog.

„Meine liebe Isobel", las sie vor, *„es besteht kein Grund zur Sorge, dass jemand von unserem schmutzigen, kleinen Geheimnis erfährt. Verhalte dich einfach ruhig und tu, was ich dir sage, dann kriegen wir beide, was wir wollen."*

Charlotte hob ihren Blick. „Sie ist einfach mit dem Buchstaben *D* signiert worden."

„Lord Kirklands Taufname ist Dermott", sagte Octavia.

„Dessen bin ich mir bewusst." Ihr Lächeln wurde noch breiter. „Zugegeben, es mag unwesentlich erscheinen, doch möglicherweise ziehen wir die Schlinge um die Hälse der Täter, die für Ashtons Tod verantwortlich sind, langsam aber sicher immer enger."

Die Räder polterten über das unebene Kopfsteinpflaster, als die Droschke in die schmaleren Straßen ihrer neuen Nachbarschaft bog. Eine Erinnerung daran, dass Mayfair mit all seinem Glanz noch immer eine andere Welt als die ihre war.

Das darf ich nie vergessen.

„Mrs. Sloane ..."

Die zaghaften Worte weckten Charlotte aus ihren Grübeleien.

„Dürfte ich Sie etwas fragen?"

Schatten huschten zwischen ihnen umher, gehetzt und sprunghaft wie die das Rattern des Fahrzeuges und das Klappern der Hufen. Sie nickte, darauf bedacht, keine Antwort zu versprechen.

„Ich kann nicht anders, als mich zu fragen, weshalb Sie so geschickt in klandestinen Aktivitäten sind."

„Es gibt ein altes Sprichwort, das besagt, dass Neugier er Katze Tod sei", murmelte Charlotte.

Octavia lächelte nicht. „Was heißen soll, dass Sie mir keine Antwort geben werden?"

„Korrekt."

Ihr Seufzen wurde von dem Straßenlärm verschluckt. „Meine Vermutung ist, dass Sie ein Spion der Regierung sind." Octavia zupfte an einer Falte in ihrem Rock und machte ein schiefes Gesicht. „Aber ich nehme an, Sie würden nicht zugeben, wenn es die Wahrheit wäre."

„Sie haben eine sehr kreative Fantasie, Miss Merton. Ihr freien Lauf zu lassen, könnte jedoch zu Problemen führen. Sagen wir einfach, dass die Herausforderungen des Lebens mich gewisse pragmatische Tricks gelehrt haben."

Octavia schwieg, ein nachdenklicher Blick überschattete ihr Gesicht.

Charlotte richtete ihre Aufmerksamkeit wieder auf die Nachricht in ihrer Hand. Sie las sie noch einmal, faltete sie zusammen und steckte sie zurück in ihr Korsett. Wrexford musste sie selbstverständlich unverzüglich sehen. Sheffield würde Kirklands Handschrift höchstwahrscheinlich von den Schuldscheinen des Viscounts wiedererkennen. Die Bow Street würde das Netz der Intrigen, das die kurze Nachricht gewebt hatte, nicht ignorieren können ...

Die Droschke kam zum Stehen.

„Was machen wir als Nächstes?", fragte Octavia, als Charlotte nach der Türklinke griff. „Benedict-"

„Geduld, Miss Merton", unterbrach sie. „Für den Augenblick ist Diskretion geboten. Sie müssen sich darauf konzentrieren, Mrs. Ashton nichts zu verraten. Lord

Wrexford und ich müssen einen Kriegsrat abhalten. Unser Feind ist gerissen ..."

Draußen hörte man das Schnaufen und Stampfen des Pferdes.

„Doch das sind wir ebenfalls."

Kapitel 22

„Druck, Volumen, Temperatur", murrte Wrexford vor sich hin, während er sein Stadthaus betrat und sich geradewegs in sein Labor begab. „Wenn die Temperatur innerhalb eines geschlossenen Systems unverändert bleibt ..." Er stieß die Tür auf und marschierte zu dem Bücherregal über dem Spiritusbrenner. „Dann sind der absolute Druck und das Volumen der Massendichte eines eingeschlossenen Gases antiproportional."

„Das Gesetz von Boyle", sagte Tyler, ohne seinen Blick von dem Okular des Mikroskops zu heben.

„Ja, Boyle." Der Graf schnitt eine Grimasse. „Sie erinnern sich nicht zufällig, ob er mit Dampf experimentierte?"

„Bei so einem Namen, sollte man es hoffen", scherzte Tyler.

„Bitte sparen Sie sich Ihre kläglichen Versuche, Witze zu reißen. Als heiliger Patron der modernen Chemie, verdient der Mann von Leuten wie Ihnen den größten Respekt."

„Ich bin mit der wunderbaren Geschichte der Wissenschaft in unserem Königreich sehr wohl vertraut, Sir."

Den Kommentar ignorierend, wählte der Graf mehrere Bände über die Lehre der Chemie und trug sie zu seinem Schreibtisch hinüber. „Doch genug von der Vergangenheit. Konzentrieren wir uns auf die Gegenwart. Ich komme gerade von einer Unterhaltung mit Horatio Johnson und Joseph Clement, und ihre Antworten auf meine Fragen haben mich davon überzeugt, dass

Ashtons neuer Entwurf eines Dampfmotors technisch möglich ist und funktioniert."

„Das überrascht mich nicht", sagte der Kammerdiener. „Er war einer dieser seltenen Genies, der nicht bloß ein brillanter Theoretiker war, sondern auch die nötigen technischen Fähigkeiten besaß, um zu bauen, was er sich vorstellte."

„Ja", stimmte Wrexford zu. „Da gibt es nur ein Problem." Er begann, die Seiten des obersten Buches durchzublättern.

„Und das wäre?", fragte Tyler.

„Die chemische Zusammensetzung des im Dampfkessel verwendeten Eisens. Ashtons Leistungssteigerung basiert auf seiner revolutionären Ventilkonstruktion, die einen viel höheren Dampfdruck erzeugt als frühere Maschinen. Um sicherzustellen, dass die neuen Maschinen nicht explodieren, muss das Eisen stark genug sein."

Tyler runzelte die Stirn. „Sicherlich muss er das gewusst haben."

„Ja, er war jedoch kein Chemiker. Und Hillhouse meines Wissens ebenso wenig."

Wrexford nahm sich einen langen Moment Zeit, um über das Problem nachzudenken. „Meine Vermutung ist, dass die Rezeptur des Eisens das letzte Element war, das es zu klären galt, bevor er ein funktionierendes Modell in voller Größe bauen konnte."

Das rhythmische Trommeln seiner Finger auf den aufgeschlagenen Seiten wurde schneller.

„Halten Sie es für möglich, dass ..."

„Dass er von einem Chemiker ermordet wurde, der beschloss, die Erfindung zu stehlen?", unterbrach der

Graf. „Der Gedanke ist auch mir bereits gekommen." Das Trommeln wurde lauter. „Auch wenn es unsere Mutmaßung über die Witwe, Kirkland und McKinlock vollkommen über den Haufen wirft."

Tyler rutschte auf seinem Stuhl vom Arbeitstisch zurück. „Wie Sie so gerne betonen, darf man keine Vermutungen über den Ausgang eines Experimentes anstellen. Die Antwort muss auf empirischen Daten beruhen."

„Danke, dass Sie mir meine eigenen Worte um die Ohren schleudern", grummelte Wrexford. Er verzog das Gesicht. „Sie haben jedoch recht."

Bis auf das *Tapp, tapp, tapp* seiner Finger herrschte einen Moment lang absolute Stille. „Wir müssen also zwei weitere Dinge berücksichtigen. Als Erstes muss ich mehr über Gas und Druck herausfinden."

„Avogadro." Tyler sprang von seinem Stuhl auf und eilte zu dem Bücherregal am anderen Ende des Raumes hinüber. „Er ist der führende Wissenschaftler auf diesem Gebiet. Und wir haben gerade erst das neueste Buch über seine Arbeit erhalten."

„Ausgezeichnet. Ich werde anfangen, es zu lesen, während Sie sich zur Institution begeben und einige Nachforschungen darüber anstellen, wer mit der Zusammensetzung von Metallen arbeiten könnte."

„Sehr wohl, Sir." Der Kammerdiener brachte ihm den Band herüber. „Und wenn ich dort fertig bin, sollte ich ein paar der Tavernen aufsuchen, in denen die Eisenarbeiter und Werkzeugmacher verkehren. Sie könnten etwas Nützliches gehört haben."

Als er sich umdrehte, um zu gehen, murrte Wrexford: „Hoffen wir, dass Ihre Fragen dabei helfen werden, dieses verdammte Knäuel zu entwirren."

Charlotte warf einen ungeduldigen Blick aus dem Fenster und fluchte leise. Es schien, als klebte die Sonne, die mit gottloser Helligkeit schien, auf ihrem Fleck am Himmel fest, anstatt ihrem natürlichen Kurs zu folgen und hinter dem Horizont zu verschwinden. Selbst die Wolken schienen perverse Belustigung darin zu finden, den Tag hinauszuzögern. Sie waren nirgends zu sehen und ließen das Licht mit einer Brillanz scheinen, die ihr einen weiteren, undamenhaften Fluch entlockte.

Die Dunkelheit – dieser alles verhüllende Mantel, der ihr Bewegungsfreiheit gewährte - konnte nicht früh genug kommen.

Da die Jungen aufgrund ihrer Überwachungsmission nicht im Haus waren, gab es niemanden, der ihre Nachricht zu Wrexford bringen konnte, was ihr keine andere Wahl ließ, als es selbst zu tun. Er würde über die Entscheidung nicht glücklich sein, doch so sei es.

Mitgehangen, mitgefangen.

Die Chancen standen gut, dass er wegen des heutigen Drucks sowieso bereits wütend auf sie war.

Charlotte zwang sich selbst, an ihrem Arbeitstisch Platz zu nehmen, und nahm ihre Feder zur Hand, bevor sie ein leeres Blatt Zeichenpapier auf ihrer Schreibunterlage ausbreitete. Mr. Fores erwartete so schnell wie möglich eine neue Zeichnung. Das Thema war provokant – und er erhoffte sich, davon zu profitieren.

Die tintenreiche Federspitze bewegte sich in einer Reihe von kreisenden Bewegungen, als eine Idee langsam Gestalt annahm. Sie beschloss, dass es an der Zeit war, etwas mehr Licht auf die Frage zu werfen, wie viel ein Patent wert sein konnte.

„Kirkland hat das White's endlich hinter sich gelassen", kündigte Sheffield an, als er ins Labor des Grafen geschlendert kam. „Nachdem er eine beträchtliche Summe verspielt hat, möchte ich hinzufügen."

Aus seiner intensiven Nachforschung gerissen, brauchte Wrexford einen Moment, um zu reagieren. Er rieb seinen Nasenrücken zwischen Zeigefinger und Daumen und bemerkte, dass der Tag dem Abend gewichen war. Der Raum war jetzt in Schatten getaucht, die letzten matten Purpur- und Goldtöne der Abenddämmerung verblassten schnell zu tiefem Schwarz.

„Wie viel Uhr ist es?", fragte er.

„Spät genug fürs Abendessen", entgegnete sein Freund. „Ich habe Riche gebeten, ein leichtes Mahl aus Fleisch und Käse anzurichten, zusammen mit einer Flasche Claret, damit wir nicht verhungern."

„Denken Sie auch mal an etwas anderes als Ihren Magen?"

„Hin und wieder denke ich über meine Krawatten nach. Glauben Sie, mein Kammerdiener verwendet zu viel Stärke?"

„Erinnern Sie mich noch einmal daran, warum ich Ihnen gestatte, sich frei in meinem Haus zu bewegen", schnauzte Wrexford. Seine Augen schmerzten. Avogadros Buch hatte sich als nicht so hilfreich erwiesen, wie er gehofft hatte ... und sein Magen knurrte, was seine sich schnell verschlechternde Stimmung zusätzlich verschlimmerte.

„Weil es Zeiten gibt, in denen ich mich als nützlich erweise", erwiderte Sheffield. „Sie werden bissig, wenn Ihr Magen leer ist, und denken demzufolge nicht mehr klar. Sie sollten mir also dafür danken, dass ich etwas zu essen bestellt habe."

Der Graf schnaufte.

„Aber was noch wichtiger ist ..." Sheffield hielt eine Papierrolle hoch, die er bei sich trug. „Ich bringe Ihnen A.J. Quills neuesten Druck."

Wrexford verspürte eine stechende Unbehaglichkeit. Charlotte war in letzter Zeit äußerst still gewesen, womit sie seiner Bitte nachgekommen war, davon abzusehen, das öffentliche Interesse an Ashtons Mord zu schüren. Doch all die aufgestaute Leidenschaft für Gerechtigkeit war ein Pulverfass, das nur darauf wartete, zu explodieren.

„Und?", sagte er.

„Und Sie sollten es sich besser selbst ansehen."

Er nahm den Druck ohne weitere Widerworte entgegen, schob seine Bücher beiseite und rollte ihn langsam auf.

Sheffield verschränkte die Arme hinter seinem Rücken und begann leise durch seine Zähne zu pfeifen.

Mozarts Requiem in d-Moll, erkannte der Graf. Musik für ein Begräbnis. Der Sinn für Humor seines Freundes war beinahe so sardonisch wie sein eigener.

„Sie schaufeln sich Ihr eigenes Grab", warnte er. „Noch ein Ton und meine Vorratskammer und mein Weinkeller werden sicherer verschlossen als eine Krypta."

Der Klang verstummte.

Wrexford richtete seine Aufmerksamkeit auf die Kunst und begutachtete die Bilder und Worte gründlich. Er versuchte, nicht zu reagieren, bis er alle Verzweigungen bedacht hatte.

Es war, räumte er ein, äußerst schlau umgesetzt. Teuflisch schlau sogar. Die Frage, wer von Patenten profitierte, passte zu ihrem Thema *Mann gegen Maschine*, und konnte so als unschuldige Frage verstanden werden. Doch es gab gerade genug Anspielungen auf Ashtons Fabrik und seine früheren Verbesserungen der Dampfkraft, um Spekulationen darüber zu schüren, ob sein unglückliches Ableben eine dunklere Bedeutung hatte. Immerhin waren A.J. Quills Andeutungen von Intrigen in allen gesellschaftlichen Kreisen Londons dafür bekannt, Substanz zu haben.

„Das sollte ein Stock in das Vipernnest stoßen, wer auch immer diese Schlangen sein mögen", merkte Sheffield an.

„Es ist", sagte Wrexford mit vorsichtig kontrollierter Stimme, „ein äußerst glücklicher Umstand, dass die höllisch nervtötende A.J. Quill nicht anwesend ist. Andernfalls wäre ich womöglich versucht, sie ..."

Ein ledriges Poltern schnitt ihm das Wort ab. Der Raum wurde plötzlich kälter, als ein scharfer Windzug den klammen Dunst der Nacht durch das Fenster hereinwirbelte.

„Wenn Sie Ihren Unmut an jemandem auszulassen wünschen, dann tun Sie es an mir." Charlotte richtete sich nach ihrem Sprung von dem Fensterbrett auf und stampfte einen Klumpen Schlamm von ihren Stiefeln. „Nicht an dem armen Boten meiner Missetaten."

„Guten Abend, Mrs. Sloane." Sheffield verbeugte sich höflich. „Wie immer sehen Sie sehr bezaubernd aus in Stiefelhosen."

Wrexford signalisierte ihm, still zu sein. „Unmögliche Frau – möchten Sie, dass man Ihnen die Kehle durchschneidet?", fragte er ohne weiteres Vorwort.

Charlotte rührte sich nicht. „Ich nehme an, das ist eine rhetorische Frage."

„Eigentlich nicht", erwiderte er. „A.J. Quills Identität mag gut gehütet sein, doch wie Sie mir so gern zu verstehen geben, ist kein Geheimnis je wirklich sicher."

„Nun ja, in gewisser Weise sind wir alle Glücksspieler." Charlotte pausierte, um eine verirrte Locke unter ihre Wollmütze zu stecken. „Und wie *Sie mir* so gern zu verstehen geben, wendet man das Spiel zu seinen Gunsten, wenn man Chancen und Wahrscheinlichkeit abwiegt, bevor man spielt."

„Theoretisch", konterte er. „Doch wenn ein Spieler etwas verliert, ist es für gewöhnlich der Inhalt seines Geldbeutels und nicht sein Leben."

Sie zuckte mit den Schultern.

„Und es sind nicht nur Sie, die den Preis dafür zahlen werden. Sie haben zwei kleine Jungen, die von Ihnen abhängig sind."

Ihre Lippen bebten einen Sekundenbruchteil lang. „Das ist ein Tiefschlag, Sir."

„Das ist es. Nichtsdestotrotz ist es die Wahrheit."

Ihre Blicke kreuzten sich und Wrexford konnte beinahe das stählerne Klirren zweier Degen hören.

Charlotte hielt seinem Blick noch einen Moment lang stand, dann sah sie weg. „Die Einsätze sind höher", räumte sie ein. „Bevor Sie mich jedoch noch länger tadeln, sollten Sie sich anhören, was ich zu sagen habe."

Jetzt wandte auch er seinen Blick ab. „Ich höre."

Charlotte wollte gerade anfangen, als es an der Tür klopfte. Sie sah aus dem Fenster, doch Wrexford hielt sie mit einem entnervten Seufzen auf.

„Schon gut. Mein Butler ist die Exzentrizitäten meiner Bekannten allmählich gewohnt."

„Gott sei Dank", sagte Sheffield. „Das Abendessen wird endlich serviert."

„Ausgezeichnet. Ich verhungere." Sie lächelte, als sie den finsteren Blick des Grafen sah. „Kommen Sie, Sir, Sie sind stets besserer Laune, wenn Ihr Magen voll ist."

„Ein fraglicher Punkt, da das, was Sie gleich sagen werden, mich aller Wahrscheinlichkeit nach jeglichen Appetits berauben wird."

„Hören Sie auf zu streiten", befahl Sheffield, als er beiseitetrat, um den Butler des Grafen ein großes Tablett auf dem Teetisch abstellen zu lassen, bevor er sich wortlos wieder zurückzog. „Es bringt Unglück, das Brot im Zorn zu brechen."

Wrexford atmete scharf ein, hielt sich jedoch mit einer stichelnden Erwiderung zurück.

„Fahren Sie fort, Mrs. Sloane", sagte der Freund des Grafen, nachdem er sich zu einem Rindersteak und einem buttrigen Stück Cheddar verholfen hatte.

Sie nahm auf einem der Laborstühle Platz und wirkte plötzlich kleiner und verletzlicher als noch einen Moment zuvor. Schnell wandte er seinen Blick ab, als er sich der unangenehmen Tatsache bewusst wurde, dass der Gedanke Gefühle in ihm auslöste, die er lieber ignorierte.

Verflucht sollte sie sein, dafür, dass sie es irgendwie geschafft hatte, einen Spalt in seine Rüstung zu schlagen. Es war weitaus einfacher, die Welt hinter einer schützenden Haut aus Stahl anzuschnauzen und anzufauchen. Sich um einen anderen Menschen zu sorgen ... war gefährlich.

„Sie mögen mein Handeln für überstürzt halten, Mylord, doch in Wahrheit habe ich sehr intensiv über meine Zeichnung und den Zeitpunkt ihres Erscheinens nachgedacht", begann Charlotte, nachdem sie ihre Jacke aus schwerem Maulwurfsfell abgelegt hatte. „Unsere Hauptverdächtigen stehen unter Bewachung und einen Nerv zu treffen, könnte dazu führen, dass sie unüberlegt Handeln und einen Fehler machen."

Wrexford schüttelte seine verträumten Gedanken ab und zwang sich dazu, sich auf das vorliegende Problem zu fokussieren. „Das Problem ist nur, dass ich, nachdem ich einen Kollegen an der Royal Institution und anschließend einen erfahrenen Werkzeugmacher besucht habe, Grund zu der Annahme habe, dass wir die falschen Leute im Visier haben", antwortete er. „Es ist gut möglich, dass der wahre Täter ein Chemiker ist."

Ihre Erwiderung war schnell und entschlossen. „Ich glaube, da liegen Sie falsch."

„Warum?", entgegnete er.

Sie holte einen Zettel aus einer versteckten Tasche in ihrem Hemd. „Darum."

Charlotte wusste, dass sich ihre Gedanken strikt um das Beweismittel drehen sollten und darum, den Grafen von ihrer Vermutung zu überzeugen. Doch als sie ihn dabei beobachtete, wie er die Nachricht entfaltete, kam sie nicht umhin, festzustellen, welch anmutige Hände er hatte. Stark. Sicher. Und doch zu großer Sanftmut fähig, wie sie es gesehen hatte, als die Jungen in Schwierigkeiten gesteckt hatten.

Man vermutete es nicht, wenn man sein scharfzüngiges, sarkastisches Auftreten sah.

Was so war, als schimpfte ein Esel den anderen Langohr, dachte sie.

„Was ist das?", fragte er.

„Ich habe es versteckt in einem verschlossenen Koffer in Mrs. Ashtons Ankleidezimmer gefunden. Wie Sie sehen, ist es an sie adressiert und mit einem *D* unterzeichnet. Da Kirklands Taufname Dermott lautet, gehe ich davon aus, dass er diese Nachricht geschrieben hat." Sie sah den Freund des Grafen an. „Ich hoffe, dass Mr. Sheffield das bestätigen kann."

Wrexford überreichte ihm das Papier wortlos.

„Ja, ich bin mir recht sicher, dass dies Kirklands Handschrift ist", sagte Sheffield, nachdem er die Nachricht einem prüfenden Blick unterzogen hatte. „Wohlgemerkt, Schuldscheine bestehen in der Regel größtenteils aus Zahlen, doch während ich mir Karten nicht sonderlich gut merken kann, habe ich ein gutes Auge für Buchstaben."

Der Graf nahm es zurück. „Dürfte ich so unverschämt sein, Sie zu fragen, wie genau es dazu gekommen ist, dass Sie in Mrs. Ashtons Ankleidezimmer waren?"

Sie stieß ein resigniertes Seufzen aus. „Wie ich sehe, sind wir im Begriff mal wieder ein wahres Feuerwerk zu erleben. Dürfte ich jedoch vorschlagen, dass wir, sobald die Funken erloschen sind, einen kurzen Waffenstillstand ausrufen, um unser Essen zu genießen?"

Er lächelte nicht, doch sie glaubte, ein kurzes Aufflackern von widerwilliger Belustigung in seinen Augen erkannt zu haben. Eins musste sie ihm lassen, er war einer dieser seltenen Männer, die in der Lage waren, über sich selbst zu lachen.

„Es war nicht annähernd so riskant, wie Sie glauben mögen." Eine Übertreibung vielleicht, doch Charlotte spürte, dass er gereizt war, und ein weiterer Streit würde niemandem guttun.

„Miss Merton hat geholfen ..." Sie erzählte ihnen kurzgefasst von der List und wie alles exakt nach Plan gelaufen war.

„Das ist höllisch gefährlich gewesen, Mrs. Sloane", sagte Wrexford nach einem langen Moment der Stille. „Sollte die Witwe in den Mord an ihrem Ehemann verwickelt sein, hätte sie keine Skrupel gehabt, Ihnen ein Messer zwischen die Rippen zu rammen."

„Es war nicht gefährlicher, als den Mann, durch die Elendsviertel zu jagen, der Ashtons Kehle kaltblütig aufgeschlitzt hat."

Er kniff die Augen zusammen. „Das ist etwas anderes."

„Weil ich eine Frau bin?"

Als er spürte, dass er in eine verbale Ecke gedrängt wurde, wich Wrexford der Frage aus, indem er mit seiner eigenen konterte.

„Wenn Mrs. Ashton und der Viscount etwas von unserem Verdacht erfahren, könnte es ihnen womöglich Zeit verschaffen, ihre Spuren zu verwischen. Wie können Sie sich sicher sein, dass sie nicht bemerken wird, dass ihre Zimmer durchsucht worden sind?"

Charlotte fixierte ihn mit eindringlichem Blick. „Weil ich sehr gut bin in dem, was ich tue, Wrexford. Ich würde längst nicht mehr im Geschäft sein, wenn es anders wäre."

„Das Rindfleisch ist vorzüglich", murmelte Sheffield. „Und der Cheddar auch. Darf ich Ihnen etwas auftun, Mrs. Sloane?"

„Das wäre reizend. Danke."

„Wrex?", fragte sein Freund.

Als Antwort schenkte sich der Graf ein Glas Claret ein.

„Kommen Sie, lassen Sie uns unsere Differenzen beiseitelegen und eine konstruktive Konversation über unsere nächsten Schritte führen", sagte Charlotte, nachdem sie einige genussvolle Bissen genommen hatte. „Übrigens, Mr. Sheffield hat Recht – das Rind ist köstlich."

Schließlich entspannte sich der finstere Blick des Grafen. „Das will ich hoffen", erwiderte er und nahm sich eine große Portion von der Platte. „Ich zahle meinem Koch eine obszöne Menge Geld."

„Ich denke, er hat es verdient", sagte sie.

Wrexford lachte leise. „Wissen Sie, die meisten Menschen zeigen ein Mindestmaß an Respekt vor meiner erhabenen Position."

„Ich bin nicht wie die meisten Menschen", betonte Charlotte. „Und abgesehen davon, bewahrt ein gelegentlicher Nadelstich Ihre Eitelkeit davor, in schwindelerregende Höhen aufzusteigen."

„Keine Chance, wenn Sie beide dabei sind", sagte Wrexford, sobald er einen Mundvoll Fleisch und Brot geschluckt hatte.

Sheffield lächelte. „Sie verabscheuen Speichellecker."

Die Neckereien – und das Essen – schienen die Laune des Grafen verbessert zu haben. Charlotte stellte ihren leeren Teller ab und beschloss, dass es Zeit war, zur Sache zu kommen.

„Also, vorausgesetzt, Sie stimmen mit der Einschätzung überein, dass Kirkland und Mrs. Ashton die wahrscheinlichsten Verdächtigen sind, müssen wir entscheiden, was wir als Nächstes tun werden."

Wrexford nahm einen großen Schluck von seinem Wein. „Angesichts Ihrer Entdeckung, stimme ich zu, dass es am sinnvollsten wäre, die beiden zu verfolgen. Die Frage lautet also, warten wir darauf, dass sie sich treffen, um sie gemeinsam zu konfrontieren? Oder entscheiden wir uns für einen von ihnen und sehen, ob wir ein Geständnis erzwingen können?"

„Beides hat seine Vorteile", sinnierte Charlotte. „Im Augenblick bietet uns die Tatsache, dass wir von ihrer unsittlichen Vergangenheit wissen, einen gewissen Vorteil. Allerdings scheint es mir, als sei Benedict Hillhouse der unbekannte Faktor in all dem. Wir wissen nicht, wie kurz er davorsteht, ein funktionierendes Modell des Motors fertigzustellen, oder wie sich das auf den Zeitplan für die Anmeldung eines Patents auswirkt. Wir haben vielleicht nicht mehr viel Zeit."

„Ich nehme an, Sie schlagen beherztes Handeln vor." Sie nickte bestätigend, woraufhin er anfing, seine Fingerspitzen aneinander zu klopfen. „Also, wen nehmen wir uns vor – den Viscount oder die Witwe?"

„Die Witwe", antwortete Sheffield, ohne zu zögern.

Charlotte hatte nichts anderes erwartet. Männer machten sich gern vor, dass Frauen von Natur aus zum

Verrat neigten. Doch ihrer Erfahrung nach, war das Gegenteil der Fall.

„Mrs. Sloane?", murmelte Wrexford. „Dieses Thema lässt Sie ungewöhnlich schweigsam wirken."

Sie bemerkte, dass Sheffield seinen Teller abstellte und vollkommen still wurde. Möglicherweise erwartete er ein weiteres Feuerwerk.

„Ich bin anderer Meinung", antwortete sie. „Zumal ich aus pragmatischen Gründen nicht an der Vernehmung teilnehmen darf."

Der Graf kniff die Augen zusammen. „Würde es Ihnen etwas ausmachen, Ihren Einwand näher zu erläutern?"

„Frauen sind nicht immer die schwächeren Gefäße, für die Männer sie halten. Eine starke, gerissene Frau weiß, wie sie derartige Vorurteile zu ihren Gunsten nutzen kann", antwortete Charlotte. „Kurz gesagt, ich denke, dass Ihre Skrupel als Gentleman, Sie davon abhalten werden, zu grob mit ihr zu sein. Ich hingegen würde meine Hände um ihren Hals legen und fester zudrücken, würde ich spüren, dass ich so ein Geständnis aus ihr herausquetschen könnte."

Sheffields Gesichtsausdruck veränderte sich leicht – ob aus Bewunderung oder Abscheu, konnte sie nicht genau sagen.

Wrexfords Gesicht blieb eine Chiffre.

Sie wartete und vertraute darauf, dass sein gutes Urteilsvermögen jegliche Überreste seines Unmutes verdrängen würde.

„Eine interessante Annahme", merkte er schließlich an. Der Anflug eines Lächelns umspielte seine Lippen. „Die Vorstellung, Ihnen bei einem Verhör ausgeliefert zu sein, ist angsteinflößend."

„Unsinn, Mylord. Ihnen flößt gar nichts Angst ein. Ich erst recht nicht."

Der dunkle Kranz seiner Wimpern bebte kaum wahrnehmbar. Doch was auch immer er antworten wollte, wurde unterbrochen von einem plötzlichen, lauten Rascheln der Efeuranken vor dem Fenster, gefolgt von dem hastigen Schürfen von Leder auf Stein.

Flink wie eine Katze sprang Wrexford auf und begab sich zu dem Rosenholzkoffer, in dem seine Pistolen lagen. Stahl blitzte in dem wild flimmernden Kerzenlicht, als der Hahn mit einem scharfen *Klick* spannte.

Charlotte stand ebenfalls auf, gerade als eine Hand auf dem geriffelten Granitsims erschien.

„Hey!" Mit rotem Gesicht und völlig außer Atem hievte Raven sich auf die Fensterbank.

In zwei schnellen Schritten war der Graf beim Fenster. Er packte den Jungen am Kragen und zog ihn herein.

„Sie müssen schnell kommen! Kirkland ...", rief er, seine Worte verloren sich in einem aufgebrachten Keuchen.

Wrexford klopfte ihm mehrmals zwischen die Schulterblätter, um ihm das Atmen zu erleichtern. „Ruhig, Junge."

„Kirkland ...", röchelte Raven.

„Was ist mit ihm?", drängte Charlotte.

„Er ist ermordet worden!"

Kapitel 23

„Zumindest sieht es so aus", ergänzte Raven schnell. „Ich bin mir nicht sicher, da Sie uns befohlen haben, ihm nicht in Gebäude zu folgen, woran wir uns gehalten haben."

„Gott sei Dank", krächzte Charlotte, als sie auf die Knie fiel und ihn fest in ihre Arme schloss.

Sehr zum Leidwesen des Jungen, wie Wrexford bemerkte, während er den Hahn der Pistole entspannte.

„Gütiger Gott, das ist *Blut!*", rief sie plötzlich und befingerte einen dunklen Fleck auf der Vorderseite seines Mantels.

„Machen Sie nicht so ein Drama. Ist nicht meins", protestierte Raven. „Ich versuche ja schon, es Ihnen zu erklären ..."

„Wenn der Junge nicht verletzt ist, dann lassen Sie ihn erzählen, was passiert ist", befahl Wrexford. Zu Raven fügte er hinzu: „So schnell du kannst, versuch jedoch, keine wichtigen Details auszulassen."

Der Junge wand sich aus Charlottes Griff frei. „Ich und Moppel sind für die Überwachung des White's zuständig gewesen. Lord Kirkland ist kurz nach acht gegangen."

Sheffield nickte bestätigend.

„Er hat sich keine Droschke gerufen und ist stattdessen zu Fuß über die Dover Street nach Norden gegangen. Höhe Hay Hill kam ein anderer Mann um die Ecke von der Berkeley Street und begrüßte ihn. Sie unterhielten sich einen Moment lang – freundlich, soweit ich es erkennen konnte. Wir wollten nicht zu nah heran und uns verraten."

„Gut gemacht", sagte Wrexford. „Fahr fort."

„Sie gingen eine Weile nebeneinanderher, bevor sie in den Durchgang östlich der Bruton Lane bogen, der sie in eine Sackgasse entlang der Rückseite zweier Gebäude in Hay's Mews führte."

Der Graf kannte diesen Ort. Selbst in Mayfair, mit seinen eleganten Wegen und Verkehrsstraßen, gab es ein Labyrinth aus Gassen, die sich durch die Nachbarschaft wanden und es den Kohlehändlern und Straßenreinigern erlaubten, ihrer Arbeit nachzugehen, ohne die Empfindsamkeiten der Oberschicht zu verletzen.

„Lord Kirkland und der andere Mann sind in das Haus auf der rechten Seite gegangen", fuhr Raven fort. „Ich habe ein Versteck hinter ein paar kaputten Kisten gefunden, während Moppel vorne rum ist, um sicherzugehen, dass sie nicht da entlang verschwinden. Wir waren nicht länger als fünf Minuten da, als der andere Mann wieder durch den Hintereingang herauskam, er hat sich schnell bewegt, aber darauf geachtet, in den Schatten zu bleiben. Er ist ganz nah an meinem Versteck vorbeigerannt und hat etwas zwischen die durcheinander gestapelten Kisten geworfen, bevor er hinter der Ecke verschwunden ist."

„Hast du gesehen, was er weggeschmissen hat?", fragte Sheffield.

„Na klar", antwortete Raven, als er ein Messer aus seinem Mantel hervorholte, an dessen Klinge getrocknetes Blut klebte.

Charlotte erblasste.

Keine Frage, sie dachte daran, dass der Junge um Haaresbreite dem Kerl begegnet wäre, der es geschwungen hatte, schätzte Wrexford. Für Mitleid war jedoch keine Zeit.

„Wo ist Moppel?", fragte er.

„Ich habe ihn damit beauftragt, die Rückseite des Gebäudes zu bewachen, während ich komme und Sie hole."

Der Graf schnappte sich die andere Pistole aus dem Koffer und sah Sheffield an. „Sie bleiben hier. Wenn Tyler zurückkehrt, sagen Sie ihm …"

„Vergessen Sie's!", unterbrach ihn sein Freund und hielt seine Hand für eine der Waffen auf. „Ich komme mit Ihnen."

„Ich auch", sagte Charlotte.

Widerrede würde ihn wertvolle Sekunden kosten. Wrexford reichte ihm eine Pistole. „Ich erlaube dir, uns zu der Stelle zu führen, Wiesel, doch danach wirst du hierher zurückkehren und auf Tyler warten."

„Das werde ich nicht!", antwortete der Junge.

Der Graf packte ihn am Kragen seines Mantels. „Oh doch, das wirst du. Entweder du gibst mir dein Wort oder ab mit dir in die Speisekammer." Er schleuderte Raven herum. „Wie du siehst, hat ihre Tür ein verdammt großes Schloss."

Ravens nächste Worte waren kein Versprechen.

„Wie du willst, Junge." Er ging einen Schritt auf die schwere Eichentür zu.

„Hey, hey! Schon gut, ich schwöre es."

„Also gut, beeilen wir uns."

Raven folgend kletterten sie durch das Fenster hinaus und trabten zügig und lautlos durch die gewundenen

Nebenstraßen. Als sie sich dem Eingang der Sackgasse näherten, wurde der Junge langsamer und pfiff einmal leise.

Aus der Dunkelheit erklang ein zweiter Pfiff.

„Das ist Moppel", bestätigte der Junge. „Hier entlang."

Das Lumpenkind tauchte zwischen den stacheligen Silhouetten zerbrochener Holzbretter auf. „Nichts - niemand ist gekommen oder gegangen", berichtete er.

Wrexford fischte eine Guinee aus seiner Tasche. „Danke, Junge."

In Moppels Gesicht breitete sich ein ehrfürchtiges Grinsen aus. „Jederzeit, Eure Hoheit." Die Münze verschwand in seiner Tasche und einen Moment später war auch der Junge verschwunden.

„Da ist der Eingang." Raven deutete auf eine schattige Tür.

„Warte hier, Junge." Der Graf machte sich gar nicht erst die Mühe, Charlotte und Sheffield Befehle zu erteilen. Er wusste, dass sie sowieso machen würden, was ihnen gefiel.

Er eilte über den unebenen Boden und war nicht überrascht, als er die leichtfüßigen Schritte hinter sich hörte. Vor der Tür angekommen, sah er, dass sie nur leicht angelehnt war.

Er zog seine Pistole und wartete darauf, dass die anderen dazustießen. „Ich werde vorgehen", flüsterte er. „Mrs. Sloane, Sie bleiben dicht hinter mir. Kit, Sie spannen Ihren Hahn und bilden die Nachhut."

Die Scharniere knarrten, als die Tür aufschwang. Umgehend befiel der feuchte Geruch des Verfalls seine Nasenlöcher. Wrexford trat ein, der bröckelige Mörtel der Ziegel knirschte unter seinen Stiefeln. Eine

Atmosphäre der Verlassenheit erfüllte den Ort. Die Fensterläden waren verschlossen und ließen kein Licht hindurch. Als er stehenblieb, verstärkte die absolute Stille das Gefühl der Leere zusätzlich.

Leer, bis auf eine anhaltende Aura des Bösen. Sie war spürbar, kalt saß sie ihm im Genick. Er spürte Charlottes Anspannung, als ihre Schulter gegen seine stieß.

Was auch immer Kirkland an diesen Ort geführt hatte, seine Niedertracht schwirrte noch immer zwischen diesen Wänden umher, schwärzer als der Schleier, der sie umgab. Wrexford drehte sich und stieß gegen einen harten Gegenstad auf dem Dielenboden. Dem Gefühl von Metall und Glas nach urteilend, vermutete er, dass es sich um eine Lampe handeln musste.

„Haben Sie ein Streichholz?", flüsterte er Sheffield zu. Es war zwecklos, zu versuchen, unbemerkt zu bleiben.

Ein Blitz aus Phosphor leuchtete auf und durchbohrte die Dunkelheit. Eilig zündete sein Freund den Docht an und mit einem öligen Knistern erwachte eine Flamme zum Leben, die einen schwachen Lichtkranz warf.

Nichts.

Wrexford wagte einen weiteren Schritt tiefer in die Dunkelheit und hob die Laterne höher.

Charlotte stockte der Atem.

Kirkland lag mit dem Gesicht nach oben, seine leeren Augen schimmerten perlmuttartig in dem flackernden Licht. Seine einst weiße Krawatte war jetzt rostrot und dunkle Rinnsale schlängelten sich aus der Lache viskoser Flüssigkeit unter seinem klaffenden Hals.

„Grundgütiger", sagte Sheffield. „Noch eine durchtrennte Kehle."

„Ja", antwortete der Graf, „unser Widersacher, wer auch immer das sein mag, scheint höllisch geschickt mit der Klinge zu sein."

Charlotte ging in die Hocke, um einen genaueren Blick zu werfen. „In Anbetracht seiner Größe und Statur, bezweifle ich, dass es Mrs. Ashton gewesen sein könnte. Es passt von der Reichweite und dem Winkel einfach nicht – ganz zu schweigen von der Tatsache, dass diese Art von Schaden eine ganze Menge Kraft erfordert."

„Sie haben wahrscheinlich recht. Doch womöglich ist es an der Zeit, in die Offensive zu gehen und es herauszufinden." Wrexford überkam eine plötzliche Welle der Angst, als er auf die Blutlache blickte. Charlotte war in tödlicher Gefahr, bis der Mörder gefasst war.

Sie sah auf und ihre Blicke trafen sich durch das dunstige Licht. „Sie schlagen also vor, dass wir ihrem Stadthaus *jetzt* einen Besuch abstatten?"

„Die Überraschung ist eine Waffe für sich", erwiderte er. „Wenn wir es schaffen, Mrs. Ashton aus dem Gleichgewicht zu bringen, könnte sie einen fatalen Fehltritt machen."

Ihr Gesichtsausdruck wurde besorgt.

„Es spielt keine Rolle, wer das Messer geführt hat", erklärte er. „Wenn die Witwe sich mit dem Mörder verschworen hat, dann ist ihr eigener Hals in Gefahr. Wenn wir hart und schnell zuschlagen, können wir sie vielleicht dazu bringen, ihren Komplizen zu verraten, indem wir sie vor die Wahl zwischen Leben und einem sehr unangenehmen Tod stellen."

„Entscheidungen, Entscheidungen", erwiderte Charlotte mit angespannter Stimme. „Wie kommt es, dass

Frauen so oft diejenigen sind, die zwischen zwei Übeln wählen müssen? Es scheint als wären wir verdammt, wenn wir es tun, und verdammt, wenn wir es nicht tun."

Sheffield räusperte sich unbehaglich.

„Wenn sich die Regeln der Gesellschaft derart vehement gegen uns richten, ist es kein Wunder, dass wir auf Mittel wie Täuschung und Tücke zurückgreifen", fügte sie leise hinzu.

Wrexford beäugte sie konzentriert, sagte jedoch nichts.

„Was ist mit ihm?", wagte Sheffield zu fragen, nachdem das Schweigen noch einen Moment lang angehalten hatte. Kirklands klaffende Wunde sah in dem kränklich gelben Licht der billigen Öllampe schaurig aus.

„Überlassen Sie das mir", sagte der Graf knapp. Er drehte sich um und löschte die ranzig riechende Flamme. „Verschwinden wir."

Als sie aufstand, wischte Charlotte sich ihre Hände an der rauen Wolle ihrer Hose ab. Doch die Rückstände eines Mordes waren nicht wie Blut oder Dreck. Man wurde sie nicht mit einfachem Schrubben los. Stattdessen schien es unter die Haut zu sickern.

In absentia luci, tenebrae vincunt. In der Abwesenheit von Licht überwiegt die Dunkelheit.

War der gewaltsame Tod ein heimtückisches Gift, das mit der Zeit die Seele verunreinigen würde?

Vielleicht war das eine Frage, deren Komplexitäten man am besten einem Philosophen überließ. Für den Moment wünschte sie sich nichts weiter, als

Gerechtigkeit walten zu lassen. Sollte das moralisch fragwürdig gewesen sein, dann sei es so.

„Wiesel", sagte der Graf mit leiser, doch befehlender Stimme.

Raven trat aus den Schatten hervor.

„Es wird Zeit, dass du zu meinem Stadthaus zurückkehrst. Warte auf Tyler und sag ihm, er soll einen der Lakaien bei Tagesanbruch mit einer Nachricht für Griffin – und zwar nur für Griffin – zur Bow Street schicken, verstanden?"

Der Junge nickte entschlossen.

„Er soll den Läufer über Kirklands Ermordung informieren und ihm den genauen Fundort der Leiche mitteilen. Noch wichtiger ist allerdings, dass er Griffin sagt, dass ich eine Idee habe, wie das alles zusammenhängen könnte, und ihn bittet, sich in Geduld zu üben. Ich werde mich bemühen, ihn schnellstmöglich zu treffen." Der Graf hielt einen Moment inne. „Kannst du dir das merken, Junge?"

„Jawohl, Sir", antwortete Raven.

„Eine letzte Sache noch", fügte Wrexford hinzu. „Griffin soll die Leiche in Hennings Praxis bringen lassen. Vielleicht findet Henning den einen oder anderen Hinweis."

Ein Schimmer des Mondlichts fing die stumme Bewegung der Lippen des Jungen ein. Er prägte sich die Worte ein, realisierte Charlotte. Trotz seines ausgeprägten Sinnes für Unabhängigkeit, präsentierte Raven sich in der Gegenwart des Grafen stets etwas gehorsamer.

„Jawohl, Sir", wiederholte der Junge.

„Also los, verschwinde."

Die Schatten regten sich, wie von einem kurzen Luftzug erfasst, und beruhigten sich gleich darauf wieder.

Der Graf war bereits auf dem Weg zurück in die Gasse.

Charlotte schüttelte ihre Gedanken ab und eilte los, um ihn einzuholen.

„Wie haben Sie vor, sich Zugang zur Residenz der Witwe zu verschaffen?", fragte sie. „Die Türen werden sicher mit einem Balken verriegelt sein, das Schloss zu knacken wird also nicht funktionieren. Und abgesehen davon ist es keine kluge Idee – die Lakaien könnten den Befehl haben, jeden Eindringling zu erschießen."

Er sah sie nicht an und beschleunigte stattdessen seinen Schritt. „Es gibt Momente, in denen es sich als nützlich erweist, einen hohen Titel zu haben."

Sie ging jetzt neben ihm. Welche Naturgewalt ihn auch immer in ihren Bann gezogen hatte, sie würde Charlottes Worten nicht nachgeben, so gut sie sie auch wählte.

Sie bogen einmal ab, dann ein zweites Mal und plötzlich erhob sich aus der Dunkelheit vor ihr die silbrige Silhouette der schicken Villen von Grosvenor Square, mit ihren eleganten Winkeln und dekorativen Giebeln.

Dicht in die Schatten der Blätter gedrängt, die den Zaun bedeckten, umkreisten die drei den zentralen Garten im Gänsemarsch. Die Wohnhäuser auf der anderen Seite des Platzes waren in samtige Stille gehüllt, der blasse Kalkstein und die stattlichen Marmorportikus schlummerten friedlich in den Schatten, die die schmiedeeisernen Straßenlaternen warfen.

Lord Blackstones Stadthaus befand sich nahe der hintersten Ecke. Wrexford nahm zwei Marmorstufen der

Eingangstreppe mit jedem Schritt und griff nach dem schweren Messingklopfer.

Poch, Poch! Eine Reihe an stakkatoartigen Klopfern durchbrachen die Ruhe.

„Wenn Sie vorhaben, die Toten zu wecken, könnten wir auch einfach ein Regiment der königlichen Husaren durch die Straßen galoppieren lassen", scherzte Sheffield.

Der Graf schenkte ihm keine Beachtung und schlug den Klopfer erneut gegen die Tür.

Charlotte sah sich um. In den nahegelegenen Fenstern erwachte kein Licht zum Leben, doch als sie sich zurückdrehte, glaubte sie, das Flackern eines Kerzenlichtes tief im Innern des Hauses gesehen zu haben.

Tatsächlich ertönte auf der anderen Seite der getäfelten Eichentür eine verschlafene Stimme.

„Wer ist da?"

„Der Graf von Wrexford."

Sie hatte ihn noch nie zuvor so gebieterisch klingen hören.

„Öffnen Sie unverzüglich die Tür und wecken Sie Mrs. Ashton", fügte er hinzu. „Es geht um Leben und Tod."

„A-a-aber es ist schon …", stammelte, wer auch immer das Pech hatte, die Mitternachtswache zu halten.

„Aufmachen, *sofort!*", befahl der Graf. „Oder ich schwöre Ihnen, es wird die Hölle los sein!"

Das Schaben von Holz, das durch eine eiserne Schiene geschoben wurde, verkündete die Kapitulation des Mannes. Der Riegel fiel zurück, die Klinke bewegte sich und die Tür schwang auf.

Wrexford drängte sich an dem nervösen Diener vorbei und stürmte auf die Treppe zu.

„Mylord! Sie können nicht einfach ..."

„Oh, ich kann sehr wohl einfach."

Ihren Kopf nach unten gerichtet, eilte Charlotte ihm nach. Der Graf hatte noch nicht daran gedacht, gegen ihre Anwesenheit zu protestieren, und sie hatte nicht vor, ihm Gelegenheit dazu zu geben. Ihre Verkleidung war gut, doch ihre Erfahrung hatte sie gelehrt, dass die beste Täuschung auf der Tatsache basierte, dass die Menschen sahen, was sie zu sehen erwarteten.

Ein Gassenkind war ein Gassenkind. Mrs. Ashton würde keinen Grund haben, daran zu zweifeln.

Am oberen Treppenabsatz angekommen, blieb Wrexford stehen. Ein einzelner Wandleuchter brannte, die Flamme war schwach und ihr flackerndes Licht verlor sich in der Dunkelheit.

„Welches ist Miss Mertons Schlafzimmer?", fragte er, als Charlotte zu ihm stieß.

Sie deutete mit einem Finger auf eine Tür.

„Wecken Sie sie auf. Ihre Anwesenheit könnte hilfreich sein."

„Ich bezweifle, dass sie noch schläft." Ein hastiges Rascheln hinter der Tür bestätigte ihre Vermutung. Mit gesenkter Stimme fügte Charlotte hinzu: „Vergessen Sie nicht, Sir, ich bin lediglich einer Ihrer Informanten. Nicht, dass Sie es sind, der den gefährlichen Fehltritt macht."

„Seien Sie versichert, dass ich nicht die Absicht habe, irgendwelche Fehler zu begehen."

In seiner Stimme schwang etwas mit, das sie noch nie zuvor gehört hatte. Doch dies war nicht der richtige Moment, um darüber zu rätseln, was es war.

Die Klinke von Octavias Tür regte sich. Charlotte hörte Sheffield die Treppe heraufkommen.

Sie holte tief Luft und schritt in die eingelassene Nische des Wäscheschranks.

Gerade als Wrexford sich zur Tür drehte und bereitmachte, trat Octavia auf den Flur. Sie hatte sich ihr Nachthemd locker übergeworfen und ihr Haar ragte unordentlich aus einem losen Zopf heraus.

„Lord Wrexford!" Ihr Atem stockte einen Augenblick lang in ihrer Kehle. „Ist es Benedict? Oh, Gott. Ist er tot?"

„Ich habe keine Neuigkeiten über Hillhouse", erwiderte er. „Ich bin in einer anderen Angelegenheit hier. Eine, von der ich hoffe, dass sie dem blutigen Pfad der Lügen und der Täuschung ein Ende bereiten wird."

Octavia sackte gegen den Türrahmen, ob in Erleichterung oder aus einem Gefühl des drohenden Unheils heraus, war unmöglich zu sagen. Charlotte fühlte ein Stechen des Mitgefühls. Sie fürchtete, dass die Dinge für ihre Freundin nicht gut enden würden.

„Gehen Sie und wecken Sie Mrs. Ashton", befahl der Graf Octavia.

„Nicht nötig." Eine winzige Lichtexplosion erhellte das andere Ende des Korridors, als eine Kerze aufflammte. Ihr tanzender Schein beleuchtete das Gesicht der Witwe. Das nachtschwarze Haar und die sie umgebende Finsternis verliehen ihm gespenstische Schönheit, seine blassen, ätherischen Züge schienen körperlos über der wogenden Flamme zu schweben.

Feuer und Eis, dachte Charlotte.

„Ich bin hier", sagte Isobel. Ihre blutleeren Lippen verzogen sich zu einem Lächeln. „Ich vermute, es handelt sich nicht um einen Höflichkeitsbesuch?"

„Nein", erwiderte der Graf. „Ich denke, Sie wissen, warum ich hier bin."

Die Witwe ging auf ihn zu, ihre langsamen, ruhigen Schritte waren bis auf das leise Rauschen des Stoffes um ihre Beine vollkommen still. Während sie sich näherte, bemerkte Charlotte, dass ihre Nachtkleider strahlend weiß waren.

Eine Erinnerung daran, dass die Unterschiede zwischen Teufel und Engel so leicht verschwimmen konnten.

„Lassen Sie mich raten", erwiderte Isobel mit schauriger Gelassenheit. „Die Sünden meiner Vergangenheit haben mich eingeholt."

Kapitel 24

Wrexford starrte sie an und verspürte einen Hauch von Mitgefühl. Ihre Intelligenz und ihr Humor hatten etwas Besseres verdient, als von Lust und Gier korrumpiert zu werden.

Doch Leidenschaft, so wusste er, wurde nur selten von Vernunft geleitet.

„Das haben sie in der Tat." Seine Stimme schien tiefer zu werden, als sie von den Wänden widerhallte. „Ich bin froh zu sehen, dass wir trotz allem den gleichen Pragmatismus teilen und uns das ungeziemende Spektakel der falschen Tränen und Beteuerungen sparen können."

Isobel zuckte mit den Schultern. „Ich werde keinen von uns beiden mit derartiger Theatralik beleidigen. Sie sind ein kluger Mann, Lord Wrexford. Ich vermute, Sie haben Beweise gefunden." Sie bewegte die Kerze und ihre Augen versanken in Schatten. „Obwohl ich gehofft habe, dass Sie Ihren Blick weiterhin auf Elis Mord richten würden, anstatt auf meine kleinen Missetaten."

„Ein harmloser Begriff für Ihren Verrat", antwortete er. „Und wie haben Sie hoffen können, dass ich die beiden nicht in Verbindung bringe, wenn sie doch ein und dieselbe Sünde sind?"

Sie blickte verwundert.

„Ich erwarte, dass Sie ein volles Geständnis ablegen und uns sagen, wer die Klinge geführt hat – vor allem jetzt, da Ihr Mitverschwörer tot ist."

„*Tot?*" Isobel starrte ihn ausdruckslos an. „Wer?"

„Ihr Geliebter, Lord Kirkland", meldete sich Sheffield zu Wort. „Wir haben ihn vor knapp zwanzig Minuten gefunden, seine Kehle ist aufgeschlitzt worden. Genau wie bei den anderen."

„Mörderisches Miststück!", rief Octavia mit wutverzerrtem Gesicht. „Was haben Sie Benedict angetan?"

Die Augen weiterhin auf Mrs. Ashton gerichtet, signalisierte Wrexford ihnen mit einem Winken, still zu sein. Hätte er es nicht besser gewusst, hätte er ihre schockierte Darbietung womöglich überzeugend gefunden. Sie legte eine Hand auf ihre Brust und versuchte, ihr Gleichgewicht zu bewahren, als ihre Knie nachzugeben schienen.

„Kirkland ist *tot?*" Sie schüttelte ungläubig den Kopf. „Mein einziges Geständnis ist, dass mich diese Nachricht nicht betrübt. Er war ein durch und durch verkommenes Wesen, frei von jeglicher Ehre."

„Sie besitzen die Frechheit, von Ehre zu sprechen?", spottete Octavia. „Sie sollten sich ..."

„Ruhe bitte, Miss Merton", unterbrach Wrexford. „Erlauben Sie mir, das Verhör zu führen." Zu Isobel sagte er: „Behaupten Sie etwa, dass Sie und der Viscount nicht für den Mord an Ihrem Ehemann verantwortlich sind?"

„Ich mag womöglich einiger Sünden schuldig sein, aber nicht dieser. *Niemals.*" Sie hob ihr Kinn. „Ich habe meinen Ehemann respektiert und bewundert. Und obgleich zwischen uns nicht das Feuer der Leidenschaft tobte, so waren wir voneinander dennoch sehr angetan."

„Sie lügen", sagte Octavia.

Isobel ignorierte die Anschuldigung. „Sie können nicht behaupten, Sie hätten einen Beweis für meine Verwicklung in Elihus Tod, Lord Wrexford, denn es existiert keiner."

„Es wurde eine Nachricht in Ihrem Ankleidezimmer gefunden", entgegnete er. „Eine, in der Kirkland Sie anweist, Ruhe zu bewahren, damit Sie beide bekommen, was Sie wollen. Wie erklären Sie das?"

„Ah. Miss Merton und Mrs. Sloane ..." Isobel sah Octavia mit einem finsteren Lächeln an. „Ich hätte ahnen müssen, dass Sie etwas im Schilde führen."

„Welch Ironie", murmelte Sheffield.

Isobel runzelte nachdenklich die Stirn. „Ich habe Mrs. Sloane aus der Vergangenheit wiedererkannt ..."

In seinem Augenwinkel konnte Wrexford sehen, dass Charlotte in den Schatten erschrak.

„Doch ich habe beschlossen, dass es mich nichts angeht, wenn sie ihre wahre Identität nicht preisgeben möchte."

Geheimnisse über Geheimnisse. Welche Leichen, fragte sich Wrexford, würden wohl als Nächstes aus dem Keller getanzt kommen, um sich zu den frisch ermordeten Leichen zu legen?

„Gerade ich habe Verständnis für den Wunsch, vergangene Fehler geheim zu halten, besonders, wenn man eine Frau ist", antwortete Isobel. „Es muss nicht immer ruchlose Gründe haben, daher werde ich es ihr überlassen, zu entscheiden, was sie Ihnen zu verraten bereit ist."

Wrexford kämpfte dagegen an, dass seine Fragen, die er sich über Charlotte stellte, alle anderen überschattete. Er würde noch genug Zeit für diese Konfrontation haben, redete er sich ein. Mord und Chaos mussten Vorrang haben.

Welches Geheimnis sie auch immer verbarg, er bezweifelte, dass es eine Spur aus Leichen involvierte.

„Also gut", entgegnete er. „Kommen wir auf die Nachricht zurück. Wie erklären Sie sie?"

„Ganz einfach", sagte Isobel kühl, „Lord Kirkland hat mich erpresst, indem er mir gedroht hat, mit der Tatsache, dass ich in meiner Jugend seine Geliebte war, an die Öffentlichkeit zu gehen, was einen Skandal bedeutet hätte. Elihu wusste davon – ich hatte es ihm selbstverständlich erzählt, bevor ich seinen Heiratsantrag annahm -, doch ich konnte nicht zulassen, dass meine Vergangenheit ihn und seine Arbeit befleckten, gerade als er an der Schwelle zu einer revolutionären neuen Erfindung stand. Also ging ich auf die Forderungen des Viscounts ein." Sie verzog das Gesicht. „Ein Fehler, denn hat ein Erpresser erst einmal seine Krallen in Sie gefahren, lässt er niemals los."

„Ich ... ich glaube Ihnen nicht", sagte Octavia, doch in ihrer Stimme steckte weniger Entrüstung als zuvor.

„Miss Merton, Sie haben stets das Schlimmste in mir gesehen." Isobel entschied schließlich, ihrer Erzfeindin in die Augen zu sehen. „Veränderung fällt vielen Menschen schwer und kann oft beängstigend sein. Ihre geborgene, bequeme Welt war plötzlich nicht mehr dieselbe, als ich ein Teil von ihr wurde."

Octavias Lippen bebten, doch ihr schien keine Erwiderung einzufallen.

„Ich gehe nicht davon aus, dass Sie Beweise für Ihre Behauptung haben?", fragte Wrexford.

„Tatsächlich habe ich die", sagte Isobel, in ihrer Stimme schwang etwas Herausforderndes mit. „Wenn Sie mich in mein Arbeitszimmer begleiten würden, zeige ich Ihnen weitere Nachrichten von Kirkland, sowie einige andere Dokumente, die mich in ein besseres Licht rücken werden."

Noch eine schwindelerregende Wendung, dachte der Graf. Hatten sie sich etwa die ganze Zeit über nur im Kreis gedreht?

„Ich bitte darum", erwiderte er. „Ich würde die Gelegenheit sehr begrüßen, die Frage nach Ihrer Schuld oder aber Unschuld mithilfe von empirischen Beweisen ein für alle Mal zu klären."

„Ich bin mir sicher, dass wissenschaftliche Vernunft über Voreingenommenheit triumphieren wird", murmelte Isobel. „Ich bitte Sie lediglich darum, aufgeschlossen zu sein."

Die Bemerkung ließ Octavias Wangen erröten.

„Ich wünsche mir genauso sehr wie Sie, dass Elihu Gerechtigkeit widerfährt." Isobel ging auf die Treppe zu, blieb dann jedoch abrupt stehen, als sie die regungslose Gestalt in der Vertiefung sah. „Ich nehme an, dies ist einer Ihrer Gefährten und kein verirrter Eindringling, Lord Wrexford?"

„Der Junge leitet ein Netzwerk aus Gassenkindern", erwiderte er, ohne zu zögern. „Sie sind meine Augen und Ohren auf den Straßen - ein unerlässliches und effektives Mittel bei der Durchführung meiner Ermittlungen. Er ist es, der mich über Kirklands Mord informiert hat."

„Clever", kommentierte Isobel. Ihr Blick verweilte noch einen Moment lang auf Charlotte, bevor sie weiterging.

„Ich bin gleich bei Ihnen", sagte Wrexford und signalisierte Sheffield mit einem subtilen Nicken, die Frauen hinunterzubegleiten. „Es gibt noch etwas, dass ich mit Phoenix besprechen muss."

„Phoenix", wiederholte Charlotte leise, sobald die anderen außer Hörweite waren. „Ich hätte gedacht, Sie würden mich eher für eine Krähe halten." Eine Pause. „Oder womöglich einen Geier."

„Der Phönix erscheint mir weitaus angemessener", antwortete Wrexford.

Obwohl sie seinem Blick bewusst auswich, konnte sie spüren, wie er auf ihrer Haut brannte.

„Ein Vogel, der in Flammen aufgeht und verbrennt", fuhr er fort, „nur um aus seiner Asche aufzuerstehen und sich neu zu bilden."

„Ja, ich habe mein Federkleid gewechselt. Doch nicht so, wie Sie vielleicht glauben." Dies war nicht der richtige Moment für persönliche Enthüllungen, doch aus irgendeinem Grund störte sie sich daran, dass er zu glauben schien, ihre Gunst wäre so leicht zu erkaufen. „Ich habe eine leise Ahnung, wo Mrs. Ashton mich gesehen haben könnte. Seien Sie sich jedoch versichert, dass es nicht als leichte Dame irgendeines Gentlemans war."

Sein Gesichtsausdruck wurde unlesbar. „Sie haben es mir recht deutlich zu verstehen gegeben, dass mich Ihre Vergangenheit nichts angeht."

„Wrexford ..." Charlotte zögerte. *Was sollte sie sagen?* „Ich ..."

Der Graf unterbrach sie sofort. „Für persönliche Angelegenheiten bleibt uns im Moment keine Zeit. Mrs. Ashtons Geständnis muss Vorrang vor allem anderen haben."

Meinem eingeschlossen, dachte Charlotte.

„Natürlich, Sie haben recht." Sie nahm sich einen Moment Zeit, um den Winkel ihres Huts zu richten, während sie ihre Gedanken sortierte. „Also, wir sollten über die Logistik sprechen. Es wäre besser, wenn ich nicht mit Ihnen in das Arbeitszimmer komme. Die Witwe könnte sich fragen, warum ein Straßenkind anwesend sein muss. Außerdem wird die Beleuchtung heller sein und sie hat bewiesen, dass sie eine aufmerksame Beobachterin ist."

Der Wandleuchter zischte und entsandte eine dünne Rauchschwade in die Luft, als das Öl zur Neige ging.

„Ein verfluchter Jammer", fügte sie hinzu. „Ich hätte nur zu gern gehört und gesehen, welchen Beweis sie für ihre Unschuld hat."

„Ihre Einschätzung ist wichtig", erwiderte Wrexford. „Lassen Sie mich überlegen ..."

Charlotte beobachtete sein Gesicht aufmerksam und war erleichtert, nichts als seine übliche, gelassene Konzentration zu sehen.

„Ich könnte sagen, dass Sie von Anfang an in die Ermittlung involviert gewesen sind und es angesichts Ihrer Kenntnis von Londons Schattenseite unerlässlich ist, dass Sie wissen, welchen Beweis sie hat."

„Das könnte klappen", stimmte Charlotte zu.

„Wenn wir den Raum betreten, werde ich Sie anweisen, neben der Tür stehenzubleiben und zuzuhören. Es wird keinen Verdacht erregen, wenn ein Straßenkind nicht in den inneren Kreis gelassen wird."

Sie nickte. „Gute Idee."

„Dann lassen Sie uns gehen." Ohne auf eine Antwort zu warten, drehte er sich um.

Charlotte folgte ihm. Bis auf das eilige Poltern ihrer Schritte herrschte völlige Stille.

Wrexford betrat das Arbeitszimmer mit etwas Vorsprung. „Bewache die Tür, Phoenix, und pass auf, dass wir nicht gestört werden", befahl er mit schroffem Ton, als er über die Türschwelle trat. „Und spitze ein Ohr, damit du hörst, was hier drinnen vor sich geht. Solltest du irgendeine Idee haben, wer die Täter sein oder wo sie sich versteckt halten könnten, werde ich sie hören wollen."

Charlotte schlüpfte in eine Nische neben dem Bücherregal in einiger Entfernung zu den anderen. Sheffield, so bemerkte sie, hatte die Damen auf dem Sofa nahe der Feuerstelle Platz nehmen lassen und er selbst hatte sich auf einen der gegenüberliegenden Sessel gesetzt. Eine Lampe leuchtete auf dem Beistelltisch und eine weitere auf dem großen Birnenholzschreibtisch. Ihr eigener Platz blieb vom Licht unberührt.

Der Graf verschwendete keine Zeit und wandte sich sofort an die Witwe. „Gibt es einen Grund, warum wir auf die Papiere warten, Madam?"

Isobel schien von seinem finsteren Blick unbeeindruckt. „Ich habe gedacht, Sie würden mir dabei zusehen wollen, wie ich sie hole, um sich davon zu überzeugen, dass ich keine Hexerei oder eine Täuschung anwende."

Er winkte ungeduldig ab. „Wir haben schon genug Drama, Mrs. Ashton. Wir müssen nicht auch noch Szenen aus Shakespeare nachstellen. Holen Sie Ihren Beweis."

Charlotte befand sich in einer guten Position, um alle Gesichter zu sehen. Die Witwe unterdrückte ein amüsiertes Lächeln und stand auf, um sich an ihren Schreibtisch zu begeben. Sie griff unter ihr Nachthemd, fand die Goldkette, die um ihren Hals hing, und öffnete den Verschluss. An ihr war ein Schlüssel befestigt und mit einem schnellen Drehen entsperrte sie eine der Schubladen.

Octavia biss sich auf die Lippen, als Isobel eine dünne Mappe aus marokkanischem Leder unter diversen Haushaltsbüchern hervorholte und zum Sofa brachte.

Sie nahm mehrere gefaltete Seiten Briefpapier, die oben auf dem Stapel lagen, und reichte sie Wrexford. „Ich nehme an, Sie sind mit Kirklands Handschrift vertraut."

Wortlos reichte er sie an Sheffield weiter, der, nachdem er sie aufmerksam begutachtete hatte, bestätigend nickte. „Sie sehen echt aus."

„Dürfte ich erfahren, wer in meiner Jury sitzt?", fragte Isobel.

Eine nachvollziehbare Bitte, dachte Charlotte. Sie war mehr und mehr davon überzeugt, dass die Witwe die Wahrheit sagte.

„Der ehrenwerte Christopher Sheffield", sagte Wrexford knapp. Er nahm die Nachrichten wieder an sich und begann, sie zu lesen.

Isobel lehnte sich zurück gegen die Kissen des Sofas, doch Charlotte konnte die Anspannung in ihrem Körper sehen. Sie war bei weitem nicht so gelassen, wie sie versuchte, zu wirken. Daneben konnte Octavia nicht stillsitzen. Sie zupfte und zerrte an den Falten ihres Rocks.

„Hmm." Papier raschelte, als der Graf die Nachrichten noch einmal las. Die Sekunden schienen sich zu einer Ewigkeit auszudehnen. Schließlich sah er auf und sein Blick wanderte geradewegs zu Isobel.

„Ich denke, die Sache ist klar." Ohne Umschweife, begann er laut vorzulesen: „*Es scheint mir eine angemessene Bitte, mich für mein Schweigen zu bezahlen, liebe Isobel. Immerhin haben Sie dank meiner bisherigen Diskretion eine Menge Geld, und ich nicht, da mein Vater den Geldbeutel enger geschnürt hat. Teilen Sie mit mir – ich erinnere mich, wie gut Sie darin sind – und es wird keinen Skandal geben. Wir werden alle bekommen, was wir wollen.*"

Isobels Gesichtsausdruck blieb stoisch.

„Die anderen enthalten ähnliche Drohungen und Betteleien", sagte Wrexford.

„Und Sie sind sich sicher, dass es keine Fälschungen sind?", fragte Octavia mit kleinlauter Stimme.

Es war Sheffield, der antwortete: „Ja. Da ist ein schwaches, aber unverkennbares Wasserzeichen auf dem Papier – eine kleine Mistgabel -, welche zu einem Spielklub namens Lucifer's Lair gehört. Ich bezweifle, dass eine Frau Zugang zu unbeschriebenen Blättern hat."

„Womöglich hilft es, den Verdacht weiter zu beschwichtigen, wenn ich einige zusätzliche Dinge aus meiner dunklen Vergangenheit mit Ihnen teile", bot Isobel an. „Mein Vater war ein wohlhabender Kaufmann in Newmarket, doch als ihn ein Freund überredete, seine Ersparnisse in Aktien zu investieren, verlor er alles."

Sie machte eine Pause, um tief Luft zu holen. „*Alles.* Sogar sein Leben. Er konnte die Schande nicht ertragen und eines Nachts erschoss er sich. Ich war achtzehn und mittellos. Mein einziger Verwandter, der Cousin meines Vaters, wollte nichts von einem in Ungnade gefallenen Familienmitglied wissen. Also musste ich einen Weg finden, um zu überleben."

Octavias Gesicht wurde angespannt.

„Ich bin nicht stolz darauf, doch als Lord Kirkland, der an meinen Röcken herumgeschnüffelt hatte, als er während der Rennsaison in der Stadt war, mir anbot, mich zu seiner Mätresse zu machen, entschloss ich mich dazu, einzuwilligen." Isobels Stimme blieb frei von Emotionen. „Bis ich einen anderen, akzeptableren Weg gefunden hatte, mich selbst zu versorgen. Glücklicherweise ergab sich dieser ungefähr sechs Monate später, als eine zufällige Begegnung mit einem alten Bekannten meines Vaters dazu führte, dass man mir eine Stelle als Gesellschafterin anbot."

Charlotte erkannte einen Blick der Zuneigung in Isobels Gesicht.

„Die Witwe des Baron von Weston galt als exzentrische Intellektuelle, doch das kam mir recht gelegen. Ich war schon immer sehr wissbegierig. Ich lernte Elihu bei ihrem wöchentlichen Treffen für gleichgesinnte Männer und Frauen kennen."

Isobel hielt einen Moment inne, bevor sie fortfuhr. „Wir genossen die Gesellschaft des jeweils anderen", sie sah Wrexford an, ein erheitertes Funkeln schimmerte in ihren Augen. „Und, nun ja, er fragte mich, ob ich seine Frau werden wolle. Ich willigte ein, jedoch erst nachdem ich ihm von meiner Vergangenheit erzählt hatte. Er sagte, es spiele keine Rolle."

„Ich ... ich habe angenommen, dass ...", stammelte Octavia. „Sie waren so wunderschön ... d-doch so kühl und distanziert."

„Es war nicht leicht für mich. Ich hatte das Gefühl, sehr förmlich sein und eine korrekte Fassade aufrechterhalten zu müssen. Und natürlich habe ich Ihre Abneigung gespürt. Unsicher, was ich anderes tun sollte, beschloss ich, das Beste aus der Sache zu machen, um Elihu nicht zu verärgern, der Sie sehr liebte."

„Ich ... Ich ..." Octavia blinzelte, das Kerzenlicht fing die Tränen ein, die von ihren Wimpern perlten. „B-bitte verzeihen Sie mir, sollte ich Sie falsch eingeschätzt haben, doch ..."

Wrexford räusperte sich schroff. „Vielleicht könnten wir Schuldzuweisungen und Versöhnung auf ein anderes Mal verschieben. Wir haben einen Mord aufzuklären und das Rätsel ist gerade noch verzwickter geworden."

„B-bitte entschuldigen Sie, doch ich habe diesbezüglich noch eine letzte Frage." Octavia sah die Witwe mit prüfendem Blick an. „Benedict und ich sind uns sicher, dass jemand unseren Arbeitsplatz und unsere Schreibtische durchwühlt hat. Wir haben vermutet, dass Sie versucht haben, die endgültigen Pläne zu stehlen, weil ... weil Eli beschloss, nicht von dem Patent profitieren zu wollen. Er plante, die Profite seiner Erfindung mit seinen Arbeitern zu teilen. Wir besprachen die Pläne für den Bau von Häusern, eine Schule und ..."

„Und einem Krankenhaus", unterbrach Isobel. „Ja, ich weiß von seinen Intentionen. Tatsächlich sind Elihu und ich gemeinsam auf die Idee gekommen." Sie holte ein weiteres Dokument aus der Mappe und legte sie auf Octavias Schoß. „Sie kennen seine Handschrift – und meine. Dies ist der erste Entwurf des Konzepts zur Verwendung des Geldes, zusammen mit meinen Anmerkungen am Seitenrand, in denen ich einige kleine Veränderungen vorschlage." Sie hielt ein zweites Blatt hoch. „Dies ist die endgültige Version."

Geheimnisse über Geheimnisse über Geheimnisse. Charlotte seufzte innerlich über die unglücklichen Wendungen, die das Schicksal nehmen konnte. Ein Knoten hier, ein Knoten da und plötzlich hatten die Fäden ein verhängnisvolles Knäuel gebildet.

Octavia brauchte nur einen kurzen Moment, um sich das Dokument anzusehen. „Es tut mir so leid. Es scheint, als gäbe es so einiges, für das ich mich entschuldigen sollte", flüsterte sie. „Doch Lord Wrexford hat recht, lassen Sie uns das auf später verschieben. Was jetzt zählt ist, herauszufinden, wer unsere Sachen durchstöbert hat."

Isobel verzog das Gesicht. „Mein Arbeitszimmer ist ebenfalls durchwühlt worden. Ich gebe zu, ich habe Sie und Hillhouse verdächtigt. Sie hätten ein hübsches Sümmchen verdient, wenn Sie die Erfindung an sich genommen hätten."

„Das hätten wir *niemals* getan."

„Sie mögen sich Ihrer eigenen Intentionen sicher sein, Miss Merton", warf Wrexford ein. „Allerdings sieht die Beweislage gegen Hillhouse ziemlich schwarz aus."

„Er beging vielleicht einen Fehler in seiner Vergangenheit." Octavia sah Isobel ein wenig schuldbewusst an. „Wie wir jedoch gelernt haben, sollte man dafür eine Person nicht ein Leben lang verdammen."

„Sein verzweifeltes Bedürfnis nach Geld ließ ihn seine Skrupel vergessen", merkte Sheffield an. „Das können wir nicht ignorieren."

Die Stirn nachdenklich gerunzelt, begann Wrexford vor dem feuerlosen Kamin auf und ab zu laufen. Frustriert biss Charlotte ihre Zähne zusammen. Würde er die richtigen Fragen stellen ...

Ach, zum Teufel damit. Für Vorsicht war es längst zu spät.

„Hey, M'lord", sagte sie mit einer Stimme so tief und rau wie nur möglich.

Sein Kopf schoss hoch.

Charlotte signalisierte ihm, zu ihr herüberzukommen.

„Der Junge ist herzlich eingeladen, sich zu uns zu gesellen", sagte Isobel.

„Ihm wäre nicht wohl dabei", erwiderte der Graf schnell. Nach einigen schnellen Schritten stand er mit dem Rücken zu den anderen im Schatten und blockierte die Sicht auf sie.

„Zahlen", sagte sie eilig. „Denken Sie an Hollis' letzte Worte – er hat gesagt, Zahlen werden alles ans Licht bringen, also liegt es nahe, dass wir herausfinden sollten, wer, wenn überhaupt, von Ashtons Plänen, nicht von dem Patent zu profitieren, wusste."

Seine Augen leuchteten verständnisvoll auf. „Guter Punkt", knurrte er.

„Und fragen Sie Octavia, ob sie noch irgendetwas darüber weiß, was Jeremy unternimmt, um Hillhouse zu finden. Er hat mir seine Pläne nicht verraten, doch möglicherweise hat er sich ihr anvertraut."

Der Graf nickte. „Noch etwas?"

„Im Augenblick nicht", antwortete sie, obgleich irgendetwas an ihrem Unterbewusstsein nagte.

Ein Moment verging und doch machte er keinerlei Anstalten, sich zurück zu den anderen zu begeben. „Was halten Sie", fragte er langsam, „von der Offenbarung der Witwe?"

„Ich glaube, dass sie die Wahrheit sagt", erwiderte Charlotte, ohne zu zögern.

Die Antwort schien ihm etwas von seiner Unsicherheit zu nehmen. Seine Schultern entspannten sich leicht.

„Außerdem sagt mir mein Bauchgefühl, dass sie eine wertvolle Verbündete ist. Sie ist hochintelligent und denkt mit makelloser Logik. Befragen sie sie zu möglichen wissenschaftlichen Verbindungen, die Kirkland gehabt haben könnte. Es fällt mir schwer, zu glauben, dass sein Tod nicht in irgendeiner Weise mit Ashtons Mord zusammenhängt."

Wrexford kratzte sich am Kinn, auf dem sich ein Schatten aus Stoppeln zu bilden begann. „Ja, derselbe Gedanke ist mir auch bereits gekommen." Er stand noch einen Augenblick lang nachdenklich da, bevor er zu den anderen zurückkehrte.

„Miss Merton, haben Sie etwas von Sterling gehört?", fragte er.

„Er ist in Cambridge", antwortete sie. „Für den un-
wahrscheinlichen Fall, dass jemand von Benedicts
Freunden an der Universität weiß, wo er sich aufhält."

Zweifelhaft, dachte Charlotte. Ihr Gefühl war, dass die
Dinge schwarz oder weiß waren – Hillhouse war entweder einer der Übeltäter oder er würde sich als ein
weiteres Opfer ihres Blutrausches herausstellen.

Als Nächstes befragte der Graf Isobel. „Wir denken, es
besteht die Möglichkeit, dass Kirkland in ein Komplott
verwickelt gewesen ist, um die Erfindung Ihres verstorbenen Ehemannes zu stehlen und sie an einen Konkur-
renten zu verkaufen."

Sie runzelte die Stirn.

„Wir wissen, dass der Viscount Spielschulden bei
McKinlock hat. Gibt es in den wissenschaftlichen Kreisen sonst noch irgendwen, zu dem er eine Verbindung
hat?"

Wissenschaft?", entgegnete die Witwe mit einem hämischen Lachen. „Dermott hatte absolut kein Interesse
an *irgendetwas* das man auch nur im Entferntesten als
intellektuell bezeichnen könnte. Das war ein großer
Streitpunkt zwischen ihm und seinem Vater. Seine
Trägheit und die Ausschweifungen haben Lord Blackstone sogar so weit getrieben, dass er seinem Sohn kürzlich den Geldhahn zugedreht hat." Sie verzog das Gesicht. „Tatsächlich bin ich versucht zu sagen, Blackstone war wütend genug, um zu mor..."

Ihre Worte schnitten abrupt ab. „Verzeihen Sie. Wie
scheußlich von mir, so etwas zu sagen", entschuldigte
sie sich. „Himmel noch eins, ich werde dem Marquess
schreiben müssen, um ihn über das Ableben seines

Sohnes zu informieren. Weiß Gott, wann er die Nachricht erhalten wird."

„Fällt Ihnen sonst noch jemand ein?", drängte Wrexford nach einem kurzen Moment der Stille.

„Nein", sagte Isobel. „Ich hatte jedoch keinen Kontakt zu Kirkland, abgesehen von unseren eigenen schmutzigen Angelegenheiten."

„M'lord." In der Hoffnung, ihre Straßenstimme würde als adäquate Tarnung hinhalten, konnte Charlotte sich einen weiteren Vorschlag nicht verkneifen. „Gibt's sonst noch jemanden, der von der Erfindung Wind bekommen haben könnte?"

„Gute Idee", stimmte der Graf zu.

„Die Investoren", sagte Isobel. „Lord Blackstone, Lord Sterling ..." Sie nannte drei weitere und erklärte, dass es sich bei ihnen um betagte Intellektuelle und langjährige Freunde ihres verstorbenen Ehemannes handelte. „Ich kann mir beim besten Willen nicht vorstellen, dass irgendeiner dieser Männer Elihu etwas Schlechtes wünschen würde."

„Was das Böse so mächtig macht, ist die Tatsache, dass es sich oft hinter den respektabelsten Fassaden versteckt", erwiderte der Graf. Er führte sein Auf- und Ablaufen fort und blieb dann nach einigen Schritten abrupt stehen. „Der Kerl, der beim letzten Mal hier war – Ihr Fabrikaufseher. Weiß er ebenfalls davon?"

„Ja", sagte Isobel. „Mr. Blodgett kennt sich sehr gut mit mechanischen Vorgängen aus und half Elihu und Mr. Hillhouse oft im Labor."

Charlotte erinnerte sich plötzlich daran, was an ihrem Unterbewusstsein genagt hatte und fühlte sich gezwungen, sich ein weiteres Mal einzubringen. „Hey,

M'lord. Es heißt, zwischen den beiden gäb's Techtel-mechtel."

Wrexford runzelte die Stirn. „Ist das wahr, Madam? Hatten Sie eine intime Beziehung mit Mr. Blodgett?"

„Blodgett?" Isobell zog die Augenbraue hoch. „Gütiger Gott, nein."

In Anbetracht all der anderen Dinge, die sie gehört hatte, zweifelte Charlotte nicht an dieser Aussage. Sie nickte Wrexford zu.

Der Graf räusperte sich. „Kommen wir also zurück zu Blodgetts Motivationen, hätte er bestochen werden können, um das Geheimnis weiterzugeben?"

Isobel dachte über die Frage nach. „Nein, das kann ich mir nicht vorstellen. Er wurde gut bezahlt und abgesehen davon, arbeitete er mit Elihu zusammen, seit er ein kleiner Junge war, und war ihm sehr zugetan."

„Geoffrey - Mr. Blodgett – konnte sehr herablassend zu dem Rest von uns sein", brachte sich Octavia ein. „Ich muss sagen, mir ist aufgefallen, wie er Sie ansah, und ich ... nun ja, ich dachte, es wäre Neid auf Eli. Es schien nur so, dass Geoffrey immer dachte, er verdiente mehr, als er hatte", sie hielt inne. „Gerechterweise muss ich jedoch sagen, dass Benedict und er sich nicht sehr gut verstanden haben, ich bin also keine neutrale Beobachterin."

„Worüber haben sie gestritten?", fragte Wrexford.

„Nichts Bestimmtes", antwortete Octavia. „Ich hatte einfach das Gefühl, dass Geoffrey ihm die Tatsache übelnahm, dass er aus denselben bescheidenen Verhältnissen kam und es nichtsdestotrotz schaffte, eine Universität zu besuchen. Er versuchte stets zu zeigen, dass er der klügere war."

„Klingt nach einem natürlichen Wettkampf", merkte Sheffield an. „Zwei junge Männer, die um die Anerkennung ihres Mentors eifern."

„Sie haben wahrscheinlich recht", antwortete Octavia. „Wie ich bereits gesagt habe, bin ich nicht der beste Richter in diesem Prozess."

Also noch immer keine wirklichen Hinweise zu den Zahlen oder darauf, wem Ashtons Tod nutzen würde, dachte Charlotte. Und doch spürte sie in ihren Knochen, dass die Antwort auf diese Frage mit Geld zu tun hatte. In der Zwischenzeit gab es jedoch noch eine andere wichtige Frage zu klären ...

„M'lord", krächzte sie. „Sie haben noch nicht versucht, herauszufinden, wer dieses Haus auf'n Kopf gestellt hat."

„Teufelszahn, die Fragen nehmen kein Ende", murrte er. „Und es gibt verdammt wenig Antworten."

„Sind Sie sicher, dass der Junge nicht dazustoßen und es sich bequem machen möchte?", scherzte Isobel. „Er scheint die Dinge klarer zu sehen als der Rest von uns."

„Nicht nötig", schnauzte Wrexford. „Er denkt besser, wenn er steht."

Sheffield rieb sich die Schläfen. „Und ich denke besser, wenn ich gefrühstückt habe. Es *ist* doch schon Morgen, nicht wahr?"

„Ich könnte den Koch wecken ...", begann Isobel, doch der Graf fiel ihr ins Wort.

„Nicht nötig. Wir sind fast fertig", sagte er. „Um auf die Frage des Jungen zurückzukommen, haben Sie irgendeine Idee, wer das Haus durchsucht haben könnte?"

„Kirkland und Blodgett sind hier gewesen, also nehme ich an, dass sie beide die Gelegenheit gehabt haben", antwortete sie. „Ansonsten, nein."

„Dann scheint es mir, dass wir im Moment nichts weiter tun können. Wir sollten alle ein wenig schlafen – und beten, dass es neue Gedanken darüber anregt, wie die Morde miteinander in Verbindung stehen."

„Ein kluger Vorschlag." Sheffield erhob sich und verabschiedete sich von den Damen. Zu Wrexford sagte er: „Ich werde später in Ihrem Stadthaus vorbeischauen, falls ich behilflich sein kann."

Charlotte dachte darüber nach, sich davonzuschleichen, während die anderen beschäftigt waren, doch der Graf hatte andere Pläne. „Komm mit Phoenix. Wir haben noch einige Dinge zu besprechen, bevor wir unserer Wege gehen."

Sie verstellte weiter ihre Stimme, bis sie die gepflasterte Straße überquert hatten und in den Schatten des zentralen Gartens auf dem Platz zum Stehen kamen. „Wrexford, ich weiß, dass ich Ihnen eine Erklärung schulde …"

Er drehte sich zu ihr und sah sie an. Charlotte biss sich auf die Lippe und wünschte sich, seine Augen durch die flimmernden Ranken der Dunkelheit hindurch lesen zu können.

„Ich vermute", sagte er mit leiser Stimme, „Sie werden Ihre Vergangenheit mit mir teilen, wenn und falls Sie beschließen, dass Sie mir Ihre Geheimnisse anvertrauen können."

Charlotte hatte einen ihrer üblichen Zusammenstöße erwartet. Seine Antwort schien sich um ihr Herz zu winden und es einen Schlag aussetzen zu lassen. „Ich vertraue Ihnen sehr wohl." Mehr als jedem anderen auf der Welt. „Und ich habe die Absicht, es Ihnen zu sagen. Ich ... ich brauche nur ein wenig Zeit, um meine Gedanken zu sortieren."

„Das ist wahrscheinlich klug", sagte er trocken. „Ich wage zu behaupten, dass wir für heute Nacht genug zu verarbeiten haben."

Charlotte lächelte schwach. „Da haben Sie recht. Also, wenn es nichts weiter gibt, dass Sie zu besprechen wünschen, dann ... sollten wir uns heimbegeben und Schlaf nachholen."

„Da wäre noch eine letzte Sache." Er zog sie tiefer in die Schatten der Äste, die über den schmiedeeisernen Zaun hingen. „Es wird jedoch nicht länger als einen kurzen Moment dauern, da ich nicht die Absicht habe, mich mit Ihnen darüber zu streiten. McClellan wird bei Ihnen unterkommen, bis wir diejenigen gefunden haben, die für die Morde verantwortlich sind."

„Wrexford ..."

„Sie weiß, wie man eine Waffe lädt und feuert, und zwar mit beeindruckender Präzision. Zwei äußerst nützliche Fähigkeiten, über die Sie nicht verfügen", fuhr er fort. „Sie wird im Laufe des Tages eintreffen."

„Wrexford ..." Doch Charlottes Protest war vergebens. Der Graf war bereits mit einer frustrierenden katzenhaften Flinkheit in der Dunkelheit verschwunden.

Kapitel 25

Charlotte schlief unruhig, sie war zu erschöpft, um gegen die dunklen Träume anzukämpfen, die ihre Krallen um ihren Seelenfrieden gelegt hatten. Sie gab schließlich alle weiteren Versuche zu ruhen auf und warf die Bettdecke ab, während sie die Augen gegen das gleißende Licht der Nachmittagssonne zusammenkniff.

Eine treffende Metapher dafür, wie ihr Leben auf den Kopf gestellt worden war, dachte sie. Sie stand für gewöhnlich in aller Herrgottsfrühe auf. Ausschließlich faule Adlige hatten den Luxus, im seidenen Kokon des Schlafes zu verweilen, in seliger Unwissenheit von den unvermeidlichen Triumphen und Katastrophen des alltäglichen Lebens, die sich vor ihrer Haustür abspielten.

Während sie sich kaltes Wasser auf die Wangen spritzte, ertappte sich Charlotte dabei, wie sie sich nach ihrem alten Leben sehnte, ihrer alten Welt, wo die Stunden größtenteils mit ordinären Aufgaben gefüllt waren. *Einkaufen, waschen, kochen, zeichnen.* Ein harter Rhythmus vielleicht, doch einer, der durch seine Vertrautheit bequem geworden war. Dieses neue Leben war noch komplizierter, als sie erwartet hatte.

Und es würde sogar noch komplizierter werden, angesichts des Versprechens, das sie Wrexford gemacht hatte.

Nachdem sie sich angekleidet hatte, eilte sie die Treppen hinunter, erfüllt von dem plötzlichen Entschluss, ihre Sorgen, zumindest für einen Augenblick, mit alltäglichen Aufgaben zu verjagen. Die Speisekammer musste wieder gefüllt werden, ihre Farben und ihr Papier aufgestockt.

Die Jungen hatten eine Nachricht hinterlassen – Gott sei Dank, sie hatten sich nicht vor dem Unterricht gedrückt. Sie hoffte, dass das ein gutes Zeichen war. Sie beide schienen ihren neuen Lehrer zu mögen. Wrexford hatte eine gute Wahl getroffen.

Wrexford. Charlotte wollte nicht über ihn und all die Rätsel und Verwirrungen nachdenken, die sich durch ihre Beziehung rankten. Tod und Chaos waren die Kräfte, die sie zusammengeführt hatten. Und jetzt war sie gezwungen, ihr tiefstes Geheimnis preiszugeben ...

Kein Wunder, dass ihre Emotionen verrücktspielten.

Sie griff Mantel und Einkaufskorb und ging hinaus auf die Straße.

Kaffee – schön dunkel und heiß wie kochendes Pech. Wrexford blies gegen die Dampfwolke an, die von der Tasse aufstieg, und nahm einen kleinen Schluck in der Hoffnung, das Brennen würde ihn wachrütteln. Er hatte schön lange geschlafen – ein Blick aus den Fenstern seines Labors offenbarte, dass die Dämmerung bereits eingesetzt hatte – und doch fühlte sich sein Kopf noch immer benebelt an. Er würde seine Gedanken sortieren müssen.

Riche hatte eine Nachricht auf seiner Schreibunterlage hinterlassen, in der er ihn darüber informierte, dass Griffin vor einiger Zeit vorbeigekommen war. Der Läufer konnte es sich nicht leisten, noch länger zu warten. Die Regierung forderte aller Wahrscheinlichkeit nach Antworten zu der Verwicklung der radikalen Gruppierung in Ashtons Mordfall.

Wrexford las die Nachricht des Butlers ein zweites Mal. Griffin würde sich später am Abend, nachdem er seinen offiziellen Pflichten nachgegangen war, zu Hennings Praxis begeben und er erwartete, den Grafen dort zu treffen. *Punkt zehn Uhr,* war definitiv ein Befehl und keine Bitte.

Verdammt. Er hatte gehofft, eine Vorstellung davon zu haben, wer Kirkland ermordet hatte, wenn er Griffin das nächste Mal traf. Sofern jedoch keiner der anderen eine Idee hatte ... Er rieb sich die Schläfen und trank noch einen Schluck Kaffee.

Immer noch keine Inspiration.

Er beschloss, dass es nicht schaden konnte, Mrs. Ashton noch einmal einen Besuch abzustatten. Neben dem Geschäft ihres Ehemannes und ihren eigenen persönlichen Problemen, steckte auch sie mitten im Geschehen. Sicherlich hatte sie eine Vermutung, jetzt da sie Zeit gehabt hatte, darüber nachzudenken.

Nachdem er seinen Kaffee ausgetrunken hatte, wühlte sich Wrexford durch die Dokumente, die er über die Ermittlung gesammelt hatte, und machte sich dann schnell einige zusätzliche Notizen. Sein Übermantel und Hut lagen noch immer auf dem Sessel, auf den er sie geworfen hatte, und womöglich würde ihm ein kurzer Spaziergang an der kühlen Luft dabei helfen, seinen Kopf freizubekommen.

Er verließ sein Haus und ging um den eleganten Platz herum bis zu der Gasse hinter den Ställen, wo er ihr durch mehrere scharfe Kurven folgte, bevor sie einen noch schmaleren Durchgang kreuzte. Über ihm

schoben sich die Wolken vor den aufgehenden Sichel-
mond und die vereinzelten Sterne und verdunkelten
das wenige Funkeln, das von der schwindenden Dämmerung noch übrig war.

Als er den Kopf einzog, um durch die Öffnung zu gehen, hörte der Graf das Poltern von Schritten über ihm.
Sie kamen im Eiltempo auf ihn zu. Instinktiv um-
schloss er den Griff seiner Pistole mit seiner Hand und
ging rasch in den Spalten des unebenen Gebäudes in
Deckung.

Ein kleiner, schwarzer Fleck kam aus der Dunkelheit
geschossen.

„Wiesel!", rief Wrexford, als sich der Junge materialisierte, und war entsetzt über sein eigenes Erschrecken.
Er musste sofort an Charlotte denken und daran, wie
verletzlich sie war.

„Mylord! Mylord!" Raven kam rutschend zum Stehen
und holte hastig ein Papier aus seiner Jacke. „Sehen Sie!
Sehen Sie!"

Seine Faust lockerte sich. Eine Nachricht von ihr bedeutete, dass kein Grund zur Panik bestand. Der Junge
hätte sie nie alleingelassen, wenn sie in Gefahr gewesen
wäre.

„Was ist los, Junge?", fragte Wrexford, die Welle der
Erleichterung bekräftigte seine Stimme.

„Die Antwort!" Der Junge wedelte mit dem Papier,
während er nach Atem rang. „Die Antwort!"

Eine kryptische Erwiderung, besonders in Anbetracht der Unzahl an tödlichen Mysterien, mit denen
sie sich konfrontiert sahen.

„Langsam, Junge", wies er ihn an. „Was hat Mrs. Sloane herausgefunden?"

„Nicht Mylady", antwortete er keuchend. „Ich!"

Raven hielt ihm das Dokument direkt unter die Nase.

„Sehen Sie, Sir! Mr. Tyler hat recht gehabt – die Zahlen sind ein Schlüssel! Mylady hat die Kopie, die Sie ihr gegeben haben, auf ihrem Schreibtisch liegen gelassen, also habe ich sie geborgt und angefangen, ein wenig mit den Mustern zu spielen, die er mir gezeigt hat."

Der Graf packte das Papier mit der einen und den Jungen mit der anderen Hand und eilte zu einer Stelle in dem Durchgang, an der ein schwacher Lichtstrahl aus einem darüberliegenden Fenster ein wenig Helligkeit spendete.

„Mr. Tyler hat gesagt, es könnte eine Art Vigenère-Chiffre sein, also habe ich ein paar Versuche mit dem Diagramm angestellt, das er mir gezeigt hat", erklärte der Junge. „Man muss ein Schlüsselwort verwenden, um die Nachricht zu entziffern, sonst kommt nichts als Kauderwelsch dabei heraus. Dann muss man die Zahlen in Buchstaben aus dem Alphabet umwandeln – A ist gleich 1, B ist gleich 2 und so weiter."

Raven pausierte, um durchzuatmen. „Mr. Tyler hat einen ganzen Haufen Wörter probiert, wie *Ashton* und *Dampf*. Doch Mylady hat mir erzählt, der ermordete Kerl, von dem die Nachricht stammt, hat gesagt *Zahlen – die Zahlen werden alles enthüllen.*"

Gütiger Gott – das simple Verständnis eines Kindes. Wrexford hörte nichts mehr von dem, was Raven sagte. Er war zu sehr darin vertieft, zu lesen, was Raven entschlüsselt hatte.

Nevins – Man hat mich überlistet und es so aussehen las-
sen, als wäre ich Ashtons Mörder. Ich weiß, wer die wahren
Täter sind.

Der Graf fluchte, als er die Namen las und die Puzzleteile endlich an ihren Platz fielen.

Und ich kann mir denken, warum. Ich habe von einem
Freund erfahren, dass Ashton tatsächlich vorhatte, den Ge-
winn von einem Patent dazu zu verwenden, das Leben sei-
ner Arbeiter zu verbessern, anstatt sich seine eigenen Ta-
schen damit zu füttern. Ich glaube, die Übeltäter haben vor,
die Erfindung an sich zu reißen. Sie müssen sie als die
Schurken entlarven, die sie sind, denn sie haben unsere
Gruppe dieses abscheulichen Verbrechens schuldig erschei-
nen lassen.

Er hob seinen Blick und sah, dass Raven ihn erwartungsvoll anstarrte. „Hast du das schon Mrs. Sloane gezeigt?", fragte er.

„Sie ist fort gewesen, als ich heimgekommen bin und
angefangen habe, daran zu arbeiten. Als ich fertig war,
ist sie immer noch nicht wieder da gewesen. Also habe
ich beschlossen, dass es das Beste wäre, hierherzukom-
men und es Ihnen zu zeigen."

„Du hast genau das Richtige gemacht, Junge." Wrexford steckte die Nachricht zusammen mit der Pistole in
seine Tasche. „Also dann, kehren wir schnell zu eurem
Haus zurück und erzählen ihr, was du herausgefunden
hast."

Eine weitere Welle der Angst hatte ihn ergriffen. Einer der Täter hatte Charlotte mit Miss Merton gesehen.

Auch wenn McClellan eine hervorragende Schützin war, er befürchtete, dass sie sich jetzt in großer Gefahr befand. Von jetzt an würde er sie nicht mehr aus den Augen lassen, bis jeder einzelne dieser Verbrecher verhaftet worden war.

„Danach gehen alle gemeinsam zu Hennings Praxis", fügte er hinzu, als er sich von dem Licht wegdrehte und den Jungen vorwärtsdrängte. „Griffin wird dort später am Abend erscheinen und dann werden wir endlich die Räder der Gerechtigkeit in Gang setzen können."

Den Korb bis zum Rand mit Einkäufen gefüllt, bog Charlotte in ihre Straße. Sie war länger unterwegs gewesen, als erwartet, doch ein Zwischenstopp am Werkstatteingang des schicken Ladens ihrer Modistin hatte zu einer Einladung zum Tee seitens Madame Franzenelli geführt. Charlotte hatte die angenehme Abwechslung, sich über die Schönheit der Toskana und die Neuheiten der Modewelt zu unterhalten, anstatt über hinterhältige Morde und tödliche Gefahren, sehr begrüßt. Sie hatte sogar das Zeitgefühl verloren. Es war längst Zeit fürs Abendessen und die Jungs waren sicherlich am Verhungern.

Sie wühlte kurz in ihrer Handtasche und fand ihren Schlüssel. Dann öffnete sie die Tür - und erstarrte plötzlich beim Klang der Stimmen, die aus dem Salon kamen.

Charlotte stellte ihren Korb ab und tastete nach der kleinen Taschenpistole, die sie in ihrer Manteltasche versteckt hatte. Gott sei Dank, war sie klug genug gewesen, sich nicht unbewaffnet nach draußen zu wagen. Vorsichtig, keine Geräusche zu machen, spannte sie den Hahn, und ging langsam vorwärts. Sie spürte ihr pochendes Herz, das in ihrer Kehle zu klemmen schien.

Eine Lampe leuchtete gerade stark genug in dem Zimmer, um durch die offene Tür und in den Korridor zu scheinen. Charlotte schlich an der Wand entlang und wagte mit der Waffe im Anschlag einen Blick hinein.

Ein Geräusch - irgendetwas zwischen einem Keuchen und einem Lachen – rutschte ihr über die Lippen.

Das schwere Schwert in der Hand drehte Hawk sich um, wobei die unkontrolliert umherschleudernde Klinge nur um ein Haar das Gesicht seiner Gefangenen verfehlte, die auf dem Holzstuhl saß.

„Ich habe einen Eindringling gefangen!", rief der Junge stolz.

„Ich habe geklopft", sagte McClellan, an deren Mundwinkeln ein Lächeln zerrte. „Und als ich festgestellt habe, dass die Tür angelehnt ist, habe ich mir die Freiheit genommen, einzutreten, um sicherzugehen, dass alles in Ordnung ist."

„Ich bitte um Entschuldigung", sagte Charlotte und nahm die Waffe herunter. „Binde sie frei, Hawk. Unverzüglich, bitte."

Er sah enttäuscht aus. „Sie ist nicht der Feind?"

„Nein, ist sie nicht", erwiderte Charlotte.

„Ich lobe dich jedoch für deine Wachsamkeit, junger Mann", sagte McClellan, als Hawk auf die Knie ging, um die Seile loszubinden, die sie an den Stuhl fesselten. „Es ist völlig richtig von dir gewesen, auf der Hut zu sein. Vorsicht ist besser als Nachsicht." Sie pausierte und sah zu Charlotte herüber. „Hat Seine Lordschaft Sie darüber informiert, dass ich kommen würde?"

Tatsächlich war ihr diese Information entfallen. „Ja, jedoch …"

„Jedoch sind Sie nicht erfreut."

„Das ist es nicht", antwortete Charlotte. „Es ist nur so, dass …" *Wie sollte sie es erklären?*

„Es ist nur so, dass Sie es bevorzugen würden, wenn andere Menschen Dinge nicht über Ihren Kopf hinweg entscheiden würden", sagte McClellan.

Sie lächelte schief. „So könnte man es formulieren."

McClellan schmunzelte. „Das verstehe ich. Aber vielleicht kann ich ja von praktischem Nutzen sein, solange ich hier bin." Sie rieb sich ihre befreiten Handgelenke und stand auf. „Ich bin eine gute Köchin. Erlauben Sie mir, das Abendessen zuzubereiten, während Sie Ihre Einkäufe sortieren."

„Ich erwarte nicht von Ihnen, dass Sie Hausarbeit leisten", protestierte Charlotte.

Die Erwiderung wurde brüsk abgetan. „Unsinn. Ich bin weitaus glücklicher, wenn ich nicht herumsitze und Daumen drehe. Und abgesehen davon, habe ich das Gefühl, dass Sie über wichtigere Angelegenheiten nachzudenken haben."

Charlotte beschloss, nicht zu widersprechen. Der Vorschlag ergab Sinn. „Vielen Dank. Doch erlauben Sie mir zuerst, Ihnen Ihr Quartier zu zeigen. Ich muss Sie allerdings warnen, Sie werden nicht den gleichen Komfort genießen, wie …"

McClellan fiel ihr ins Wort. „Ich fühle mich überall wohl, Mrs. Sloane."

Charlotte wandte sich zu Hawk – und bemerkte plötzlich, dass sie in all dem unerwarteten Durcheinander

Ravens Abwesenheit nicht registriert hatte. „Wo ist dein Bruder?"

„Weiß nicht. In der einen Minute ist er noch da gewesen und in der anderen ist er plötzlich verschwunden."

Raven ging oft ein und aus, also gab es keinen Grund zur Beunruhigung. „Nun gut, wenn er nicht bald zurückkommt, muss er seinen Eintopf kalt essen." Sie zerzauste Hawks Haar. „Es war sehr mutig von dir, unser Schloss zu verteidigen."

„Der Graf sagt, ein Gentleman muss stets auf seine Familie und Freunde aufpassen."

Sie unterdrückte ein skeptisches Lachen. Wrexford würde lieber Nägel essen, als jemals in ihrer Gegenwart solch rührselige Gefühle zu äußern. Sie fand es jedoch äußerst liebenswert, dass er so etwas zu den Jungen gesagt hatte.

„In der Tat. Wie dem auch sei, ich denke, wir haben heute keinen weiteren Bedarf an draufgängerischen Abenteuern. Nimm dein Schwert und bring es zurück in dein Zimmer."

Seinen Schritt beschleunigend trat Wrexford aus dem Durchgang heraus und überquerte den kleinen Platz am unteren Ende der Adam Street, seine Stiefel klackerten ein stakkatoartiges Trommelspiel auf dem unebenen Kopfsteinpflaster. Hinter ihm, noch immer verborgen in der Dunkelheit, begann Raven zu rennen, um ihn einzuholen.

Das Klatschen der eiligen Schritte riss ihn aus seinen Gedanken. Er blieb stehen, um sich umzudrehen, und stellte zu seiner Überraschung fest, dass der Junge getrödelt hatte.

„Du bist für gewöhnlich flink wie Quecksilber", sagte er. „Was ist ..."

„Wir werden verfolgt", flüsterte Raven.

Wrexford wurde umgehend wachsam. Wenn der Junge Ärger witterte, war der Graf sich sicher, dass es ihn gab.

Und tatsächlich, einen kurzen Moment später platzte ein Mann aus den Schatten heraus, eine Pistole in jeder Hand. Zur selben Zeit stürmte eine zweite Gestalt von der angrenzenden Gasse auf den Platz. Auch sie war bewaffnet, jedoch nur mit einem schweren Knüppel.

Wrexford schimpfte sich innerlich selbst einen verfluchten Narren. Er war dem Gegner einen kostbaren Schritt voraus gewesen, doch er hatte sich den Vorteil verspielt. Seine Gedanken rasten, doch er versuchte, einen Weg zu finden, die Situation so gut es ging zu retten.

„Keine Bewegung, Mylord", befahl der Mann mit den Pistolen, als er in einiger Entfernung zum Stehen kam. „Ich würde Ihnen nur ungern eine Kugel durchs Hirn jagen, aber ich werde es tun, wenn es nötig ist."

„Sind Klingen nicht eher nach Ihrem Geschmack?"

Die Erwiderung erntete ein fieses Lachen. „Mir liegt beides gleichermaßen gut."

„Es gibt keinen Grund, Blut zu vergießen", sagte der Graf ruhig. „Lassen Sie mich den Betteljungen loswerden und wir erledigen unsere Angelegenheit auf zivilisierte Art und Weise." Aus seiner Tasche holte er das gefaltete Papier und reichte es, in seiner Handfläche versteckt, schnell an Raven weiter.

„Hier ist ein Viertelpenny, Balg, und jetzt verschwinde", schnauzte er und verlieh seinem Befehl

Nachdruck, indem er dem Jungen einen ruppigen Stoß versetzte und betete, dass er verstehen würde, dass Flucht eine weitaus bessere Entscheidung war als sinnlose Heldentaten.

Glücklicherweise flüchtete sich Raven in Deckung.

Der Mann mit den Pistolen zögerte einen Herzschlag lang, dann schien er seinen Fehler zu realisieren und drückte ab.

Steinsplitter explodierten, gerade, als Raven um die Ecke eines Gebäudes huschte.

Hatte er den Jungen getroffen? Wrexford konnte es nicht sagen.

Fluchend zielte der Mann mit der zweiten Pistole, dann überlegte er es sich anders. „Smythe!", schrie er. „Schnapp dir den Bengel und mach ihn fertig." Wrexford fragte er: „Was haben Sie dem dreckigen Balg gegeben?"

„Eine Münze, nichts weiter", sagte der Graf mit ruhiger Stimme. „Ich hoffe, er gibt sie für etwas Sinnvolles aus."

Das Gesicht des Mannes wurde kurz finster, doch gleich darauf entlud er seinen Zorn mit einem Lachen. „Sie sind ein gerissener Bursche, Mylord. Das kommt uns sehr gelegen."

Weshalb? Doch noch bevor Wrexford die Bedeutung dieser Aussage analysieren konnte, kehrte der Komplize des Mannes zurück.

„Da ist eine Blutspur – eine ziemlich große -, aber sie führt in ein Labyrinth aus Gassen. Schien mir Zeitverschwendung zu sein, ihr zu folgen", rief Smythe, als er wieder aus der Dunkelheit auftauchte. „Ich garantiere dir, dass ich gesehen habe, wie ihn die Kugel getroffen hat. Er wird es nicht mehr lange machen."

„Sprechen Sie Ihr Gebet. Sie werden schon bald ein toter Mann sein", sagte Wrexford leise zu seinem Widersacher.

Wieder ein Lachen. „Nein, ich werde schon bald ein sehr reicher Mann sein", höhnte der Mann. Er gab seinem Komplizen ein Handzeichen. Der Knüppel schwang rauschend durch die Luft und schlug mit einem unerträglichen Knacken gegen den Schädel des Grafen.

Von leichten Schuldgefühlen geplagt, lauschte Charlotte dem entfernten Klirren von Geschirr, das in der Küche abgewaschen wurde, bevor sie sich wieder auf ihr Skizzenbuch fokussierte. McClellan hatte sich als hervorragende Köchin erwiesen und nach dem Essen jegliche Hilfe beim Abräumen verweigert. Es hätte sich wie Luxus angefühlt, wäre sie dadurch nicht gezwungen gewesen, sich mit den drohenden Gefahren auseinanderzusetzen, die noch immer nicht gebannt waren.

Wer war der Feind?

Charlotte fluchte frustriert. Sie hatte das Gefühl, dass sie die Antwort schon längst herausgefunden haben sollte. Die kleinen verräterischen Details zu sehen, sollte ihre Stärke sein. Und doch blieb ihr Kopf so leer wie ein frisches Blatt Papier.

Sie nahm einen Bleistift zur Hand und zwang sich dazu, alle bewussten Gedanken auszublenden und einfach zu skizzieren. Warum nicht der Intuition eine Chance geben, wenn der Intellekt versagt hatte?

Zu ihrer Überraschung stellte sie fest, dass sie Lord Kirklands Gesicht zeichnete. Wie seltsam, dachte sie, schließlich hatte sie es erst ein einziges Mal gesehen und das nur für einen kurzen Moment, als er leblos dalag und vom öligen Licht der Lampe blassgelblich verfärbt war. Trotz allem hatten die Gesichtszüge des Viscounts eine düstere Schönheit besessen.

Warum kamen sie ihr so bekannt vor?

Sie führte die Stifte des Bleistifts auf eine freie Stelle der Seite und begann von Neuem. Dieses Mal nahm ein anderes Gesicht - ähnlich, doch nicht identisch – Gestalt an. Sie starrte es an und versuchte, die halb geschlossenen Augen und den wohlgeformten Mund einzuordnen.

Und dann dämmerte es ihr – ein Mann, der sich in der Enge eines Korridors an ihr vorbeidrängte, sein Gesicht war umso einprägsamer dank der feuerhellen Augen.

Gütiger Gott. Es erforderte einiges an Vorstellungskraft, doch auf einmal sah sie, wie alles einen Sinn ergeben könnte.

Hastig faltete Charlotte die Skizze zusammen und eilte in ihr Schlafzimmer, um in ihre Verkleidung als Gassenkind zu wechseln.

Nachdem sie die Zeichnung sicher in ihrem Hemd verstaut hatte, ging sie nach unten und fand McClellan vor, die damit beschäftigt war, die Regale in der Küche neu anzuordnen.

„Ich gehe aus", verkündete sie. Sie hatte das Gefühl, dass McClellan ihr Vertrauen verdient hatte. Außerdem brauchte sie sie, um die Jungen in Schach zu halten. „Ich muss Wrexford finden."

Das Dienstmädchen wischte sich langsam die Hände an ihrer Schürze ab. „Die Sache ist, dass Seine Lordschaft mir aufgetragen hat, bei Ihnen zu bleiben, Mrs. Sloane, und Ihnen nicht zu erlauben, das Haus allein zu verlassen."

„Die Umstände erfordern, dass wir improvisieren", konterte sie. „Die Zeit läuft uns davon und ich komme schneller voran, wenn ich allein bin."

McClellan runzelte die Stirn, als sie darüber nachdachte, was sie tun sollte.

„Es ist äußerst wichtig", fügte Charlotte hinzu. „Es könnten Leben davon abhängen."

„Wenn das so ist", sagte McClellan zögerlich, „sollten wir uns wohl besser an das alte Sprichwort halten, es ist besser, um Vergebung zu bitten als um Erlaubnis."

Charlotte nickte dankend.

„Benötigen Sie eine Waffe?"

„Ich habe eine, auch wenn ich scheinbar nicht annähernd so geschickt im Umgang mit ihr bin wie Sie."

„Wie alles andere, erfordert auch Treffsicherheit Übung", sagte das Dienstmädchen. „Möglicherweise wäre es nützlich, sich diese Fähigkeit anzueignen."

„Höchstwahrscheinlich." Charlotte zupfte an ihrer Mütze. „Sie müssen Hawk davon abhalten, mir nachzurennen. Schaffen Sie das?"

„Ja."

„Und wenn Raven zurückkehrt, müssen Sie sicherstellen, dass er das Haus nicht wieder verlässt", fügte sie hinzu, „auch wenn das keine einfache Aufgabe sein wird."

„Ich habe reichlich Erfahrung mit dickköpfigen Burschen", versicherte McClellan.

„Ich danke Ihnen." Charlotte griff nach der Klinke der Tür, die in den Hintergarten führte, doch noch bevor sie sie berührte, sprang die Tür auf.

„Raven!", schrie sie, als der Junge mit blutverschmiertem Gesicht hereinstolperte.

„Es ist halb so wild!", rief er und wehrte ihren Versuch ab, ihn in die Arme zu schließen. „Ist nur 'n Kratzer von umherfliegenden Steinen!"

McClellan hatte rasch einen feuchten Lappen aus der Küche geholt und bot ihn Raven an. „Sie wird sich beruhigen, sobald du nicht mehr aussiehst, wie der Tod auf Latschen."

„Nicht ich bin es, der in Gefahr ist, dem Sensenmann zu begegnen! Es ist der feine Pinkel – jemand hat ihn ohnmächtig geschlagen und entführt." Raven zupfte ein Stück Papier aus seiner Tasche. „Ein verfluchter Dreckskerl namens Geoffrey Blodgett!"

Kapitel 26

Es war der pulsierende Schmerz – wie ein eiserner Nagel, der mit einem rhythmischen Klirren in seinen Hinterkopf gehämmert wurde -, der ihn langsam erwachen ließ. Alles drehte sich und er hatte Probleme, sich zu orientieren. Er presste die Augenlider mehrfach zusammen, während er versuchte, seinen Blick in der trüben Finsternis zu fokussieren.

Er lag auf einer Steinfläche, umgeben von einer seltsamen Feuchtigkeit, die sowohl heiß als auch kalt zu sein schien. Das metallische Rattern wurde lauter, begleitet von einem sich stetig abwechselnden Zischen und Rauschen.

Möglicherweise bin ich tot und in die Tiefen des Fegefeuers verbannt worden oder in den Bauch eines dyspeptischen Drachens.

Nein, beschloss er und bewegte vorsichtig seine Gliedmaßen. Wenn er den Geist aufgegeben hätte, wäre er in der Hölle und es wäre deutlich heißer gewesen. Was ein schwacher Trost war, denn es fühlte sich an, als wäre ein Regiment aus Teufeln mit ihren gespaltenen Hufen über seinen Kopf marschiert.

„Sind Sie wach?", erklang eine Stimme von irgendwo in dem tintenschwarzen Dunst.

Wrexford schnaufte und schaffte es, sich hinzusetzen. „Ja, das habe ich jedoch sicher nicht Ihnen zu verdanken." Vorsichtig befühlte er die Schwellung hinter seinem linken Ohr. „Ich vermute, es gibt einen Grund dafür, dass Sie mich entführt haben, anstatt mir die Kehle aufzuschlitzen."

Stahl traf auf Zündstein und nach mehreren Versuchen entzündete sich der Stummel einer Kerze.

„Ich habe keine Ahnung, warum Sie in unsere bunte Truppe aufgenommen worden sind." Die Flamme brachte das Gesicht eines völlig Fremden zum Vorschein. Hinter ihm konnte der Graf vage mehrere Jungen ausmachen, die an einer Backsteinmauer kauerten. „Ich vermute jedoch, dass es etwas mit dem Koloss zu tun hat."

Zisch-Klong, Zisch-Klong. Feingliedrige Dunstschwaden schlängelten sich plötzlich unter der massiven Tür hindurch. Wrexford zuckte zusammen, als ihm klar wurde, dass das Geräusch und der Dampf kein Gespinst seiner Fantasie waren.

„Wer zum Teufel sind Sie?", fragte er misstrauisch.

„Benedict Hillhouse", antwortete sein Gegenüber. „Wer zum Teufel sind *Sie?*"

„Der feine Pinkel – Lord Wrexford!", antwortete eine durchdringende Stimme.

Der Graf drehte sich und sah, dass sie zu einem besorgniserregend dürren Jungen gehörte, der einen halben Kopf kleiner als die anderen zu sein schien. Er kam ihm bekannt vor …

„Hey, erinnern Sie sich an mich? Ich bin Skinny", sagte der Junge. „'n Freund von Raven und Hawk."

Skinny. Eines der listigen kleinen Gassenkinder, die sich als so hilfreich bei der Ermittlung von Holworthys Mord erwiesen hatten. „Ich bin froh, zu sehen, dass du am Leben bist, Junge", sagte er.

„Ja, allerdings glaube ich, dass sich das schon bald ändern wird", sagte Skinny nüchtern, was die anderen Jungen zum Wimmern brachte. „Wir haben ihre

Fratzen gesehen, also werden sie uns nicht laufen lassen, sobald sie keine Verwendung mehr für uns haben."

„Das werden wir noch sehen", sagte der Graf. „Wie haben die es geschafft, einen so gerissenen Burschen wie dich zu schnappen?"

Der Junge machte ein reumütiges Gesicht. „Knochenbilly hat ein wenig Ale aus der Taverne stibitzt, in der er fegt, und einen Becher mit mir geteilt, als wir gewürfelt haben. Ich bin also 'n bisschen beschwipst gewesen, als so ein Kerl mich gefragt hat, ob ich mir einen Schilling dazuverdienen möchte, indem ich ihm dabei helfe, etwas Kohle in seinen Wagen zu laden. Ansonsten hätte ich gerochen, dass etwas faul ist. Bevor ich irgendetwas bemerkt habe, hat er mir schon eins über den Denker gebraten und na ja, jetzt sitze ich hier."

„Mach dir keine Vorwürfe, Junge. Das Spiel ist noch nicht vorbei", sagte Wrexford, bevor er sich zu Benedict drehte. „Sie haben uns gehörig an der Nase herumgeführt, Mr. Hillhouse. Ich nehme an, Sie sind nicht Teil des Komplotts, Ashtons Erfindung zu stehlen."

„Verdammt noch mal, natürlich nicht!", rief Benedict und fügte gleich danach hinzu: „Wie geht es Octavia? Ist sie ..."

„Sie ist in Sicherheit", beschwichtigte er ihn.

„Gott sei Dank." Benedict verzog das Gesicht. „Wie konnten wir bloß so blind sein? Wir haben die Witwe – und auch Sie – ruchloser Taten verdächtigt und dabei den offensichtlichen Verdächtigen übersehen. Uns hätte sofort Geoffrey Blodgett in den Sinn kommen sollen. Er ist schon immer der Meinung gewesen, die Glücksgöttin hätte ihm ein ungerechtes Blatt ausgeteilt. Jahrelang hegte er Groll darüber, dass er kein Geld,

Privileg oder Vermögen hat." Wieder verzog er das Gesicht. „Und jetzt weiß ich, warum."

Wrexford runzelte die Stirn. „Was meinen Sie?"

„Er ist Blackstones Bastard", erwiderte Benedict. „Er ist zwar einen Monat älter als Lord Kirkland, jedoch unehelich geboren. Einzig und allein wegen eines Stücks Papier wäre er nicht der Erbe des Marquess gewesen."

„Kirkland ist tot", warf der Graf ein.

„Oh, ja, Geoffrey hat damit geprahlt. Es vergeht kein Tag, an dem er mir nicht voller Stolz erzählt, wie schlau er und sein Vater gewesen sind." Benedict schüttelte den Kopf. „Er war schon immer ein arroganter Säufer, auch wenn er es vor Eli gut versteckte. Es entzieht sich jeglichem Anstand, dass ein Vater sich dazu verschwört, seinen Sohn zu töten, doch scheinbar teilen Blackstone und Geoffrey nicht nur Blut sondern auch Moral."

„Der Marquess weiß, dass Blodgett seinen Halbbruder ermordet hat?"

„Aye, er war es, der die Anweisung gegeben hat, Kirkland zu töten. Anscheinend hat er die Witwe um Geld angebettelt – warum, weiß ich nicht – und Blackstone war wütend darüber, dass es seinen eigenen Plan durchkreuzen würde. Welcher übrigens vorsieht, Elis Innovation als ihre eigene ..."

„Ja", unterbrach der Graf. „Das haben wir bereits herausgefunden. Wir haben jedoch angenommen, dass Sie und der Viscount diejenigen sind, die die Erfindung stehlen und sie an McKinlock verkaufen wollen, da er das Geld und die Mittel hat, sie umzusetzen."

Benedict lächelte reumütig. „Gott, warum bin ich nicht selbst auf die Idee gekommen?", sagte er trocken. „Aber nein, der Marquess und Geoffrey sind die, die Sie suchen. Nach außen hin werden sie um Eli trauern, während sie insgeheim einen Prototyp basierend auf seinen Innovationen bauen werden. Geoffrey ist sehr geschickt im Umgang mit mechanischen Geräten und dank seiner Erfahrung auf dem Gebiet der Dampfkraft wird es für die meisten Leute plausibel erscheinen, dass er selbst auf die Idee gekommen ist."

„Der Schlüssel liegt in der Patentanmeldung", sinnierte Wrexford. „Derjenige, der es zuerst anmeldet, hat den größten Gewinn."

„Exakt", stimmte Benedict zu. „Sie setzen darauf, dass Mrs. Ashton beim Versuch, die Fabrik zu leiten, scheitern wird. Geoffrey wird natürlich mit seiner List dafür sorgen, dass die Dinge schiefgehen. Blackstone wird Elis Investoren dazu überreden, eine neue Dampfmaschinenfirma zu unterstützen - welche selbstverständlich von Blackstone geführt wird -, da Ashtons Firma mit einer Frau am Ruder als wertlos angesehen wird."

Der Graf versuchte, den anhaltenden Nebel in seinem Kopf zu vertreiben. „Übrigens, Mrs. Ashton ist keine Feindin. Sie war ihrem Ehemann und seiner Arbeit gegenüber stets loyal. Miss Merton wird Ihnen die Einzelheiten erklären, doch sie und die Witwe haben ihre Missverständnisse beigelegt. Sie glauben, die Motivation hinter den abscheulichen Morden sei die Tatsache, dass Ashton plante, die Gewinne, die ihm das Patent eingefahren hätte, für die Verbesserung der Leben seiner Arbeiter zu nutzen, anstatt die Taschen reicher Männer weiterzufüllen."

„Ja, das stimmt", bestätigte Benedict. „Blackstone giert nach Geld, dabei ist er bereits ein sehr reicher Mann. Was ich jedoch von den Gesprächen hier herausgehört habe, ist, dass es auch eine Gier nach Macht ist und danach, ein Vermächtnis für die Ewigkeit zu erschaffen. Geoffrey ist klug, ambitioniert und skrupellos – genau die Art von Sohn, nach der Blackstone sich gesehnt hat. Zusammen träumen sie davon, britische Wirtschaftstitanen zu werden. Die Welt verändert sich, der Handel expandiert rund um den Globus. Sie planen, ihn zu dominieren."

Ihr eigenes Imperium innerhalb eines Imperiums, dachte Wrexford.

„Es scheint jedoch ein wenig Reibung zwischen ihnen zu geben", fügte Benedict hinzu. „Gestern habe ich einen äußerst hitzigen Streit mitgehört. Blackstone war erzürnt darüber, dass Blodgett einen zweiten radikalen Aufwiegler getötet hat. Er hat gesagt, er wäre zu blutrünstig und dass zu viele Leichen ihre Pläne zunichtemachen würden."

Der Graf rieb sich den noch immer pochenden Schädel. Eine Menge Puzzleteile passten endlich zusammen. Und doch ...

„Also", fragte er langsam, „was brauchen sie von Ihnen?"

Und was von mir?

„Ah, richtig, was verschafft uns die Ehre, die Annehmlichkeiten ihrer Gastfreundschaft zu genießen?" Benedict knackte mit den Fingerknöcheln. „Wie Sie sehen, sind unsere Hände nicht gefesselt. Das liegt daran, dass sie unsere Fähigkeiten benötigen, um ..."

Ein Klopfen an der Tür schnitt ihm die Worte ab, gefolgt von einem schroffen Befehl. „Treten Sie zurück!" Metall schabte auf Metall, als jemand das Schloss öffnete und sich die Scharniere drehten.

Wrexford kniff die Augen zusammen, als ihn der stechende Lichtstrahl einer Laterne geradewegs ins Gesicht schien.

„Wie ich sehe, sind Sie wach, Lord Wrexford." Blodgett, der noch immer mit zwei Pistolen bewaffnet und in Begleitung des Schlägers mit dem Knüppel war, forderte den Grafen mit einem Handzeichen auf, sich zu erheben. „Folgen Sie mir."

Charlotte zwang sich, gegen die Angst anzukämpfen, die sich ihres Herzens bemächtigte. Sie musste nachdenken. *Na, los, denk!*

Ihre Vermutung war richtig gewesen, doch leider einen Herzschlag zu spät gekommen. Immerhin wussten sie jetzt, wer der Feind war, dachte sie, und Ravens stürmische Erzählung von der Entführung des Grafen machte ihr ein Fünkchen Hoffnung.

Der Junge hatte es geschafft, sich zu verstecken und zu beobachten, wie Blodgetts Komplize eine Droschke herangewunken und sie den Grafen mit scherzhaften Bemerkungen über ihren betrunkenen Freund hineinmanövriert hatten. Mit einer genauen Beschreibung des Fahrzeugs, glaubte sie, würden die Chancen gutstehen, dass sie sein Fahrtziel mithilfe ihres Netzwerks aus Gassenkindern und Nachtschwärmern herausfinden konnten. Schließlich musste es einen Grund dafür geben, dass sie den Grafen am Leben gelassen hatten ...

Sie sah auf und kreuzte Ravens finsteren Blick.

„Ich werde Hawk wecken und dann werden wir allen Bescheid sagen, wonach wir suchen", sagte er mit einem Hauch von Trotz in der Stimme.

„Du bist verletzt", entgegnete sie, doch hinter ihren Worten steckte keine Kraft.

„Egal", erwiderte er. „Wir lassen ihn nicht im Stich."

Nein, das werden wir nicht.

„Wir werden hier einen Kommandoposten errichten", sagte McClellan zu Raven. „Wenn irgendjemand etwas zu berichten hat, soll er damit zu uns kommen. Sobald du und dein Bruder mit eurer Runde fertig seid, kehrt ihr hierher zurück - nein, wenn ich es mir recht überlege, solltet ihr besser zu Tyler gehen und ihm erzählen, was passiert ist. Er möchte Mr. Sheffield alarmieren. Danach kehrt ihr auf direktem Wege hierher zurück. Mrs. Sloane könnte euch brauchen."

Raven nickte und flitzte die Treppen hinauf, bevor irgendwelche Einwände erhoben werden konnten.

„Danke", sagte Charlotte. Die Darbietung der ruhigen, geistesgegenwärtigen Kompetenz des Dienstmädchens half, ihre eigenen Nerven zu beruhigen. Allmählich nahm auch ihr eigener Plan Gestalt an. „Ich muss zu Mr. Hennings Praxis." Raven hatte ihr von der Verabredung mit Griffin erzählt. Obgleich sie sich davor fürchtete, was sie offenbaren würde, hatte sie keine Wahl.

Sie hatte stets gewusst, dass ihre jüngste Entscheidung, ihr Leben zu ändern, ihre hart erarbeitete Unabhängigkeit bedrohen könnte.

„Ist die Wissenschaft nicht etwas Wunderbares?"

Wrexford stand am Rande eines riesigen Raumes und beobachtete das rhythmische Steigen und Fallen von Kolben durch einen silbrigen Schleier aus Dunst.

„Dies ist lediglich ein Testmodell des neuen Kondensators", erklärte Blodgett. „Der eigentliche Prototyp des Motors – unser wunderschöner Koloss", - er deutete auf eine gewaltige Silhouette am anderen Ende des Raumes, - „wartet nur noch auf einige wenige Verfeinerungen, bevor wir ihn anfeuern."

„Beeindruckend", antwortete der Graf, während sein Blick zu den beiden schweißgebadeten, rußverschmierten Jungen wanderte, die Kohle in den Feuerraum des Testmodells schaufelten. „Bis auf die Tatsache, dass er mit Blut betrieben wird."

„Oh, kommen Sie schon, wir haben gehört, Sie wären kein wehleidiger Gefühlsmensch, Wrexford", spottete Blodgett. „Fortschritt kommt selten ohne einen Preis. Auch wenn er in diesem Fall nicht sehr hoch ausfällt."

„Ist das Leben für Sie so wenig wert?", fragte er.

„Drei dieser Männer sind wertlos gewesen", entgegnete sein Entführer. „Und Ashton hatte seine Nützlichkeit überlebt. Er hätte sein Genie vergeudet, anstatt darauf aufzubauen."

Wrexford sparte sich die Mühe, weiter über Ethik zu diskutieren. Wie Blodgett zog auch er es vor, seine Kreativität für praktische Zwecke einzusetzen.

Wie konnte er den Schurken aufhalten? Vorzugsweise mit einem Plan, der die Leben von Hillhouse, Skinny und den anderen Gefangenen – und sein eigenes – retten würde.

„Sie haben eine kühle, pragmatische Sicht auf die Welt, wie ich sehe", murmelte er.

„Ich bin mir sicher, die werden Sie auch haben", sagte Blodgett, „sobald Sie in dieser Angelegenheit Ihren üblichen messerscharfen Verstand angewendet haben."

„Ich denke, Sie sollten fortfahren und mir erzählen, warum ich hier bin."

Blodgett lächelte, vielleicht witterte er eine verwandte Seele. „Wir bieten Ihnen die Möglichkeit, dabei zu helfen, die Zukunft mitzugestalten. Und einen ansehnlichen Gewinn zu machen."

Wrexford ging näher an das Arbeitsmodell heran und sah sich die Mechanik genauer an. „Erzählen Sie mir mehr."

„Ich kannte den Großteil von Ashtons Plänen für die Innovation, doch er wurde verschwiegener und einige entscheidende Details über die Ventile fehlten. Wir haben Hillhouse dazu überredet, sie mit uns zu teilen." Das Lächeln wurde sardonischer. „Er hat eine Schwäche für Miss Merton."

Eine tödliche Schwäche, kein Zweifel, und zwar für uns beide, sollte Blodgett bekommen, was er will.

„Was Ihre Rolle angeht, so haben wir gerade etwas Alarmierendes aus Hillhouse herausgequetscht. Der Dampfkessel für den Prototyp ist aus dem falschen Eisen gefertigt worden und würde dem Druck, der entstehen wird, nicht standhalten. Wir wissen, dass Sie mit Ashton an der Zusammensetzung des Eisens für seinen früheren Dampfkessel arbeiteten. Wir brauchen Ihr chemisches Fachwissen, um die richtige Formel für diesen Kessel zu kreieren. Die Zeit läuft uns davon. Ein sehr reicher Mann aus den deutschen Fürstentümern wünscht, in einer Woche eine Vorführung des Kolosses zu sehen. Seine Investition ist das erste Zahnrad im Bau unseres Imperiums."

„Ich bräuchte ein anständiges Labor und einen Schmelzofen", sagte der Graf. Er hielt einen Moment inne. „Vorausgesetzt, ich würde mich dazu bereiterklären, Ihnen zu helfen."

„Das Labor ist bereits in einem der anderen Räume eingerichtet worden. Außerdem gibt es eine Schmiede einschließlich Schmelzofen, da das Gebäude ehemals genutzt wurde, um Reparaturen an Flottenrüstung durchzuführen", antwortete Blodgett. „Ich habe bereits Koks und Eisenerz für den Schmelzprozess arrangiert."

Das erklärte den Geruch von Algen gemischt mit brennender Kohle. Sie mussten sich in der Nähe des Flusses befinden.

„Was Ihre Zustimmung betrifft, so sind wir uns der Tatsache bewusst, dass Sie ein Mann sind, der bekannt dafür ist, unempfänglich für Emotionen zu sein. Sie haben keine engen Freunde, keine Geliebten. Sie sind, kurz gesagt, ein Mann ohne Herz."

Der Graf zuckte mit den Schultern. „Ein deutlich überschätztes Organ, wenn es um Gefühle geht, als Pumpe erweist es sich hingegen als äußerst effizient."

„Wie dem auch sei ..." Das Lächeln seines Entführers hatte jetzt etwas Animalisches. „Mein Vater hat einige seiner Lakaien geschickt, um sich auf ihrem Landsitz umzusehen. Wie es scheint, gibt es dort ein älteres Kindermädchen namens Miss Beckworth, die in einer gemütlichen kleinen Hütte wohnt. Es heißt, sie hätte Sie und Ihren Bruder großgezogen und als Quelle des Trostes gedient, als Ihre Mutter der Grippe zum Opfer fiel, vor allem für den lieben, verstorbenen Thomas. Er mochte sie besonders gern, nicht wahr?"

Kein Geheimnis ist je sicher. Charlottes mehrfach wiederholte Warnung hallte in Wrexfords Kopf wider. Einen Moment lang hielt er jegliche äußere Reaktion zurück und besann sich dann eines Besseren. Zwei Leute konnten das Spiel von Katz und Maus spielen. Sollte Blodgett ruhig glauben, er hätte einen wunden Punkt getroffen.

Befriedigung funkelte in Blodgetts Augen, als Wrexford erzürnt das Gesicht verzog. „Ihre Mieter schwatzen davon, wie nett Sie zu der alten Hexe sind und dass es ihr an nichts mangelt." Er seufzte schwermütig. „Doch die Alten sind nun mal zerbrechlich. Ich bezweifle, dass es irgendjemanden überraschen wird, wenn sie eines Nachts einfach aufhört zu atmen."

„Ihre Verdorbenheit kennt keine Grenzen, nicht wahr?", sagte er leise.

„Absolut nicht", sagte sein Entführer mit einem reuelosen Lachen. „Also, Mylord, haben wir eine Abmachung?"

„Jemand soll mir eine Kanne Kaffee bringen", knurrte der Graf, während er alle Emotionen so schnell wie möglich ausblendete, um sich einen Weg einfallen zu lassen, die Situation zu seinen Gunsten zu wenden. „Danach sehe ich mir das Labor an."

Eine nervöse Drehung des Knopfes reduzierte die Flamme der Lampe auf ein schwaches Flackern und ließ die Schatten höher und dunkler über die Wand am anderen Ende tanzen. Nachdem sie ihren Stuhl neu ausgerichtet hatte, setzte Charlotte sich und zog ihren Hut noch tiefer über ihre Stirn.

Wagte sie zu hoffen, dass Hennings Idee funktionieren würde? Die Chancen standen ...

Wrexford wäre selbstverständlich in der Lage gewesen, die genaue Wahrscheinlichkeit zu kalkulieren, wäre er jetzt hier. Doch das war er nicht und sie würde sein frustrierend affektiertes Gerede wahrscheinlich nie wieder hören, es sei denn, sie würden ein Wunder bewirken.

In der Wissenschaft gab es keinen Platz für Übernatürliches. In der Kunst hingegen galt die Magie als integraler Bestandteil der Vorstellungskraft. Man musste daran glauben.

Hinter der verschlossenen Tür hörte sie das Scharren von Schritten und Stimmen. Ihr Inneres zog sich zusammen. Das gerollte R ihres schottischen Freundes kollidierte mit dem abgehackten Knurren von Griffin, als Henning sich mit dem sprechfaulen Bow Street Läufer unterhielt.

Griffin war leider Gottes kein Narr. Was in diesem Fall ein zweischneidiges Schwert sein würde.

Die Türklinke klickte und Charlottes Herz schien einen Schlag auszusetzen.

„Ich verstehe nicht, weshalb wir diese alberne Scharade spielen, Henning." Griffins Stimme wurde plötzlich deutlicher. „Wenn Sie einen Informanten haben, der etwas weiß, soll er sich zeigen und es ausspucken."

„Ich habe Ihnen doch bereits gesagt, dass Wrexford Phoenix hoch und heilig versprochen hat, die Identität des Jungen geheim zu halten." Die Tür stand offen, doch Hennings stämmiger Körper versperrte die Sicht in den

Raum. „Der Graf ist auf ihn als Informationsquelle angewiesen, sollten Sie uns also nicht Ihr Wort geben, sich an unsere Bedingungen zu halten, wird Phoenix durch den Hinterausgang verschwinden. Er weigert sich entschieden, sein Gesicht oder seine Stimme der Bow Street zu offenbaren."

Griffin zögerte, gab dann jedoch mit einem knurrenden Fluch nach. „Verdammt noch mal – ja, ich gebe Ihnen mein Wort. Lassen Sie es mich nicht bereuen."

„Warten Sie hier." Henning deutete auf einen Stuhl neben der Tür und wartete, bis der Läufer sich gesetzt hatte, bevor er zu Charlotte ging. „Keine Angst, Mädchen. Von da hinten sind Sie nichts weiter als eine dunkle Silhouette", flüsterte er. „Ich habe ihm von der verschlüsselten Nachricht und der Tatsache erzählt, dass Blackstone und Blodgett die Täter sind. Verständlicherweise hat Griffin einige Fragen, solange Sie jedoch unseren Plan befolgen und mich Ihre Antworten an ihn weitergeben lassen, anstatt selbst mit ihm zu sprechen, sollten wir die Sache unbeschadet überstehen."

Charlotte war Henning dankbar dafür, dass er sich einen Weg hatte einfallen lassen, sie davor zu bewahren, sich als Frau zu erkennen zu geben. Sie war nicht in der geistigen Verfassung gewesen, um sich über ihren eigenen Schutz Gedanken zu machen.

Griffin verschwendete keine Zeit und begann gleich mit seiner Befragung. „Erzählen Sie mir von der Entführung des Grafen", forderte er.

Charlotte wiederholte genau, was Raven ihr erzählt hatte, was Henning anschließend pflichtbewusst weitergab. Der Läufer machte sich Notizen.

„Beschreiben Sie die Droschke – die Farbe, die Pferde, jedes Detail, das bei der Identifizierung helfen könnte ..."

Die nächsten zehn Minuten über löcherte er sie mit weiteren Fragen. Indem sie vorgab, dass Tyler ihr gewisse Dinge erzählt hatte – da sie nicht zugeben konnte, sie selbst aus erster Hand zu wissen -, war Charlotte in der Lage, einige entscheidende Informationen weiterzugeben. Ob Griffin dem Wort eines Gassenkindes Glauben schenken würde, war unmöglich zu sagen. Doch sein Instinkt war gut und er hatte sich als ein Mann erwiesen, der seiner Pflicht, Kriminelle zur Rechenschaft zu ziehen, mit Hingabe nachging.

Außerdem hatten der Läufer und Wrexford trotz ihrer Differenzen Respekt voreinander entwickelt. Sie vertraute darauf, dass er alles in seiner Macht Stehende tun würde, um bei der Suche nach dem Grafen zu helfen.

„Ich habe keine weiteren Fragen", sagte Griffin schließlich. „Bis auf Weiteres."

„Phoenix hat überall in der Stadt von der Kutsche erzählt", warf Henning ein. „Sollte irgendjemand der Straßenbewohner sie vorbeifahren gesehen haben, werden wir davon erfahren und Sie benachrichtigen."

Griffin erhob sich mit einem Schnaufen und klappte sein Notizbuch zu. „Hoffen wir um Seiner Lordschaft willen, dass das Informantennetzwerk des Balgs nur halb so gut ist, wie das des teuflischen A.J. Quill."

Kapitel 27

Ein langer, beplankter Arbeitstisch verlief entlang der Wand des Labors gegenüber der Schmiede. Es schien erst vor Kurzem errichtet worden zu sein und ein kurzer Blick verriet, dass es mit all dem nötigen Zubehör ausgestattet war. *Schmelztiegel, Kupferkessel, eine Reihe an Chemikalien in Gefäßen ...*

„Sollten Sie noch irgendetwas benötigen, brauchen Sie nur zu fragen, Wrexford."

Der Graf drehte sich um und sah plötzlich einen großen, tadellos gekleideten Mann hinter Blodgett stehen. Makassaröl ließ sein dickes Haar in dem Schein der Lampe wie poliertes Silber glänzen.

„Ich würde es vorziehen, wenn wir uns als Partner und nicht als Widersacher verstehen", fuhr der Neuankömmling fort. „Gerade Sie haben das Vermögen, über die Grenzen der Konvention hinauszublicken und die Zukunft zu sehen."

„Eine reizende Rede, Blackstone", sagte Wrexford. „Die Theorie ist allerdings niemals annähernd so schön wie die Realität, nicht wahr?"

„Es ist ein wenig Blut geflossen", räumte der Marquess ein. „Denken Sie jedoch an all die Leben, die durch die Revolution der Dampfkraft verbessert werden."

Und die wenigen ausgewählten Taschen, die durch ihre mörderische Gier gefüllt werden.

„Was den hohen Tribut rechtfertigt?", fragte der Graf. „Ich frage mich, ob Ashton, Hollis und Nevins das genauso sehen. Ganz zu schweigen von Ihrem Sohn."

Blackstones Ausdruck wurde finster. „Mein nichts-nutziger Sohn ist eine Schande für die Menschheit ge-wesen. Ein Blutsauger. Die Welt ist ohne ihn besser dran."

„Es ist gefährlich, sich die Macht der Götter anzuma-ßen", murmelte Wrexford. „Die griechischen Tragö-dien warnen umfassend davor, dass die Gottheiten menschliche Hybris bestrafen."

„Antike Geschichte!", spottete der Marquess. „Ich glaube daran, in die Zukunft zu blicken. Sie etwa nicht, Wrexford?"

„Als Pragmatiker beschäftige ich mich hauptsächlich mit der Gegenwart."

Blackstone lachte. „Eine weise Philosophie. Tun Sie, was wir verlangen, und ..."

„Und Sie lassen mich vielleicht am Leben?", fragte der Graf mit einem sardonischen Lächeln.

„Das kommt ganz darauf an." Der Marquess legte eine Hand auf Blodgetts Schulter. „Komm zu mir, sobald du hier fertig bist, Geoffrey."

Die gepflegten Finger krümmten sich zu einer flüch-tigen Liebkosung. „Das hast du sehr gut gemacht. Ich bin stolz auf dich."

Blodgetts Gesicht leuchtete auf. Er wartete, bis die Schritte seines Vaters in dem Dröhnen des Lagerhauses untergingen, bevor er seinen aufgestauten Atem ent-weichen ließ. „Benötigen Sie sonst noch etwas?"

Wrexford nahm sich einen Moment Zeit, um sich den Rest des Arbeitsplatzes anzusehen, und unterdrückte dann ein Lächeln. *Ein Hoffnungsschimmer.*

„Einer der Jungen muss mir mit den verschiedenen Tränken helfen. Die Kessel müssen nah beieinanderstehen, bringen Sie mir also den kleinen, dürren. Er wird sich auf engem Raum am besten bewegen können." Der Graf schwieg einen Moment, bevor er hinzufügte: „Am besten bringen Sie auch gleich Hillhouse mit, zusammen mit reichlich Papier und Bleistiften. Er wird mir erklären müssen, wie die neuen Ventilsysteme funktionieren, damit ich weiß, mit was für einem Druck wir es zu tun haben."

„Ich kenne die Ventile", wandte Blodgett ein. „Ich kann Ihnen sagen, was Sie wissen müssen."

Wrexford verließ sich auf sein Bauchgefühl und pokerte. „Praktische Kenntnis der Mechanik ist eine Sache, kennen Sie jedoch auch die mathematischen Gleichungen, um Volumen und Druck zu errechnen? Die wissenschaftlichen Formeln verschiedener chemischer Zusammensetzungen? Das hier ist kein Rätselraten. Es erfordert tiefgreifendes Fachwissen."

Wut zerrte an Blodgetts hübschem Gesicht, was ihm als Antwort genügte.

Der uneheliche Sohn, brillant, doch ausgeschlossen von all den Privilegien seines verschwenderischen Halbbruders. Seine Vermutung war richtig gewesen.

„Sie sehen also", sagte der Graf, „ich brauche Hillhouse und seine Cambridge-Bildung."

„Sonst noch etwas?", kam die knappe Antwort.

„Noch eine Kanne Kaffee." Wrexford streifte sich seinen Mantel ab. „Bringen Sie mir jedoch zuerst meine Helfer."

Ein schnaufender, rauchender Drache, der Feuer und Dampf spuckte, schlug mit seinen geschuppten Flügeln. Er kam näher und näher - ihre Kehle brannte, sie konnte nicht atmen ...

„Wachen Sie auf, Mrs. Sloane." McClellan schüttelte noch einmal behutsam Charlottes Schulter. „Sie haben einen Albtraum."

Blinzelnd löste sie langsam ihren Griff um das Kissen in ihrem Gesicht und setzte sich benommen auf. Ein elender Blick durchs Zimmer verriet, dass sie vollständig bekleidet auf dem Sofa eingeschlafen war. *Verdammter Mist.* Ihre Stiefel hatten Schlammspuren auf dem schönen Stoff hinterlassen ...

„Ich habe gedacht, Sie könnten etwas Tee vertragen", fügte das Dienstmädchen hinzu.

Ein lieblicher Dunst kitzelte ihr Gesicht. „Vielen Dank. Tee wäre himmlisch." Sie nahm die Tasse entgegen und spürte, wie sich ihr der Magen umdrehte, als sie der helle Sonnenstrahl traf, der durch die Fensterscheiben einfiel. Wie viele Stunden waren vergangen?

„Gibt es schon etwas Neues?", fragte sie.

„Einige vielversprechende Hinweise", antwortete McClellan. „Raven und Hawk sind dabei, weitere Hilfe zu organisieren, um ihnen nachzugehen."

„Wir werden ihn finden", verkündete eine weitere Stimme.

Charlotte drehte sich um und sah, dass Sheffield in einem der Sessel saß. Schlafmangel ließ ihn zerzaust und bleich aussehen.

„Wir lassen die Jungen ausrichten, dass es eine sehr hohe Belohnung für denjenigen geben wird, der uns zu der Droschke führt." Sein Kiefer verkrampfte sich. „Wir werden ihn finden", wiederholte er. „Satan würde

Wrex' Sarkasmus viel zu nervtötend finden, um ihn in der Hölle bleiben zu lassen."

Sie lächelte, wie er es beabsichtigt hatte, doch dann stellte sie zu ihrem Schrecken fest, dass sich Tränen auf ihren Wimpern gebildet hatten und gleich mehrere auf ihre Wangen perlten. Sie wandte sich ab und gab vor, sich Luft zuzufächeln. „Gütiger Gott, der Tee ist höllisch heiß - genau das Richtige, um den Nebel aus meinem Kopf zu vertreiben."

Taktvoll beschäftigte McClellan sich damit, das Tablett wegzubringen, und tat so, als hätte sie den flüchtigen Gefühlsausbruch nicht bemerkt.

Charlotte nahm einen weiteren heißen Schluck und genoss das Brennen auf ihrer Zunge. Verflucht sei Wrexford dafür, dass er so ... so ... prinzipientreu war.

Ein frustrierender Mann. Sie wollte ihn schütteln, dass seine Zähne klapperten. *Sie* war es, deren Leidenschaft sie dahinführte, wo Engel furchtsam wichen. Nicht er. Es war nicht seine Aufgabe, sich zu kümmern. Sie nahm einen zittrigen Atemzug und stellte mit bebenden Händen ihre Tasse ab.

Verdammt, verdammt, verdammt. Die Zeit arbeitete gegen sie. Mit jeder Minute, die verging, schrumpfte die Wahrscheinlichkeit, den Grafen lebend zu finden.

Charlotte stand auf, um in dem Zimmer auf und ab zu gehen, und fühlte sich dabei wie einer der Löwen in den Käfigen des Lion Towers. Sie wusste, dass Sheffield und McClellan sie besorgt beobachteten. Sie fragten sich zweifellos, ob sie ein Loch in die Dielen laufen würde.

Plötzlich wurde der Klang der Schritte lauter.

Sie drehte sich um, als die beiden Jungen in den Salon gestürmt kamen.

„Wir sind uns jetzt sicher, dass die Droschke nach Limehouse gefahren ist", rief Raven zwischen keuchenden Atemzügen. „Alice und Moppel reden mit den Müllsammlern am Fluss und Harry fragt bei den Kärrnern in der Nähe des Limekiln Dock nach, um herauszufinden, welche Straße genau."

„Ich denke, wir sollten Griffin alarmieren", sagte Sheffield. „Er kann eine Truppe zusammentrommeln und am Princes Square auf weitere Anweisungen warten, von wo aus sie nahe genug dran sein werden, um schnell zu agieren, sobald wir das Gebäude lokalisiert haben." Er stand auf. „Ich werde gehen. Er vertraut mir."

Charlotte nickte. „Ein guter Plan."

„Ich muss zurück nach Bell Wharf und auf Berichte warten", sagte Raven. Seinen Bruder wies er an: „Du bleibst hier, für den Fall, dass neue Nachrichten weitergegeben werden müssen."

„Richtig", bestätigte sie, bevor sie ihre Wollmütze vom Sofa holte. „Ich werde allerdings mitkommen."

Schaben und Klicken ertönte aus dem schweren Eisenschloss, bevor Wrexford hörte, wie sich der Mechanismus löste und die schwer beplankte Tür aufschwang.

„Seien Sie gewarnt, Wrexford", erklang Blodgetts Stimme aus dem Korridor, „das Gebäude ist gut bewacht und diese Tür bleibt verschlossen. Sollten Sie oder Hillhouse auch nur eine falsche Bewegung machen oder die Formel nicht rechtzeitig fertiggestellt haben, um den Dampfkessel für die Vorführung nächste Woche herzustellen, wird zuerst Miss Merton sterben, gefolgt von Miss Beckworth." Ein schlurfender Schritt. „Und dann werde ich Mrs. Sloanes Kehle durchschneiden. Sie und Miss Merton schienen sich nahe zu stehen, also vermute ich, dass sie auch eine Freundin von Ihnen ist."

Zwei stämmige Männer stießen Benedict und Skinny in das Labor, dann traten sie zurück, als Blodgett durch die Tür ging und bedrohlich mit seinen Pistolen winkte.

Waffen lassen Sterbliche in dem Glauben, Götter zu sein, reflektierte der Graf. Doch nahm man ihnen den Stahl, erinnerte er sich selbst, so waren sie nichts als schlotternde Haufen aus Fleisch und Blut.

„Wenn sie es nicht ist", fügte Blodgett mit einem wölfischen Grinsen hinzu, „hat sie wohl einfach Pech gehabt."

Wrexford reagierte mit einem gleichgültigen Schulterzucken. „Sie hätten Ihren Atem nicht für kindische Spötteleien und Drohungen verschwenden müssen", sagte er. „Seien Sie so freundlich und schließen die Tür, damit ich mit der Arbeit beginnen kann."

Nachdem die Tür mit einem unheilvollen Knarren zugefallen war, marschierte Benedict zum Arbeitstisch herüber und ließ das Bündel Papier und die Bleistifte mit einem Fluch fallen. „Sie haben doch nicht allen Ernstes vor, die Drecksarbeit für diesen Mistkerl zu erledigen!"

Er deutete auf die Chemikalien. „Wir müssen uns wehren! Wir könnten Säure verwenden, um die Türscharniere zu verätzen, oder ... oder die Planken anzünden!" Er riss einen Arm hoch und zeigte auf die Schmiede. „Und wir könnten Speere aus dem Eisen schmieden! Ich weiß, wie man Metall bearbeitet ... wir könnten den Koloss sabotieren ... wir könnten ...“

Wrexford hörte amüsiert zu, bis Benedict seine Ideen erschöpft hatte. „Bravo, Hillhouse. Ich lobe Ihre Fantasie. Ich wage zu behaupten, Sie könnten einen Roman schreiben, der sich besser verkauft als die von Mrs. Radcliffe. Wie dem auch sei, ich bin etwas faul, nach all dem Herumgehetze, das nötig gewesen ist, um dieses verworrene Komplott zu enträtseln. Ich lasse mich lieber retten.“

„Ha! Wenn Schweine fliegen lernen!“, erwiderte Benedict.

„Oder ein kleiner, magerer Bursche“, entgegnete der Graf lächelnd.

„Was zum Teufel meinen Sie?“

„Ich werde es Ihnen gleich erklären.“ Er glättete ein Blatt Papier. „Skinny, sie haben dich Kohle herumkarren lassen, also denk genau nach und beschreibe uns das Gebäude, so gut du kannst.“ Er nahm einen Bleistift zur Hand und zeichnete ein grobes Rechteck. „Zeig mir die Eingänge und die Position der Wachen.“

Der Junge war ein scharfer Beobachter, wie der Graf bereits wusste, und half ihm dabei, in kurzer Zeit einige wichtige Informationen zu Papier zu bringen. Es sollte genügen, beschloss er.

„Gut gemacht, Junge. Also, Raven hat mir erzählt, du hast als Schornsteinfeger gearbeitet. Stimmt das?“

„Jap!“, antwortete Skinny.

Wrexford packte den Jungen bei seinen knochigen Schultern und drehte ihn um. „Siehst du das Eisengitter da?“ Er deutete auf einen kleinen Luftschacht, der sich direkt unter der hohen Decke befand. „Wenn wir das losbekommen, kannst du dich dann hindurchschieben?"

Der Junge machte ein unanständiges Geräusch. „Ich kann mich durch einen Flaschenhals schlängeln, Mylord. Diese Öffnung ist so groß wie die verfluchte Piccadilly Street."

„Ausgezeichnet." Er fügte einige kurze Notizen zu der Grafik hinzu, bevor er sie faltete und dem Jungen übergab. „Sobald du draußen bist, rennst du, so schnell du kannst, zu Raven und Hawk und erzählst ihnen, wo wir sind. Kennst du den Weg zu ihrem neuen Haus?"

„Jap!" Skinny hielt seine schmutzige Hand auf. „Ich werde viel schneller sein, wenn ich 'ne Droschke nehme. Haben Sie 'n bisschen Asche?"

Der Graf kramte mehrere Münzen aus seiner Tasche und überreichte sie ihm.

Benedict schätzte die Höhe der Wand mit kritisch zusammengekniffenen Augen ab. „Selbst wenn ich auf Ihren Schultern stehe und der Junge auf meinen, werden uns immer noch drei oder vier Fuß fehlen."

„Da mögen Sie recht haben, allerdings ..." Er deutete auf den eisernen Amboss, der auf einem massiven Holzklotz befestigt war, „habe ich Sie nicht wegen Ihres Köpfchens herbeordert, Hillhouse. Ich vermute, dass wir beide in der Lage sein sollten, das verdammte Ding zu bewegen."

Ein Lächeln ersetzte schließlich Benedicts finsteren Blick, als er die Muskeln anspannte.

Wrexford zog das dünne Messer aus der versteckten Scheide in seinem Stiefel und gab es Skinny. Blodgett hatte den Fehler gemacht, anzunehmen, ein schicker Aristokrat wüsste nichts von den kleinen schmutzigen

Tricks der Elendsviertel. „Das sollte kurzen Prozess mit den Schrauben machen, die das Gitter halten."

Mit einem zahnlosen Grinsen nahm Skinny die Waffe entgegen und testete ihre Spitze mit seinem Daumen. „Ich werde sie in Nullkommanichts herausgedreht haben."

„Wirf es wieder zu mir herunter, wenn du fertig bist, Balg." Der Graf wandte sich wieder Benedict zu und rieb sich die Hände. „Keine Sorge, ich habe mir einen Alternativplan überlegt, falls etwas schiefgehen sollte. Doch meiner wissenschaftlichen Erfahrung nach, ist die simpelste Lösung in der Regel die beste."

Zinnfarbene Wolken, die baldigen Regen versprachen, zogen über den grauen Himmel, als eine kühle Böe vom Fluss hereinwehte und den Gestank der Ebbe mit sich brachte. Charlotte kauerte sich tiefer zwischen die Stützpfeiler am Fuße des Anlegeplatzes und stellte den Kragen ihres Mantels hoch. Die peitschende Gischt klebte an ihren Wimpern, das Salz brannte auf ihrer Haut. Jeder Knochen ihres Körpers schmerzte vor Erschöpfung. Das alles konnte sie jedoch noch ignorieren.

Ich bin stärker als der Schmerz.

Die Angst hingegen ... Wie eine Schlange, wickelte sie sich um ihren Brustkorb und drückte so fest zu, dass ihr Herz wie wild gegen die Knochen schlug, um nicht zerquetscht zu werden. Angst brodelte in ihrem Blut, brannte wie Gallsäure. Sie stieg ihr in die Kehle, so penetrant, dass sie sie schmecken konnte.

Raven war losgerannt, um eine warme Fleischpastete zu holen, die sie sich teilen konnten. Und obgleich sie die Wärme begrüßen würde, wurde ihr bei dem bloßen Gedanken an Essen speiübel.

Charlotte schloss für einen Moment ihre Augen und versuchte zu enträtseln, wie es dazu gekommen war, dass der Graf eine solch dominante Stellung in ihrem Leben eingenommen hatte. Es war nichts Körperliches - sie sahen sich nur selten. Dennoch hatte er es durch einen geistigen Kunstgriff geschafft, sich in ihren Kopf zu zwängen und ihre Gedanken zu befallen, bis kaum noch welche von seinem Schatten unberührt blieben. Ob sie mit einem Kunstkonzept rang oder einfach nur mit einer banalen Aufgabe des alltäglichen Lebens beschäftigt war, sie ertappte sich immer wieder dabei, wie sie sich die Frage stellte: *Was würde er sagen? Was würde er denken?*

Dass sie vielleicht nie wieder seine Stimme, sein Knurren, sein Lachen hören würde ...

Dass sie vielleicht nie die Gelegenheit haben würde, ihm zu sagen ...

„Hier, der Kärrner hatte Lamm – das mögen Sie doch am liebsten." Raven setzte sich neben sie und brach ein Stück der noch immer dampfenden Pastete ab. Einen Moment lang wich der Gestank der Verwesung dem süßen Duft von Kräutern und Gewürzen.

„Sie müssen essen", befahl er und warnte sie mit zusammengekniffenen Augen davor, es zu wagen, nicht zu gehorchen.

Charlotte verkniff sich ein Lachen über die Ironie ihrer vertauschten Rollen. In Anbetracht der Tatsache, dass ihr kleines Lamm – genau genommen war er nie ein Lamm gewesen, sondern vielmehr ein Löwenjunges - bereit war, mit Zähnen und Klauen zu kämpfen, anstatt den Mut zu verlieren und sich der Finsternis zu ergeben, schämte sie sich für ihren Moment der Schwäche.

Sie nahm einen kleinen Bissen und bemerkte, dass sie mit ihm auch einen Großteil der Furcht hinunterschluckte.

„Wir werden ihn finden, Mylady", sagte Raven mit leiser Stimme.

Sie lächelte und innerhalb eines Augenblicks löste sich ihre Verzweiflung auf und verwandelte sich wie durch eine Art esoterische Alchemie in Hoffnung. Wrexford würde sicher eine wissenschaftliche Theorie über die Chemie dahinter haben. Sie musste daran denken, ihn zu fragen – und ihm dabei zusehen, wie er über die Illusionen von wehleidigen Gefühlen schnaufte und knurrte.

„Natürlich werden wir ihn finden", antwortete Charlotte. Und dann würde sie die gottverdammte Arroganz aus ihm herausprügeln.

Der Graf zuckte zusammen, als sich die Absätze von Benedicts Stiefeln in seine Schultern gruben. Mit den Füßen fest auf dem Amboss und dem Rücken an der Wand konnte er nicht sehen, was über ihm passierte.

Er hörte metallisches Schaben. Benedict stöhnte und bewegte sich erneut. „Skinny hat die Schrauben herausgedreht. Ich habe das Gitter."

Ein gutes Zeichen. Ebenso wie das Rauschen von Wolle, die über Backstein rutschte, und die eisengrauen Krümel des Mörtels, die auf sein Haar rieselten.

Einige weitere qualvolle Momente vergingen, dann fiel plötzlich das Messer an ihm vorbei – es verfehlte um Haaresbreite sein Ohr – und stach mit seiner rasiermesserscharfen Spitze in den Dielenboden.

„Der Junge ist draußen!", rief Benedict mit einem aufgeregten Flüstern. „Ihr Plan hat tatsächlich funktioniert."

„Es ist lediglich der erste Schritt des Experiments." Wrexford wandte sich unbeholfen, sein Rücken zwickte vergeltend, als sie sich langsam entwirrten und auf den Boden hinabstiegen. „Als Mann der Wissenschaft wissen Sie, dass es noch zu früh ist, um ein Endresultat abzuschätzen."

Nachdem er das Messer zurück in seinen Stiefel gesteckt hatte, klopfte er den Staub von seiner Hose und ging zu den Chemikalien hinüber, die auf der Werkbank angeordnet waren, um sie sich genauer anzusehen.

Benedict tat es ihm gleich. „Was jetzt?"

„Wir warten", erwiderte der Graf, während er einen Spiritusbrenner anzündete und etwas Vitriolöl in einen der Kupferkessel goss. „Oder besser gesagt, *Sie* werden warten. Ich werde versuchen, Blackstone davon abzuhalten, zu verschwinden. Andernfalls werden wir ihn womöglich nie zur Rechenschaft ziehen können."

„Aber wie?" Benedict warf einen zweifelnden Blick auf die winzige Öffnung in der Wand. „Selbst wenn Sie an das Stecknadelloch herankommen, werden Sie nie auch nur ein Bein und erst recht nicht Ihre Schultern hindurchbekommen."

„Ganz zu schweigen von der Tatsache, dass es wahrscheinlich ein sehr teures Paar Stiefel ruinieren würde", antwortete Wrexford trocken. Als er sah, dass die Säure zu kochen begonnen hatte, wählte er einige weitere Chemikalien aus und fügte sie eine nach der anderen hinzu. „Weshalb ich vorhabe, durch die Tür zu gehen. Wie bereits erwähnt, ist Einfachheit immer die eleganteste aller Lösungen."

„Aber wie ..."

„Es hat seine Vorteile, einen Kammerdiener einzustellen, dessen Fähigkeiten über das Stärken einer Krawatte hinausgehen. Tylers Wissen über Schlösser und wie sie funktionieren ist äußerst beeindruckend." Wieder wählte er einige Chemikalien aus und fügte sie nacheinander hinzu. „Gehen Sie mir zur Hand und wischen Sie die leeren Gläser mit dem Tuch auf der Werkbank sauber."

Benedict tat wie ihm befohlen und beobachtete im Anschluss die brodelnde Flüssigkeit. „Was brauen Sie da zusammen?"

„Sturm und Gewitter", antwortete der Graf. Die antiken Götter waren geübt darin, Blitze aus Feuer und Zorn auf diejenigen zu schleudern, die es wagten, sich der Ordnung des Universums zu widersetzen. Möglicherweise würde Zeus, in seiner unendlichen Weisheit, seinen Segen geben, die anmaßende Hybris von Blackstone und seinem Sohn zu zerstören.

Wrexford wusste, dass es wahrscheinlich ein wenig göttlicher Intervention bedurfte, um umzusetzen, was er im Sinn hatte.

Das leise *Plopp, plopp, plopp* der kochenden Chemikalien schien einen hypnotisierenden Effekt auf Benedict zu haben. Er saß regungslos da und blinzelte nicht einmal, als sein Blick tiefer in den Strudel der strahlenden Farben gesogen wurde. Plötzlich schreckte er auf und las die Kennzeichnungen auf den leeren Gläsern.

„Teufel noch eins, Sie mischen einen Sprengstoff an, habe ich recht?"

„Dunkle Alchemie erfordert dunkle Alchemie." Der Graf ging in die Hocke und justierte die Flamme des Spiritusbrenners. „Der Sprengstoff ist für defensive Ablenkungen." Dann drehte er sich um und holte einige weitere Gläser vom Arbeitstresen. „Ich stelle außerdem eine Mischung aus Säuren zusammen, um den Koloss zu sabotieren. Dadurch wird es Blackstone nicht mehr möglich sein, zu demonstrieren, dass Ashtons Erfindung in einem richtigen Motor funktioniert."

Er öffnete einen der Behälter. „Leider werde ich dabei auch all Ihre schöne Arbeit an den Ventilen zunichtemachen. Andernfalls könnten sie den Kessel bei dreiviertel der Geschwindigkeit laufen lassen und beweisen, dass er funktioniert. Doch sobald die Dreckskerle erst einmal verhaftet sind, gibt es keinen Grund, warum Sie und Mrs. Ashton den Prototyp nicht in ihren rechtmäßigen Besitz nehmen sollten. Nachdem Sie den Schaden repariert und das Eisen für Ihren neuen Dampfkessel hergestellt haben, sollte es einwandfrei funktionieren und es Ihnen ermöglichen, das Patent anzumelden und die Arbeit Ihres Mentors fortzuführen."

Benedicts Gesicht leuchtete glückselig auf, als er die Erfindung erwähnte. „Unser neuer Dampfmotor wird die Welt verändern, und zwar zum Guten." Doch sein Lächeln wich kurz darauf einem Seufzen. „Wie ungerecht es doch ist, dass Eli nicht hier ist, um es mitanzusehen."

„Gerade Sie sollten wissen, dass das Leben nur selten gerecht ist." Methodisch rührte Wrexford die Mischung um.

„Sie wissen von meiner Vergangenheit?", fragte Benedict kleinlaut.

„Als wir alles zusammengetragen haben, was wir über Ihr Verschwinden wussten, ist Sterling keine andere Wahl geblieben, als es uns zu sagen. Er hat nie auch nur eine Sekunde lang an Ihnen gezweifelt." Der Graf überprüfte die Farbe der Flüssigkeit. „Und Miss Merton ebenfalls nicht."

„Ich verdiene sie nicht", antwortete Benedict ausdruckslos.

Ah, die Torheiten der Jugend. Trotz seiner eigenen romantischen Vergangenheit räumte der Graf ein, nicht in der Position zu sein, um sich auf selbstgefällige Weise überlegen zu fühlen. Er hielt einen Moment inne und beobachtete die brodelnden Chemikalien ... und kam plötzlich zu der Erkenntnis, dass er noch nicht bereit war, ins Gras zu beißen. Aus irgendeinem Grund störte es ihn – gewaltig sogar -, dass er noch nicht die Gelegenheit gehabt hatte, Charlotte zu sagen ... was er für sie empfand.

Liebe. Hatte er es gerade zugegeben? Wohl eher nicht, schließlich war die Erde nicht in Flammen ausgebrochen und hatte ihn in den tiefsten Abgrund der Hölle gerissen. Tatsächlich fühlte sich dieses Wort nicht halb so beängstigend an, wie er es sich vorgestellt hatte. Es schien sich irgendwo in seiner Brust niedergelassen zu haben und eine angenehme Wärme durch sein ganzes Wesen zu strahlen.

Er hob seinen Blick. „Wenn Sie von der Dame, die Sie lieben, ablassen würden, weil Sie sich für unwürdig halten, sind Sie es vermutlich auch."

Benedict blinzelte.

„Um Himmels willen, lassen Sie sie selbst entscheiden! Sie scheint ein Hirn zu haben und zu wissen, wie man es einsetzt."

Es schien einige Herzschläge zu dauern, bis seine Worte zur Verzweiflung des jungen Mannes vorgedrungen waren. „Aber ja, danke, Sir! Das ist ein sehr weiser Ratschlag."

„Natürlich ist das alles nur von theoretischem Interesse, wenn Sie hier drinnen den Löffel abgeben." In diesem Sinne löschte der Graf die Flamme. „Also helfen Sie mir, die Gläser zu füllen und wieder zu verschließen - und verschütten Sie verdammt nochmal nichts von der Flüssigkeit auf sich selbst. Ich werde die Tür schließen, wenn ich gehe, Sie sollten hier drinnen also sicher sein. Ich denke nicht, dass jemand in den nächsten Stunden kommen wird, um unseren Fortschritt zu überprüfen - und sollte Skinny den Ort erreichen, an den ich ihn geschickt habe, wird bis dahin Hilfe eingetroffen sein."

Vorausgesetzt, dass Raven überlebt und Charlotte erzählt hatte, was passiert war, und sie wiederum die gesamte Streitmacht ihrer Freunde zusammengetrommelt hatte. Dass er sich weigerte, etwas anderes zu glauben, war womöglich ein Zeichen seiner neu entdeckten sentimentalen Schwäche. Charlotte würde ihn sicher erbarmungslos damit aufziehen, dass er ein solcher Romantiker war.

Ein Aufeinandertreffen der verbalen Schwerter, das ich sehr begrüßen würde.

Wrexford deutete auf die Gläser. „Ich werde den Sprengstoff bei Ihnen lassen. Stehen Sie bei der Tür Wache und wenn Sie hören, dass jemand die Türklinke greift, warten Sie, bis sie die Tür geöffnet und den Raum betreten haben, bevor Sie ihnen das Glas vor die Füße werfen. Die Eiche ist stark genug, um Sie zu schützen. Warten Sie einen Moment, bis sich die Flammen gelegt haben, und dann rennen Sie, so schnell Sie können, und machen sich aus dem Staub."

„Einen Teufel werde ich tun." Benedict fixierte ihn mit entschlossenem Blick. „Ich komme mit Ihnen. Sie könnten meine Hilfe im Kampf gegen die Wachen gebrauchen."

Wrexford seufzte sardonisch. „Haben Sie irgendeine Erfahrung darin, um Ihr Leben zu kämpfen?"

Benedicts Miene ließ ein unheilvolles Zucken erkennen.

„Das habe ich auch nicht erwartet. Und da ich es gern vermeiden würde, durch Ihre Stümperhaftigkeit ums Leben zu kommen, würde ich es vorziehen, wenn Sie hierbleiben."

„Ich kann gut mit meinen Fäusten umgehen", begann Benedict.

Nicht in der Stimmung weitere Zeit mit Diskussionen zu verschwenden, verpasste Wrexford dem jungen Mann einen schnellen Schlag, der ihn direkt gegen das Kinn traf.

„Ich ebenfalls", murmelte er, als Benedict wie ein Sack Steine zu Boden fiel. Sollte sein eigener Plan schiefgehen, könnte es dem Kerl das Leben retten, verwundet und bewusstlos vorgefunden zu werden.

Mit ein wenig Glück könnten wir beide jedoch das alte Sprichwort widerlegen, dass keine gute Tat ungesühnt bleibt.

Nachdem er sich die schmerzenden Fingerknöchel gerieben und die Säure in seine Tasche gesteckt hatte, zog Wrexford sein Messer und machte sich an die Arbeit, um das Schloss zu knacken.

Kapitel 28

„Es kommt jemand." Raven wurde angespannt und versuchte, durch den dichten Nebel zu spähen, der die hölzernen Pfeiler umhüllte. Charlotte hatte es ebenfalls gehört - das leise Schmatzen von Schritten auf dem matschigen Kopfsteinpflaster.

„Nicht bewegen", befahl der Junge, während seine Hand in seinem Stiefel verschwand, bevor er vorwärtsschlich und versuchte, sie mit seinem dürren Körper abzuschirmen.

Charlotte hielt ihn zurück. „Bleib, wo du bist", sagte sie. Er war bereits deutlich zu viele Risiken eingegangen. „Ich habe eine Pistole, die ist ..."

Zwei kurze Pfiffe machten weitere Einwände überflüssig.

„Das ist Hawk", sagte Raven und antwortete ebenfalls mit einem Pfiff.

Einen Moment später schoss sein Bruder aus dem Nebel hervor, dicht gefolgt von der gespenstischen Silhouette eines zweiten Jungen, und fand ihr Versteck unter dem Anlegeplatz.

„Wir haben ihn gefunden!", purzelten seine Worte in atemloser Eile heraus.

Charlotte verspürte einen Hitzeschwall durch ihre Venen fließen und plötzlich war das Eis in ihrem Blut geschmolzen.

„Und sehen Sie nur, wer die Nachricht überbracht hat."

„Skinny, du kleiner Mistkerl", antwortete Raven und gab seinem Freund einen Klaps auf die Schulter. „Wir haben gedacht, du wärst tot."

„Ich wär' Fischfutter gewesen, hätten wir die fiesen Dreckskerle nicht übers Ohr gehau'n, die uns gefangen gehalten haben."

Charlotte zog das Gassenkind an sich und umarmte es fest. „Gott sei Dank, geht es dir gut, Skinny."

Das Gesicht des Jungen – zumindest das bisschen Haut, das unter der dicken Schmutzschicht zu sehen war – wurde knallrot. „Sie müssen sich nicht beim Allmächtigen bedanken, sondern beim feinen Pinkel, der ein ziemlich schlaues Kerlchen ist."

„Es geht ihm also gut?", fragte Charlotte schnell.

„Jap", antwortete Skinny mit einem zahnlosen Lächeln. „Und möge Gott ihnen beistehen, wenn er ihre Rippen mit seiner Klinge kitzelt."

Plötzlich wurde ihr wieder kalt. „Mit wie vielen Gegnern hat er es zu tun?"

„Ich weiß es nicht genau." Skinny runzelte nachdenklich die Stirn. „Es gibt zwei Anführer und vielleicht drei oder vier Schläger, die die Hütte bewachen."

Sechs gegen einen. Und Wrexford hatte die Nerven, *ihr* vorzuwerfen, rücksichtslos zu sein.

„Wir müssen ihm helfen."

Raven griff ihren Mantel, als sein Bruder auf den Anlegeplatz stürmte und ein zweites Mal pfiff. „Selbstverständlich werden wir ihm helfen. Hawk sagt, Mr. Sheffield wird jeden Moment hier sein. Er hat Griffin dabei und ein halbes Dutzend weiterer Läufer."

Und tatsächlich, eine Gruppe von Männern, die sich schnell und leise bewegte, materialisierte sich aus dem

Nebel. Ihre Ungeduld zügelnd zog Charlotte ihren Hut tiefer über die Stirn und achtete darauf, einige Schritte hinter Raven und Skinny zu bleiben, als sie sich in Richtung der anderen begaben.

„Noch mehr Lumpensammler?" Griffin verzog das Gesicht. „Ihre Truppe aus Informanten scheint zahlreicher zu sein als die Ratten, die diese gottverlassenen Elendsviertel befallen, Mr. Sheffield."

„Und sehr viel nützlicher", entgegnete der Freund des Grafen. „Beißen Sie also nicht die Pfoten, die Sie füttern, Griffin. So schmutzig sie auch sein mögen, sie werden dafür sorgen, dass Sie für Ihre Vorgesetzten so süß wie Rosenwasser duften werden."

Der Läufer schnaufte. „Hoffen wir, dass sie uns nicht bloß stinkenden Rauch in die Nasen blasen."

„Werden wir nicht!", rief Skinny, jeder Winkel seines knochigen Körpers sträubte sich vor Empörung. „Also schließen Sie die Fressluke und laden Sie Ihre Kracheisen." Der Junge hüpfte einige Schritte in Richtung der schmalen Straßen, die von dem Kai wegführten. „Na, los, mir nach."

Der Schließmechanismus gab schon bald der tastenden Spitze von Wrexfords Klinge nach. Seine Handfläche an die altersgeschwärzte Eiche gepresst, öffnete er vorsichtig die Tür. Es gab kein Anzeichen von Bewegung, außer den Schatten, deren gewundene Schlieren die schwachen Aureolen der Flammen, die in den weitgesetzten Wandleuchtern brannten, verschlangen. Er betrat den Korridor und schlich, stets in die schützende Dunkelheit gedrängt, in Richtung der gedämpften Klänge menschlicher Präsenz zu seiner Linken.

Als er an eine Abbiegung kam, spähte Wrexford um die Ecke und sah zwei Wachen. Sie hockten auf dem Boden, halb versteckt in dem Durchgang eines kleinen Nebenraums. Ihre Waffen lagen neben ihnen, während sie im Schein ihrer Laterne abwechselnd würfelten. Wenn er es schaffte, sich an ihnen vorbei zu schleichen, würde ihn die nächste Abbiegung in den Raum mit den Dampfmotoren führen.

Mit etwas Glück würde sich ihre Langeweile zu seinen Gunsten auswirken, dachte der Graf. Und ihre Gier. Der Münzhaufen auf dem Boden wurde größer. Er wartete auf das Klackern der Würfel und die darauffolgenden Rufe des Triumphs und der Entrüstung.

„Teufel noch eins – die Glücksgöttin ist ein verdammtes Miststück."

Ein paar schnelle Schritte, dann blieb Wrexford vollkommen still.

Die Wache stieß einen weiteren Fluch aus. „Gib mir 'nen Schluck von deinem Gin."

Als das Licht auf der Zinnflasche aufblitzte, huschte der Graf an der Türöffnung vorbei.

So weit, so gut. Er wartete noch einen Moment, bis ihm das Klackern der Würfel bestätigte, dass das Spiel weiterging. Mit schnellen Schritten bog er um eine weitere Ecke und folgte den gespenstischen Dampfwolken in den Maschinenraum. Seine Klinge machte kurzen Prozess mit dem Schloss, und als er einen Blick ins Innere wagte, verriet der Schein der Wandleuchter, dass der Raum menschenleer war.

Zisch-klong. Zisch-klong. Das kleine Testmodell der Ventile lief mit Viertelgeschwindigkeit und klang wie ein schlafender Drache, der einen Hammer verschluckt hatte. Wrexford eilte um das ächzende, schwitzende Metall herum und näherte sich der deutlich größeren Maschine, die am hinteren Ende des Raumes ruhig schlummerte. Trotz des gedimmten Lichts fand er den Kondensator problemlos. Von der nahegelegenen Werkbank holte er einen kleinen Schraubenschlüssel und entfernte mehrere Schrauben, um sich Zugang ins Innere zu verschaffen. Eins nach dem anderen leerte er das halbe Dutzend Fläschchen seiner stark ätzenden Säure in das Gehäuse. Die Ventile würden schon bald ruiniert sein, und da die Betrüger nicht im Besitz der Zeichnungen waren, würde die Vorführung nicht stattfinden können - selbst, wenn er und Hillhouse nicht gerettet werden konnten.

Wrexford brachte die Abdeckung und die Schrauben wieder an. Jetzt war es an der Zeit, Blackstones Abreise zu verhindern.

Der Graf bahnte sich seinen Weg um die Werkbänke herum und schlüpfte zwischen zwei Kohleverschlägen hindurch. Er war gerade auf gleicher Höhe mit dem zischenden Prototyp, als er ein Geräusch an der Tür hörte. Rasch ging er in einer tiefen Nische nahe den Verschlägen in Deckung.

Die Tür schwang mit einem Knall auf und einen Moment später sah der Graf, warum. Die beiden kümmerlichen kleinen Jungen, die er zusammen mit Skinny eingesperrt gesehen hatte und die jetzt in schwarzen Kohlestaub gehüllt waren, schoben mühsam einen großen Behälter auf Rädern zu den Verschlägen hinüber.

„Ihr faulen Gören, hört auf herumzutrödeln." Der Schläger mit dem Knüppel ging hinter ihnen her. Er beschleunigte seinen Schritt und versetzte einem der Jungen einen heftigen Schlag, der ihn zu Boden warf.

Das Blut in seinen Adern begann zu kochen, doch Wrexford hielt seine Wut im Zaum und erinnerte sich selbst daran, dass Blackstone aufzuhalten dieser Pein ein Ende bereiten würde. *Zügle dich ...*

Dann begann der Schläger mit einem fiesen Lachen, auf den Jungen einzutreten. Jeder Treffer seiner schweren, mit Schuhnägeln besetzten Stiefel ließ mehr Blut über das Gesicht des Jungen fließen. Noch einige weitere Tritte und dann ...

Zur Hölle mit den Konsequenzen. Wrexford schoss aus seinem Versteck hervor und packte den Schläger am Kragen.

„Nur ein Feigling schlägt kleine Kinder", knurrte er, als er seinen Gegner herumschleuderte und ihm einen schweren Schlag ins Gesicht verpasste.

Vor Schmerzen stöhnend taumelte der Schläger zurück, bevor er sein Gleichgewicht wiederfand und den Knüppel in Richtung des Kopfes des Grafen schwang.

Wrexford duckte sich darunter hindurch und rammte seinem Gegner in einer durchgehenden Bewegung sein Knie in den Schritt. Ein Keuchen, gefolgt von einem dumpfen Poltern, als der Schläger zu Boden fiel und sich vor Schmerzen krümmte. Noch immer im Rausch des Zorns schwang der Graf sein Bein und fand primitive Genugtuung in dem dumpfen Klang, als sein Stiefel den Kopf des Schlägers traf und ihn bewusstlos zurückließ.

Das Geräusch schien ihn von seiner Raserei zu befreien. Er rieb sich die Stirn und hielt einen Moment inne, als er wieder zu klarem Verstand fand. Er war nicht stolz auf den letzten Tritt, er hatte jedoch nie behauptet, ein Heiliger zu sein.

Er eilte zu dem verletzten Jungen hinüber, dem sein Kamerad inzwischen wieder auf die Beine geholfen hatte. Beide starrten ihn verunsichert an, als wären sie hin- und hergerissen zwischen Furcht und Hoffnung.

„Hört gut zu, Burschen", sagte er leise, „ich werde euch im Nu hier rausholen, ihr müsst jedoch genau tun, was ich euch sage." Er nahm sie bei den Händen und führte sie zur Tür. Ein schneller Blick in den Korridor verriet, dass das Dröhnen des Motors die Geräusche des Kampfes übertönt hatte. „Geht schnell und leise zu der Tür, die zum Kohlenmeiler führt. Sobald ihr draußen seid, rennt ihr wie der Teufel und teilt euch in den Gassen auf. Verstanden?"

Die Jungen nickten.

Ein letzter prüfender Blick. „Los!", sagte Wrexford und sah zu, wie sie davonstürmten. Sie waren zähe Burschen, die den Kampf ums Überleben in den Armutsvierteln gewohnt waren. Die Chancen, dass sie entkommen würden, standen gut. Besser, als wenn sie mit einem brutalen Schläger eingesperrt geblieben wären.

Charlotte würde ihn sicher dafür aufziehen, ein Gewissen zu haben. Er lächelte. Wurde sein Zynismus allmählich verweichlicht?

So interessant die Frage auch war, es gab wichtigere Dinge, über die er nachdenken musste. Skinny hatte angedeutet, dass sich die Treppe ins Obergeschoss am linken Ende des Korridors befand. Wrexford gab den Jungen noch einen Moment länger Zeit, um zu fliehen, dann verließ er den Maschinenraum, zog sein Messer und achtete darauf, das Schloss der Tür wieder zu verriegeln, um den Schläger einzusperren, bevor er sich auf den Weg machte. Die Finsternis nahm zu und die Schwaden des Dampfes lösten sich auf, um die feuchte Luft mit einer erdrückenden Kälte zu erfüllen. Gerade hatte er das Treppenhaus erreicht und einen Fuß auf die erste Stufe gesetzt, da spürte er ein eisiges, metallisches Kribbeln im Genick.

„Sie überraschen mich, Wrexford", sagte Blodgett in Begleitung des klickenden Hahns seiner Pistole. „Es heißt, Sie wären ein eiskalter Dreckskerl, doch wie es scheint, haben Sie eine tödliche Schwäche für kleine Jungen."

Eine Schwäche, gewiss. Ob sie sich jedoch als tödlich herausstellen würde, blieb abzuwarten.

„Ich verabscheue Feiglinge, die sich an denen vergreifen, die zu klein sind, um sich zu wehren", erwiderte er gefasst.

„Pech für Sie." Blodgett lachte und presste den Pistolenlauf fester in den Nacken des Grafen. „Hoch mit Ihnen. Sie sind mir ein Dorn im Auge geworden, den ich jetzt ein für alle Mal beseitigen werde."

Im Gleichschritt stiegen sie die Treppen hintereinander bis zum obersten Absatz hinauf. Mit einem Zucken seiner Waffe, befahl Blodgett ihm, rechts abzubiegen.

„Öffnen Sie sie", wies er ihn an, als sie zu einer geschlossenen Tür kamen.

Lord Blackstone sah von dem Stapel Papier auf seinem Schreibtisch auf und nahm langsam seine goldene Brille ab.

„Er ist im Maschinenraum gewesen und hat es geschafft, die Gassenkinder zu befreien", verkündete Blodgett.

Blackstones Blick wurde kurzzeitig finster, entspannte sich jedoch gleich darauf wieder. „Komm schon, Geoffrey, das ist halb so wild." Ein kurzes Lachen. „Selbst wenn die Bälger wagen sollten, es jemandem zu erzählen, wer würde ihnen glauben?"

„Ich sage, wir erschießen ihn auf der Stelle. Er wird offensichtlich nicht tun, was wir ihm sagen."

Der Marquess runzelte die Stirn. „Du findest zu großen Gefallen daran, Blut zu vergießen", sagte er scharf. „Ich habe dich bereits ermahnt, dass ein kluger Mann Probleme mit seinem Kopf löst, nicht mit primitiven Instinkten. Nimm die Waffe runter." Ein Schlag mit der Handfläche deutete auf eine Stelle auf dem Schreibtisch. „Jetzt."

Blodgett erblasste, doch er tat, wie ihm befohlen. „D-du hast es für einen äußerst klugen Plan gehalten, Ashton zu ermorden und Hollis dafür die Schuld anzuhängen", murrte er und stellte sich wieder neben den mit Werkzeugen bedeckten Beistelltisch.

„Das war es auch. Nevins ist jedoch überflüssig gewesen. Und jetzt ..." Blackstone lehnte sich zurück und trommelte nachdenklich die Fingerspitzen aneinander.

Es war ein Risiko, dachte Wrexford, doch womöglich konnte er die Spannung zwischen Vater und Sohn zu seinem Vorteil nutzen. Andernfalls würde er schon bald ein toter Mann sein.

Und er war noch nicht bereit, die Hand des Teufels zu schütteln.

„Da mir nicht mehr lange auf dieser Welt bleibt, Blackstone, seien Sie so freundlich und befriedigen meine Neugier. Wie haben Sie all das zustande gebracht? Ich vermute, es war Blodgett, der Ashton tötete und das Symbol in seinen Bauch schlitzte. Doch Hollis ..."

„Hollis hatte eine Nachricht erhalten, von der er dachte, sie sei von Ashton, und die ihre Verabredung am Half Moon Gate um zwanzig Minuten nach hinten verschob", rief Blodgett verärgert. „Sie verscheuchten ihn, bevor ihn der Nachtwächter, den ich geschickt hatte, erwischen konnte."

Ah, das Geräusch, das er in der Nähe der Leiche gehört hatte, dachte Wrexford, als sich weitere Teile des Puzzles zusammenfügten. Doch eine Sache war noch immer nicht klar. „Wie wurde Hollis in den Plan hineingezogen?"

„Ich kannte ihn, weil er bei der Fabrik herumlungerte", antwortete Blodgett. „Es war ein Leichtes für einen unserer Angestellten, ihn davon zu überzeugen, dass Ashton, wie er selbst, ein Altruist war und darüber reden wollte, die Gewinne von neuen Erfindungen mit seinen Arbeitern zu teilen. Hollis wurde jedoch gewarnt, dass er eine Verabredung während Ashtons Besuch in London arrangieren und sie unter strenger Geheimhaltung stattfinden müsse, da Mrs. Ashton strikt dagegen war, die Asche zu teilen."

„Schlau", räumte Wrexford ein, „doch ..."

Blackstone seufzte. „Doch dann, fürchte ich, hat Geoffrey überreagiert. Er sah es als notwendig an, Hollis zu eliminieren, damit er nicht eins und eins zusammenzählt und herausfindet, dass man ihm die Schuld in die Schuhe schieben wollte."

„Ich sage dir", murrte Blodgett, „ich hatte Grund zu der Annahme, dass er uns in Leeds gehört hat, als wir über das Patent geredet haben."

„Ich befürchte, du hast eine überschäumende Fantasie", murmelte der Marquess.

Wrexford korrigierte ihn nicht. Stattdessen beschloss er, seine Rolle als Dorn im Auge auszureizen und die Spitze noch ein klein wenig tiefer hineinzubohren. „Es war, wie Blodgett bereits gesagt hat, ein überaus gut durchdachter Plan", sagte er lauthals. „Die Behörden hätten Hollis' Tod womöglich nicht einmal mit Ashton in Verbindung gebracht. Doch ..." Er sah Blodgett an. „Der Mord an Kirkland ist der Nagel zu Ihrem Sarg gewesen."

Dann ließ der Graf seinen Blick langsam zu Blackstone hinüberwandern. „Und Ihrem ebenfalls. Ich bezweifle, dass das House of Lords Gnade mit jemandem haben wird, der seinen eigenen erstgeborenen Sohn ermordet hat."

„*Ich* war der Erste", krächzte Geoffrey. „Genau wie ich immer der Erste war, wenn es um die Zuneigung meines Vaters ging. Kirkland war ein nichtsnutziger Verschwender, während ich über den Intellekt und den Ehrgeiz eines wahren Sohns von Blackstone verfüge."

„Ja, ja, kein Grund sich aufzuregen, Geoffrey." Blackstone erhob sich und stellte sich, ohne seinen Blick von Wrexford abzulassen, dicht neben seinen unehelichen Sohn.

Der Graf fragte sich, ob dieser Schritt Blodgett beruhigen oder ihn davor bewahren sollte, überstürzt zur Waffe zu greifen, die auf dem Schreibtisch lag. So oder so, seine Sticheleien schienen langsam, aber sicher beiden Männern unter die Haut zu gehen.

„Sie haben keine Beweise, die uns mit irgendetwas in Verbindung bringen", fuhr der Marquess fort. „Wir sind sehr vorsichtig vorgegangen. Und jetzt, dank Hillhouses Verschwinden, wird man glauben, er sei der Schuldige. Wenn wir diese Lagerhalle erst einmal geräumt und die Maschinen an einen anderen Ort gebracht haben, wird seine Leiche niemals gefunden werden."

„Ganz im Gegenteil", sagte Wrexford mit ruhiger Stimme. „Wir haben einen Zeugen, der Blodgetts Gesicht klar und deutlich gesehen hat, als er in Begleitung von Kirkland gewesen ist. Er hat gesehen, wie beide ein Gebäude betreten haben, und dann ist er Zeuge davon geworden, wie Blodgett herausgerannt ist und das Messer weggeworfen hat. Wir haben die Waffe, an der noch immer das Blut Ihres Erben klebt."

„Das ist eine Lüge", fauchte Blodgett. „Da war niemand."

„Der Bursche hat hinter die Kisten gepinkelt, zwischen die Sie das Messer geworfen haben." Er schüttelte den Kopf. „Es war äußerst nachlässig von Ihnen, es nicht zu bemerken. Überheblichkeit kann eine Schwäche sein, Blodgett. Eine tödliche."

Blodgett wollte einen Schritt auf ihn zu gehen, doch sein Vater hielt ihn zurück. „Ist das wahr, Geoffrey?", fragte er. „Hast du das Messer weggeworfen, wie er es beschreibt?"

„Ja, verdammt. Es ist die Wahrheit. Ich sage dir jedoch, es ist nicht wichtig! Die Behörden werden nicht das Wort eines betrunkenen Straßenkehrers über das eines Marquess stellen. Du kannst schwören, dass ich bei dir war."

„Der Zeuge ist der Sohn eines Herzogs, dessen Abstammung noch weiter zurückreicht als die Ihres Vaters", log Wrexford und spürte, dass Blackstone aufmerksam zuhörte und die Konsequenzen abwägte. Der Marquess war dafür bekannt, ein brillanter, aber rücksichtsloser Mann zu sein. Die Undurchsichtigkeit seiner gebieterischen Augen erinnerte den Grafen an eine Schlange. Ein glattes, geschmeidiges Raubtier, frei von jeglicher Emotion.

„Nicht, dass *Sie* einen Adelstitel hätten, der Sie schützt, Blodgett", fügte Wrexford hinzu und stieß die Nadel noch tiefer. „In den Augen der Behörden sind Sie nicht besser als der Straßenkehrer, den Sie soeben verunglimpft haben."

Ein Blick des puren Hasses verzerrte Blodgetts Gesicht. „Er lügt, Vater. Lass mich ihn erschießen."

Blackstone rückte nicht vom Fleck und blockierte weiterhin den Weg zum Schreibtisch. Die Augen nachdenklich zusammengekniffen, sah er wieder den Grafen an. „Der Sohn eines Herzogs? Sagen Sie schon, wen meinen Sie?"

Wrexfords Fähigkeit, zu bluffen, war in den Spielhöllen Londons berüchtigt. Ohne mit der Wimper zu zucken, antwortete er mit einer weiteren Lüge. „Lord James Greville." Der Mann war einige Wochen zuvor von den westindischen Inseln zurückgekehrt, soweit der Graf wusste, neigte der Kerl allerdings nicht dazu, in Gassen zu pinkeln.

„Greville?" Blackstone verfiel in nachdenkliche Stille.

Während sein Sohn ihn mit wachsendem Entsetzen beobachtete, näherte Wrexford sich Zentimeter für Zentimeter dem Schreibtisch und der Waffe.

„Greville", wiederholte der Marquess, worauf ein schwermütiges Seufzen folgte.

Wrexford konnte beinahe hören, wie sich die aristokratischen Zahnräder in Blackstones Kopf drehten. Ein Leben der wohlgeölten Privilegien, des tief verwurzelten Anspruchs erlaubte es ihm, die Räder so zu drehen, dass sie mit seinem Eigeninteresse übereinstimmten.

„Ein unanfechtbarer Zeuge", drängte Wrexford, als er noch einen Hauch näherkam. Er kannte die arrogante Anmaßung gottgleicher Privilegien von Seinesgleichen. Blackstone würde sich über dem Gesetz glauben. Alles, was er tun musste, war, dem Marquess einen kleinen Schubs zu geben. „Selbstverständlich gibt es jedoch keinen Zeugen, der *Ihre* Beteiligung an irgendeiner Perfidie bestätigen könnte."

„Das heißt dann wohl ..." Blackstone seufzte erneut, das einzige Zeichen von Emotionen. „Das heißt dann wohl, dass Geoffrey für das Verbrechen hängen muss. Eine Schande – er ist intelligent, doch scheinbar nicht so sehr, wie ich gedacht habe."

„*Vater!*", krächzte Blodgett.

Blackstone betrachtete ihn ungerührt. „Das ist etwas rein Geschäftliches, mein Junge. Wenn ein Geschäft schiefgeht, muss man seine Verluste begrenzen." Er drehte sich wieder zu Wrexford und fügte hinzu: „Sie haben recht – es gibt keinen Beweis dafür, dass ich irgendetwas gewusst habe. Ich bin in Wales gewesen und habe Leute, die das beschwören werden." Ein finsteres Lächeln zerrte an seinen Lippen. „Und wer würde schon glauben, dass ein Vater seinen Erben ermorden lässt?"

„Aber es war *deine* Idee!", rief Blodgett. „D-du hast es versprochen!" Seine Stimme brach ein Augenblick lang. „Du hast versprochen, dass wir gemeinsam ein glorreiches Wirtschaftsimperium aufbauen werden! Du hast versprochen, dass ich reich sein werde! Wichtig! Respektiert!"

„Das habe ich in der Tat", sagte sein Vater mit ruhiger Stimme. „Doch der Schlüssel zum wirtschaftlichen Erfolg ist die Bereitschaft zur Improvisation."

Blodgett stockte der Atem, sein Gesicht erblasste vor Zorn. Seine Hände ballten sich kurz zu Fäusten, bevor er, schnell wie eine Schlange, ein Messer aus seinem Stiefel zückte. Noch bevor Wrexford reagieren konnte, stürzte er sich auf den Marquess und stach ihm in die Brust.

Ungläubig senkte Blackstone seinen Blick, als das Blut aus der Wunde spritzte und sein schneeweißes Hemd burgunderrot färbte. Er taumelte einen Schritt zurück, während seine Finger schwächlich den Griff berührten.

Als der Körper seines Vaters zu Boden sackte, drehte Blodgett sich herum und schnappte sich einen Hammer von den Werkzeugen, die auf dem Beistelltisch lagen. Mit einem gellenden Schrei schwang er ihn hoch und stürmte auf den Grafen zu.

Plötzlich leuchteten Flammen in der Dunkelheit draußen vor der offenen Tür auf, gerade als Wrexford sich drehte und seinen Arm hochriss, um den Angriff abzuwehren. *Zu spät!* Der Hammer war nur eine Haaresbreite entfernt, als die zweite Explosion mit einem ohrenbetäubenden Knall ausgelöst wurde. Blodgett taumelte und stürzte. Die Waffe fiel ihm aus der Hand, als das Echo des Schusses verhallte.

Der dumpfe Aufprall von Stahl auf Holz klang in der plötzlichen Stille unnatürlich laut.

„Gütiger Gott, noch ein toter Aristokrat, den ich meinen Vorgesetzten erklären muss", sagte Griffin affektiert. Die Rauchschwade lichtete sich und enthüllte den Läufer, der im Korridor stand. Er ließ die Pistole sinken. „Immerhin haben Sie dieses Mal nicht halb London in Brand gesetzt, Lord Wrexford."

„Mit dem Alter wird man vorsichtiger", erwiderte Wrexford trocken. „Vielen Dank, übrigens, dass Sie nicht zugelassen haben, dass mir dieser Irre den Schädel einschlägt."

„Oh, nicht ich bin es, dem Sie zu danken haben ..."

Erst jetzt bemerkte er Sheffield, der in Griffins Schatten stand.

„Meine Waffe hat fehlgezündet, doch Gott sei Dank ist Ihr Freund besser im Zielen als im Spielen." Der Läufer schnippte ein glühendes Stück Schießpulver von dem Lauf seiner Waffe und steckte sie in seine Tasche. „Er scheint ein schlauer Bursche zu sein, wenn es darauf ankommt."

„Das ist er in der Tat." Wrexford sah Sheffield einen Moment lang in die Augen und nickte dann entschlossen. „Ich bin Ihnen zutiefst dankbar, Kit."

Sein Freund lächelte. „Reiner Eigennutz. Wer sonst wäre so großzügig mit seinem Portwein und Brandy?"

„Aye. Ich bin ebenfalls dankbar", warf Griffin ein. „Ich hätte meine vorzüglichen Abendessen sehr vermisst."

„Dafür, dass Sie mir zur Hilfe geeilt sind, schulde ich Ihnen einen Apfelkuchen", erwiderte der Graf.

Ein Anflug von Erheiterung blitzte in den schwerlidrigen Augen des Läufers auf. „Und ein Stück Stilton." Dann wanderte sein Blick zurück zu den Leichen von Blodgett und Blackstone.

Wrexford sah ebenfalls nach unten und beobachtete die dunklen Rinnsale, die auf dem Dielenboden zu einer Pfütze zusammenliefen. *Verbunden durch Blut, wie im Leben so im Tod.*

„Wenn ich es mir recht überlege, Mylord, schulden Sie mir einen ganzen verdammten Käselaib", murmelte Griffin mit einem gequälten Seufzen. „Sie haben mir ein heilloses Durcheinander beschert, dass ich der Regierung erklären muss."

„Genau genommen ist es so einfach zu erklären, wie die sieben Todsünden. Gier und Neid – die Menschheit kann der Versuchung des Teufels einfach nicht widerstehen", sagte der Graf. „Um der Beschämung zu entgehen, zugeben zu müssen, dass wir aristokratischen Mistkerle genauso schlimm sind wie der Rest der Menschheit, können Ihre Vorgesetzten alles auf Blodgett schieben, der uneheliche Sohn, der sowohl Blackstone und Kirkland als auch Ashton in der Hoffnung ermordet hat, das Patent an sich zu reißen."

„Das könnte funktionieren", sinnierte der Läufer. „Das einzige Problem ist, dass die Informationen darüber, was hier wirklich geschehen ist, bei dem Schwarm von Informanten, der sich hier tummelt, auch den teuflischen Schreiberling A.J. Quill erreichen wird. Er hat überall Augen und Ohren."

„Die Gassenkinder und ich haben eine Abmachung. Vertrauen Sie mir, A.J. Quill wird sich nicht zu dem äußern, was sich hier heute zugetragen hat."

„Hmmpf. Wenn Sie dieses Wunder vollbringen, bin *ich* es, der Ihnen ein Abendessen schuldet."

„Angesichts der Tatsache, dass Sie mich davor bewahrt haben, den Löffel abzugeben, bin ich gern bereit, Geld für ein Rindersteak und ein Ale springen zu lassen." Als Wrexford innehielt, um den Staub aus seinen Augen zu blinzeln, bemerkte er plötzlich, dass Sheffield jetzt neben dem Läufer stand. Und hinter Sheffield war eine schlanke, in Schatten gehüllte Gestalt ...

Plötzlich stürmte die Gestalt – beinahe so schnell wie die Pistolenkugel – an Griffin vorbei. Der Läufer wollte ihr folgen, doch Sheffield griff nach der Klinke der offenen Tür und knallte sie vor ihrer beider Nasen zu.

Kapitel 29

„Was zum Teufel ...“, begann Griffin.

„Kommen Sie, kommen Sie – denken Sie nicht, dass Sie und Ihre Leute erst einmal den Rest des Gebäudes sichern sollten, bevor Sie Wrexford mit weiteren ermüdenden Fragen belästigen?“ Sheffield ließ den Türgriff los und drehte sich herum, um den Läufer mit einer Hand auf seiner Brust von der Tür fernzuhalten. „Die Leichen werden nirgendwo hingehen, wohingegen die teuflischen Schergen jeden Moment entkommen könnten.“

Griffin kniff misstrauisch die Augen zusammen.

Sheffield fächelte gegen die gespenstischen Dampfschwaden an, die vom unteren Stockwerk hochstiegen. „Ganz zu schweigen von dem ganzen verfluchten Lärm, den die Maschinen machen. Sollten Sie sich nicht darum kümmern, dass sie abgestellt werden, bevor sie uns alle in die Luft jagen?“

„Warum wittere ich eine Ratte, Mr. Sheffield?“, knurrte Griffin, der erst auf die Eichentür und dann zurück zum Freund des Grafen blickte. „War das Phoenix, der ...“

Ein Ruf von einem seiner Männer hallte durch das Innere des Gebäudes, bevor er fortfahren konnte.

„Wir haben einen weiteren Gefangenen gefunden!“ Ein Durcheinander aus dumpfen Schlägen und Stößen folgte. „Er sagt, sein Name ist Hillhouse!“

„Ah, Miss Ashtons vermisster Assistent!“ Sheffield gab Griffin einen kleinen Schubs. „Wir sollten uns beeilen.

Sicher wird er wissen, was gegen das höllische Zischen und Klirren zu tun ist."

Der pervers süße Gestank des Todes verstopfte ihre Nasenlöcher, als Charlotte um die sich langsam ausbreitenden Blutlachen herumhüpfte und ihre Arme um den Grafen warf. Sein Mantel roch nach Pferdemist, giftigen Chemikalien und einer unbeschreiblichen männlichen Essenz, von der sie festgestellt hatte, dass sie auf einzigartige Weise zu ihm gehörte.

„Wrexford!" Sie zog ihn an sich heran und umarmte ihn so fest, dass sein starker, gleichmäßiger Herzschlag jede noch so kleine Faser ihres Körpers erbeben ließ.

Poch, poch. Seine pulsierende Wärme drang durch die Lagen klammer Wolle hindurch und milderte das krampfhafte Gefühl der Furcht, das sich in ihrem Magen festgesetzt hatte.

Poch, poch.

Charlotte füllte ihre Lungen mit einem zittrigen Atemzug und riss sich dann mit einer abrupten Bewegung von ihm los, bevor sie mit ihren Fäusten auf seine Brust schlug.

Poch, poch.

„Von all den hirnrissigen, leichtsinnigen, *törichten* Dingen, die man tun kann!" *Poch, poch.* „Himmel noch eins, Sie verfluchter, idiotischer, frustrierender Mann! Was haben Sie sich dabei gedacht, einem kaltblütigen Mörder entgegenzutreten und ihn in Raserei zu versetzen?"

Wrexford zog eine Augenbraue hoch. „Ich vermute", sagte er affektiert, „das ist eine rhetorische Frage."

Wie konnte er es wagen zu scherzen! Man verspottete die Götter nicht, indem man dem Tod Grimassen schnitt. Nicht, wenn sein schnappendes, fauchendes Maul nur eine Haaresbreite entfernt war.

„Was meinen Geisteszustand betrifft..." Seine Worte schnitten abrupt ab und er starrte sie misstrauisch an. „Weinen Sie etwa?"

„Nein, natürlich nicht!" Sie blinzelte die Tränen aus ihren Wimpern. „Ich weine nie, verdammt nochmal."

„Habe ich auch nicht gedacht." Er legte eine Fingerspitze auf ihre Wange und wisch behutsam eine Perle der Feuchtigkeit weg. „Das muss der Dampf von Ashtons Erfindung sein."

Charlotte nickte, nicht willens, ihrer Stimme zu trauen. Sie hatte nicht realisiert, wie sehr sie sich tatsächlich davor gefürchtet hatte, ihn zu verlieren.

Und wie sehr sie sich jetzt davor fürchtete, sich ihren Gefühlen zu stellen.

„Er funktioniert, wissen Sie. Ashton hatte recht mit dem neuen Entwurf", fuhr der Graf sich ihres inneren Aufruhrs scheinbar nicht bewusst fort.

Gott sei Dank, musste man nie befürchten, dass die eiserne Vernunft des Grafen sich je einer Emotion beugen würde.

„Ich denke, wir sollten etwas Genugtuung darin finden, dass seine Macht nicht in die Hände des Bösen gefallen ist", sinnierte er, „und stattdessen, wie Ashton es beabsichtigte, für das Gute eingesetzt werden wird."

„Das haben wir nicht zuletzt Ihnen zu verdanken, Wrexford", merkte Charlotte an. „Sie haben sich geweigert, die Suche nach der Wahrheit aufzugeben."

„Genau wie Sie." Sein Lächeln hatte wie üblich etwas Spöttisches. „Sie müssen zugeben, wir sind ein unschlagbares Gespann."

„Ja, möge Gott den Schurken beistehen, die unseren Weg kreuzen", murrte sie, bemüht, sich seinem sardonischen Humor anzupassen. „Für gewöhnlich sind sie am Ende tot."

Die beiläufige Bemerkung des Todes ließ ihre Grübeleien über den Grafen rasch einem anderen, beunruhigenden Gedanken weichen. „Da wir gerade davon reden, wenn Blodgett der Täter gewesen ist, was ist dann mit Mr. Hillhouse? Die arme Miss Merton ..."

„Es besteht kein Grund zur Sorge", unterbrach Wrexford. „Hillhouse ist in einem der unteren Zimmer in Sicherheit. Wie sich herausgestellt hat, ist der Kerl völlig unschuldig. Er ist entführt und dazu gezwungen worden, die Ventile – das letzte fehlende Element des Motors – herzustellen. Blodgett hat ihm damit gedroht, Miss Merton etwas anzutun. Und dann hat Blodgett mich geschnappt, da ich ..."

Er hielt inne. „Nun, es ist eine ziemlich lange Geschichte ..."

„Dann schlage ich vor, Sie warten damit", sagte Charlotte. „Da Miss Merton und Jeremy zusammen mit Mr. Sheffield und Mrs. Ashton eine unverzichtbare Rolle im Kampf gegen Blackstones und Blodgetts Verschwörung gespielt haben, verdienen Sie es, genauso viele blutige Einzelheiten zu hören, wie ich."

Charlotte warf einen Blick auf die massive Tür. „Und abgesehen davon, bin ich nicht sicher, wie lange Mr. Sheffield uns Griffin vom Leib halten kann. Der Läufer hat zwar beim letzten Mal meine Verkleidung nicht durchschaut, doch es wäre närrisch, mein Glück herauszufordern."

Am Ende des Raums befand sich ein schmales Treppenhaus, das durch den öligen Schein einer einzelnen Laterne beleuchtet wurde.

„Ich denke also, es wäre das Beste, wenn ich mich davonschleiche." Ein feiger Ausweg womöglich. Und doch war sie sich plötzlich nicht sicher, wie sie ihre Emotionen ausdrücken sollte – oder ob Wrexford sie begrüßen würde. „Zuerst müssen Sie mir jedoch etwas versprechen."

Die Dielen knarrten laut, als Wrexford sein Gewicht von einem Fuß auf den anderen verlagerte und sich eine seltsame Unsicherheit in den dunklen Tiefen seiner Augen widerspiegelte.

„Versprechen Sie mir, dass Sie beim nächsten Mal vorsichtiger sind, wenn Sie beschließen, einen scheußlichen Mord aufzuklären."

Ein kurzes, zynisches Lachen grollte tief in seiner Kehle. „Ich würde vermuten, dass mein Ableben ein Grund zum Feiern wäre - Sie müssten meine schrecklichen Launen und mein jähzorniges Fluchen nicht länger ertragen."

Es war leicht dahingesagt, doch die Aussage schien die Luft vibrieren zu lassen und sich selbst in Mehrdeutigkeit zu verheddern. Oder womöglich war es lediglich ein Gespinst ihrer eigenen erschöpften Fantasie.

„Wenn Sie andeuten möchten, dass ich mich gefreut hätte, wenn Sie Ihrem Schöpfer begegnet wären, muss ich zugeben, dass mein erster Impuls gewesen ist, Sie eigenhändig zu erwürgen. Allerdings ..." Eine Pause. „Allerdings könnte das Leben ein wenig trüb sein, ohne

Ihren schneidenden Sarkasmus und Ihre anmaßende Arroganz."

Charlotte ließ ihren Blick entlang seines schrägen Wangenknochens wandern, wo sich der Purpur eines Blutergusses zu zeigen begann. Es war seltsam, wie vertraut die subtilen Konturen seines Gesichts geworden waren – die Form seiner Augen, die adlerähnliche Krümmung seiner Nase, die winzigen Falten in seinen Mundwinkeln, wenn er nicht ganz so selbstsicher war, wie er erscheinen wollte.

Es war dieser kleine Anflug von Verletzlichkeit, der sie dazu antrieb, weiterzumachen. „Hoffe ich, dass es kein nächstes Mal geben wird?", sagte sie. „Ja, natürlich tue ich das. Ich fürchte jedoch, dass sich ein leidenschaftliches Bedürfnis nach Gerechtigkeit in Ihre Seele gebrannt hat."

„Ich habe keine Leidenschaft", merkte Wrexford an. „Lediglich launische Schwächen."

„Doch Sie haben einen unnachgiebigen Sinn für Ehre." Sie streckte ihre Hand aus und strich ihm eine verirrte Locke hinter sein Ohr. „Was womöglich sogar noch schlimmer ist."

„Ehre? Ich?" Er machte ein selbstironisches Gesicht. „Um Gottes willen, jetzt lassen Sie nicht auch noch *diese* Katze aus dem Sack."

Ihre Blicke kreuzten sich und Charlotte konnte sich ihr Lächeln nicht verkneifen. „Ich ..." Der Rest ihrer Worte blieb ihr in der Kehle stecken, als er plötzlich ihre Hand ergriff und seine Lippen auf ihre Knöchel presste.

Ihr Herz schlug gegen ihre Rippen. „War das ein ..."

Ein Kuss? Nein, bestimmt nicht.

„Wenn es einer war", murmelte er, „dann verraten Sie es bloß niemandem. Es würde meinen Ruf ruinieren."

„Wie Sie wissen, bin ich sehr gut darin, Geheimnisse zu bewahren", antwortete sie, zu verwirrt, um sich eine schlagfertige Erwiderung einfallen zu lassen.

„Da wir gerade von Geheimnissen sprechen ..." Wrexford packte sie plötzlich am Arm und zog sie in Richtung des Treppenhauses. „Zum Teufel mit Griffin. Er wird alle Hände voll damit zu tun haben, dieses elende Durcheinander in Ordnung zu bringen, die Befragung wird also bis morgen warten können. Angesichts all der ineinander verworrenen Geheimnisse, die wir enträtselt haben, gebe ich Ihnen recht, unsere Freunde haben es verdient, unverzüglich davon zu erfahren."

Kurz darauf verschwanden sie in den Schatten, das Trampeln ihrer Stiefel klang unnatürlich laut auf den abgenutzten Steinstufen.

„Ich vermute, die Wiesel sind ganz in der Nähe? Und Skinny?", fragte er, als die Stufen eine enge Wendung nahmen und weiter nach unten führten.

„Ja. McClellan ist schlau gewesen und hat Skinny mit Ihrer nicht gekennzeichneten Kutsche von meinem Haus dahin gebracht, wo Griffin und Sheffield gewartet haben. Die Jungen sind bei ihnen."

Die Dunkelheit verschaffte ihr eine willkommene Atempause, in der sie ihre Gefühle sammeln konnte. Obgleich Wrexford es nicht zu bemerken schien, befürchtete sie, dass ihr Gesicht den wahren Zustand ihrer Gefühle verraten könnte.

„Ausgezeichnet. Die Wiesel sollen Hillhouse von den Läufern weglocken, sodass wir uns alle gemeinsam zu Mrs. Ashtons Stadthaus begeben können."

„McClellan hat bereits eine Nachricht an Jeremy in Cambridge geschickt und ihn über Ihre Entführung benachrichtigt. Ich nehme an, er befindet sich bereits auf dem Weg zurück nach London", sagte Charlotte. „Ihre Effizienz ist wirklich beeindruckend, ebenso wie ihre Standhaftigkeit. Sie scheint bemerkenswert ungerührt von den halsbrecherischen Eskapaden meines Haushalts. Die meisten Dienstmädchen würden bei dem Anblick ihrer Pistolen schwingenden Herrin in Verkleidung eines Straßenjungen in Ohnmacht fallen."

„McClellan ist kein gewöhnliches Dienstmädchen", murmelte Wrexford, „und auch nicht unerfahren in halsbrecherischen Eskapaden."

„Was die Frage aufwirft, wie es dazu kam, dass sie Teil Ihres Haushalts wurde."

„Sie ist Tylers Cousine", erwiderte er. „Scheinbar beging sie in ihrer Vergangenheit irgendeinen Fehler – ich weiß jedoch nicht welchen und es interessiert mich auch nicht. Und als er mich fragte, ob ich in Erwägung ziehen würde, sie einzustellen, damit sie Schottland verlassen konnte, habe ich gern eingewilligt. Ich glaube daran, dass jeder eine zweite Chance verdient."

Eine zweite Chance. Charlotte zuckte zusammen, als sich ihr Fuß in einer Spalte verfing und sie ins Straucheln geriet. Was hatte er bereits alles über ihre Vergangenheit erraten?

„Vorsichtig." Wrexford fing ihren Arm.

Beinahe rutschte ihr ein freudloses Lachen über die Lippen. *Vorsichtig?* In letzter Zeit fühlte es sich an, als wäre ihr Leben aus den Angeln gerissen worden und würde sich in einem Strudel gefährlicher Querströmungen drehen und drehen und drehen.

Charlotte fühlte sich plötzlich orientierungslos und ihr war schwindlig. Sie eilte die letzten Stufen hinab und stieß die Tür zur Gasse hinter dem Gebäude auf.

Regen prasselte auf das grobe Kopfsteinpflaster und bildete dunkle Pfützen auf den unebenen Steinen. Eine peitschende Böe zerrte an ihrem Hut und riss eine Haarsträhne frei, die in den silbrigen Tropfen tanzte. Sie verschränkte die Arme vor ihrer Brust, sah in den Himmel und atmete tief die salzige Luft ein. Das Brennen half ihr, den Anflug von Panik abzuschütteln.

Ich bin stärker als die Angst. Als sich das wilde Schlagen ihres Herzens verlangsamte, bemerkte Charlotte, dass ihre Augen das sich ständig verändernde Farbenspiel von Grau auf Grau fixierten. Der unendlichen Vielfalt der Nuancen und ihrer Art und Weise niemals stillzustehen, wohnte eine pure Schönheit inne. Der Effekt war subtil, wenn sie sich bewegten und vermischten, dafür jedoch umso faszinierender. Möwen schlugen mit ihren Flügeln in den vom Wind aufgewirbelten Nebel, Sturmwolken zogen über den zinnfarbenen Fleck am Horizont, der hinter dem Lagerhaus hervorspähte. Sie stand still da, um das Gefühl der Besonnenheit zu vertiefen, und spürte, wie sich das Chaos in ihrem Inneren zu legen begann.

Wrexford ließ sie gehen und verlangsamte seinen Schritt, um sie einen Moment allein zu lassen. Er hatte die Anspannung in ihrem Körper und die für sie sehr untypische Verwirrung in ihrem Gesicht bemerkt. In Wahrheit waren auch seine eigenen Gefühle nicht im Gleichgewicht. Sich in Kussnähe des Todes zu befinden, brachte wohl eine gewisse Klarheit, vermutete er.

Doch was er gesehen hatte, erschütterte ihn ein wenig.

Als er die Tür erreichte, blieb Wrexford stehen, um die quecksilbrigen Dunstschwaden dabei zu beobachten, wie sie zwischen den Dächern der gegenüberliegenden Gebäude hindurchwehten. Es war seltsam, reflektierte er, wie die eigenen Gedanken dasselbe höhnische Versteckspiel in den Ritzen und Spalten des eigenen Geistes spielten. Für gewöhnlich kümmerte er sich nicht darum, ihnen hinterherzujagen. Doch während der flüchtigen Momente von Charlottes Umarmung, hatten die eigenartigsten Empfindungen von ihm Besitz ergriffen.

Er war sich bewusst geworden, wie perfekt sie zusammenpassten, obwohl ihre individuellen Formen und Konturen so verschieden waren. Ein Rätsel, so viel stand fest. Ebenso wie die Tatsache, dass die Nähe sich auf eine Weise gut angefühlt hatte, die er nicht einmal beginnen konnte zu definieren. Es war nicht sinnlich im erotischen Sinne, denn dafür wären ihm die Worte leicht und unbeschwert über die Lippen gekommen. Es war etwas Tieferes. Eine elementare Verbindung zwischen ihnen, die jeglicher Logik widersprach, da sie in so unterschiedlichen Welten lebten.

Liebe. Womöglich war das die simple Antwort, die durch all die Komplexitäten schnitt.

Die Kieselsteine auf dem Kopfsteinpflaster, die unter ihren Stiefeln knirschten, als sie sich umdrehte, rissen Wrexford aus seinen Grübeleien. Er machte einen zaghaften Schritt in den Regen, gerade als ihre Stimme die Stille zwischen ihnen brach.

„Sie haben mir erzählt, dass Männer der Wissenschaft glauben, alles im Universe befände sich in ständiger Bewegung – die Sonne, der Mond, die Sterne, die Gezeiten ... die Herzen, die in unserer Brust schlagen", sagte sie. „Ständige Bewegung, das bedeutet ständige Veränderung - ein elementares Gesetz der Natur."

Er sah in ihrem Profil, dass sie nachdenklich die Stirn runzelte.

„Daher scheint es doch ironisch, dass Veränderung für uns so furchterregend ist."

„Die Welt steckt voller wunderschöner Widersprüche", erwiderte Wrexford. „Eines Tages werden wir vielleicht rationale Erklärungen für all ihre Wirkweisen haben. Allerdings bezweifle ich das. Einige Dinge entziehen sich ganz einfach jeglicher Logik." Er ließ sich zu einem schiefen Lächeln hinreißen. „Was meiner Meinung nach etwas Gutes ist, schließlich sind Regeln da, um gebrochen zu werden."

Sie musste lachen, auch wenn es etwas freudlos klang. „Jetzt reden Sie wie ein Künstler."

„Ich denke, wir beide haben gelernt, dass es stets mehr als einen Blickwinkel gibt, um ein Rätsel zu betrachten." Er trat einen Schritt näher an sie heran. „Was ist es, das Ihnen solche Angst einjagt?"

„Die Vergangenheit", flüsterte Charlotte. „Die Zukunft."

„Ängste verlieren nicht selten ihre Kraft, wenn man sie teilt." Er wartete einen langen Moment und dann, nachdem er ein Seufzen von sich gegeben hatte, das sagte: *Zur Hölle mit den Konsequenzen*, zog er sie in seine Arme. „Vielleicht liegt es daran, dass die Liebe die Macht hat, sie in Schach zu halten."

„L-liebe", stammelte sie. „A-aber Sie glauben nicht an die Liebe!"

Er presste seinen Mund auf ihre Wange, ein grollendes Glucksen hallte gegen ihre Haut. Sie schmeckte nach Salz und nach etwas himmlisch Süßem. „Meine liebe Charlotte, ich halte es für möglich, dass ich noch nicht genügend empirische Beweise gesammelt habe, um zu einem endgültigen Entschluss zu kommen. Ich gebe also zu, dass das Thema weitere wissenschaftliche Untersuchung verdient haben könnte."

„*Sie?*" Die Augen vor Überraschung weit aufgerissen, wich sie zurück. „Wollen Sie damit etwa sagen, dass Sie bereit sind, sich Gefühlen gegenüber zu öffnen?" Ihr Gesichtsausdruck wurde unlesbar. „Es fällt mir schwer, das zu glauben."

„Ich will sagen, dass ...", begann er, doch er verstummte, als ihre Lippen sich auf seine schmiegten.

„Sie sind viel zu arrogant, Agamemnon", flüsterte sie.

„Und frustrierend", murmelte Wrexford, nachdem er den Moment ihrer Nähe ausgekostet hatte. „Nicht zu vergessen nervtötend."

Wieder einmal wurde er sich bewusst, wie sehr ihre subtilen Konturen und Kurven entgegen aller Vernunft zusammenpassten wie die Teile eines Puzzles. Selbst seine scharfen Kanten schienen ihre perfekte Nische zu finden.

„Übrigens, ich glaube, mein Name ist Aloisius."

„Tatsächlich?" Er grinste. „Ich hätte schwören können, es ist Alexander."

Es vergingen einige Augenblicke, bis einer von ihnen wieder etwas sagte.

„Da wir gerade von Namen sprechen …" Wrexford legte seine Handflächen um ihr Gesicht. „Glauben Sie nicht auch, dass es an der Zeit ist, mir Ihren richtigen Namen zu verraten?"

„Das würde wahrlich *alles* verändern", erwiderte sie leise.

„Nein, das würde es nicht", entgegnete er. „Es ist bloß ein Name. Mit dem, wer Sie sind – Ihre Passionen, Ihre Courage, Ihre Freundlichkeit, Ihre Stärke - bin ich bereits aufs Engste vertraut."

„Ich …" Ihr Seufzen wurde unmittelbar von einer salzigen Böe davongetragen.

Wrexford wartete. Charlotte hatte ihn Geduld gelehrt. Neben einer Menge anderer Dinge. Die Welt, sowohl die physische als auch die geistige, sah durch die Linse ihrer Freundschaft anders aus. Farbe, Perspektive, konzeptionelle Ideen – alles durchlief subtile Veränderungen, die er allein niemals gesehen hätte. Sie forderte sich selbst dazu heraus, das Unerwartete zu tun. Was dabei geholfen hatte, ihn aus seiner Selbstgefälligkeit wachzurütteln.

„Möglicherweise … Möglicherweise haben Sie recht", sagte sie schließlich. „In der Tat scheint die Liebe die Herausforderungen des Lebens etwas weniger beängstigend erscheinen zu lassen."

Er lächelte. Da, sie hatten beide das Wort ‚Liebe' verwendet. Zugegeben, es war auf eine verblümte Art und Weise gewesen. Es war jedoch ein Anfang.

Einen Fuß vor den anderen. Wo auch immer die Reise hinführte, sie versprach … interessant zu werden.

Charlotte trat zurück, um sich etwas Platz zwischen ihnen zu schaffen, in dem sie sich ihres Geheimnisses entledigen konnte. „Mein Name *ist* Charlotte Sloane", begann sie. „Geboren wurde ich jedoch als Charlotte Sophia Anna Mallory."

„Mallory." Er runzelte die Stirn. „Dann sind Sie also ..."

„Die Tochter des Grafen von Wolcott", bestätigte sie. „Wenn Sie jedoch meine Familie fragen, habe ich aufgehört zu existieren, alle Spuren von mir sind aus dem Stammbaum verschwunden."

„Für welches abscheuliche Verbrechen?", fragte Wrexford.

„Dafür, dass ich mit Anthony Sloane, meinem Zeichenlehrer, nach Italien ging, um zu heiraten." Eine Pause. „Ich war gerade siebzehn geworden."

„Ah." Er behielt eine ernste Miene bei, doch sie konnte sehen, dass ein Fünkchen Erheiterung in seinen Augen glitzerte.

„Oh, pfui, Wrexford. Ich stehe hier und schütte Ihnen mein Herz aus. Wagen Sie es nicht, mich auszulachen!"

„Das tue ich nicht." Doch seine Mundwinkel zuckten. „Ich bin in Anbetracht Ihrer Fantasie lediglich überrascht, dass Sie nichts Spektakuläreres und Explosiveres taten, um zu rebellieren."

Charlotte machte ein schiefes Gesicht. „Sie dürfen nicht vergessen, ich war bloß ein Mädchen. Und ich verspreche Ihnen, für eine junge Dame war es explosiv genug." *Mein Leben, wie ich es kannte, lag in Trümmern.*

Wie sollte sie ihm diese wahnsinnige Entscheidung erklären?

„Wissen Sie, sogar in diesem Alter war mir bewusst, dass ich anders bin. Ich konnte die Vorstellung nicht ertragen, ein Leben als anständige, junge Dame zu führen - eine Pappschablone in faden Pastelltönen."

Sie sah das Smaragdgrün seiner Augen durch seine Wimpern flimmern. „Nicht, wenn sich mein ganzes Wesen nach hellen, kräftigen Farben sehnte."

Wrexford lächelte.

„Ich wäre innerhalb der unnachgiebigen Stäbe meines goldenen Käfigs zu Staub zerfallen."

Er nickte nachdenklich. „Ihr Geist verlangt nach der Freiheit, seine Flügel auszustrecken und in die Höhe zu steigen." Er hielt inne. „Weiß Ihre Familie, dass Sie zurück in England sind?"

„Nein. Und Sie würden es auch nicht wissen wollen. Ich bin ein fauler Apfel in ihrem Stammbaum und ..." Charlotte verstummte, als sie das seltsame Zucken seiner Lippen bemerkte. „Ich weiß, ich weiß, Ihnen müssen meine Entscheidungen wahnsinnig vorkommen. Sie sind zu rational, als dass Sie je auf Ihr Herz anstatt auf Ihren Kopf gehört hätten."

„Vielleicht erzähle ich Ihnen eines Tages", sagte Wrexford geziert, „wie ich mich wegen einer sehr hübschen, doch sehr geldgierigen jungen Dame zum Narren machte."

„Sie?" Sie schüttelte den Kopf. „Das kann ich nur schwer glauben."

„Oh, glauben Sie es ruhig." Er schenkte ihr ein sardonisches Lächeln. „Mein Bruder versuchte mich zu warnen ... Ach, die Liebe macht nun einmal blind." Eine Pause. „Zweifelsohne weil so viele von uns Sterblichen Amors Pfeile aus ihren verdammten Hintern gezogen und sie ihm zurück in seine Augen geschleudert haben."

Wrexford war das Herz gebrochen worden? Dieser Tag war voller Enthüllungen. Welche wiederum neue Fragen aufgeworfen hatte ...

„Was für ein Gespann wir doch sind", erwiderte sie leise. „Ich kann nicht anders, als mich zu fragen ..."

Ein gellender Pfiff erklang am Ende der Gasse, bevor sie ihren Satz beenden konnte. Sie sah sich um und entdeckte Raven, der ihr hastig zuwinkte und dann wieder in den Schatten verschwand.

„Alle weiteren Fragen werden warten müssen. Wir sollten uns besser beeilen", murmelte Wrexford.

Charlotte drehte sich um und ging im Gleichschritt neben ihm her. „Ich bin noch nicht bereit, mein Geheimnis mit den anderen zu teilen", sagte sie nach einigen Schritten. „Ich brauche ein wenig Zeit, um darüber nachzudenken, wie es ..." *Und das, was auch immer gerade zwischen uns passiert ist ...* „... das Leben beeinflussen wird, das ich mir aufgebaut habe."

„Wir werden für alles eine Lösung finden", antwortete er gefasst. „Ja, es gibt Dinge, deren Ungewissheit und Unvorhersehbarkeit angsteinflößend sein kann. Doch Sie haben Freunde, die Ihnen durch diese Dinge hindurchhelfen werden." Der Wind war vorübergezogen und ließ etwas Sonnenlicht durch die Wolken brechen. „Und schließlich machen kleine Mysterien das Leben erst interessant."

„Mysterien." Sie warf einen Blick auf die kantigen Linien seines Profils und den Anflug von Erheiterung in seinem Blick – und plötzlich fühlte sich die Zukunft nicht mehr ganz so furchterregend an. In ihrem Gesicht breitete sich ein Lächeln aus. „Hoffen wir, dass die

Mysterien in unserem Fall nicht jedes Mal in Form einer Leiche erscheinen."

Wrexford lachte leise. „Was das angeht, Mylady, werden wir wohl einfach abwarten müssen."

Anmerkung der Autorin

Einer der vielen Gründe, weshalb ich es liebe, Regency-Krimis zu schreiben, ist die Tatsache, dass diese Ära so viele Parallelen zu unserer heutigen Zeit aufweist. Die Gesellschaft durchlief eine Veränderung, die so schnell passierte, dass sie vielen Leuten Angst bereitete. Die alten Wege, Dinge zu tun, wurden in fast allen Aspekten des Lebens in Frage gestellt – die traditionelle Gesellschaftsordnung veränderte sich, Frauen begannen, Gleichberechtigung einzufordern, und die Arbeiter ließen ihre neuentdeckten wirtschaftlichen Muskeln spielen. Kunst, Musik und Literatur veränderten sich ebenfalls und spiegelten eine neue Hervorhebung des individuellen Ausdrucks wider. Und in ganz Europa formten die napoleonischen Kriege die Grenzen und Länder neu.

Kurz gesagt, alles befand sich im Wandel.

Wie in unserer Welt war auch damals die Technologie ein wichtiger Grund für diese Veränderungen. Tatsächlich wird die Regency-Ära von vielen als die Geburt der modernen Welt betrachtet. Wissenschaftliche Innovation war ein mächtiger Katalysator für die Umgestaltung der Lebensweise der Menschen und ist eines der Hauptthemen, die ich gerne in die Handlungen meiner Wrexford & Sloane Krimi-Reihe miteinfließen lasse.

In *Mord am Half Moon Gate* stehen Dampfmaschinen im Mittelpunkt des Geschehens. Mein Erfinder, Elihu Ashton, ist fiktiv, doch die Auswirkungen, die die revolutionären Dampfmaschinen hatten, waren sehr, sehr real. Sie trieben den Beginn der industriellen Revolution an – Fabriken begannen mit der Massenproduktion, was in vielen Bereichen die alten Traditionen der Handarbeit obsolet machten. Und während die Massenproduktion den Fabrikbesitzern große Gewinne einbrachte, machten die Maschinen die Menschen arbeitslos. In der Folge waren Arbeitsunruhen und Gewalt, wie in Charlottes Karikaturen angeprangert, ein ernstes Problem der damaligen Zeit und die radikalen Ludditen – benannt nach Ned Ludd – existierten wirklich. (Die Bezeichnung wird noch heute verwendet, um Menschen zu beschreiben, die moderne Technologie ablehnen. Meine „Arbeiter Zions" hingegen sind frei erfunden.) Wie meine fiktive Charlotte, beschäftigten sich viele Karikaturisten der Ära mit diesen Konflikten und ihre Bilder porträtieren die Ängste und die bitteren Meinungsverschiedenheiten über den „Fortschritt".

Neue Innovationen der Dampfkraft waren, wie Sie sich sicher vorstellen können, äußerst profitabel, da sie die Produktivität revolutionierten. Daher war ein Patent auf eine bestimmte technologische Erfindung, wie ich in meinem Buch beschreibe, unglaublich wertvoll – genau wie in unserer Zeit! Erfinder waren extrem verschwiegen und die Konkurrenz um ein Patent konnte mörderisch sein. (Und wie in unserer Zeit, ist es keine Überraschung, dass Anwälte sehr stark involviert waren.)

James Watt und sein Partner Matthew Boulton leisteten Pionierarbeit in der Entwicklung der Dampfmaschinen für den kommerziellen Gebrauch. Watts

Patent eines Kondensators machte seine Maschine viel effizienter als die alte Maschine von Newcomen. Mein fiktiver Erfinder kreiert außerdem ein neues Ventilsystem. Auch wenn ich mir dabei die Freiheit genommen habe, es in die Handlung zu übernehmen, obwohl es erst zu Beginn des viktorianischen Zeitalters erfunden wurde, so stelle ich mir gerne vor, dass ein brillanter Wissenschaftler schon Jahre früher auf die Idee gekommen sein könnte.

All denjenigen von Ihnen, die gerne mehr über die Regency-Periode lesen möchten, bietet *Die Geburt der Moderne: Weltgesellschaft 1815 – 1830*, von Paul Johnson einen wundervollen Überblick über die Welt und wie sie sich im 19. Jahrhundert veränderte. Und denen, die sich für Dampfkraft und Patente interessieren, lege ich *The Most powerful Idea in the World: A Story of Steam, Industry, and Invention*, von William Rosen ans Herz.

- Andrea Penrose.

Danksagung

Das Schreiben ist ein sehr einsames Unterfangen ... was die Unterstützung von Freunden und Familie umso wichtiger macht.

Und daher möchte ich damit beginnen, meinen Dank für meine ganze Familie auszusprechen, die Bücher und die Nuancen der Sprache so sehr liebt wie ich. Es bereitet mir eine ungeheure Freude, mich mit euch über Ideen und die Kunst des Schreibens auszutauschen.

Wie immer bin ich dankbar für meine Freunde und Bücherwürmer Joanna Bourne, Nicola Cornick, Anne Gracie, Susanna Kearsley, Susan King, Mary Jo Putney und Pat Rice - für eure Hilfe beim Brainstormen über Charaktere und Handlung ... ganz zu schweigen von den Umarmungen und den Unmengen an virtuellem Wein und Schokolade, die Ihr mir gesendet habt, wann immer ich gejammert habe, weil die Inspiration mal wieder ausblieb. Es ist eine Freude – und ein Privileg – Teil einer solch wundervollen Schwesternschaft aus Schriftstellerinnen und besten Freunden zu sein.

Besonderer Dank gebührt außerdem John R. Ettinger, dessen Vorschläge für Handlung und Charaktere noch verzwickter sind als meine! Und ich bin zutiefst dankbar für meine Betaleser und lieben Freunde Lauren Willig, Deanna Raybourn, Amanda McCabe und Patrick Pinnell für all eure Vorschläge und Unterstützung. Zu guter Letzt ein Regentschaftsknicks an meine wundervollen professionellen Partner – meine Agentin Gail Fortune, meine Herausgeberin Wendy McCurdy, das

PR-Team von Kensington und das Kensington Art Department, die solch ein umwerfendes Cover entworfen haben.

www.ingramcontent.com/pod-product-compliance
Ingram Content Group UK Ltd.
Pitfield, Milton Keynes, MK11 3LW, UK
UKHW040628030225
4412UKWH00038B/558